D0459679

ВАША ТАЙНА

ТАЙНА

Мужские имена
Женские имена

ТАЙНА ИМЕНИ

Дмитрий и Надежда Зима

ДИАГНОСТИКА КАРМЫ ИМЕНИ

Москва
2002

УДК 1/14
ББК 86.391
    362

Зима Д., Зима Н.

362   Тайна имени. Диагностика кармы имени.— М.:
РИПОЛ КЛАССИК, 2002.— 640 с.— (Ваша тайна).

ISBN 5-7905-1540-1

Имя дается при рождении и сопровождает человека всю жизнь, являясь своеобразной визитной карточкой его носителя. Поэтому очень важно не ошибиться, нарекая своего долгожданного малыша. Возможно, его Судьба во многом будет зависеть от выбора, сделанного родителями. Ведь Карма имени обладает магической властью, таинственным образом влияющей на жизненный путь.

Данная книга — подлинная энциклопедия, в которой впервые дается столь подробная информация о практически всех именах, встречающихся в нашей стране. Она не только станет незаменимым советчиком в выборе имени для будущего ребенка, но и поможет каждому из нас лучше понять себя и своих родных и знакомых.

ББК 86.391

ISBN 5-7905-1540-1

ЧАСТЬ 1

ИМЯ, КАРМА И ПСИХОАНАЛИЗ

ДВА СЛОВА ОТ АВТОРА

Так уж случилось, что в рамках традиционной науки вопрос о влиянии имени человека на его жизнь и судьбу принято относить либо к разряду досужих домыслов, либо и вовсе к шарлатанству. Тем не менее даже самый просвещенный скептик, выбирая имя для своего собственного ребенка, почему-то старается выбрать из огромной массы имеющихся имен наиболее красивое и благозвучное. Почему? Неужели за девять месяцев подготовки к появлению наследника что-то изменилось в законах природы? Или же, как это часто случается, проблема не имеет значения лишь до тех пор, пока она не коснется человека лично, не заденет его за живое?

Конечно, если бы имя было просто набором абстрактных звуков, то нечего было бы и огород городить, но в том-то и дело, что имя отождествляется с человеком, через него он осознает сам себя и общается с окружающими, и если уж звучание имени способно вызвать в людях какое-либо чувство, то это чувство будет автоматически переноситься на обладателя имени. К примеру, если в русском языке имя Акакий вызывает улыбку, то, поверьте, смеяться будут не над звучанием слова, а над человеком. А это бывает обидно, особенно если учесть, что человек-то не сам себя так назвал. Да он, вообще, меньше всех виноват в том, что носит это глупое имя!

Впрочем, это слишком очевидный пример; в конце концов, большинство имен более-менее благозвучны, и, казалось бы, можно особенно не ломать над ними голову, но это только на первый взгляд. Просто неблагозвучность — первое, что бросается в глаза; другие же моменты менее заметны. Не знаю, как вы, а я это ощутил еще в самом раннем детстве. Так, родители мои в порыве нежности предпочитали называть меня Митей, в то время как сам я мог согласиться минимум на Дмитрия. Да и вообще, я чувствовал, что имя мне не соответствует, что это, скажем так, вовсе не я.

Для меня не было ничего плохого в этом имени, если оно принадлежало кому-либо другому, а не мне. Слово «Дмитрий» звучало сильно и резко, в нем было нечто основополагающее; я же в том возрасте имел не больше тридцати килограммов живого веса и, кроме того, был вынужден подчиняться родителям. Как-то неловко было с таким солидным именем стоять в углу или получать подзатыльник. Другая же форма имени — Митя — более подходила бы какому-либо котенку, домашнему, послушному и ласковому. Таковым я себя тоже не ощущал, и потому подозрения отца в том, что я все-таки Митя, доводили меня до исступления. И вообще мне почему-то больше нравилось имя Спартак. А что? Не самое плохое из имен.

Между прочим, я избавился от недовольства именем Митя лишь тогда, когда прошел некую школу жизни и мне уже не приходилось доказывать себе и окружающим свое мужество. Наоборот, даже забавно теперь носить это мягкое и пушистое имя. Но это сейчас; раньше же все обстояло иначе, и не скажу, что для меня это не было серьезной проблемой. Больше того, именно ощущение недостатка мужества в имени Митя иногда толкало меня на некие безрассудные «подвиги». Я как будто бы ощущал мальчишескую потребность смыть позорные подозрения (которых, кстати, возможно, и не было у окружающих) собственной глупостью. Это мне удалось без особых потерь, не считая нескольких переломов и года, проведенного в больнице. Зато теперь я нисколько не сомневаюсь, что имя человека все-таки может так или иначе повлиять на его судьбу.

Да и вообще, что такое судьба? Разве не зависит она от личных качеств человека? И если имя, будучи твердым или мягким, ласковым или воинственным, все-таки влияет на личность своего обладателя, то как оно может не влиять на эту самую судьбу? Однако давайте обо всем по порядку.

МОЖНО ЛИ УЙТИ ОТ СУДЬБЫ?

Еще до того, как эта книга была задумана, мы разработали основную концепцию закона Кармы, или, проще говоря, Судьбы; и прежде чем перейти к вопросу о влиянии имени на жизнь человека, логично будет немного рассказать о тех законах, которые управляют судьбой. Мы не стали усложнять теорию всевозможными модными штучками о прошлых и будущих жизнях, отложив эту тему до того прекрасного момента, пока кто-либо не сможет вразумительно объяснить, что же такое жизнь вообще. Кроме того, как выяснилось, этот момент и не является основополагающим. Гораздо важнее, что человек, проживая свою жизнь, так или иначе взаимодействует со всей остальной Вселенной. Что-то на него влияет сильнее, что-то слабее, но все равно каждый из нас вынужден подчиняться вполне определенным законам, по которым Вселенная развивается (и, надо заметить, прекрасно при этом себя чувствует).

Таким образом, можно сделать вывод, что закон Кармы — это *ЗАКОН ВЗАИМОДЕЙСТВИЯ ЛИЧНОСТИ И ВСЕЛЕННОЙ.*

Как яблоко взаимодействует с головой Ньютона, так и человек взаимодействует с тем миром, в отрыве от которого он не проживет и секунды. Мы можем не ощущать данную связь, не замечать ее и не думать о ней, но от этого она нисколько не ослабевает. Вселенная попросту ежесекундно реагирует на нас тем или иным способом; угадать же ее реакцию на поступки человека и означает угадать Судьбу. Не стоит, наверное, думать, что Карма — это закон воздаяния за грехи или подвиги человека; дело обстоит много проще и красивее. А для того чтобы лучше понять этот закон, давайте вспомним, какой огромный путь проделала Жизнь на нашей планете. Посмотрите, как много изменений совершилось с тех пор, как на Земле появилась первая амеба! Сперва от нее произошли всевозможные водоросли, гидры, червяки, затем рыбы, животные и птицы; и так до тех пор, пока на свете не объявился человек, провозгласивший себя разумным. Не правда ли, этот путь достоин уважения? Быть может, и есть на свете такой индивидуум, который из желания поспорить усомнится в правильности направления эволюции, но и он не захочет снова начать жизнь в форме той самой амебы. Как ни крути, а все же Жизнь довольно мудро устроена.

Весьма любопытно проследить за логикой этого процесса — поначалу животное существует в благоприятных условиях, которые вдруг перестают быть таковыми, а становятся, прямо скажем, неблагоприятными. Это все равно как проживание библейского Адама в раю, а потом — внезапное изгнание из рая. Логичный вопрос — за какие такие грехи? Ни за какие, потому что это не наказание, а шанс подняться на новую ступень развития. Попадая в тяжелые для себя условия, животное вместе с тем ощущает непреодолимое стремление — спастись, выжить! Оно напрягается, изворачивается, совершает невероятные подвиги, и — о чудо! — его мышцы крепнут, оно находит какие-то новые пути и вместе с тем становится сильнее, умнее и тверже. Или же, как это ни прискорбно, погибает.

Как бы там ни было, но такие усилия не проходят впустую, наиболее ценные достижения накапливаются в памяти поколений, и жизнь продолжается. Одним словом, Вселенная, или, если хотите, Бог, ставит перед всем живущим на Земле две задачи — сохранить то ценное, что было приобретено, и попытаться подняться на новый рубеж. Вновь и вновь многие из нас будут попадать в различные тяжелые ситуации, и, если уж это произошло, не стоит ломать голову над вопросом «за что?»; просто такая у нас, живущих на Земле, работа — двигать эволюцию вперед. Этим мы помогаем Богу, и он не остается в долгу, ежедневно даря нам возможность жить и радоваться жизни. Впрочем, ценность этого подарка часто можно ощутить лишь тогда, когда вам угрожает смертельная опасность, что порою мешает радоваться такому богатству, как сама жизнь.

Кстати говоря, если подобная работа по преодолению жизненных тягот станет человеку не по силам, от нее нередко можно отказаться; вот только подобный отказ обычно связан с потерей каких-либо ценностей. О таких людях часто говорят как об опустившихся или же сломавшихся, тем не менее это несколько преждевременно, поскольку у любого из нас всегда есть возможность наверстать упущенное и, упав, снова подняться. Это труднее, но тогда и награда выше. Примерно как в евангельской притче о возвращении блудного сына.

Однако как именно отражается поведение человека на его судьбе? Здесь тоже все не так сложно, как может показаться вначале. Еще блестящий психолог Юнг установил, что в подсознании человека отражается вся Вселенная. Прошу простить, что я слегка утрирую, но факт остается фактом — наше подсознание обходится без нашего контроля, и от того, живем ли мы с ним в согласии или же конфликтуем, зависит не только наше самочувствие, но и поведение.

Обычно человек даже не замечает, что, испытывая ненависть к своим врагам, он прежде всего ненавидит тот образ, который живет у него в мозгу, то есть он ненавидит часть собственного тела, в которой отразился этот враг. Скажите, чего хорошего можно ожидать от такого отношения к самому себе? Или вот еще пример: я ужасно боюсь потерять деньги. Допустим, у меня прямо руки начинают трястись от одной только мысли, что я их потеряю. Страшные картины начинают возникать в моем мозгу, они изводят меня, мучают ночными кошмарами; в конце концов я устаю от них. Здесь у меня два пути — либо я говорю себе: «Ну и черт с ним! Бог дал, Бог и взял», либо продолжаю трепетать от навязчивого страха. Первое называется смирением, от которого мозг наконец-то получает долгожданный покой. Во втором случае, совершенно устав, мое подсознание начинает работать против меня, подсказывая пути, благодаря которым я наконец-то потеряю свои денежки и тем самым освобожусь от идиотского страха.

В психологии отмечается один интересный момент, когда жертва провоцирует преступника. Безусловно, происходит это неосознанно, просто человек вдруг из всех возможных вариантов действия выбирает наихудший. Именно таким образом подсознание, а точнее, отраженная в подсознании Вселенная, пресекает в человеке то, что ей мешает. Бог или Вселенная хотят видеть в своих детях достойных людей, способных уважать и любить, а не ненавидеть и трусить. В конце концов тот, кто для нас является врагом, для Бога такой же ребенок! Не надо его уничтожать, лучше постараться найти способ примирения.

Наиболее важный вывод, который можно сделать на этом этапе, заключается в том, что любая наша мысль или чувство всегда взаимодействуют с нашим подсознанием. Причем если эти мысли будут негативными и достигнут критического уровня, то автоматически включается процесс их пресечения. С другой же стороны, когда человек живет в согласии с Вселенной и способен любить и принимать этот мир таким, каков он есть, тогда и подсознание подсказывает человеку наилучшую дорогу в жизни. Одним словом, следуя Христовой заповеди, возлюби ближнего своего и пронеси эту любовь через различные испытания. А иначе любовь потеряет свою цену.

Итак, после того как мы в общих чертах обрисовали механику закона Судьбы, показав, каким образом Вселенная реагирует на личные качества человека, можно смело перейти непосредственно к теме этой книги — воздействию имени на личность и судьбу.

ОСОЗНАЙ СВОЕ «Я»

Чтобы понять важность имени в жизни человека, можно просто обратиться к прямому смыслу этого слова — имя, имею, имение. У древних славян существовал обычай, когда ребенку давали самые непритязательные имена, допустим Кривоногий или Рыжий, однако при посвящении во взрослую жизнь человек сам должен был добыть себе имя в бою, состязании, труде или иных занятиях. По характеру и личным достоинствам он и получал свое настоящее имя. При этом наши предки ясно осознавали, что в именах людей заключаются их личность и душа хотя бы уже потому, что трудно обратиться к человеку иначе чем через его имя. Так, спящий человек может не реагировать на обращения типа «эй, ты», но назови его по имени — и он заворочается. Иными словами, человек плохо представляет себя без своего названия, и потому все достоинства и недостатки имени всегда будут влиять на него. Давайте вместе рассмотрим, какую же информацию может нести в себе имя.

Конечно же, в первую очередь это конкретное значение слова. Николай — победитель народов, Владимир — владеющий миром, и так далее. Однако при ближайшем рассмотрении именно эта информация влияет на человека меньше всего. Частично это происходит из-за иностранного происхождения большинства имен, частично же в силу того, что такие сведения мало кто воспринимает всерьез. Ясно, что ни один из Владимиров миром не владеет, даже если он Владимир Вольфович Жириновский. Именно потому, что сознание, мягко говоря, сомневается в силе воздействия имени на жизнь человека, на первый план начинает выходить подсознательное влияние.

Замечали ли вы, что различные слова и звуки могут звучать по-разному? Есть слова грозные, мягкие, злые, добрые, ласковые и жестокие. Вплоть до того, что французский поэт Артюр Рембо даже определил для разных звуков разные цвета. Все это происходит потому, что слова воспринимаются не только как информация, но и как мелодия, имеющая свой ритм, размер и пластику. Ну а раз в любом слове заключена какая-либо музыка — мажорная, минорная, оптимистическая, призывная или успокаивающая,— то точно так же эта музыка улавливается в звучании имени. Больше того, мелодия имени будет непосредственно отождествляться с человеком и его характером.

Может быть, потому, что музыкальное воздействие происходит бессознательно, оно и оказывает на психику наибольшее влияние — в нем ведь даже нельзя усомниться, как нельзя усомниться в своих симпатиях и антипатиях!

Кроме того, в подсознательном воздействии есть еще один аспект — ассоциации, вызываемые словом. Впрочем, часто эти ассоциации бывают столь сильны, что достигают порога сознания. Бывает даже, что из-за этого многие имена выходят из употребления. Еще в детстве я знал одного человека, в паспорте у которого было записано — Гдальхайм Срулевич; представлялся же он не иначе как Григорий Ефимович, и это было более чем оправданно.

Однако не только имя влияет на человека — огромное значение имеет и прямо противоположная зависимость. Мало ли было на свете положительных или отрицательных героев, как живших реально, так и созданных фантазией литераторов? А ведь их образы точно так же отождествляются с их именами! Взять хотя бы имя Адольф — вполне ведь нормальное имя, но после бурной деятельности немецкого фюрера назвать так русского ребенка означает бросить вызов всему обществу. Едва ли это пройдет незамеченным и будет воспринято людьми с пониманием. Или же имя Васисуалий, которое, будучи основательно осмеяно Ильфом и Петровым, теперь способно вызвать разве что улыбку.

Это весьма существенный момент: ведь люди невольно связывают образы этих героев с их тезками — не прямо, конечно, косвенно; но нельзя сказать, что эмоции, навеянные воспоминанием о тех или иных героях, совсем не

11

отражаются на взаимоотношениях между людьми. В конце концов если у меня в процессе общения с человеком просто изменится настроение, разве это не скажется на разговоре?

Хорошо это или плохо, однако не стоит забывать, что Карма — еще не приговор, что даже когда имя у человека совсем уж никудышное — а подобное довольно редко встречается,— то это всегда можно преодолеть, развив в себе необходимые качества. Что делать, если люди невольно воспринимают меня, скажем, как тупицу? Можно, конечно, обижаться на них за это, но не лучше ли просто доказать им обратное? Такой путь гораздо эффективнее, тем более что уважение, завоеванное собственным трудом, ценится на порядок выше.

С другой же стороны, и у самого положительного имени есть своя темная сторона. Согласитесь, ведь когда человек испытывает к кому-либо симпатию, а затем вдруг разочаровывается, то последствия могут быть гораздо хуже, чем если бы этой симпатии не было вовсе. Как говорится, нет хуже врагов, чем бывшие друзья.

Иными словами, мало иметь хорошее имя, надо еще и соответствовать ему, ведь хорошее имя — всего лишь аванс, который предстоит оправдать и отработать. Этого ждут от нас люди, и этого добивается от нас Вселенная.

ЭНЕРГИЯ КАРМЫ

Выше мы рассмотрели основные моменты воздействия имени на личность человека; и здесь мне хотелось бы еще раз подчеркнуть, что Карма имени отнюдь не судебный вердикт, это всего лишь тот первоначальный толчок, который получает личность в своем развитии от бессловесного младенца до взрослого человека. Перефразируя поговорку древних астрологов, можно сказать: энергия имени управляет ленивцами и глупцами, мудрый сам управляет своим именем. А потому наша главная задача состоит в том, чтобы подсказать вам наиболее благоприятный путь для использования энергии, заключенной в вашем имени.

Есть, однако, еще один существенный момент, оставленный в предыдущей главе без внимания. Все дело в том, что кроме качественного воздействия на психику есть и количественное. Говоря более простым языком, это означает, что разные имена в различных странах обладают неодинаковой энергией. Едва ли кто усомнится, что редкие имена более заметны и вызывают куда больше эмоций, чем те, которые успели стать привычными. Энергия как бы равномерно распределяется на всех обладателей имени. Таким образом, редкость имени способна подчеркивать как негативные, так и позитивные его аспекты. Точно так же и наоборот — чем более распространено имя, тем слабее его воздействие.

Это может привести к тому, что в различных коллективах одно и то же имя будет звучать по-разному. В качестве примера я приведу один случай из жизни. По иронии судьбы в начале 70-х стали входить в моду тогда еще довольно редкие имена: Анжела и Снежана. Обычно родители дают такие имена своим отпрыскам, желая подчеркнуть их непохожесть на других, обычных детей. Что делать — каждый родитель втайне надеется на уникальность собственного дитяти. Тем не менее мода есть мода, и вот в один прекрасный день выяснилось, что уникальных Снежан и Анжел оказалось чересчур много. Так, в одной только из рижских школ среди учениц начальных классов обнаружилось в среднем по пять-шесть девочек с такими именами на класс. Словом, из редких эти имена вдруг превратились в самые распространенные.

Следующий важный момент — энергия, заключенная в имени, может по-разному проявляться в различных странах, поскольку она неразрывно связана с языком, произношением и культурой народа. Так, имя Акакий, столь неблагозвучное для русского уха, прекрасно звучит в Грузии. Или, скажем, у иностранца, не читавшего классику, имя Васисуалий может не вызывать никаких ассоциаций. В конце концов у каждой культуры свои герои.

Кроме этого, те имена, которые воспринимаются нами как «импортные» и необычные, у себя на родине гораздо более привычны и незаметны. В связи с этим нелишне будет предупредить читателя, что данная книга рассчитана отнюдь не на весь земной шар и наши выводы едва ли будут точны за пределами СНГ.

ИМЯ, ФАМИЛИЯ, ПРОЗВИЩЕ

Можно сколь угодно долго рассуждать о том, что сын за отца не в ответе, что отвечать следует лишь за свои собственные недостатки, но жизнь все же показывает обратное. Если бы было иначе, то и поговорок бы на эту тему не возникало. Не только имя влияет на человека, фамилия и отчество также имеют огромное значение — ведь и они отождествляются с той или иной личностью человека.

Нетрудно заметить, что здесь действуют те же законы, что и в ситуации с именами. Бывает даже, что человек носит вполне нейтральное имя, малозаметное в силу чрезвычайной распространенности, а вот отчество имеет яркое. В этом случае имя отца может играть в судьбе человека более значительную роль, чем его собственное. Так, уже упомянутый мной господин Жириновский более заметен по своему отчеству — Вольфович, и, честное слово, этому его характер гораздо больше соответствует, чем имени Владимир.

Если же говорить о фамилиях, то здесь есть одно существенное отличие. Посудите сами, так или иначе, но значительная часть имен и отчеств все же довольно благозвучны, чего никак не скажешь о русских фамилиях. Примерно как в анекдоте, когда, листая телефонный справочник, один украинец говорит другому: «Смотри, Черножопенко, яка смишна фамилия — Зайцев».

Шутки шутками, однако порою влияние фамилии на судьбу бывает слишком уж сильным, и избавиться от этого не так просто. Безусловно, волевой человек может пробиться и преодолеть негативную энергию фамилии — взять хотя бы династию цирковых артистов Дуровых, которые благодаря таланту и личным качествам подняли свою фамилию на значительную высоту. Теперь конкретный смысл этого слова уже перестали замечать, на первый план выходят достоинства самой личности. Что ни говори, а для такого дела все же требуется определенное мужество.

Чаще же бывает иначе, тем более что порой достаточно даже не менять свою фамилию, а просто придумать себе псевдоним. Именно так поступают многие голливудские звезды, и именно таким способом в один прекрасный день русский певец Саша Выгузов превратился в рок-звезду Александра Малинина. Я не думаю, что это может умалить заслуги этих людей, просто они таким образом всего-навсего сократили себе путь к сердцам широкой аудитории. Остальное же далось им благодаря адскому труду и таланту. Особый случай представляют собой фамилии великих личностей, успевших попасть в историю. Попробуйте, к примеру, представить себе такой светоч российской демократической политики, как Егор Гайдар, в отрыве от его героического дедули. Разве ему поначалу не передались авансом те симпатии, которые испытывали люди к Аркадию Гайдару? Это уже потом, когда Егор не оправдал народных надежд, симпатия у многих стала сменяться резкой антипатией и уважение к деду стало только подчеркивать негативное отношение к Егору.

Кстати говоря, такое бремя несут многие наследники выдающихся людей: общество поневоле ожидает, что те будут соответствовать славе своих великих предков, а это бывает безумно трудно. Тем более если учесть, что после смерти образы героев имеют тенденцию идеализироваться и наделяться порою совершенно фантастическими качествами. Попробуйте соответствовать народной фантазии, когда на любой твой промах общество будет говорить: «Эх ты! Вот дедуля твой — это да! А ты — тьфу, да и только». На этом, между прочим, недолго и сломаться, и потому, наверное, так мало полноценных династий в литературе, поэзии и т. п. Как говорится, все хотят читать мушкетерские романы Дюма-отца, в тени которых Дюма-сын не так уж и заметен. Нет, сыну обычного человека пробиться в жизни бывает значительно легче.

Конечно же, никакой книги не хватит, чтобы проанализировать Карму всех русских фамилий, как прославленных, так и самых обыкновенных; да в этом, наверное, и нет особой нужды, поскольку, имея ключ к определению Кармы имени, его с успехом можно самостоятельно использовать и для рассмотрения фамилий. Этому вопросу целиком посвящена одна из глав. Здесь же я хотел бы затронуть еще одну важную тему — прозвища, получаемые человеком.

На мой взгляд, именно прозвища подчеркивают весомую роль имени в жизни личности. Многие, наверное, замечали, как метко порою прозвище характеризует кого-либо, и в этом нет ничего удивительного — ведь и даются они для того, чтобы выделить какую-то особо характерную черту, присущую человеку. Причем что интересно: в процессе рождения прозвища большую роль играет не только логическое сопоставление (сравнение человека с каким-либо животным или предметом), но также и подсознательное значение слова.

15

Среди моих знакомых была одна, на мой взгляд, вполне нормальная, хотя и немного идеалистичная, женщина-руководитель, получившая прозвище Сюфичка. Бессмысленно искать конкретный смысл этой клички — она ничего не означает; и все же звучание, ритм и мелодия слова очень четко передавали характер человека и отношение к нему подчиненных. Так что не одни мы такие умные, чтобы догадаться о подсознательной связи имени с психикой человека,— народная фантазия всегда интуитивно чувствовала эту связь и с успехом использовала ее в жизни.

Одним словом, наблюдая за рождением прозвищ, мы можем лучше понять процесс образования имен — ведь любое имя когда-то было таким же прозвищем. Да и надо заметить, иногда подобное наблюдение бывает довольно интересным. К примеру, однажды судьба свела меня с одним уголовником — а ведь известно, что особую роль прозвища играют именно там, где личность вынуждена отстаивать свои права; исправительная колония же в этом смысле является весьма подходящим местом.

Так вот, этот человек, будучи весьма авторитетным (он, кстати, однажды помог мне в одной непростой ситуации, так что говорю я об этом не с чужих слов), тем не менее носил странную кличку — Урод. Мне, далекому от блатного мира, было трудно представить себе такое имя в почетном списке воровской братии, пока я не понял, что в этом есть определенный шарм. Просто человек уже не нуждается в дополнительной рекламе и самоутверждении, его авторитет вне сомнения, и можно слегка покуражиться, нося не очень-то героическое имя. Даже наоборот, недостатки имени, как мы ранее отмечали, начинают подчеркивать достоинства личности.

Что ж, выходит, не стоит отчаиваться и переживать, если ваши имя, фамилия или прозвище не попали в разряд удачных; все в ваших руках, самое главное — это не терять терпения и оставаться самим собой!

НУЖНО ЛИ ВЕРИТЬ АСТРОЛОГАМ?

Кроме характеристики имен, полученной с помощью методов психоанализа, в книге также содержится раздел, посвященный астрологии, цвету имени и талисманам, которые, возможно, смогут помочь человеку преодолеть те или иные негативные аспекты имени. Тем не менее не имеет никакого значения то, как вы относитесь к астрологии, поскольку последняя не лежит в основе наших заключений и приведена для большей наглядности.

Дело в том, что, основательно обосновавшись на страницах большинства газет, астрология прочно вошла в наш быт. Излишне спорить о том, имеют ли под собой почву характеристики, которыми наделили астрологи различные знаки Зодиака. Для этой книги главное другое, а именно то, что эти характеристики все-таки есть и что большинство людей при упоминании знака, скажем, Скорпиона сразу же представляют себе вполне определенный склад характера. То же относится и к названиям различных планет: Марс — символ воинственности, Венера — любви, и так далее.

С этих позиций мы и решили проиллюстрировать книгу астрологическими данными, определив соответствие между энергетикой имени и характеристикой знака Зодиака. На наш взгляд, это поможет быстро определить тип характера и темперамент, присущий тому или иному имени.

Относительно цвета имени здесь разговор особый. Из своего опыта я знаю, что у многих людей различные звуки, особенно звуки человеческой речи, четко ассоциируются с самыми разнообразными цветами. Большинство психологов связывают это с чисто субъективным восприятием. Что ж, вполне возможно. К примеру, небезызвестный Казанова, который, надо сказать, кроме того что был великим любовником и авантюристом, также являлся и замечательным фантазером, не лишенным литературного дарования, в одном из своих фантастических произведений указывал, что, возможно, люди будущего будут записывать свою речь не только в буквах, но и в цвете — ведь цвет тоже может быть прекрасным переносчиком информации!

Лично для меня такое предположение более чем оправданно, поскольку это «цветовое сопровождение» слов и звуков я обнаружил у себя еще в глубоком детстве. Цвета были настолько яркими, что сомневаться в них не приходилось. Что же касается субъективности такого восприятия, то здесь я не намерен спорить; скажу только одно.

Немногие сомневаются, что каждый цвет уже несет в себе какую-либо информацию. К примеру, красный цвет выглядит вызывающе, его спектр простирается от сексуального возбуждения до воинственности и даже агрессии. Зеленый, наоборот, успокаивает; короче говоря, любой цвет что-то выражает, и мало кто назовет такое восприятие субъективным. Больше того, в психологии отмечается, что подобное воздействие цвета на психику вполне конкретно и довольно четко определено.

С другой стороны, каждый звук тоже имеет свой характер: звук «р» таит в себе угрозу, «а» — призыв, и так далее; и скажите, как быть, если при сопоставлении чисто субъективной ассоциации звука с цветом их воздействие на психику совпадает? Не говорит ли это о том, что соответствие звука и цвета вполне объективно? Другое дело, что восприятие этой ассоциации может быть искажено из-за состояния человека в данный момент. Впрочем, я не настаиваю; главное, что цветовая характеристика приведена в этой книге в соответствии с тем, как воспринимается имя на подсознательном уровне. То есть если мы указываем, что имя окрашено в красный цвет, это значит, что оно воздействует на своего носителя, призывая его к активности, а может быть, даже к агрессии. (Подробно о влиянии цвета на психику см. таблицу на стр. 19.)

Исходя из этого, нами были определены и наиболее благоприятные цвета и талисманы. Скажем, если в имени ощущаются чрезмерная мягкость, уступчивость и неспособность постоять за себя, то, вполне возможно, созерцание красного цвета сможет подтолкнуть человека к более решительным действиям, а коричневый поможет проявлять больше твердости и мужества. Что ж, если цвет способен воздействовать на психику, то грех не использовать это воздействие, особенно когда оно сочетается еще и с природной красотой минералов!

Безусловно, наш анализ не является безоговорочным и окончательным; он, слава Богу, оставляет простор для самостоятельных размышлений и выводов, сделать которые вам, надеюсь, поможет Ключ к определению Кармы, о чем и пойдет речь в следующей главе.

ВОЗДЕЙСТВИЕ НЕКОТОРЫХ ЦВЕТОВ
НА ПСИХИЧЕСКОЕ СОСТОЯНИЕ

КРАСНЫЙ	— двигательное возбуждение, активность до агрессии.
ФИОЛЕТОВЫЙ	— внутреннее возбуждение, неосознанное стремление к чему-либо, ожидание.
КОРИЧНЕВЫЙ	— в холодных оттенках выражает стойкость, упорство до упрямства; в теплых — терпение, мужество, спокойную силу.
ОРАНЖЕВЫЙ	— активная жизнерадостность, подвижность, общительность.
ХОЛОДНЫЙ ЖЕЛТЫЙ	— легкая неопределенность, неуверенность, склонность к суетливости. Недаром в США трусоватых ребят называют «йеллоу феллоу», что дословно означает «желтый парень».
ЗЕЛЕНЫЙ	— спокойствие, равновесие, стремление к созерцательности, неторопливым размышлениям.
САЛАТОВЫЙ	— то же, что и зеленый, но в более легкой форме. Равновесие неустойчиво.
ГОЛУБОЙ	— мечтательность, некоторая оторванность от реальности.
ГЛУБОКИЙ СИНИЙ	— холодная красота, самостоятельность, иногда до отстраненности и стремления к превосходству.
БЕЛЫЙ	— открытость, легкость, праздничность. Иногда мысли об элитарности.
ЧЕРНЫЙ	— замкнутость, внутренняя страсть, сосредоточенность.
СТАЛЬНОЙ С МЕТАЛЛИ- ЧЕСКИМ БЛЕСКОМ	— холодная волевая активность, гипнотизм, стремление подчинять, уверенность в своих силах.

П р и м е ч а н и е : воздействие цвета на психику может существенно меняться в зависимости от сочетания цветов, и это с успехом используется в живописи. К примеру, красный мазок на синем фоне выражает тревогу, заметный черный штрих на белом подчеркивает траур, скорбь. И наоборот, белая фигура посреди черного способна пробудить надежду, желание радости. Часто люди, подчиняясь неосознанным устремлениям, интуитивно подбирают для себя цветовую гамму в костюме, домашнем интерьере, выражая в этом скрытые черты своего характера.

КЛЮЧ К САМОСТОЯТЕЛЬНОМУ ОПРЕДЕЛЕНИЮ КАРМЫ

Однажды Заратустра — не тот обалдевший от собственной крутости тип, которого создала не очень здоровая фантазия господина Ницше, а реальный пророк Заратустра, основатель древнейшей, удивительно светлой и доброй религии, тот самый Заратустра, которого называют первым магом,— спросил у Творца, как лучше всего избавиться от зла на этой Земле? И Творец, чье имя было — Господствующая Мудрость, ответил:

— Скажи, Заратустра, что лучше — всю жизнь просить чьей-либо защиты, встречая на своем пути преграды, или же отыскать в душе силы, такие, чтобы зло уже не могло причинить тебе вред?

Кто будет спорить, что второй путь куда как эффективнее и достойнее? А потому я очень надеюсь, что данная глава поможет вам в самостоятельном разрешении собственных проблем; ведь даже если вы решили обратиться за помощью к психоаналитикам или к экстрасенсам, то нелишне будет и самому хоть немного разбираться в этом вопросе, прежде чем взваливать на себя груз их возможных ошибок. Прежде всего хочу напомнить, что Карма — это не наказание и не зло; нет, это препятствие, которое Жизнь ставит на пути человека для того, чтобы сделать его сильнее и разумнее. Вспомните, не называете ли вы тех, чья жизнь прошла в тепличных условиях, «маменькиными сынками» и много ли среди последних найдется людей, достойных уважения? Как тренер или учитель, Жизнь заставляет человека работать над собой до тех пор, пока он не научится делать это самостоятельно. Именно тогда, по учению Заратустры, зло для человека исчезнет за ненадобностью, он просто перестанет воспринимать его в виде зла, как ребенок, взрослея, перестает страдать от потери красивого, но бесполезного фантика.

Вообще в природе не существует зла как такового: ведь как ни крути, Жизнь на Земле вот уже многие миллиарды лет развивается к лучшему, зло же появляется лишь тогда, когда человек начинает видеть его вокруг и оттого сам становится злым. Примерно так ребенок иной раз сердится на мать, которая старается для его же блага.

Итак, если, размышляя о Карме, вы перестали наделять ее чертами судебного исполнителя, то вы легко сможете определить ее. В противном случае неизбежные огорчения и обиды на Судьбу могут основательно затуманить вам мозг. Особенно это важно при определении Кармы имени: ведь даже при всем желании трудно предположить вину и ответственность человека за свое имя, которое он получает еще бессловесным младенцем. Сейчас нами готовится новая серия книг на данную тему, где мы подробно исследуем многообразие проявлений этого интересного закона; пока же я предлагаю вернуться к вопросу об определении Кармы имени.

Собирая воедино всю вышеизложенную информацию, можно сделать вывод, что имя человека — это некая матрица личности, уже предполагающая определенную взаимосвязь с окружающим миром. Не факт, что эта связь проявится в жизни человека в полном объеме — многое зависит от воспитания, личной работы над собой; но все же энергия, заключенная в имени, несомненно, будет оказывать на человека некое воздействие, и, определив ее характер, эту энергию можно с успехом использовать для достижения тех или иных жизненных целей.

Уточню, что под энергией имени мы понимаем специфику отношения к нему общества и самого обладателя. Конечно, мы не сможем выразить эту энергию в килограммах или калориях, но все же нельзя отрицать, что человеческие симпатии и антипатии имеют характер силы. Допустим, если я хорошо отношусь к человеку, то охотно помогу ему в его делах. А что, если в имени человека я услышу намек на воинственность и мне это не понравится? Или вдруг его имя невольно напомнит мне о таком человеческом качестве, как хитрость? Просто напомнит — и все, но такое воспоминание несколько охладит мой бескорыстный порыв помочь, я начну поневоле размышлять и анализировать, хоть на время, но откладывая помощь. Особое значение этот момент имеет при первом знакомстве, при вхождении в новый коллектив, когда имя человека — то немногое, что люди знают о нем.

Точно так же характер силы имеет и отношение человека к самому себе. Если, к примеру, человек отождествляет себя с именем, которое звучит уверенно и сильно, то он может проникнуться верой в самого себя, а как известно, трудно чего-либо добиться без такой веры! Здесь, правда, бывает и так, что, однажды набив себе шишку на этой самоуверенности, человек может удариться в другую крайность, потерять веру в свои силы, и тогда сильное имя начнет звучать как насмешка.

Вкратце напомню основные моменты воздействия имени на психику в порядке убывания их значимости:

1) Подсознательное восприятие слова через его ритмику, пластику, мелодичность. В силу неосознанности такого воздействия от него бывает довольно трудно избавиться.

2) Распространенность имени. При этом сила воздействия имени прямо пропорциональна его редкости.

3) Ассоциации, связанные с именем (скажем, в слове Азарий четко возникает ассоциация со словом «заря»).

4) Образы вошедших в историю и культуру обладателей данного имени. В отдельных случаях этот пункт может выходить на первый план, как в вышеприведенном примере с Адольфом.

5) Конкретный смысл и значение имени как слова. Сознание большинства людей воспринимает это просто как красивый образ и не более.

Проанализировав имя по всем этим пунктам, вы сможете определить его воздействие на человека. Для начала попробуйте отвлечься от каких бы то ни было личных ассоциаций и просто произнесите слово, как мелодию. Если у вас достаточно развиты музыкальность и слух, вы легко угадаете характер его звучания, который может быть мажорным или минорным, веселым или грустным, беззаботным, сосредоточенным, призывным или каким-либо еще. Перечислять здесь всю гамму чувств, вызываемых музыкой, нет никакой возможности. Рассмотрим конкретный пример: имя Надежда звучит основательно и довольно твердо, в нем терпение и сила характера, и именно такие черты невольно предполагаются у носительницы этого имени. В то же время уменьшительные имена — Надя, Наденька и так далее — в некоторой степени сглаживают твердость, хотя все равно за ними ощущается весьма прочная основа.

По распространенности имя Надежда можно отнести к средней категории; в сравнении с Татьянами или Светланами его можно назвать относительно редким, а потому и воздействовать на человека оно будет хоть и не в высшей степени, но все же весьма заметно.

Следующий шаг — это возникающие ассоциации. В данном примере все кажется очень простым и в сознании легко прослеживается логический ряд: Надо и Хочу, Надежда и опора, «Надежда, мой компас земной», «Вера, Надежда, Любовь». Это, безусловно, очень притягательные образы. Тем не менее, продолжая размышлять, можно заметить, что и здесь есть свои подводные камни. Все дело в том, что само слово «надежда» обыкновенно связывается с будущим; то есть когда человек надеется на какое-то лучшее будущее, он автоматически признает, что настоящее не так уж благополучно, и это вносит в восприятие имени Надежда определенный элемент недовольства реальным положением вещей. Действительно, человек надеется на что-то лишь тогда, когда ему не очень хорошо, а иначе какой смысл надеяться? Кроме того, любая теза имеет свою антитезу, и потому, говоря о надежде, часто стараются застраховаться от ненадежности.

Далее, среди выдающихся носительниц имени Надежда общеизвестных не так уж много. Разве что Надежда Константиновна Крупская, чей образ, по сегодняшним меркам, перестал быть слишком важным; скорее, его воздействие на умы близится к нулю. Что же касается конкретного значения слова, то в связи с русским его происхождением добавить что-либо существенное к тому, о чем мы говорили, анализируя ассоциации, вряд ли можно.

Теперь дело за малым, и остается только сделать выводы из наших умозаключений. Продолжая, можно предположить, что твердое звучание имени будет побуждать Надежду проявлять упорство, возможно даже упрямство. По крайней мере, осознавая себя через такое основательное имя, она будет исподволь испытывать потребность быть основательной и последовательной в своих делах, считая, что лучше уж вовсе ничего не делать, чем делать плохо. В домашних делах это может проявиться следующим образом — она либо вообще не будет заниматься хозяйством, либо уйдет в него с головой. При этом едва ли она возьмется за мужскую работу, поскольку не сможет сделать ее на должном уровне.

Притягательность ассоциативных образов обеспечит Надежде хороший прием в обществе и в коллективе; дальше же все будет зависеть от нее самой. Как говорится, встречают по одежке, а в данном случае роль той самой «одежки» будет играть имя. Понятно, что если Надежда разочарует людей, то симпатии могут поменять свой знак на противоположный.

Особое значение для Нади имеет факт устремленности ее имени в будущее, что выше мы обрисовали как подводный камень. Вполне возможно, что это подсознательное ожидание какого-либо будущего счастья может подчеркивать неудовлетворенность сегодняшним днем, вплоть до полного недовольства как окружением, так и самой собой. Жить долгое время только будущими радостями очень трудно — ведь «завтра» никогда не наступает, всегда наступает именно «сегодня». А потому и совет можно дать простой как родителям, так и самой Наде: поменьше уделяйте внимание будущему, больше обращая внимания на сегодняшнее счастье. Иначе оно пройдет незамеченным!

Так, в общих чертах и на конкретном примере мы с вами разобрали обыкновенную технику психоанализа, основанную на теории взаимодействия личности со своим подсознанием и окружающим миром; и, надеюсь, эта маленькая глава способна помочь вам в жизни. Изложенных выше сведений вполне достаточно для самостоятельных исследований; тем же, кто хочет более глубоко разобраться в этих вопросах, мы обещаем вернуться к ним в своих будущих книгах.

ЧАСТЬ 2

МУЖСКИЕ ИМЕНА

АБРАМ, АВРААМ, ИБРАГИМ

Значение и происхождение имени: отец многих, патриарх (евр.).

Энергетика и Карма имени: жизненная энергия, заложенная в имени Абрам, колоссальна, однако, к великому сожалению, получая в детстве это имя, Абрам поневоле принимает на себя негативную Карму всего еврейского народа, вечного скитальца и изгнанника. Можно долго спорить о том, справедливо ли это, но главное, что факт негативного отношения к евреям, увы, существует. Давно уже став нарицательным, это имя способно превратить жизнь своего обладателя в трагедию, что может привести либо к подавлению и унижению личности, либо, наоборот, к резкому конфликту с окружающим обществом. Только очень сильный человек способен сохранить равновесие в такой ситуации. В большинстве же случаев внешнее спокойствие Абрама — это лишь общественная маска, и часто его негативные эмоции находят выход в бесконечных семейных конфликтах и скандалах.

Полная форма имени — Авраам — является более благоприятной, что в немалой степени обусловлено достойной восхищения деятельностью 16-го президента США Авраама Линкольна. Однако наиболее полно вся сила этого имени проявляется в мусульманском его варианте — Ибрагим. В этой форме имя наделяет человека уверенностью в своих силах и твердостью характера, приводя в равновесие управляющий данным именем подвижный знак Весов.

В силу негативного влияния общееврейской Кармы многие Абрамы стараются сменить свои имена на более нейтральные; между тем это напоминает позицию страуса, прячущего голову в песок,— ведь от себя не убежишь — и только личной работой можно преодолеть негативную Карму.

Самое главное, что может помочь Абраму,— это спасительное чувство юмора, которое всегда способно нейтрализовать бессильную ярость и направить энергию в созидательное русло. Можно быть уверенным: если Абраму удастся преодолеть свою отрицательную Карму, то перед нами будет поистине великий человек.

В целом же энергия имени благоприятна для занятий бизнесом и медициной. Многие обладатели этого имени могут также найти выход для своей энергии в творчестве.

Секреты общения. В общении с Абрамом лучше всего просто проявить к нему уважение. Окажите ему внимание, попытайтесь искренне проникнуться его проблемами, и, возможно, вы найдете надежного и преданного друга.

Астрологическая характеристика:

Знак зодиака: Весы. Планета: Сатурн. Цвета имени: от коричнево-красного у Абрама до синего с красным у Авраама. Наиболее благоприятный цвет: синий. Камень-талисман: удачу Абраму способны принести синие камни, особенно сапфир и бирюза. Красные камни могут усилить негативное воздействие.

Празднуем именины: 22 (9) октября — Авраам, ветхозаветный пророк, праотец еврейского народа.

След имени в истории. Абрам Иоффе (1880—1960), выдающийся физик, чей вклад в науку трудно переоценить, по праву считается одним из создателей русской физической школы. Еще в 1931 г. Иоффе обратил внимание на всю важность изучения полупроводников как новых материалов для электроники и оказался прав — его исследования явились началом развития совершенно новой области полупроводниковой техники.

Обладавший не только научными, но и организаторскими талантами, Иоффе являлся директором Физико-технического института, возглавлял созданную им же Лабораторию полупроводников и, помимо прочего, был инициатором открытия целого ряда научных институтов в разных городах страны.

Прекрасный педагог, Иоффе воспитал целое поколение великих физиков — Арцимович, Курчатов, Капица,— без которых многие современные технические достижения оказались бы нам недоступны.

АВВАКУМ, АВВАКУУМ

Значение и происхождение имени: обнимающий (евр.).

Энергетика и Карма имени: перед нами имя достойного наследника мятежного протопопа Аввакума Петровича. Общая энергетика имени пропитана страстностью, способностью воспламеняться от малейшей искры. Люди невольно начинают с опаской относиться к Аввакуму, чувствуя в его обществе дискомфорт, хотя при этом многие не прочь похвастать своим знакомством с обладателем столь экстравагантного имени.

Именно в силу этого имя Аввакум перешло в разряд устаревших. Так могут назвать своего ребенка только родители, желающие во что бы то ни стало идти вразрез с традициями. Это противостояние с обществом не может не отразиться на личности Аввакума: с самого детства он будет испытывать склонность к углубленному самоанализу, пытаясь разрешить загадку своего выдающегося имени, и далеко не всегда эти размышления будут оптимистичны.

Впрочем, именно такой самоанализ позволяет Аввакуму быть собранным, неплохо разбираться в психологии, а также по мере необходимости проявлять недюжинные организаторские способности. Особенно хорошо это будет заметно, если Аввакуму удастся преодолеть свою вспыльчивость и некоторый пессимизм — ведь именно два этих качества могут изрядно испортить его жизнь и превратить ее в непрекращающийся конфликт с обществом, исход которого едва ли окажется благоприятным.

Наиболее благотворно энергия этого имени может проявиться в делах, требующих хорошего знания человеческой природы: из Аввакума может получиться хороший психоаналитик, специалист по рекламе и маркетингу и т. п.

Секреты общения. В общении с Аввакумом лучше всего обходить острые углы и по возможности избегать горячих споров. Не надо пытаться навязать ему свои идеи; гораздо лучше, если вы просто с уважением отнесетесь к его мыслям, допустив их как один из возможных вариантов. Вот только не стоит идти у него на поводу и уж тем более льстить — так вы рискуете навсегда потерять его уважение.

Астрологическая характеристика:
Знак зодиака: Стрелец. Планета: Юпитер. Цвета имени:

огненно-красный и синий. Наиболее благоприятный цвет: синий. Камень-талисман: лазурит.

Празднуем именины: 25 (2) декабря — святой пророк Аввакум.

18 (6) июля — Аввакум Персиянин, Римский, мученик.

След имени в истории. Так получилось, что вся жизнь протопопа Аввакума прошла под знаком борьбы — следствие его привычки яростно отстаивать собственную правоту, не удовлетворяясь компромиссами. С детства усвоив все православные каноны и обряды, он до конца дней своих остался им верен, считая новые веяния, привнесенные патриархом-реформатором Никоном не чем иным, как страшной ересью. Результатом таких убеждений стали тюрьмы, гонения, бесконечные ссылки. Несколько месяцев Аввакум провел в подземелье Спасо-Андрониевского монастыря, где каждый день его уговаривали смириться и признать никоновские нововведения. Затем — 11-летняя сибирская ссылка, за которой последовало трехлетнее заключение в келье города Пустозерска...

В скитаниях умерли двое детей Аввакума, сам же он в конце концов был сожжен на костре. Однако стойкость этого человека не могла не вызывать уважения, а потому не пропала даром — немало людей стали горячими сторонниками мятежного протопопа, и их борьба за сохранение старой веры привела к церковному расколу, положив начало старообрядчеству. Как когда-то говорил Аввакум: «Бывают времена, когда и конюшня любой церкви лучше».

АВГУСТ, АВГУСТИН

Значение и происхождение имени: величественный, священный (лат.).

Энергетика и Карма имени: в имени Август заложен мощный заряд зрелой, уравновешенной силы, что, несомненно, должно отражаться на самом обладателе этого имени. Август часто бывает уверен в себе, да и люди вокруг ожидают от него того же. Даже когда душа Августа полна мучительных сомнений, энергия имени все равно подталкивает его надеть маску той же уверенности в своих силах. Наверное, поэтому от Августа нередко веет легкой грустью.

У этого имени мало недостатков, но главными среди них являются склонность к чрезмерной осторожности, что особенно нежелательно в любовных делах и финансовых играх, а также тяга оказывать покровительство. При этом сам Август обыкновенно плохо переносит чужое покровительство, что может привести его к конфликту с «сильными мира сего». Хотя вряд ли этот конфликт будет чересчур острым в силу присущей ему дипломатичности. Если же Августу еще и удастся научиться помогать людям без покровительственных интонаций и с пониманием относиться к чужим слабостям, то тем самым он создаст себе ценный капитал, обеспеченный большим количеством друзей и соратников.

Кроме того, некоторая медлительность, свойственная этому имени, получив свое развитие в процессе воспитания, может сделать Августа нерешительным. Здесь необходимо преодолеть себя и постараться почаще переходить от созерцания к действию!

Впрочем, то, что имя не располагает к чрезмерной активности, позволяет Августу не тратить понапрасну энергию и контролировать свои действия. Если он берется за дело, то едва ли наломает слишком много дров. Когда же случится что-либо непредвиденное, то, скорее всего, Август сумеет трезво оценить ситуацию и попробует найти разумный выход. Такое качество может оказаться незаменимым на руководящей работе, и потому многие Августы имеют склонность к занятиям общественной деятельностью или бизнесом. Вероятнее всего, Август не будет пытаться, что называется, прыгнуть выше головы, но постарается выполнить порученное дело как можно лучше.

Секреты общения. Уравновешенность и дипломатичность Августа еще не означает всепрощения. Наоборот, он достаточно плохо переносит уколы самолюбия и нередко помнит обиды всю жизнь.

Астрологическая характеристика:

Знак зодиака: Лев. Планета: Юпитер. Цвет имени: синий, иногда красный. Наиболее благоприятные цвета: яркие красные тона помогают Августу стать более деятельным и решительным. Камень-талисман: рубин.

Празднуем именины: 28 (15) июня — Августин Блаженный, Иппонийский, епископ.

След имени в истории. Несомненно, самым ярким носителем имени Август является никто иной, как первый римский император Октавиан Август (63 г. до н. э.— 14 г. н. э.). О жизни Августа сложено множество легенд еще его современниками; считается, что он был богоизбранным. Так, один из летописцев рассказывает: «Когда он завтракал в роще, орел неожиданно выхватил у него из рук хлеб, взлетел ввысь и вдруг, плавно снизившись, снова отдал ему хлеб». Что же за предначертание суждено было выполнить этому человеку?

Будучи по рождению внучатым племянником самого Юлия Цезаря, Октавиан был усыновлен им в завещании и, таким образом, стал его законным наследником. Почти вся дальнейшая жизнь Августа прошла в бесконечных попытках положить конец развязанной после смерти Цезаря гражданской войне, однако война вопреки всем стараниям затянулась на целых 12 лет, пока, наконец, все не было решено в битве при Акции.

Согласно преданию, в день этой решающей битвы, когда полководец шел давать приказ о начале боя, по дороге ему повстречался погонщик с ослом, причем, как выяснилось позднее, погонщика звали Удачник, а животное — Победитель. Нетрудно догадаться, каким оказался исход битвы, отмеченной этим счастливым предзнаменованием, — Август одержал победу над римским полководцем Марком Антонием и знаменитой египетской царицей Клеопатрой, чем и положил конец гражданской войне. После этого он прожил долгую и счастливую жизнь, чего нельзя сказать о поверженных им врагах: Марк Антоний закололся, не в силах перенести позора; Клеопатра же опустила руку в корзину, в которой под лепестками роз лежала ядовитая змея, специально приготовленная для такого печального случая.

АВЕРЬЯН, АВЕРКИЙ

Значение и происхождение имени: обращающий в бегство, непобедимый. Еще одно значение имени — удерживающий (лат.).

Энергетика и Карма имени: сегодня имя Аверьян является довольно редким, и в немалой степени это обусловлено его отрицательной энергетикой, проявляющейся в русском звучании. Это имя пропитано суровостью, импульсивностью, граничащей с яростью, и, конечно же, такое качество часто мешает Аверьяну сохранять равновесие и спокойствие. Если же вспомнить, что в редких именах энергетика имеет свойство усиливаться, то вполне очевидно, что окружающие начнут интуитивно чувствовать взрывоопасность Аверьяна и будут стараться избегать его общества.

Да и самого Аверьяна такое имя не склоняет к общительности; скорее всего, с детства он станет искать уединения, часто замыкаясь в себе. Зато уж если у него появятся настоящие друзья, то с ними Аверьян будет совершенно иным. Тогда вся сила его имени может быть направлена в более жизнерадостное русло, и для многих его знакомых будет совершенной неожиданностью, когда в этом не очень-то общительном человеке они обнаружат довольно остроумного весельчака. Именно чувство юмора является спасительным для Аверьяна, а потому, развивая в себе это качество, он может не только избежать многих жизненных ошибок, но и добиться значительных успехов в карьере.

Впрочем, и в склонности к замкнутости есть свои преимущества. Часто оставаясь один, Аверьян получает много времени для размышлений и учится в одиночку противостоять жизненным ударам. Это наделяет его такими качествами, как рассудительность, твердость и сила воли. Из Аверьяна может получиться неплохой ученый. Он также имеет хорошие шансы преуспеть в профессиональном спорте, особенно если научится преодолевать свои внезапные вспышки ярости.

Секреты общения. Чтобы избежать нежелательных конфликтов, общаясь с Аверьяном, постарайтесь говорить с ним на языке логики, а не эмоций; не стоит забывать, что безапелляционность в спорах — это та искра, от которой обычно разгорается скандал. А еще лучше — попробуйте вести беседу, применяя добрый юмор и шутки. Будьте уверены, Аверьян сумеет оценить это по достоинству.

Астрологическая характеристика:

Знак зодиака: Скорпион. Планета: Плутон. Цвет имени: темная сталь, красный. Наиболее благоприятный цвет: синий. Камень-талисман: можно порекомендовать опал голубого огня (джирозоль).

31

Празднуем именины: 18 (5) декабря — Аверьян, святой мученик.

След имени в истории. Среди тех, кто сыграл немалую роль в событиях Смутного времени, сумев во многом повлиять на их ход, видное место занимает Аверьян Палицын, русский государственный деятель. Изучая факты биографии этого необычного человека, не устаешь удивляться его энергии, предприимчивости и тому количеству услуг, которые оказал он в свое время государству Российскому.

Бывший боярин, насильно постриженный в Соловецкий монастырь за попытки ослабить влияние Бориса Годунова на царя, Аверьян Палицын впоследствии стал келарем Троице-Сергиевой лавры, стараясь при этом в меру своих сил помогать мирянам. Так, он открыл продажу дешевого хлеба, когда поляки подступили к Москве и там кончилось продовольствие. Он же самолично явился в ставку Дмитрия Пожарского и привел его под Москву. И наконец, именно он сумел убедить дружинников князя Трубецкого (которым тот запретил участвовать в битве), нарушив приказ, прийти на помощь русским войскам...

Этот смелый, мужественный человек обладал к тому же необыкновенно ясным умом и как результат — большим даром убеждения. А потому неудивительно, что именно Аверьяна Палицына избрали послом к Михаилу Романову с важной миссией — пригласить его на царствование. Позднее же, когда поляки попытались захватить Троице-Сергиеву лавру, Палицын провел с ними настолько удачные переговоры, что убедил неприятелей уйти восвояси.

Под конец жизни Аверьян Палицын удалился на Соловки, где и умер, оставив после себя рукописные труды, повествующие о многих исторических событиях, свидетелем которых он являлся.

АДАМ

Значение и происхождение имени: дословно оно означает «глина», «красный человек» (евр.).

Энергетика и Карма имени: понятие первородного греха настолько прочно спаяно с именем Адама, что оно оказывает колоссальное влияние не только на самих Адамов, но и на тех людей, чьи фамилии произошли от этого имени.

32

А таких фамилий немало — Адамов, Адамков, Адамский и еще множество всяких вариантов.

С малых лет проникая в тайну своего имени, Адам начинает получать информацию о важнейшей области человеческих отношений, а именно о любви и сексе, и это обычно определяет раннее половое созревание мальчика. Проснувшийся в юном возрасте интерес к женщинам тянет Адама в девичьи компании; он может становиться главным организатором всевозможных полуэротических игр, таких, как «бутылочка» и т. п. Взрослея, многие Адамы вступают в непродуманные браки, что часто приводит к неудачам в семейной жизни и разводам. Кроме того, накапливающаяся в юном возрасте и не находящая выхода эротическая энергия может провоцировать скандалы с родителями, которые, впрочем, редко бывают глубинными.

В русском звучании имя Адам практически полностью лишено агрессии — наоборот, оно склоняет своего обладателя к общительности и добродушию. Вместе с тем пресловутая идея невольной греховности накладывает на это общение определенный отпечаток. Очень часто за внешней веселостью Адама угадывается боль легкоранимого человека, возможно даже недовольство собой, особенно если у Адама имеются какие-либо физические недостатки. Здесь нелишне будет не забывать, что совершенных людей на свете попросту не существует и себя надо принимать таким, каков ты есть, стараясь в то же время исправить положение, работой над собой.

Ранние эротические переживания Адама наделяют его весьма развитым воображением, что может найти свое продолжение в творчестве — литературе, музыке или живописи.

Секреты общения. Несмотря на то что Адам обычно легок в общении с людьми, не стоит упускать из виду его повышенную чувствительность — сами того не желая, вы можете смертельно ранить человека. Особый интерес у обладателей данного имени вызывают вопросы, связанные с противоположным полом. При этом они могут быть окрашены в совершенно различные тона в зависимости от того, насколько удачно складываются у него отношения с женщинами.

Астрологическая характеристика:
Знак зодиака: Водолей. Планета: Венера. Цвета имени:

светло-коричневый, почти желтый, и красный. Наиболее благоприятные цвета: желтый и белый. Камень-талисман: все прозрачные камни, особенно топаз.

Празднуем именины: 27 (14) января — Адам Синайский, мученик.

След имени в истории. На многих иконах, изображающих распятие Христа, под крестом можно увидеть лежащий на земле череп. Это — череп Адама, первого человека, сотворенного «по образу и подобию Божьему». Как гласит библейское предание: «...и не было человека для возделывания земли. И создал Бог Яхве человека из праха земного, и вдунул в лицо его дыхание жизни, и стал человек душою живою».

Интересно, что если канонизированные библейские тексты говорят собственно об Адаме довольно мало, описывая лишь события, с ним происходившие, как-то: создание из его ребра женщины, искушение и изгнание обоих из рая, то другие источники (иранский фольклор, талмудическая книга «Берешит рабба» и другие), напротив, уделяют большое значение подробностям. Так, считается, что Адам был рожден великаном, тело которого простиралось от земли до неба, и лишь позже, после изгнания из рая, он стал намного ниже ростом.

Вообще же Адам почитается в первую очередь как великий мудрец, который владел «всеми 70 языками мира» и которому Бог открыл будущее рода человеческого. Многие мистики прошлого уверяли, что Адаму было дано сокровенное знание о каждом человеке на земле за всю историю существования рода человеческого. По легенде, Адам обратился к Богу с мольбой явить ему будущее каждого его потомка всех поколений до конца времен, и в ответ перед ним предстал ангел, неся книгу людских судеб. Считается, что кроме первого человека еще некоторые великие пророки прошлого имели доступ к этой божественной книге; даже до сих пор не отчаиваются найти ее.

Согласно одной из легенд, Адам на заре творения соревновался с сатаной, и сатана, не в силах дать животным имена, проиграл Адаму, который с делом великолепно справился. Именно с этого момента, как считают некоторые богословы, нечистый затаил злобу на человека и не преминул ему отомстить, подсунув Еве запретный плод.

АДРИАН

Значение и происхождение имени: родом из Адрии (лат.).

Энергетика и Карма имени: в этом редком имени благоприятно уравновешены сила, мужество и веселый нрав, и очень хорошо, если именно эти качества получат свое развитие в процессе воспитания Адриана. Дело в том, что на сегодняшний день это имя звучит несколько старомодно, а потому не исключено, что в детстве над Адрианом будут посмеиваться сверстники. Избавиться от подобных насмешек можно только благодаря твердости характера и добродушию, в противном случае детство Адриана окрасится в темные цвета обиды или даже приведет к развитию комплекса неполноценности. В этой ситуации Адриан либо вырастет замкнутым и угрюмым, либо же будет испытывать желание совершить какой-нибудь безрассудный подвиг, стараясь доказать своим обидчикам собственную полноценность.

Впрочем, большинство Адрианов спокойно проходят через это испытание, которое в детстве отнюдь не кажется легким. Чаще всего им удается сохранить свою веселость и силу характера, что обеспечивает им немалое количество друзей. Бывает так, что в связи с особым расположением людей удача сама идет в руки Адриану; вот только не следует забывать, что у такой везучести есть и свои негативные стороны. Когда голова начинает кружиться от успехов, недолго и оступиться!

Многие из обладателей этого имени с успехом могут реализовать себя в различных профессиях, особенно связанных с техникой и риском.

Секреты общения. Лучше всего в общении с Адрианом держаться с ним на равных, но не прибегать к панибратству; поверьте, он умеет уважать достойных собеседников. Если же вам придет в голову показать свое превосходство над ним, то, скорее всего, вы нарветесь на хороший отпор.

Астрологическая характеристика:

Знак зодиака: Дева. Планета: Солнце. Цвета имени: красный, теплый коричневый. Наиболее благоприятные цвета: теплые оттенки коричневого, иногда красный. Камень-талисман: агат, сард, сердолик.

Празднуем именины: 26 (3) февраля — Адриан Ванейский, Кесарийский, мученик.

18 (5) марта — Адриан Пошехонский, Ярославский, игумен, священномученик.

8 сентября (26 августа) — Адриан Никомидийский, мученик, Адриан Ондрусовский, мученик.

След имени в истории. Адриян Николаев — космонавт, в 1962 г. принимавший участие в первом парном космическом полете на «Востоке-3», с именем которого связана забавная история, рассказанная его партнером по экспедиции Поповичем. Нередко в прессе проскальзывают сообщения о розыгрышах, которые устраиваются космонавтами на орбите по большей части из-за скуки или для снятия напряжения. Вероятно, руководствуясь именно этими мотивами, Николаев и решил подшутить над товарищем, когда проводился первый за всю историю космонавтики эксперимент по парению в невесомости. Первым отстегнувшись, Николаев немного поплавал по кабине, после чего наступила очередь его товарища.

— А что надо делать? — растерянно спросил Попович, выкарабкиваясь из кресла.

— Отталкивайся как можно сильнее, — посоветовал Адриян, пряча улыбку.

Вылетев из кресла, как пробка из-под шампанского, Попович врезался в противоположную стену, после чего поклялся непременно отомстить. Вскоре представился удобный случай: Николаев, скучавший в космосе по вобле, буквально завалил ЦУП просьбами прислать ее с очередным грузовым кораблем, однако кто-то что-то перепутал, и в результате долгожданная рыба по недоразумению оказалась в вещах Поповича. Попович воблу не очень-то и любил, однако из принципа он медленно, смакуя каждый кусочек, стал есть ее перед побледневшим товарищем, припомнив Адрияну Николаеву свое плавание в невесомости. Именно в этот момент, как рассказал впоследствии Попович журналистам, в космосе в первый раз и прозвучало крепкое русское словечко.

АЗАРИЙ

Значение и происхождение имени: в православных святцах Азария означает «помощь Божья» (евр.).

Энергетика и Карма имени: имя Азария наполнено энергией человеколюбия, однако в то же самое время оно несет на себе некий отпечаток отрыва от действительности. Азарий как бы поневоле начинает жить в иллюзорном мире своих фантазий. Увы, реальный мир далек от совершенства, и потому Азарий со своим идеализмом рискует испытать много разочарований. Любя людей вообще, он порою склонен мучительно переживать человеческое несовершенство, как чужое, так и свое собственное. Бывает даже, что его разочарование в человеческой природе, достигнув некоей критической отметки, превратит Азария в мрачного циника, который будет находить успокоение, пряча боль за издевками над своими святынями.

Впрочем, вряд ли цинизм успеет пустить корни; скорее уж, истощив душу и нервную систему, разочарование толкнет Азария на религиозный путь. Возможно, он решит удалиться в монастырь, откуда любить людей гораздо легче, чем в реальной жизни.

Но вот в чем трудно отказать Азарию — так это в его искренности. Пусть он желает невозможного, но едва ли он станет лгать и изворачиваться. Кроме того, нет ничего плохого в поисках совершенства; главное только помнить, что люди на свете всякие нужны, что мир надо сначала принимать со всеми его пороками, попробовать понять его без осуждения, а уж потом постараться улучшить. Кто знает, может быть, мы из самых благих побуждений снова превратим свою жизнь в настоящий ад?

Если Азарию удастся научиться уважать и любить обыкновенных, а не придуманных людей, то его человеколюбие и энергия смогут удачно реализоваться в таких областях, как медицина, педагогика, или же в духовной карьере. Энергия этого имени мало располагает его обладателя к техническим отраслям тем не менее при известном воспитании, любовь Азария к совершенству может найти свой выход и в инженерном деле.

Секреты общения. В общении с Азарием следует учитывать его мягкость. Даже если перед вами Азарий-циник, не забывайте, что цинизм — это всего лишь маска. Может быть, он предпочтет не показывать свою обиду, однако скорее всего, начнет избегать дальнейших встреч с таким человеком.

Астрологическая характеристика:
Знак зодиака: Дева. Планета: Луна. Цвета имени: золотисто-зеленый, красный. Наиболее благоприятные цвета:

зеленый и золотой. Камень-талисман: хризопраз, золотые изделия.

Празднуем именины: 30 (17) декабря — Азария Вавилонский, отрок, мученик.

16 (3) февраля — Азария, пророк.

След имени в истории. Азарий, Михаил и Ананий — герои ветхозаветного предания, «три отрока в печи». Согласно древней легенде, отроки эти в свое время попали в вавилонский плен, но затем были отобраны для службы при дворе царя Навуходоносора. Через некоторое время после того как Азарий с товарищами были приближены ко двору, царь велел своим мастерам изваять из золота огромного истукана. Когда же работа была завершена, Навуходоносор объявил о великом празднике, во время которого все должностные лица в государстве должны были пасть ниц перед изваянием, выражая ему свое почтение. «Тот же, кто не падет и не поклонится, — грозно предупредил Навуходоносор, — тотчас будет брошен в печь, раскаленную огнем».

Что было делать юношам, если все трое были верны своей вере, запрещающей идолопоклонство? В то время как все придворные пали на колени перед золотым истуканом, Азарий, Михаил и Ананий остались стоять, чем и навлекли на себя обещанную царскую кару.

В гневе Навуходоносор приказал бросить отроков в печь, разожженную в 7 раз сильнее обычного, но жар печи убил лишь совершавших казнь — сами юноши остались невредимы. Интересно, что сам царь с изумлением заметил: в печи среди огня он видит не троих, а четверых, причем «вид четвертого подобен сыну Божию». Согласно легенде, «Ангел Господень сошел в печь вместе с Азарием и бывшими с ним. И выбросил пламя огня из печи, и сделал, что в середине печи был как бы шумящий влажный ветер, и огонь нисколько не коснулся к ним и не повредил им...». Изумленный этим великим чудом, Навуходоносор не только уверовал в Бога, спасшего троих отроков, но и возвысил самих юношей в стране Вавилонской.

АКИМ

Значение и происхождение имени: Иоаким — ставленник Божий (евр.).

Энергетика и Карма имени: Аким — имя твердое и решительное. Обычно носители этого имени не отличаются многословием и особой подвижностью, внешне они могут выглядеть довольно спокойными людьми; тем не менее часто за таким спокойствием скрывается значительная нервная сила. Энергия имени не располагает Акима к чрезмерной открытости; больше того, склонный к внешней сдержанности Аким нередко производит впечатление несколько замкнутого и серьезного человека, но при этом его внутренние эмоции, не имея легкого выхода, становятся очень устойчивыми. Бывает, что однажды возникшее чувство сохраняется у него на протяжении всей жизни.

Впрочем, чаще всего сдержанность Акима вовсе не предполагает долготерпения: как только эмоции достигают достаточной силы, на первый план выходит деятельный характер его энергетики. Это же касается и его увренности в своих силах, которая временами приобретает характер безапелляционности. В целом все эти качества делают Акима довольно мужественным и волевым человеком, что обеспечивает ему уважение окружающих и даже может сделать его лидером, способным заразить людей своими идеями. Жаль только, что эти идеи порождены какими-либо негативными эмоциями. Именно поэтому очень важно, чтобы воспитание Акима не было излишне жестким, иначе детские обиды могут толкнуть его на путь противостояния с обществом, что вряд ли благоприятно как для окружающих, так и для самого Акима.

Значительная воля, способность к долгому сосредоточению, уверенность в себе — все это может благоприятно сказаться на судьбе Акима, однако часто ему начинают мешать его же излишняя независимость и неспособность к какой-либо дипломатичности. В жизни Акима не исключены многочисленные конфликты с сильными мира сего, а его нетерпимость способна изрядно омрачить не только карьеру, но и семейную жизнь. Если Аким желает обеспечить себе более удачную судьбу, ему бы не помешало научиться чуть легче относиться к жизни и к окружающим, а заодно обратить внимание на свое чувство юмора, которого энергия этого имени, увы, не предполагает.

Секреты общения. В разговоре с Акимом всегда следует учитывать, что перед вами независимая и гордая личность, которая тем не менее частенько не прочь подчинить вас своей воле. К сожалению, редко удается перевести намечающийся конфликт в шутку, зато спокойное обсуждение ситуации способно принести свои плоды.

Астрологическая характеристика:

Знак зодиака: Стрелец. Планета: Марс. Цвета имени: красный, коричневый. Наиболее благоприятные цвета: оранжевый, зеленый. Камень-талисман: сердолик, хризопраз.

Празднуем именины: 22 (9) сентября — Иоаким Праведный, Богоотец.

След имени в истории. Аким Никитин (1843—1917) — один из первых русских деятелей цирка. Вообще про всех связанных с цирком людей говорят, что они немного сумасшедшие: кто еще станет связываться со столь «несерьезным» делом? Что же касается братьев Никитиных — Дмитрия, Акима и Петра, то в свое время их считали сумасшедшими вдвойне: они не просто посвятили цирку всю жизнь, но хотели сделать ставку на его коммерческий успех, вложив в это предприятие немалые деньги.

Их отговаривали, над ними смеялись, уверяя, что балаган может принести лишь жалкие копейки, и то если не обанкротится совсем. Однако Никитины мало слушали доброхотов, уверенные, что за русским цирком — великое будущее. Так в 1873 г. в Пензе возникло стационарное предприятие, называвшееся «Русский цирк братьев Никитиных», и уже совсем скоро недоверчивые смогли убедиться, какие сверхприбыли способен приносить этот «балаган».

На все вопросы о секретах их успеха Никитины искренне отвечали: он в общедоступности предлагаемого зрелища. Действительно, билет на цирковое представление был по карману практически каждому, а что касается качества номеров, то и тут братья оказались на высоте, рассудив, что по духу цирк должен быть исконно русским, с национальным колоритом. И они не ошиблись в своих расчетах — прошло совсем немного времени, и «Цирк братьев Никитиных» открыл свои филиалы в Казани, Киеве, Москве, Саратове и других крупных городах страны.

АЛАН

Значение и происхождение имени: аланы — древнее праславянское племя, чьим главным божеством был меч. Со

40

временем этот народ осел на Кавказе, где смешался с местным населением.

Энергетика и Карма имени: имя Алан обладает удивительным магнетизмом и притягательностью, создавая иллюзию соприкосновения с миром волшебников и сказочных героев. По своей энергетике оно наделено значительной активностью, легкостью и эмоциональностью. Обычно это проявляется в том, что с самого детства Алан растет очень подвижным ребенком, однако его жизнерадостность и веселость всегда соседствуют с изрядной обидчивостью и вспыльчивостью. Он весьма самолюбив, и, к сожалению, это имя совершенно не предполагает способность держать себя в руках. Именно поэтому скорее всего у заводного Алана в жизни будет великое множество всевозможных недоразумений и конфликтов.

Мечтательность и любопытство Алана могут найти выход в любви к литературе и хорошо развитом воображении. Он романтик, что часто и определяет его выбор жизненного пути. При этом честолюбивые мысли обычно имеют значительный перевес над чисто материальными заботами; однако, если Алан желает действительно добиться значительных успехов, ему следовало бы поменьше заниматься самолюбованием и развить в себе способность к долгой концентрации усилий. Все дело в том, что интересы Алана хоть и являются прекрасным двигателем, заставляя его проявлять недюжинное усердие, но при этом не отличаются большой устойчивостью. Часто один интерес сменяется другим, и нередко Алан бросает только что начатое дело, прельстившись новыми планами.

Это касается и личной жизни. Общительный и веселый Алан обычно имеет большое количество друзей и единомышленников, но его горячность часто становится причиной раздоров; и если сам Алан легко забывает обиды, то ждать того же от окружающих, увы, не приходится. Иными словами, для более благоприятной жизни ему не мешает научиться некоторому спокойствию и уравновешенности.

Секреты общения. Вряд ли имеет смысл спорить с Аланом — увлеченный своими эмоциями, он, скорее всего, не услышит ваших доводов, какими бы разумными они ни были. Нейтрализовать же опасную ситуацию лучше всего с помощью безобидного юмора. Вообще, имея с ним дела, будьте осторожны: его энтузиазм бывает очень заразительным, и нередко завороженные красноречием Алана люди начинают верить даже в самые невероятные вещи.

Астрологическая характеристика:

Знак зодиака: Овен. Планета: Меркурий. Цвета имени: красный, салатовый. Наиболее благоприятные цвета: глубокий зеленый, черный. Камень-талисман: изумруд, лабрадор.

След имени в истории. Всего несколько лет тому назад вся страна гудела, как растревоженный улей, повторяя имена двух великих экстрасенсов современности: Анатолия Кашпировского и Алана Чумака. И действительно, оба они имели регулярный доступ к телеэфиру и обещали согражданам примерно одно и тоже: избавление от всех болезней. Правда, по каким-то непонятным причинам экстрасенсы друг друга, мягко говоря, недолюбливали — во всяком случае, Кашпировский редко упускал случай высказать недоверие к «ненаучной» методике своего конкурента: в то время как сам Анатолий Михайлович практиковался больше на «установках», Алан Чумак пропагандировал «заряжение».

По словам Чумака, заряженные им предметы — абсолютно любые, от банки с водой до собственной фотографии — начинают обладать лечебными свойствами и в свою очередь могут вылечить «оптом» чуть ли не всю страну. Так, как-то раз экстрасенс предложил объединению безалкогольных напитков «Росинка» наладить производство заряженной им воды.

— Это было бы отлично! — согласились в объединении.

— Но как же вы с утра до вечера тут сидеть будете?

— Зачем сидеть? — удивился Алан Чумак. — Вы просто к емкости, из которой напиток по бутылкам разливается, мою фотографию приклейте...

Уверенный в том, что способен объять необъятное, Чумак, впрочем, был искренен в своих поступках и высказываниях. Иначе трудно объяснить тот факт, что нередко его слова подхватывались на лету, превращаясь в анекдот. Впрочем, кто знает, может, он делал это намеренно и именно таким анекдотическим ситуациям обязан своей бешеной популярности.

Один раз, отвечая на вопрос журналистов о том, есть ли предел его возможностям, и если есть, то где, Алан Чумак ответил:

— Нет, такого предела не существует.

— Значит, тогда, — не унимались журналисты, — если вы утверждаете, что ваша фотография способна починить сломанный будильник, ее можно также наклеить и на списанный самолет — и этот самолет смело можно пускать в эксплуатацию?

— Не совсем так, — ответил, подумав, экстрасенс. — Просто мои фотографии надо прикладывать ко лбам ремонтников — лучше будут ремонтировать.

АЛЕКСАНДР

Значение и происхождение имени: защитник людей, оберегающий муж (др. греч.)

Энергетика и Карма имени: если бы не чрезвычайная распространенность, то имя Александр могло бы стать одним из наиболее сильных. По энергетике звучания оно наделяет своего обладателя уверенностью в себе, силой, напористостью и даже может склонять его к проявлению снисходительности, а иногда и заносчивости. Еще более энергетику имени усиливают образы таких именитых Александров, как Македонский, Невский, Суворов, три российских императора и многие другие.

Однако, как это часто бывает, особо благоприятные имена становятся слишком уж распространенными, и, конечно же, сегодня у каждого найдется хотя бы по паретройке знакомых Сашек, Сань и Александров. Увы, при таком изобилии сила имени может легко вступить в конфликт с его обыкновенностью, и как следствие этого — незаметность. Особенно это ощутимо в период юношества, когда большинство Александров чувствуют непреодолимую потребность доказать свое превосходство хотя бы в одной из областей, будь то спорт, учеба или ухаживание за женщинами. Сила имени предполагает властность, даже героизм, и часто Александр довольно болезненно реагирует, когда люди не воспринимают его всерьез. Случается, что, реализуя эти свои стремления, он становится предводителем в компаниях ребят более младшего возраста, что вполне оправданно: ведь если Александр не сможет зарекомендовать себя как лидер, то вполне вероятно, что он превратится в весьма замкнутого и «закомплексованного» человека.

Самое лучшее для Александра — просто уверенно делать свое дело и не очень обращать внимание на то, что люди воспринимают его как самого обыкновенного человека. Это и будет настоящей силой характера, что рано или поздно оценят окружающие. Однако не стоит, наверное, размениваться на мелочи, наметив для себя действительно достойные цели. В этом случае у Александра есть все шансы добиться успеха практически в любой из областей.

Секреты общения. В общении с Александром хорошо бы не забывать о его врожденном импульсе к лидерству. Даже если перед вами не реализовавшийся, закомплексованный Александр, попробуйте поговорить о той сфере, где он сумел достичь каких-то успехов. Это расположит его к беседе. Только не следует льстить! Когда вы просто признаете его компетентность в знакомой ему области, он, скорее всего, с пониманием воспримет и вашу точку зрения.

Астрологическая характеристика:
Знак зодиака: Стрелец. Планета: Сатурн. Цвета имени: красный, салатовый, светло-коричневый, иногда стальной. Наиболее благоприятные цвета: зеленый, красный. Камень-талисман: александрит, меняющий цвета от зеленого при дневном свете до красного при вечернем.

Празднуем именины: 25 (12) августа — Александр Команский, епископ, священномученик.

29 (16) марта — Александр I Римский, папа, священномученик.

6 (23) ноября — Александр Невский, великий князь.

28 (15) марта — Александр Сидский, иерей, священномученик.

След имени в истории. Еще не скоро потускнеет в народной памяти день, когда состоялся штурм Белого дома в 1993 г. Немало людей принимало в нем участие по обе стороны баррикад, однако лишь один из бунтарей взял на себя обязанности президента РФ — Александр Руцкой. К тому моменту за его плечами была насыщенная приключениями и опасностями жизнь: сначала служба в летном училище, где Руцкой прошел путь от летчика-инструктора до заместителя командира эскадрильи, потом — Афганистан и 428 боевых вылетов. Его самолет был сбит ракетой, Руцкой серьезно повредил позвоночник, но уже через

3 года, в 1988 г., снова вернулся в Афганистан и опять был сбит, на этот раз над пакистанской территорией.

5 дней погони, плен у моджахедов, освобождение из плена, присвоение звания Героя Советского Союза — все это звучит как сюжет современного боевика, но все это произошло на самом деле. Вообще в характере многих Александров — стремиться во всем быть первым, дабы не ударить в грязь лицом перед великими тезками прошлого. Неудивительно, что нередко стремление к лидерству приводит Александров в политику. Не стал исключением и Руцкой, который уже в 1990 г. был выбран депутатом Курского округа и стал членом президиума ВС. В 1991 г., во время попытки переворота, он явился одним из организаторов обороны Белого дома и вызволения Горбачева из Фороса. Однако уже вскоре роль защитника правительства перестает его устраивать, он становится в оппозицию Ельцину и, наконец, в 1993 г. обвиняет президента в покровительстве коррупционерам, уверяя, что лично «собрал 11 чемоданов компромата». Дальше — больше: после роспуска Верховного Совета последовала оборона Белого дома под руководством Руцкого. В итоге здание правительства было взято штурмом, а Александр Руцкой добился своего — его имя действительно вошло в историю как имя одного из самых авантюрных и непредсказуемых российских политиков.

АЛЕКСЕЙ

Значение и происхождение имени: в переводе с древнегреческого это имя означает — «оберегающий», «защитник».

Энергетика и Карма имени: это имя не отягощено никакой отрицательной Кармой. По звуковой энергетике оно довольно спокойно и жизнерадостно. Пусть имя и не зовет своего обладателя к лидерству; оно все же весьма надежно укрывает человека от всевозможных неприятностей. Гораздо большую роль в судьбе Алексея играют воспитание и та среда, в которой он вырастает.

Многие родители, называя так своего ребенка, делают это в порыве родительской заботы, интуитивно или осознанно ощущая нейтральность имени. В самом деле, Алеша вписывается практически в любой коллектив, не вызывая отторжения, однако далеко не всегда все происходит так гладко, как хотелось бы родителям; особенно когда благодаря воспитанию Алексея у него будет чрезмерно развито честолюбие. С одной стороны, совсем лишенный честолюбивых устремлений, Алексей рискует превратиться в ужасающе ленивую личность; с другой же — при неумеренном развитии этого качества может произойти внутренний конфликт, способный спровоцировать всевозможные «внештатные» ситуации. Дело в том, что присущее этому имени равновесие хоть и наделяет человека спокойствием и уверенностью, тем не менее мешает ему стать заметным. Вспомните: даже среди трех русских богатырей Алеша Попович воспринимается как бы на втором плане, несмотря на то, что подвиги его не менее значительны, чем у остальных. Вот так: он любим, уважаем, но в силу своего спокойствия не очень заметен.

Впрочем, конфликт для Алексея все-таки редкость и далеко не всегда заметен окружающим. Просто он часто предпочитает оставаться в стороне, жить своим умом, чем заслуживает славу человека самостоятельного и уверенного в себе. Ему претят чьи-либо попытки подчинить его чужой воле, да и сам он мало склонен к насилию.

Уравновешенность Алексея делает его старательным, терпеливым и вдумчивым, что способно сослужить хорошую службу в бизнесе, медицине, на дипломатической работе. Если же Алексей потеряет присущее ему равновесие, жизнь его может превратиться в настоящий ад, зато внутренние переживания, возможно, найдут свое выражение в творчестве, и мир получит еще одного писателя или художника.

Секреты общения. Уравновешенность Алексея делает его прекрасным слушателем и советником. Он способен на сострадание и готов по мере сил оказать поддержку. Только не стоит, пожалуй, пытаться, что называется, давить на него.

Астрологическая характеристика:

Знак зодиака: Весы. Планета: Юпитер. Цвета имени: красный, светло-зеленый. Наиболее благоприятные цвета: зеленый для равновесия, красный для большей активности. Камень-талисман: александрит, яшма.

Празднуем именины: 30 (17) марта — Алексий, человек Божий.

22 (9) августа — Алексий Константинопольский, мученик.

11 октября (28 сентября) — Алексий Печорский, затворник в Ближних (Антониевых) пещерах.

След имени в истории. Алеша Попович — пожалуй, самый любимый из былинной богатырской троицы — даже рожден был, согласно преданию, совсем не как обычный человек. «Алешенька Чудородыч млад»— так ласково называют его русские народные сказки — родился в день, когда гром гремел посреди ясного неба; и, лишь освободившись из утробы матери, попросил у той благословенья погулять по белу свету и пеленать его не пеленками, но кольчугою. Младенец уже прекрасно держался в седле, владел оружием и был готов совершать ратные подвиги.

Интересно, что в отличие от его суровых и «правильных» попутчиков — Ильи Муромца и Добрыни Никитича — Алеша в сказках рисуется не только самым задорным воином, но и носителем всех присущих обычному человеку качеств. Иногда он не прочь схитрить, временами даже «подставляет» своих товарищей, и те в ответ высказывают ему свое негодование. Согласно былинам, Алеша Попович — любимец женщин, нередко выступающий в роли донжуана и соблазнителя. Так, в одной из легенд он усиленно распространяет слух о гибели Добрыни Никитича с целью посвататься к жене Добрыни, прекрасной Настасье Микулишне. В другом варианте былины Алеша Попович лишил невинности сестру Збродовичей, за что разгневанные братья собрались было отсечь опозоренной сестре голову, и лишь в последний момент Алеша вступился за девушку, обещая на ней жениться.

Силой своей, равно как и мужской привлекательностью, этот богатырь меньше всего обязан физическим достоинствам (напротив — Алеша Попович часто изображается слабым и даже хромым); истинным же его оружием является ум и как следствие — хитрость. Кроме всего прочего, Алеша лукав, хвастлив и излишне самоуверен, но именно потому он и является одним из самых ярких сказочных персонажей, жизни в котором гораздо больше, чем во многих сугубо положительных былинных героях.

АЛЬБЕРТ

Значение и происхождение имени: белый (лат.).

Энергетика и Карма имени: имя Альберт способно наделить своего владельца независимостью и спокойствием. Оно предполагает уверенность в себе и склонность к остроумию. Что и говорить, эти качества трудно назвать бесполезными, и потому очень хорошо, если именно они получат свое развитие в процессе воспитания. При этом немалую роль играет редкость и необычность имени, что, с одной стороны, еще более усиливает положительную энергетику имени, а с другой — позволяет Альберту выгодно выделяться на фоне общего окружения.

Безусловно, красивое редкое имя, обладающее спокойной и притягательной энергетикой, способно обеспечить своему владельцу хороший прием практически в любом обществе. Однако при этом не следует забывать, что первые симпатии окружающих — это всего лишь аванс, который еще предстоит оправдать. Иными словами, Альберт хоть как-то должен соответствовать положительной энергии своего имени, иначе, обманувшись в ожиданиях, общество может резко сменить благорасположение на неприязнь. Впрочем, такой поворот событий достаточно редок, тем более что Альберт обычно легко справляется с этим с помощью врожденного остроумия и уравновешенности.

В большинстве случаев Альберт является жизнерадостным человеком, обладающим здоровым самолюбием, и не склонен мучительно переживать собственные недостатки; он просто предпочитает спокойно идти своей дорогой и, хоть и прислушивается к мнению окружающих, но не придает этому слишком большого значения. Вряд ли его можно заподозрить и в излишней эмоциональности, скорее он имеет аналитический склад ума, причем его прагматичность и расчетливость прекрасно сочетаются со склонностью к некоторому романтизму и всевозможным авантюрам. Он как игрок, который любит здоровый риск, умеет вовремя остановиться и не склонен впадать в депрессию, когда приходится слишком долго ждать хорошей карты.

В целом характер Альберта очень благоприятен как для удачной карьеры, так и для личной жизни. Единственное, чего, пожалуй, следует ему опасаться,— это какой-нибудь

внезапно вспыхнувшей страсти. Потеряв однажды голову, он рискует совершить множество ошибок. Впрочем, с другой стороны, именно эта страсть иногда может придать его жизни неповторимую остроту и прелесть.

Секреты общения. Если Судьба решила свести вас с Альбертом, то не забывайте, что его чувство юмора не только способно оживить беседу, но и нередко является мощным оружием. В целом же чаще всего Альберт уважает в собеседнике независимость, веселый нрав и логичность.

Астрологическая характеристика:

Знак зодиака: Близнецы. Планета: Меркурий. Цвета имени: красный, зеленый, коричневый. Наиболее благоприятный цвет: фиолетовый. Камень-талисман: турмалин.

След имени в истории. Говорят, что один раз, когда жену Альберта Эйнштейна (1879—1955) спросили, что она думает о своем муже, та ответила:

— Он — гений. Он может сделать все, кроме денег.

И действительно, великий ученый, буквально поставивший всю физику с ног на голову, никогда особенно не стремился к деньгам или славе. Он просто много работал — создал специальную теорию относительности, доказал, что тела искривляют окружающее пространство и время, исследовал расщепление урана и надеялся создать единую теорию поля, которая смогла бы объяснить все на свете.

В жизни Эйнштейн любил подурачиться, никогда не упуская случая подшутить над ближним. Так, рассказывают, что калитка, ведущая в его сад, всегда открывалась с большим трудом, к неудовольствию гостей. Когда же ученого спросили, почему бы ему не починить калитку, тот возразил:

— Зачем? Я извлекаю из нее большую пользу, поскольку соединил калитку с насосом, и каждый, открывая ее, накачивает в бочку несколько литров воды.

А на вопросы, касающиеся работы, Альберт Эйнштейн любил отвечать наполовину в шутку, наполовину всерьез:

— Открытия делаются очень просто. Все точно знают, что этого делать нельзя. Но вот случайно находится один невежда, который этого не знает. Он-то и делает открытие.

АЛЬФРЕД

Значение и происхождение имени: советчик (герм.).

Энергетика и Карма имени: в русском звучании имя Альфред звучит довольно вызывающе. В его энергетике можно уловить предрасположенность к резкости, самолюбие и страстность. Увы, типичная ошибка большинства исследователей русских имен состоит в том, что при анализе имени Альфред они не учитывают его редкость в России. Отсюда и вывод о том, что Альфред якобы ничем не выделяется среди окружающих. Вполне возможно, что в Европе это действительно так и есть, однако в нашей стране Альфред выделяется уже одним только своим выразительным именем! И это накладывает на его характер весьма существенный отпечаток. Больше того, с самого детства испытывая чрезмерное внимание к себе, Альфред может ощущать некоторый дискомфорт. Он всегда на виду, и потому именно ему в первую очередь достаются как похвалы, так и наказания. А это может стать довольно тяжелым испытанием для страстной натуры Альфреда.

Обычно энергичный Альфред тянется к лидерству, он отличается изрядной самоуверенностью, граничащей нередко с безапелляционностью, однако ему очень мешают его резкость и нетерпимость. Безусловно, он рискует нарваться на противодействие, а, как известно, на этом недолго и сломаться. Здесь очень уместна поговорка: «Будь проще, и люди к тебе потянутся». В самом деле, смягчив свой характер, Альфред мог бы найти гораздо лучшее применение своей энергии, чем бессмысленная конфронтация, либо ведущая к развитию мучительного комплекса неполноценности, либо ужасно расшатывающая нервную систему.

Кроме этого, энергетика имени изрядно стимулирует воображение и мечтательность; жаль только, что частенько в силу внутреннего конфликта фантазии Альфреда окрашены в довольно мрачные тона. К сожалению, не всегда помогает даже чувство юмора, которое в его устах приобретает характер сарказма или злой сатиры. Зато, если Альфреду все же удастся преодолеть свою резкость, жизнь его может сложиться весьма удачно, а его внутренняя сила способна обеспечить успех в творчестве или в организации каких-либо интересных проектов.

Секреты общения. Нередко Альфред может долго помнить обиду, однако маловероятно, что он при этом будет скрывать свое негативное отношение и носить камень за пазухой. Не стоит также упускать из виду тот факт, что обычно спор с Альфредом превращается не в поиск истины, а в борьбу самолюбий. Постарайтесь поменьше говорить: «Ты не прав» и почаще: «Интересная мысль, а что если посмотреть с другого угла...»

Астрологическая характеристика:

Знак зодиака: Скорпион. Планета: Юпитер. Цвета имени: красновато-фиолетовый, стальной, салатовый. Наиболее благоприятные цвета: зеленый, золотисто-желтый. Камень-талисман: хризолит, золото.

След имени в истории. Говорят, что когда Альфред Нобель завещал весь свой капитал на учреждение премиального фонда, он сделал оговорку — ежегодно на премию выплачивать только проценты с капитала. Целиком же капитал достанется либо изобретателю вечного двигателя, либо первому мужчине, который родит.

Действительно, в жизни Нобель, изобретатель динамита и детонатора, был совсем не взрывоопасным человеком и любил больше всего три вещи: свою мать, работу и хорошую шутку. Весь его огромный капитал, созданный в основном благодаря изобретению динамита, не только не изменил его скромного образа жизни, но даже был в тягость ученому. Как писали после его смерти газеты, «Нобель всегда был отшельником, стремящимся к уединению, а всемирная известность этому только препятствовала».

Однако если Альфред Нобель и хотел, чтобы после смерти о нем как можно скорее забыли, то избрал для этого самый неудачный путь — благодаря его фонду Нобелевская премия ежегодно присуждается за лучшие достижения во многих областях. И единственной возможностью положить этому конец остается отдать все деньги мужчине, который родит, или, на худой конец, изобретателю вечного двигателя — разумеется, только после того, как двигатель пройдет испытание временем.

АНАТОЛИЙ

Значение и происхождение имени: Анатолий — «восточный» или же «житель Анатолии».

Энергетика и Карма имени: Несмотря на то что конкретный смысл имени в русском звучании не прослеживается, его энергетика все равно пропитана некоей восточной пышностью. Не зря даже в современных анекдотах про «новых русских» частенько встречается имя Толян.

С детства Анатолий редко бывает чрезмерно активен, скорее это спокойный ребенок, предпочитающий небольшие, но дружеские компании шумным ватагам. У него рано просыпается любовь к чтению и книгам, он мечтателен, но не рискует особо распространяться о своих мечтах, опасаясь насмешек.

Впрочем, резкий контраст мечты с реальностью Анатолия не слишком тяготит, его фантазии часто заменяют ему реальность. Это успокаивает Анатолия и позволяет легко ладить с окружающими.

По мере того как Анатолий взрослеет, для многих становится неожиданностью, когда в нем вдруг начинают проявляться огромная воля и упорство. Он редко горячится, предпочитая вместо этого внешне спокойно гнуть свою линию, и очень часто добивается своего! Анатолию чужды резкие и быстрые атаки; «тихой сапой» он достигает гораздо большего. При этом он способен долгое время сохранять верность и прощать людям их слабости и ошибки, до тех пор, пока в один прекрасный момент вдруг не охладеет к человеку. Тогда уже никакие уговоры и обещания не смогут смягчить Анатолия, он останется холоден и равнодушен.

Впрочем, Карма этого имени очень благоприятна для занятий бизнесом и всеми видами деятельности, связанными с кропотливым трудом.

Будьте уверены, Анатолий сделает все, чтобы постепенно превратить дом в полную чашу, однако в семейной жизни ему частенько недостает женского восхищения. Нередко жены, обманутые внешним спокойствием Анатолия, пытаются им управлять, не догадываясь, что за улыбкой скрываются обида и боль, которые могут неожиданно вылиться наружу,— и тогда так же «спокойно» Анатолий способен уйти из семьи. Жаль, ведь если попробовать вовремя объясниться, то, возможно, удастся избежать такого неприятного поворота.

Секреты общения. Из недостатков Анатолия можно выделить, пожалуй, только особую падкость на лесть и похвалы, а так же чрезмерную скрытность даже с самыми близкими людьми. Если ему удастся преодолеть темные стороны своего имени, то это поможет избежать многих ошибок и промахов!

Астрологическая характеристика:

Знак Зодиака — Телец. Планета — Луна. Цвет имени: светло-коричневый, иногда красноватый. Наиболее благоприятные цвета: белый и золотистый. Камень-талисман: мрамор, огненный опал.

Празднуем именины: 16 (3) июля — Анатолий Константинопольский, патриарх.

3 (20) ноября — Анатолий Никейский, мученик.

16 (3) июля — Анатолий Печерский, затворник в Ближних (Антониевых) пещерах.

След имени в истории. Одним из самых взамечательных носителей этого имени был французский писатель Анатоль Франс, мозг которого, несмотря на выдающийся интеллект, весил около килограмма — примерно в полтора раза меньше, чем у обычного человека! Вот так вот: мал золотник, да дорог.

Весьма характерным для иллюстрации имени Анатолий является пример великого российского шахматиста Анатолия Карпова. Спокойствие и невозмутимость этого человека, 12-кратного чемпиона мира, неизменно поражали не только шахматных болельщиков, но и людей далеких от мыслей о спорте. Действительно, он садился за шахматную доску с таким видом, как будто впереди его ждал не трудный матч, а непринужденная дружеская беседа,— и столь непоколебимая уверенность в собственных силах действовала на соперников завораживающе. За время своей карьеры Анатолий Карпов не только сумел одержать множество шахматных побед, но и успел написать немало интересных и познавательных книг и вошел в историю и как неплохой литератор.

Также среди выдающихся носителей этого имени были: Анатолий Федорович Кони (1844—1927), замечательный юрист и государственный деятель, благодаря которому в свое время суд вынес оправдательный приговор по делу скандально известной революционерки Веры Засулич; театральный режиссер Анатолий Эфрос и другие.

53

АНДРЕЙ

Значение и происхождение имени: мужественный (др. греч.).

Энергетика и Карма имени: это имя обладает столь сильной энергетикой, что ее с лихвой хватает на всех в мире Андреев. Андрей-весельчак, Андрей-балагур, заводила, душа компании, часто везунчик, которому удача, кажется, сама идет в руки,— все это привычные образы, сложившиеся в народном сознании. Порою даже сам Андрей не может определить, так это или нет — ведь не все так просто и многое дается ему благодаря тяжелому труду и терпению. Впрочем, чем-чем, а терпением энергия имени наделяет его с избытком.

В то же время в имени ощущаются удивительная трезвость и спокойствие, а потому часто за маской беззаботности в Андрее живет довольно расчетливый наблюдатель. Он, безусловно, не так прост и открыт, как кажется, хотя нередко настолько входит в свою любимую роль жизнерадостного человека, что и в самом деле становится таким. Даже когда ему грустно или тяжело, в общении с людьми Андрей легко находит необходимый заряд бодрости и оптимизма; друзья и знакомые, очарованные благоприятной энергией и Кармой имени, сами начинают веселить его.

Наверное, поэтому Андрей и не склонен рассматривать тяжелый труд, благодаря которому он достиг своего положения, как некий подвиг. Для него это естественно до тех пор, пока рядом друзья и все удается. Но попробуйте унизить или оскорбить Андрея! Будьте уверены, перед вами встанет совершенно иной человек. Энергия имени не располагает Андрея терпеливо относиться к врагам; быть может, он и смолчит, но едва ли забудет обиду.

Тем не менее у любой силы есть и своя негативная сторона. Часто Андрей бывает ослеплен своими удачами и ему начинает казаться, что всего в жизни он достиг благодаря собственным усилиям. В этом, конечно, есть доля истины, но если бы только в жизни все зависело исключительно от личных стараний! Может случиться так, что серия неудач вышибет Андрея из седла и разочарование в собственных силах будет столь велико, что у него опустятся руки. В этом случае от жизнерадостного Андрея мало что останется, люди начнут сторониться его, перестав оказывать поддержку. Тогда уже удачи ему долго не видать, а депрессия день ото дня будет усиливаться.

Чтобы избежать столь неприятного оборота, Андрею надо всего-навсего обратить силу своего характера против этой хандры. Сумев спокойно отнестись к неудачам и вернув жизнерадостную улыбку на лицо, Андрей может быть уверен — ответная улыбка Судьбы не заставит себя долго ждать и люди с радостью помогут ему в любых его делах! Ну а пока будет так, Андрей добьется успехов практически в любой области, исключая разве что бюро похоронных услуг, где его жизнелюбие вряд ли окажется уместным.

Секреты общения. С Андреем не только легко общаться, но также можно и поспорить. Вот только не советуем переходить в спорах на личности, если, конечно, вы не хотите заполучить довольно сильного врага. Он, скорее всего, охотно откликнется на вашу просьбу о помощи, тем не менее советуем вам все же знать в этом меру.

Астрологическая характеристика:
Знак зодиака: Стрелец. Планета: Солнце. Цвета имени: густо-красный, темно-коричневый, иногда стальной. Наиболее благоприятные цвета: теплые оттенки коричневого и желтого. Камень-талисман: янтарь.

Празднуем именины: 17 (4) июля — Андрей Боголюбский, великий князь; Андрей Рублев, иконописец, ученик преподобного Сергия Радонежского.

13 июля (30 июня) и 13 декабря (30 ноября) — Андрей Первозванный, один из 12 апостолов, брат апостола Петра, священномученик.

След имени в истории. Андрея Макаревича называют живой легендой русского рока. Хотя почему легендой — непонятно. Ведь легенда — это то, что уже состоялось, ушло в прошлое, а Макаревич никуда уходить не собирается; такое ощущение, что он был, есть и будет всегда. Причем и сейчас, как и 20 лет назад, когда была организована группа «Машина времени», Андрею Макаревичу удалось, никому не подражая и ни за кем не следуя, найти свои собственные пути, ведущие напрямую к людским сердцам. Это и передача «Смак» для любителей хорошей кухни, и оборудованная по последнему слову техники стоматологическая клиника для тех, кто не считает себя мазохистом, и, конечно же, новые альбомы «Машины времени», занимающие первые места в хит-парадах. Обаяние, веселость, общительность — качества, заложенные в энергетике име-

ни, проявляются в характере Макаревича как нельзя более
ярко; и уж, конечно, по его беззаботному виду никак
нельзя предположить, сколько изматывающей и нудной
работы приходится ежедневно делать этому весельчаку и
балагуру.

Имея множество увлечений (музыка, кулинария, под-
водное плавание, рисование), к политике Андрей Макаревич относится с холодным любопытством, как к непости-
жимому явлению нашей жизни. «С политиками, — считает он, — как на следствии, где есть "плохой" и "хороший"
следователь. Здесь то же самое: этот играет в одну игру, а
этот — в другую. Я могу понять, когда человек с детства
мечтает стать пожарным или космонавтом. А вот когда он
становится политиком? Мне это страшно интересно. Потому что наверняка все в детстве были нормальными
людьми».

АНТОН, АНТОНИЙ

Значение и происхождение имени: вступающий в бой,
противостоящий (др. греч.).

Энергетика и Карма имени: в этом имени призыв к какому-либо действию, и вместе с тем оно как бы напоминает своему носителю об осторожности. Не надо бросаться в дела очертя голову, никогда нелишне осмотреться по
сторонам, и, чем проявлять пустое геройство, лучше уж
просто довести дело до конца. Примерно так порою звучат жизненные правила Антона, и, что бы он ни делал, в
нем всегда живет трезвый и осторожный наблюдатель.

Такое равновесие между решительностью и осмотри-
тельностью является важнейшей чертой энергетики имени
Антон и во многом определяет характер его поступков. В
любви он быстро воспламеняется, однако вскоре начинает размышлять о последствиях, а может быть, даже готовить почву для отступления. То же касается и бизнеса —
когда речь заходит о рискованных вложениях, многие
грандиозные планы так и остаются на уровне мечтаний.

С другой стороны, если Антон долго не проявляет активности, та же осторожность начинает напоминать ему,
что от этого могут пострадать его карьера и жизненный
статус, а это бывает весьма полезно — ведь подобные опасения часто удесятеряют силы человека. Бывает, что вне-

запно пробудившаяся энергия порою изумляет окружающих, даже и не подозревавших, что в склонном к лености Антоне пробуждается невероятная энергия. Он может не спать ночами, работать сутками, но сделает все, чтобы не утратить завоеванных позиций.

В то же время, когда осторожность в процессе воспитания будет чрезмерно развита, это может быть воспринято окружающими как трусоватость, а подобные подозрения для Антона крайне нежелательны, особенно в юном возрасте. Скорее всего он во что бы то ни стало постарается развеять их. Здесь не следует забывать, что нельзя создать себе репутацию только рассказами о себе. Иногда случается и иначе: из опасения показаться трусом Антон превращается в героя! Особенно это усиливается под воздействием алкоголя, когда Антон порою сам провоцирует опасные ситуации. Впрочем, происходит это обычно до тех пор, пока репутация Антона не будет восстановлена.

В целом энергия Антона, находящаяся под контролем его осмотрительности, может обеспечить ему успех на руководящих должностях, не требующих риска. Если же Антон пожелает проявить себя в творческих профессиях, ему надо освободиться от боязни показаться смешным.

Секреты общения. Антон редко стремится быть в центре внимания в больших компаниях, но в узком кругу может попробовать взять главенствующую роль на себя. Наиболее благоприятным результат общения будет тогда, когда вы станете говорить с ним на равных, не стараясь ни подчинять, ни подчиняться.

Астрологическая характеристика:

Знак зодиака: Близнецы. Планета: Меркурий. Цвета имени: красный, белый. Наиболее благоприятные цвета: красный для большей активности, белый для успокоения. Камень-талисман: огненно-красный пироп.

Празднуем именины: 22 (9) августа — Антоний Александрийский, мученик.

30 (17) января — Антоний Великий, Египетский, преподобный, основатель пустынножительства.

23 (10) июля — Антоний Печерский, основатель Киево-Печерской лавры в Ближних (Антониевых) пещерах.

След имени в истории. Известно немало выдающихся Антонов, однако одним из самых замечательных людей с этим именем, без сомнения, был знаменитый главнокомандующий белогвардейской Добровольческой армией Антон Деникин (1872—1947). Начать хотя бы с того, что этот человек был едва ли не единственным в русской армии генералом, не имевшим дворянского происхождения. Уверенно и спокойно, не шагая по головам и не заискивая перед высшими чинами, Деникин сумел сделать головокружительную карьеру, причем единственным его недостатком, как считали сослуживцы, являлся слишком мягкий характер — он практически никогда не наказывал солдат. В дальнейшем Антон Деникин показал себя как замечательный организатор, умевший управлять огромными массами людей и предвидеть ход военных действий на несколько шагов вперед; но и тогда, на вершине успеха, он оставался исключительно интеллигентным человеком, ровным со всеми — и с начальниками, и с подчиненными. Позже, в эмиграции, Деникин начал писать, и его многотомный труд «История русской смуты» пользовался немалой популярностью.

Однако больше всего о жизни этого замечательного человека может рассказать его смерть — когда в возрасте 74 лет отставной генерал давно не существующей армии Деникин скончался в США, его похоронили, отдав такие же воинские почести, какие полагались только прославленным генералам американской армии.

АПОЛЛОН

Значение и происхождение имени: в честь греческого бога Аполлона, чье имя предположительно означает «яростный, губительный, подобный Солнцу».

Энергетика и Карма имени: в прямом значении имя Аполлон соответствует древнеславянскому Яриле и определяет некую могучую силу, чей спектр простирается от животворящего начала до губительной ярости. Однако в русском языке энергетика этого имени гораздо более спокойна, хотя и здесь не обошлось без кажущихся противоречий. С одной стороны, имя предполагает уравновешенного человека, знающего себе цену и довольно самоуверенного; с другой же — в нем явственно ощущаются внутренняя страстность и склонность к мечтательности и романтизму. Обычно Аполлон держится несколько отстраненно, вплоть до того, что может производить впечатление сноба. Он сдержан и холодноват, однако до сухости ему ох, как далеко! Нет, скорее за этой немного высокомерной маской скрываются внутренний жар и надрыв. Примерно как в известном романсе «О, говори хоть ты со мной, подруга семиструнная...», автор слов которого, кстати, тоже носил имя Аполлон.

На самом деле нет никакой загадки в том, в одном человеке могут совмещаться столь противоположные качества, как холодность и страсть; просто чем больше Аполлон сдерживается и стремится выглядеть уравновешенным, тем большую силу начинают набирать его чувства. Примерно как струна, которая звучит тем сильнее, чем больше ее натягивают. Очень часто это приводит к некоей раздвоенности самого Аполлона, страстные мечты и фантазии которого начинают резко контрастировать с серой обыденностью будней. Несомненно, все это могло бы найти прекрасное применение в творчестве, особенно в живописи и поэзии; жаль только, что нередко воображение Аполлона слишком уж сильно оторвано от реальности. Да и в личной жизни он может ощущать себя довольно несчастным человеком, которого все то и дело отрывают от чего-то прекрасного, а судьба заставляет его уныло тянуть лямку борьбы за существование. Увы, за подобными мыслями он может не разглядеть такого обычного, но неповторимого счастья, как сама жизнь. Иными словами, ему бы не мешало больше замечать простые радости и научиться добродушному юмору.

Секреты общения. Если вас смущает холодность Аполлона, а сам он кажется высокомерным, то попробуйте вызвать его на откровенность, поговорив о чем-либо необычном и волнующем. В этом случае вы можете увидеть совершенно иного Аполлона. Нередко его страстный характер со всей силой начинает проявляться в любви к азартным играм.

Астрологическая характеристика:

Знак зодиака: Близнецы. Планета: Солнце. Цвета имени: красный, черный, пепельно-серый. Наиболее благоприятные цвета: зеленый, золотисто-желтый. Камень-талисман: хризопраз.

Празднуем именины: 18 (5) июня — Аполлон Египетский, мученик.

59

След имени в истории. Скорее всего, судьбу поэта Аполлона Майкова (1821—1897) предопределило само его рождение в семье, где отец был академиком живописи, а мать — писательницей. Художники, музыканты, литераторы, постоянно собиравшиеся в доме у Майковых, просто не могли не повлиять на желание мальчика со временем приобщиться к их кругу. Аполлон Майков рано начал писать стихи, однако некоторое время колебался, выбирая между живописью и поэзией. В конце концов победила тяга к литературе, и начиная с 1840 г. Майков стал печататься.

Будучи по натуре скорее консервативным, Аполлон Майков предпочитал не искать новых ритмов и рифм, а довольствоваться старыми проверенными методами. Его стихи пластичны и закончены, и хотя в них трудно найти многозначность, свойственную многим русским поэтам, ее с успехом компенсируют мастерские реалистичные описания природы. На стихи Майкова писали музыку Римский-Корсаков, Чайковский и другие композиторы, а сделанный им перевод «Слова о полку Игореве» по-прежнему считается одним из самых выразительных. Лучше всех о творчестве Аполлона Майкова сказал один из его современников сразу после смерти поэта: «Его стихи всегда будут звучать как могучий, стройный и весьма сложный заключительный аккорд пушкинского периода русской поэзии». И с этим утверждением трудно не согласиться.

АРИСТАРХ

Значение и происхождение имени: лучший начальник (др. греч.).

Энергетика и Карма имени: это имя обладает колоссальной деятельной энергией. Оно предполагает твердость, решительность, стремление к лидерству, а редкость имени многократно усиливает такое воздействие на психику. Впрочем, совсем не факт, что все эти качества получат развитие в характере самого Аристарха; вернее, он, несомненно, будет ощущать потребность соответствовать своей мужественной энергетике, однако насколько это у него получится — большой вопрос. Так, скажем, если человек решает заняться каким-либо мужественным видом спорта, то ему мало просто называться спортсменом — надо еще оправдать это звание.

Нетрудно догадаться, что стремление к лидерству, тем более если оно сопряжено с импульсивным характером, как это наблюдается у Аристарха,— вещь довольно небезопасная и вполне может встретить сопротивление со стороны окружающих. При этом если Аристарх не сумеет реализовать свои стремления быть первым, то мощная энергетика имени может поменять знак на противоположный, создавая у его носителя иллюзию неполноценности. Тогда мужественное имя начинает звучать как насмешка. Чтобы избежать такого неприятного оборота, Аристарху не мешает полегче относиться к своим возможным неудачам и вместо того чтобы кусать локти, научиться терпению и постараться развить в себе чувство юмора. Благо что к такому невероятно мощному и требовательному имени трудно относиться без улыбки.

Если Аристарх сумеет преодолеть опасную энергетику своего имени, то его решительный и импульсивный характер, сглаженный остроумием, найдет себе хорошее применение во многих профессиях, особенно связанных с риском и несущих элемент соревнования. Это же способно помочь ему и в отношениях с близкими людьми, а здоровый азарт может придать жизни необходимую остроту и интерес.

Секреты общения. Нередко Аристарх не прочь посмеяться над собственными достоинствами, однако это совсем не означает, что он благодушно отнесется и к вашему остроумию в свой адрес. Иными словами, никогда не забывайте о его чувствительном самолюбии и импульсивном характере.

Астрологическая характеристика:
Знак зодиака: Овен. Планета: Юпитер. Цвета имени: красный, стальной, коричневый. Наиболее благоприятные цвета: зеленый, теплые тона коричневого. Камень-талисман: изумруд, сард, яшма.

Празднуем именины: 17 (4) января — Аристарх, апостол от 70-ти, епископ Апамейский, священномученик.

След имени в истории. Нередки случаи, когда человек, сделавший какое-либо великое открытие, по прошествии многих столетий бывает незаслуженно забыт. Тогда его заслуги приписываются либо одному из его последователей, либо тому, кто сделал то же открытие повторно. Недаром поговорка гласит, что новое — это хорошо забытое старое.

К числу таких незаслуженно забытых людей и принадлежит великий ученый, астроном и математик Аристарх из Самоса (320—250 гг. до н. э.). Человек несомненно талантливый, главным своим качеством Аристарх считал не какие-то особенные способности или хорошую память, а великое искусство задавать самому себе вопросы для того, чтобы потом искать ответы на них. Именно эта любознательность и позволила ему сделать ряд интереснейших изобретений в самых различных областях — в частности, придумать простой способ определения расстояния от Земли до Солнца и Луны. Однако самой большой заслугой Аристарха — не только ученого, но и философа — по праву можно считать его гипотезу гелиоцентрической системы мира.

Действительно, еще за два с половиной века до рождения Христа Аристарх Самосский осмелился утверждать, что звезды неподвижны и бесконечно удалены от Земли, Земля же в свою очередь вращается вокруг Солнца и одновременно вокруг своей оси. Однако единственное, чего он добился этим «бредовым», с точки зрения современников, заявлением,— показал свою независимость, нажив таким образом немало врагов. И лишь спустя много времени польский астроном Николай Коперник разработал ту же самую модель строения мира, что и его гениальный предшественник Аристарх, опередивший свое время на целых 18 столетий.

АРКАДИЙ

Значение и происхождение имени: житель Аркадии, происходящий оттуда родом (др. греч.)

Энергетика и Карма имени: это имя буквально пропитано энергией жизнерадостности, оно наделяет человека подвижностью и любознательностью и совершенно не располагает к одиночеству. С детства жизнь Аркадия наполнена любовью близких и симпатиями окружающих, и поэтому немало способствует беззлобная энергетика имени, которая обычно передается и самому Аркаше. Он умеет любить, тянется в шумные компании, где почти всегда его охотно принимают, и даже может легко стать душой общества.

Даже если у Аркадия имеются какие-либо физические недостатки, положительная энергия имени сглаживает их; он вряд ли будет мучительно переживать из-за своего невысокого роста или, скажем, недостаточной физической силы. Одним словом, комплекс неполноценности ему почти не грозит. В то же время он не склонен выпячивать свои достоинства — его и так уважают многие. Притягательность и легкость имени немало помогают Аркадию в жизни, однако не следует забывать и о подводных камнях. Когда человеку многое удается легко, то недолго и голове пойти кругом! Всепоглощающая радость жизни может затянуть Аркадия, и тогда он рискует, что называется, пуститься во все тяжкие. Веселые компании, женщины, алкоголь — как легко ко всему этому пристраститься и постепенно растратить свою жизненную силу по пустякам! В этом случае удача и симпатии окружающих могут оставить Аркадия, и жизнь вскоре потеряет для него свои краски.

Одним словом, всегда необходимо проявлять определенную выдержку, не забывая о том, что все дающееся легко так же легко и уходит. Только сохранив равновесие, Аркадий может быть уверен — жизнь у него получится удачной.

Секреты общения. Едва ли Аркадия можно назвать таким человеком, который долгое время будет выслушивать чьи-либо жалобы на жизнь; если он не сумеет быстро развеселить человека, то вскоре может потерять к нему интерес. Поэтому если вы хотите попросить Аркадия о помощи, то постарайтесь не сгущать краски, описывая свою ситуацию.

Астрологическая характеристика:

Знак зодиака: Рыбы. Планета: Меркурий. Цвета имени: красный, светло-серый. Наиболее благоприятный цвет: фиолетовый. Камень-талисман: аметист.

Празднуем именины: 27 (14) августа — Аркадий Вяземский и Новоторжский, преподобный.

19 (6) марта — Аркадий Кипрский, преподобный.

8 февраля (26 января) — Аркадий Константинопольский, Палестинский, преподобный.

След имени в истории. Один анекдот гласит, что как-то раз еще малоизвестного Аркадия Райкина пригласили принять участие в праздничном концерте, причем его номер — выступление глупого докладчика — поставили первым. Райкин вышел, стал изображать докладчика. Публика не смеется. Чем больше артист пережимал и заострял, тем серьезнее становился зал, принявший его за представителя райкома.

И действительно, трудно не согласиться с тем, что Аркадий Райкин (1911—1987) великолепно овладел искусством перевоплощения: в течение одного концерта артист обычно исполнял несколько самых разных ролей, то преображаясь в пьяного, то показывая строгий лик ответственного работника или глуповатого мужа. Трудно было поверить, что за этой галереей портретов скрывается всего лишь один человек, с помощью масок и актерского мастерства изменяющий свою внешность до неузнаваемости.

Конферансье, исполнитель монологов, скетчей, фельетонов, Райкин, казалось, в свое время перепробовал все существующие жанры, благодаря чему и смог выработать собственный неповторимый стиль. Всего же за полвека работы в театре им сыграно более 1000 ролей, среди которых не только сатирические, но и лирические, и драматические.

Все, кому посчастливилось работать с Аркадием Райкиным, не могли не заметить его непомерной работоспособности и большой требовательности — не только к другим, но и в первую очередь по отношению к себе самому. Временами его необычайная ответственность даже пугала родных и близких артиста: вопреки болезни он мог прийти на концерт, чувствуя себя обязанным перед купившими билеты зрителями.

Говорят, что один раз у Аркадия Райкина случился сердечный приступ. Приехавшая карета «скорой помощи» везла его из дома в больницу, однако когда машина проезжала мимо театра Вахтангова, где как раз в это время Райкин должен был сыграть маленькую роль в эпизоде, актер уговорил врачей отпустить его на десять минут — и вышел на сцену.

АРНОЛЬД

Значение и происхождение имени: певец (сканд.).
Энергетика и Карма имени: имя Арнольд обладает боль-

шой твердостью и взрывной энергетикой, которая, впрочем, не имеет легкого выхода, замыкаясь на своего носителя. Внешне это может проявляться в том, что внезапные приступы ярости, которым нередко бывает подвержен Арнольд, будут приводить к тому, что он начнет уходить в себя, а его негативная реакция проявится в виде холодности и даже надменности. Немалую роль здесь также играют редкость имени и его иностранное звучание, что навевает мысль о некотором аристократизме, и в сочетании с этим холодное недовольство Арнольда может восприниматься окружающими как презрение. Возможно, люди будут исподволь подозревать, что он смотрит на них сверху вниз. На самом деле это не совсем так. Просто окружающие часто не замечают сдерживаемую ярость Арнольда, сам же он старается говорить спокойно и взвешенно, отчего начинает казаться, что он слишком прямолинеен и резок в общении с людьми. Хуже всего, что тем самым Арнольд наживает себе достаточное количество врагов и постепенно может укрепиться в своем высокомерии.

Безусловно, жить такому человеку непросто, хотя и здесь не без пользы. Часто Арнольд остается на своем пути один, привыкая полагаться прежде всего на собственные силы и закаляя волю. При этом долгие углубленные размышления развивают у него логический склад ума. Для успеха ему надо совсем немного: достаточно просто научиться смягчать свою ярость (в чем хорошо может помочь чувство юмора) и попробовать лучше понимать окружающих, которые, как и сам Арнольд, практически никогда не действуют без причины. Часто понять эти причины и означает простить поведение. В этом случае Арнольд может обрести истинное равновесие, в котором его ясный ум способен на чудеса работоспособности, а твердая воля обеспечит ему успех практически в любой профессии, в том числе и на руководящих должностях.

Секреты общения. Непростой характер Арнольда обычно сильно затрудняет общение с ним. Тем не менее если вам удалось вызвать его на откровенность и завоевать его дружбу, то можете быть уверены — он сохранит верность дружбе, что бы ни произошло.

Астрологическая характеристика:

Знак зодиака: Лев. Планета: Плутон. Цвета имени: стальной, коричневый, иногда красный. Наиболее благоприятный цвет: оранжевый. Камень-талисман: янтарь, сердолик.

След имени в истории. Так получилось, что Арнольд Шварценеггер (род. в 1950 г.) родился в Австрии, в семье начальника районной полиции, человека сильного и почитающего силу. Вероятно, такая позиция отца и определила весь жизненный путь Арнольда — культуриста, бизнесмена и киноактера.

С 15 лет начав лепить собственное тело самостоятельно, уже в 17 он победил на конкурсе «Мистер Европа» и в результате попал в Америку, где параллельно со спортом Шварценеггер основал свое дело — организовал фирму по продаже спортивного инвентаря. Так уже к 30 годам культурист стал миллионером, а позже, придя в кино,— мультимиллионером, народным кумиром и мужем Марии Шрайвер (отпрыском клана Кеннеди).

К настоящему моменту Арнольд Шварценеггер — единственный культурист, удостоенный всех возможных в этом виде спорта званий: «Мистер Олимпия» (7 раз), «Мистер Вселенная» (5 раз) и «Мистер мира». Он весьма неравнодушен к вниманию поклонниц, и изредка в прессе всплывают связанные с этим скандалы. Впрочем, громкие титулы мало способствуют проявлению скромности, к тому же Шварценеггер сказал в одном из интервью: «Меня все время подвергают насмешкам некоторые интеллектуалы, как будто я виноват в том, что Бог создал меня самым сильным и привлекательным мужчиной в мире».

АРТЕМ

Значение и происхождение имени: здоровый (греч.).

Энергетика и Карма имени: в имени Артем явственно ощущается весьма прочная основа, которая полностью не исчезает даже в уменьшительном звучании — Тёма. Таким образом, получая свое имя, Артем невольно принимает на себя некую солидность, вплоть до того, что часто он выглядит несколько старше своих сверстников. По звуковой энергетике имя наполняет своего носителя уверенностью в себе и спокойной силой. При этом относительная редкость имени заметно усиливает такое воздействие.

Скорее всего, Артем не захочет держаться в тени: если уж он вольется в компанию сверстников, то постарается верховодить в ней. Нередко его начинает тянуть к более старшим ребятам, с коими он чувствует себя значительно лучше. В этом имени не прослеживается склонность к агрессии, и его сила больше проявляется в твердости и мужественности. Очень хорошо, если в процессе воспитания характер Тёмы получит именно такое развитие; в противном случае имя будет выглядеть неуместно, как на корове седло, и хорошее отношение людей может резко измениться на противоположное.

Наиболее важной чертой этого имени является, пожалуй, стремление идти своей дорогой, прежде всего полагаясь на самого себя. Обычно Артем умеет уважать авторитеты, но относится к ним без трепета и преклонения и всегда готов проявить характер. Безусловно, такая позиция может вызвать как уважение, так и неприязнь со стороны «сильных мира сего», а потому многое в судьбе Артема зависит от окружения. В семейной жизни его едва ли удастся загнать под каблук, а если все же подобное произойдет, то Артем рискует зачахнуть или даже впасть в депрессию.

Сильная энергетика имени способна помочь Артему в реализации собственных планов; хуже ему удается работа в чужих проектах и предприятиях. В творческих профессиях он скорее всего сможет проявить себя там, где мало лирики, зато достаточно логики и анализа.

Секреты общения. Если вы обратитесь к Артему за поддержкой, то скорее всего он вам ее окажет, однако будьте осторожны: сами того не заметив, вы можете попасть под его влияние. В случае возникновения споров постарайтесь не быть безапелляционным и поменьше ссылаться на авторитеты.

Астрологическая характеристика:
Знак зодиака: Лев. Планета: Солнце. Цвета имени: красный, желтовато-коричневый. Наиболее благоприятные цветаа: теплые оттенки коричневого, черный. Камень-талисман: сард, яшма.

Празднуем именины: 2 ноября (20 октября) — Артемий Антиохийский, военачальник, великомученик.

6 июля (23 июня) — Артемий Веркольский, отрок.

След имени в истории. Артмий Волынский (1689—1740) — русский государственный деятель и дипломат. Человек хорошо образованный и мыслящий, Волынский начал свою карьеру в тридцатилетнем возрасте с должности губернатора астраханского и казанского. Целых 11 лет он успешно справлялся со своими хлопотными обязанностями; и, как и следовало ожидать, молодого губернатора в конце концов заметили при дворе.

Начиная с 1738 г. Артемий Волынский был назначен на должность кабинет-министра при императрице Анне Иоанновне, однако уже вскоре политика, проводимая императрицей совместно с ее фаворитом Эрнстом Иоганном Бироном начинает его сильно настораживать. Действительно, страшно было смотреть, как под руководством этого человека, пользовавшегося неограниченным доверием влюбленной государыни, происходит самое настоящее вторжение иностранцев на Русь: только им раздавали все перспективные посты, все руководящие должности. Те же, кто осмеливался говорить о немецкой интервенции, беспощадно преследовались и карались как изменники родины.

Бирон с усердием, достойным лучшего применения, принимал все меры для того, чтобы заглушить ропот недовольных, и тем не менее пропустил назревавший заговор: при дворе сформировался кружок патриотов, строивших планы смещения Бирона и составлявших проекты справедливого государственного переустройства. Однако вычислить заговорщиков было не составило труда, и в 1740 г. «преступная деятельность» стараниями бироновских прихвостней была разоблачена, а сами «предатели» вместе со своим идейным вдохновителем Артемием Волынским казнены.

АРСЕНИЙ, АРСЕН

Значение и происхождение имени: мужественный (греч.).

Энергетика и Карма имени: Арсений — это одно из немногих имен, которое в уменьшительной форме — Арсен — звучит гораздо тверже, чем в полной, а потому для определения характера чрезвычайно важно знать, как именно носитель имени предпочитает себя называть — Арсением или Арсеном? В первом случае Арсений обычно вырастает довольно мягким и добродушным человеком, он покладист и несколько застенчив. При этом его внутренняя энергия обычно находит выражение в мечтательности и хорошо развитом воображении. Арсений — натура творческая и очень тонко чувствующая, его ничего не стоит обидеть, и далеко не всегда ему хватает решительности постоять за себя в трудную минуту. Впрочем, таких минут в жизни Арсения не так уж много: ведь чаще всего он предпочитает держаться в тени и жить в мире собственных иллюзий. Подобный тип характера хорошо обрисовал один из представителей этого имени — Арсений Тарковский, у которого в стихах, посвященных его детству, есть такая строчка: «Был бесплотней московских воров...» Очень точно и, главное, в отличие от тех самых воров безопасно с точки зрения уголовного кодекса.

Быть может, Арсению и недостает нужной решительности, однако его мягкость и душевность часто обеспечивают ему достаточное количество друзей, в окружении которых у Арсения просыпается жизнерадостность. В остальное время он часто предпочитает плыть по течению, не очень-то заботясь о реальном существовании и несколько рискуя утонуть в собственных мечтах и фантазиях.

Впрочем, у имени есть и другая сторона: ведь, по сути, Арсению ничто не мешает однажды восполнить недостатки энергетики своего имени, осознав себя уже не мягким и уступчивым Арсением, а достаточно твердым и решительным Арсеном. В этом случае у него будет много шансов добиться успеха в жизни и постоять за себя по мере необходимости. Особенно же если, хорошо приобретя нужную твердость и настойчивость, Арсен сумеет сохранить свою душевность.

Секреты общения. Легче всего разрушить отношения с Арсением, попробовав подшутить над ним. Однако при этом он вряд ли будет долго помнить обиду и либо замкнется в себе, либо, особенно если он предпочитает называть себя Арсеном, даст решительную отповедь насмешнику. Зато, подружившись с ним, вы найдете надежного преданного друга.

Астрологическая характеристика:

Знак зодиака: Рыбы. Планета: Луна. Цвета имени: серебристый, иногда стальной, а также красный. Наиболее благоприятный цвет: коричневый. Камень-талисман: яшма.

Празднуем именины: 21 (8) мая — Арсений Великий, преподобный.

1 февраля (19 января) — Арсений Керкирский, архиепископ.

21 (8) августа — Арсений Печерский, Трудолюбивый, в Дальних (Феодосиевых) пещерах.

След имени в истории. Есть такая поговорка: «На детях гениев природа отдыхает», однако подобное утверждение справедливо лишь по отношению к какой-то части гениев и их семей — ведь в ином случае было бы невозможно существование так называемых семейных династий, в которых сын нередко талантливей отца, а внук в свою очередь может переплюнуть их обоих.

Великий режиссер Андрей Тарковский, снявший такие замечательные фильмы, как «Зеркало», «Солярис», «Сталкер», никогда и не скрывал, что формированием своей личности в огромной степени обязан отцу, Арсению Тарковскому (1907—1989). Поэт, переводчик, человек глубоко нравственный, Арсений Тарковский в своих стихах пытался отразить собственное восприятие мироздания как цельности всего сущего, при прочной взаимосвязи его отдельных частей. Мысли поэта о скоротечности жизни и о том, что ожидает человека по ту сторону смерти, его обостренное восприятие окружающего мира не могли не передаться его сыну, и со временем все это вылилось в фантастически-философскую феерию фильмов Андрея Тарковского.

Несмотря на то что Арсений Тарковский знаменит гораздо менее сына, его сборники стихов, такие, как «Волшебные горы», «Зимний день», «Перед снегом», «От юности до старости», в свое время пользовались довольно большой популярностью — главным образом благодаря необыкновенной атмосфере и глубоким мыслям автора.

АРТУР

Значение и происхождение имени: предположительно имя происходит от кельтского слова, означающего «медведь». Это животное весьма почиталось жрецами-друидами.

Энергетика и Карма имени: в русском звучании имя Артур невольно предполагает некоторую интеллектуальность, присущую его обладателю. Вместе с тем в нем содержится даже не один, а целых два призыва к действию, так что порою трудно бывает сказать, чего можно ожидать от Артура. Так, допустим, когда конфликт вроде бы уже улажен, у него неожиданно может начаться новый приступ неудовлетворенности, что часто заставляет окружающих подозревать у Артура неуравновешенность характера. Это ошибочное представление, которое тем не менее желательно постараться исправить, иначе подобное отношение людей может и вправду лишить его равновесия. Самое лучшее, если, ощутив новый толчок к действию, Артур не будет возвращаться к старым обидам, а направит энергию в другое русло, к примеру, выразив ее в художественном произведении или же просто посмеявшись над собой.

Я не случайно упомянул о возможности художественного творчества, поскольку очень часто энергия имени увлекает Артура в область фантазий и грез. Отчасти это связано с его музыкальным звучанием и ритмикой, отчасти же — со сказочным образом предводителя рыцарей Круглого стола королем Артуром, который, по легенде, до сих пор спит на таинственном острове Авалон, ожидая своего часа, чтобы однажды вернуться.

Мечтательность, свойственная Артуру, может найти свое выражение в литературе, живописи, профессиях, связанных с путешествиями и приключениями.

Секреты общения. Обычно Артур предпочитает говорить на интеллектуальные темы, что может привносить в беседу некий налет снобизма. Так это или нет, однако, если вы хотите добиться его расположения, можно посоветовать мимоходом коснуться таких тем, как театр или искусство. Даже если Артур ответит, что не интересуется театром, он все равно относится к вам с большим уважением, как к человеку, не лишенному вкуса. В случае конфликта наилучший способ остановить его — это обратить ситуацию в шутку и недоразумение. Не следует забывать, что вслед за первой вспышкой недовольства может последовать вторая.

Астрологическая характеристика:
Знак зодиака: Близнецы. Планета: Луна. Цвета имени: красный, стальной. Наиболее благоприятные цвета: зеленый, синий. Камень-талисман: бирюза.

След имени в истории. Достаточно только произнести имя Артур, как тотчас непроизвольно в памяти всплывают многочисленные легенды, сказки и предания, связанные с королем Артуром, отважным рыцарем Круглого стола.

В действительности же король Артур Пендрагон — вполне реальное историческое лицо, а потому, как это

71

всегда бывает по прошествии многих лет, теперь уже трудно с уверенностью сказать, что в его жизни происходило на самом деле, а что относится к области народного творчества.

Прекрасная легенда гласит, что свою бурную деятельность Артур начал следующим образом: спасенный от смерти волшебником Мерлином, он сумел благодаря отваге и нечеловеческой силе завладеть хранившимся в камне магическим мечом с надписью: «Кто достанет этот меч, тот по рождению законный король Англии». Далее же, взойдя на трон, король Артур основал собственную резиденцию в Карлеоне, где и установил знаменитый Круглый стол. Самые храбрые и знатные рыцари страны восседали вокруг стола, а один из них — сэр Персиваль — даже сумел раздобыть чашу Святого Грааля...

Однако конец жизни короля и великого рыцаря, если верить легенде, оказался печальным. Очарованный волшебницей Моргаузой, Артур вступил с ней в кровосмесительную связь, не зная, что волшебница приходится ему родной сестрой. Родившийся от этого брака ребенок Мордред, доводившийся Артуру и сыном, и племянником одновременно, никому не принес счастья: много лет спустя Артур убил Мордреда, пытавшегося соблазнить его жену, но при этом и сам получил смертельную рану. Вторая сестра Артура, фея Моргана, перенесла его на остров Авалон, где он и возлежит по сей день в прекрасном дворце на вершине горы.

АРХИП

Значение и происхождение имени: происходит от имени Архипп — главный всадник или повелитель коней (греч.).

Энергетика и Карма имени: каждый, наверное, знает скороговорку «Архип осип, Осип охрип»; чтобы произнести ее без запинки, тем более в детском возрасте, требуется умение и хорошее владение своей дикцией. Быть может, поэтому Архип рано начинает следить за собой и обычно не торопится высказывать свое мнение до тех пор, пока тщательно не взвесит его. Все это делает Архипа довольно рассудительным человеком, не лишенным, однако, самолюбия и умения постоять за себя в случае надобности. При этом немалую помощь ему может оказать достаточная твердость имени. Он терпелив и настойчив, а рассудительность делает его характер незлобивым, хотя иногда он слишком много внимания уделяет самому себе и собственным проблемам, из-за чего может не услышать о проблемах своего собеседника.

Трудно ожидать, что Архип будет отличаться чрезмерной активностью и подвижностью; обычно уже с детства он выглядит серьезным человеком и нередко начинает казаться чуть старше своих лет. Конечно, многое в его жизни зависит от воспитания, но можно быть уверенным, что, однажды выбрав свою дорогу, он станет шаг за шагом упорно продвигаться к цели. Наиболее благоприятно, если некоторая его серьезность будет смягчаться добрым юмором, и, надо заметить, энергия имени может склонить его к этому. В таком случае Архип может найти хорошее применение своим способностям в каких-либо профессиях, требующих аналитического склада ума и терпения. Даже если по воле Судьбы он выберет творческую профессию, то все равно двигать им будут отнюдь не эмоции и чувства, а довольно трезвый расчет. Не исключено также, что он захочет преодолеть некоторую простонародность своего имени, для чего начнет стремиться, что называется, в высокие сферы, однако болезненное самолюбие у него вряд ли разовьется.

В целом из Архипа обычно выходит прекрасный, надежный работник и довольно хозяйственный, хотя и ревнивый, глава семейства. Если же он желает добиться большего, то ему не мешает научиться здоровому азарту и доверять не только своим расчетам, но и «слепому случаю».

Секреты общения. Иногда в споре Архип настолько непреклонен, что способен своим спокойствием довести собеседника до белого каления. Так что если вы хотите что-либо доказать ему, то лучше всего сделать это без лишних эмоций, тем более что он редко говорит, не обдумав свои слова.

Астрологическая характеристика:

Знак зодиака: Телец. Планета: Сатурн. Цвета имени: красный, темно-коричневый. Наиболее благоприятный цвет: оранжевый. Камень-талисман: сердолик, янтарь.

Празднуем именины: 17 (4) января — Архипп, апостол от 70-ти, епископ Колоссянский и Иерапольский, священномученик.

73

19 (6) сентября — Архипп Херотопский, пономарь.

След имени в истории. Говорят, что когда великий русский художник Архип Куинджи (1841—1910) выставлял свою знаменитую картину «Ночь на Днепре», посетители выставки неизменно пытались заглянуть за холст с обратной стороны, чтобы увидеть спрятанную там лампочку или свечу. На самом же деле никакой подсветки не было и в помине, хотя луна, изображенная на полотне, первое время действительно сияла почти как настоящая.

Мастер света, умевший передать все оттенки залитого солнцем леса или бегущей по реке лунной дорожки, сам Куинджи никогда и не скрывал, что его самый большой секрет — это краски. Архип Иванович лично находил необходимые для красок вещества, изобретал новые составы, смешивал, экспериментировал и... добивался нужного эффекта. Эта своеобразная алхимия, превращающая творческий процесс в настоящее колдовство, во многом роднит русского живописца с одним его тезкой, преподобным Архипом, жившим в IV в.,— тот тоже любил творить чудеса.

История же, перевернувшая всю жизнь преподобного Архипа, заключается в следующем: в Малой Азии находился христианский храм, который язычники решили уничтожить во что бы то ни стало. Долго думая, как лучше избавиться от ненавистного сооружения, они решили этот храм затопить, направив в него воду из двух горных речек. Узнав об этом, Архип стал горячо молиться, и святой Михаил, вняв его мольбам, сотворил чудо: одним ударом жезла он рассек надвое огромный камень возле храма, куда вода благополучно и стекла; храм остался в целости и сохранности, а вредителям был преподан хороший урок на будущее.

АСКОЛЬД

Значение и происхождение имени: золотой голос (сканд.)
Энергетика и Карма имени: это имя как будто возвращает нас к нашим древним истокам, оно окутано легендами, преданиями и былинами, так что неудивительно, если с детства у Аскольда будут развиты воображение и мечтательность. При этом редкость и довольно необычное для русского языка звучание имени способны выделить Аскольда из общего окружения, а заодно и навеять мысли о

собственной исключительности. Впрочем, очарование этого имени столь велико, что оно может воздействовать не только на своего носителя, но даже и на окружающих; многие как бы авансом начинают испытывать симпатии к этому человеку, и было бы очень желательно, чтобы Аскольд не разочаровал людей при более близком знакомстве.

По своему звучанию это имя достаточно твердое, но предполагает некоторую замкнутость. Аскольд — человек довольно эмоциональный, однако внешне это может никак не проявляться, он сдержан, обязателен и терпелив, хотя внутри у него могут бушевать настоящие страсти. Благо, что эти страсти все же имеют выход в виде всевозможных фантазий, иначе недолго было бы дойти и до нервного срыва — ведь энергетика его имени похожа на стекло, которое, несмотря на свою твердость, обладает повышенной хрупкостью!

Наиболее благоприятно, если он сумеет реализовать свои способности в каком-либо творчестве и совместит романтичность с добрым юмором. В противном случае при столкновении с далеко не радужной реальностью борьбы за существование Аскольд может испытать внутренний надлом и его фантазии окрасятся в несколько мрачноватые тона. Вообще же ему противопоказана серая обыденность; бывает, что он на протяжении всей своей жизни мечтает о каких-либо невероятных приключениях и авантюрах. Жаль только, что не всегда он способен заметить, что многое зависит от него самого. И кто знает, возможно, будь Аскольд немного более открыт и не опасайся он возможных неудач и насмешек, то ему удалось бы скрасить эту кажущуюся обыкновенность жизни.

Секреты общения. Аскольд обычно относится к той породе людей, на которых смело можно положиться в каких-либо делах; но если вы хотите завязать с ним более глубокие отношения, то знайте, что какую бы маску он ни носил, за ней чаще всего скрывается тонко чувствующий романтик и мечтатель.

Астрологическая характеристика:
Знак зодиака: Козерог. Планета: Луна. Цвет имени: серебристый, иногда красный. Наиболее благоприятные цвета: теплые тона коричневого. Камень-талисман: яшма, сард.

След имени в истории. Аскольд и Дир — так звали двух товарищей-варягов, авантюристов и отважных воинов, ставших первыми киевскими князьями. Трудно говорить о каждом из них в отдельности, поскольку все, что они делали, они совершали вместе. И в результате эта совместная деятельность Аскольда и Дира оказалась настолько бурной, что смело можно сказать: эти смельчаки и забияки друг друга стоили.

Первым совместным проектом друзей была идея перебраться из Новгорода в Константинополь — а вдруг там жизнь лучше? Однако по пути им попался Киев — маленький городок на берегу Днепра, и именно с него они почему-то решили начать осуществление своих грандиозных замыслов. В первую очередь завладев городком, Аскольд и Дир сумели набрать из новгородских варягов значительное войско и, вооружив 200 судов, дошли-таки до Константинополя, осадив его с моря...

«Константинополь, столица восточной империи, в первый раз увидела сих грозных неприятелей, — пишет Карамзин в своей «Истории государства Российского», — в первый раз произнесла имя россиян, россов». И весь этот международный скандал разразился благодаря двум путникам, некогда направлявшимся в Константинополь за счастьем, а впоследствии пришедшим туда в качестве захватчиков. Действительно, Аскольд и Дир впервые вывели Россию на международную арену, заставив другие страны заговорить о ней — если и не с уважением, то хотя бы со страхом.

АФАНАСИЙ

Значение и происхождение имени: бессмертный (греч.)

Энергетика и Карма имени: по своей энергетике имя Афанасий способно наделить своего владельца такими чертами, как уравновешенность, стремление быть последовательным, а также живым воображением и любознательностью. И дело здесь не только в своеобразном звучании имени; немалую роль играет и образ великого путешественника Афанасия Никитина, чье полусказочное «Хождение за три моря» многим становятся известны еще в младших классах на уроках истории.

При этом в характере Афанасия обычно отмечается достаточная мягкость, а иногда и уступчивость. По природе он практически не склонен к агрессии, однако, обладая весьма чувствительным самолюбием, иногда способен взорваться. Впрочем, даже во время этих довольно редких вспышек Афанасий чаще всего не переступает некоей опасной черты и к тому же довольно быстро отходит. Дело в том, что при сегодняшней редкости этого имени оно делает своего носителя довольно заметным, привлекая к нему внимание окружающих, а лишенная замкнутости энергетика предполагает не только мечтательность, но и обидчивость. Именно поэтому он достаточно болезненно реагирует на критику, а критики в его жизни чаще всего бывает немало. Впрочем, живой и подвижный ум Афанасия часто находит спасение в чувстве юмора, что в сочетании с его незлобивостью и общительностью обеспечивает ему достаточное количество друзей. Нередко это же привлекает к нему противоположный пол, и здесь надо быть поосторожнее, чтобы от легких побед не закружилась голова.

В целом жизнь Афанасия бывает довольно спокойной; жаль только, что для настоящего успеха ему не хватает некоторой настойчивости. Увы, без этого трудно добиться в жизни чего-либо существенного; так что если Афанасий желает реализовать собственные творческие способности и честолюбивые мечты, ему надо стать чуть более решительным и быть готовым к тому, чтобы в случае необходимости настоять на своем.

Секреты общения. Среди Афанасиев очень много открытых и веселых людей, что делает общение с ними довольно легким и интересным, если, конечно, вы ничем не задеваете их самолюбие. При этом, будучи человеком последовательным, Афанасий бывает очень верным в своей дружбе; вот только нередко люди пользуются его покладистостью и начинают, что называется, ездить на нем, так что здесь ему не мешает быть немного повнимательней.

Астрологическая характеристика:

Знак зодиака: Рак. Планета: Венера. Цвета имени: красновато-фиолетовый, серебристый. Наиболее благоприятный цвет: для большей концентрации помогает черный. Камень-талисман: черный благородный опал, лабрадорит.

Празднуем именины: 31 (18) января — Афанасий Великий, Александрийский, патриарх; Афанасий Наволоцкий, преподобный.

7 марта (22 февраля) — Афанасий Павлопетрийский, преподобный, исповедник.

15 (2) мая — Афанасий Сидящий, Константинопольский, Лубенский, патриарх.

4 сентября (22 августа) — Афанасий Тарсийский, епископ, священномученик.

След имени в истории. Верно говорят, что деньги — двигатель прогресса. Во всяком случае, если бы не они, вряд ли судьба закинула бы русского купца Афанасия Никитина (?—1474/75) так далеко от родной Твери. Деньги же сыграли в судьбе этого человека удивительную роль — потерпев убытки, он решил, что может поправить материальное положение, только двинувшись с караваном в дальний путь.

За время этого путешествия длиной в 6 лет и тысячи километров Афанасий Никитин пережил множество приключений: целый год вызволял из персидского плена своих товарищей-купцов, три года прожил в Индии, познакомился с индийским султаном и даже некоторое время гостил в его дворце. Наконец, путешественник собрался было возвратиться на родину, но корабль попал в шторм и вместо России оказался у берегов Африки. К сожалению, вернуться в родную Тверь отважному купцу так и не удалось — он умер, не дойдя даже до Смоленска. Итогом же путешествий Афанасия Никитина стали его путевые заметки «Хождение за три моря», в которых автор живо и ярко описывает быт и обычаи заморских стран и в которых сказка нередко мешается с былью: «А у обезьян есть царь обезьяний, и ходит он с ратью своей. Если же кто обезьян обидит, он жалуется своему князю, и тот посылает на обидчика свою рать — а рать обезьянья, сказывают, очень велика, и язык у них свой...»

БОГДАН

Значение и происхождение имени: имя Богдан пришло на Русь вместе с христианством и является дословным переводом греческого имени Феодот — «данный Богом».

Энергетика и Карма имени: это имя обладает удивительной настойчивостью, твердостью и уравновешенностью.

Оно состоит из двух совершенно равнозначных частей, что накладывает на его энергетику своеобразный отпечаток. Наиболее часто это проявляется в том, что Богдан обладает достаточно подвижным умом, который в некоторых случаях может становиться даже изворотливым, что открывает Богдану возможность существования скрытого от людских глаз его второго «я». Бывает и так, что в душе Богдана спокойно уживаются самые противоречивые качества, которые тем не менее не приводят к внутреннему конфликту: ведь уравновешенным Богданом управляют отнюдь не эмоции, скорее уж, он использует противоположные стороны своего характера для каких-либо конкретных целей.

Он игрок, обладающий к тому же неплохими артистическими способностями, что обычно позволяет ему прекрасно приспосабливаться к самым различным ситуациям. Еще более эта способность усиливается благодаря достаточной редкости имени; часто Богдан становится слишком заметным на фоне общего окружения, и чтобы избежать чрезмерного воздействия со стороны общества, ему поневоле приходится быть артистом. Кроме того, пусть «богоданный» смысл имени давно уже стерся, самому Богдану он более чем очевиден, и это способно придать ему уверенность в своих силах, а заодно и навеять честолюбивые мысли. Впрочем, чаще всего у логичного Богдана чисто материальные проблемы преобладают над честолюбием.

В целом можно ожидать, что жизнь Богдана сложится довольно удачно, он трудолюбив и настойчив и часто не склонен стесняться в выборе средств для достижения своих целей. Однако для полноценного счастья ему нередко не хватает простого тепла в отношениях с близкими людьми.

Секреты общения. Нередко артистические способности Богдана позволяют ему сохранить лицо там, где, казалось бы, невозможно не унизиться. Однако в семье, равно как и в общении с людьми, от которых мало что зависит, он уже не испытывает нужды быть артистом и иной раз не прочь дать волю своим негативным эмоциям. Погасить же наметившийся конфликт лучше всего, указав на какие-либо преимущества или даже на безопасность спокойных и уважительных отношений.

Астрологическая характеристика:
Знак зодиака: Телец. Планета: Меркурий. Цвета имени:

темно-коричневый, иногда красный и черный. Наиболее благоприятные цвета: оранжевый, желтый. Камень-талисман: золото, сердолик.

Празднуем именины: 4 марта (19 февраля) — Богдан Адрианопольский, мученик.

15 (2) сентября — Богдан Кесарийский, мученик.

17 (4) июля — Богдан Римский, мученик.

След имени в истории. Согласно ссуществовавшей в XVIII в. придворной сплетне, Богдан Васильевич Умский (?—1780) был не кто иной, как побочный сын последнего гетмана Украины Кирилла Разумовского и императрицы Елизаветы. Во всяком случае, о детстве его ничего не известно, и вполне можно предполагать, что сразу после рождения ребенка высокопоставленные родители поспешили убрать компрометирующее дитя подальше от любопытных глаз.

Лишь в 1738 г. Умский объявился в столице, направив в Сенат прошение о назначении его обыкновенным писарем. Прошение было удовлетворено, и вскоре новый писарь сделал хорошую карьеру благодаря своей открытости, исключительной доброжелательности и умению всюду находить друзей. Позднее Богдан Умский перешел на военную службу и, дослужившись до капитанского чина, был произведен в коллежские советники и назначен опекуном в Московский опекунский совет.

В отличие от многих опекунов Умский с рвением относился к своим обязанностям, считая помощь сиротам очень ответственным делом,— именно под влиянием его убеждений, меценаты жертвовали на Воспитательный дом большие суммы денег. Причем сам Богдан Умский трудился не за знаки отличия (которых и не получал) и не за деньги, а исключительно из чувства сострадания к обездоленным детям. «Писать изволите, — замечает Умский в одном из писем к друзьям, — что опекунам жалованье будет, то остается в соизволении и только ежели из суммы Воспитательного дома, о других не знаю, а о себе отвечаю, что жалованье получать из сиротской суммы неприлично».

БОРИС

Значение и происхождение имени: современный вариант старославянского имени Борислав, славный в борьбе.

Энергетика и Карма имени: в этом русском имени заложен огромный заряд силы, упорства и даже некоторой жесткости. С какой стороны ни смотри на него, энергетика имени от этого не меняется. Здесь и твердое звучание слова, и ассоциации, связанные с конкретным значением, и известные исторические герои, не отличавшиеся особой мягкостью и уступчивостью. Такое имя дают сыну родители, ожидая, что тот будет настоящим мужчиной, твердо стоящим на ногах, и это во многом определяет характер Бориса.

Что и говорить, соответствовать такому образу непросто — ведь у любого человека существует множество слабостей, и потому часто Борис ищет спасения в остроумии и шутках, далеко не всегда пристойных. Однако за веселостью Бориса-балагура нередко проступает усталость Бориса-работяги, вечного борца с жизненными трудностями. Случается, что, долгое время живя в не совсем понятном напряжении, Боря начинает искать разрядку в алкоголе, и, пожалуй, только закаленная воля не дает ему окончательно спиться.

Безусловно, развитие в себе качеств настоящего мужчины — занятие далеко не бесполезное, и все же не следует забывать, что жизнь состоит не только из одних трудностей и преодолений. Если с детства Борису не было привито человеколюбие и более спокойное отношение к неудачам, то, вполне возможно, все его действия станут совершаться с характерным душевным надрывом. Особенно это плохо, когда от него будут зависеть судьбы людей.

Очень важно для Бориса научиться терпимо относиться к человеческим слабостям, и отнюдь не для того, чтобы использовать их в своей борьбе; но еще важнее — больше доверять Судьбе и уметь проигрывать с достоинством и без особого сожаления. Честное слово, Судьба не любит излишней зацикленности на каком-либо деле, и более легкое отношение к жизни едва ли способно повредить!

Значительная сила воли Бориса может сослужить ему хорошую службу в военной карьере, на производстве. Он обычно хороший хозяин, любит заботиться о доме и воспитывать детей. Для того чтобы добиться успеха в бизнесе, ему следует постараться не брать на себя слишком тяжелый груз и относиться к жизни как к игре, скорее забавной, чем трудной.

Секреты общения. Если вы захотите поделиться с Борисом своими проблемами, он скорее всего сумеет вас понять, но едва ли вам полегчает от этого — ведь трудностей у него самого выше головы. Гораздо лучше перевести разговор в веселое русло: это позволит внести в беседу необходимую легкость и взаиморасположение. В споре с Борисом, если уж он возник, неплохо учесть, что сломить его упорство весьма затруднительно; гораздо уместнее не настаивать на своей точке зрения, а просто предложить ее как один из вариантов.

Астрологическая характеристика:

Знак зодиака: Скорпион. Планета: Марс. Цвета имени: темно-коричневый, темная сталь. Наиболее благоприятные цвета: светло-коричневый, зеленый, белый. Камень-талисман: агат, хризопраз.

Празднуем именины: 15 (2) мая — Борис Болгарский, равноапостольный, царь (креститель Болгарии).

6 августа (24 июля) — Борис страстотерпец, князь.

След имени в истории. Говоря об особенностях имени Борис, далеко ходить за примером не нужно, поскольку в данный момент один из носителей этого славного имени находится постоянно на виду, занимая пост Президента страны. Безусловно, Борис Ельцин — личность яркая и неординарная, однако в то же время характер его как нельзя более соответствует приведенной выше характеристике имени. Да и если сравнить Бориса Николаевича с его знаменитыми тезками, героями прошлого и настоящего — царем Борисом Годуновым, теннисистом Борисом Беккером, первым вице-премьером Борисом Немцовым,— в глаза сразу же бросается нечто общее в поведении этих таких разных на первый взгляд людей: исключительная сила воли, напористость, упорство. Быть может, это оттого, что само звучание имени Борис сродни словам «борьба», «бороться»?

Достаточно лишь вспомнить всю историю борьбы Ельцина за президентское кресло — от открытого противостояния Горбачеву в бытность того президентом СССР до победы над путчистами в 1991 г., когда желание видеть Ельцина главой государства стало поистине всенародным. Однако этой победе не суждено было закрепиться надолго; война в Чечне подорвала доверие к Президенту, и накануне выборов ему пришлось приложить неимоверные усилия, чтобы остаться на занимаемой им должности. Самое невероятное, что ему это удалось! Если за несколько месяцев до июньских выборов 1996 г. социологические опросы ясно показывали, что за Ельцина собирается голосовать лишь 6% населения, то всего через несколько недель Борис Николаевич уже далеко опережал по рейтингу всех своих конкурентов — и этот факт говорит сам за себя.

Действительно, можно по-разному относиться к Ельцину, давая оценку его действиям или стилю мышления, однако нельзя отрицать: Президент — одна из самых ярких и колоритных фигур на российском политическом олимпе. И кто знает, не к нему ли относятся слова знаменитого пророка XV в. Василия Немчина, в которых толкователи находят указание на сходство Бориса Годунова, одного из правителей Смутного времени, и Бориса Ельцина. «Несколько великанов спасут Русь, — писал пророк. — И второй из этих великих правителей — титан, одноименный с тем, кто уже правил Русью в Смутное время. Только один бысть малым, а другой бысть большим».

БРОНИСЛАВ

Значение и происхождение имени: славный в защите (слав.).

Энергетика и Карма имени: это довольно редкое имя тем не менее достаточно распространено в западных регионах. Нетрудно заметить, что по своей энергетике оно обладает хорошей прочностью, которая благоприятно сочетается с подвижностью. Это имя способно наделить Бронислава независимым и деятельным характером, придать ему уверенность в себе, настойчивость в достижении целей и умение быть решительным. При этом самолюбие Бронислава является довольно активным, что определяет его сильную реакцию на какие-либо обиды и покушения на его честь и достоинство. Иными словами, он всегда считает необходимым «сохранить лицо» и дать решительный отпор обидчикам. Больше того, нередко, уверенный в своей правоте, Бронислав может даже не заметить, что давно превысил меру необходимой самообороны. Особенно остро это проявляется в детском и юношеском возрасте, когда он может вступить в конфронтацию с воспитателями и учителями, а в некоторых случаях и с правоохранительными органами.

С возрастом чаще всего Бронислав становится более спокоен, а его внутренняя сила и подвижность ума находят свое выражение в чувстве юмора. Обычно, несмотря на многочисленные конфликты в юности, самолюбие его не становится болезненным; Бронислав редко ищет способы самоутвердиться и просто предпочитает жить своим умом. Конечно, его независимость может несколько помешать карьере, однако это вряд ли способно сильно огорчить его, ведь он привык полагаться на свои собственные силы. Лучше всего его характер проявляется в каком-либо самостоятельном деле, труднее ему работать под чьим-то началом. Тем не менее при настойчивости и гибком уме Бронислава у него много шансов добиться успеха в бизнесе. Кроме того, в его натуре нередко отмечается способность к состраданию, и потому многие Брониславы прекрасно реализуют себя в медицине. Самое главное, чего следует ему опасаться,— некоторого пристрастия к алкоголю и другим опасным привычкам, что со временем может разрушить его судьбу и семейную жизнь.

Секреты общения. Нередко Бронислав бывает малоразговорчив, предпочитая отшучиваться, однако с близкими и друзьями он может быть хорошим веселым собеседником. Обычно он не стремится быть лидером и, умея уважать чужое достоинство, в то же время не терпит чьей-либо воли над собой. Главный принцип в общении с ним — это взаимное уважение.

Астрологическая характеристика:

Знак зодиака: Козерог. Планета: Марс. Цвета имени: коричневый, стальной, синий. Наиболее благоприятный цвет: фиолетовый. Камень-талисман: аметист.

След имени в истории. Немецкий алхимик XVII в. Бронислав Брандт — личность во многом выдающаяся, хотя и незаслуженно забытая. Всю свою бурную молодость этот человек посвятил поискам призвания: сначала солдат, потом купец, ни на одном месте он не оставался надолго, и каждое его новое предприятие вместо ожидаемой прибыли приносило лишь убытки. Именно тогда, оказавшись в долгах после очередной коммерческой сделки, Брандт и решил обратиться к такой уважаемой в те времена науке, как алхимия. И преуспел.

Долго и терпеливо изучая труды алхимиков древности, Бронислав Брандт поставил себе целью во что бы то ни стало найти пресловутый философский камень, пока, наконец, в один прекрасный день его не озарило. Он выпарил собственную мочу, смешал ее остаток с песком, перегнал полученную смесь и... действительно сделал выдающееся открытие, получив светящееся во тьме вещество, которое окрестил фосфором.

Впрочем, несмотря на то что философский камень так и не был найден, фосфор оказался для удачливого алхимика не меньшим источником доходов. Первое время Бронислав Брандт продавал его маленькими кусочками чуть ли не на вес золота, а потом передал свое «ноу-хау» одному аптекарю за очень приличное вознаграждение.

ВАДИМ

Значение и происхождение имени: это имя — загадка для исследователей. Некоторые производят его от авестийских корней, сопоставляя с древнеарийским словом «вата» или «вайю», означающим «ветер, символ победы». Действительно, в истории известен святой мученик Вадим Персидский. В то же время это имя попало и в новгородские летописи, что на самом деле неудивительно, если учесть близость многих авестийских и древнеславянских корней. Другие исследователи считают, что оно происходит от славянского глагола «вадити», означающего «спорить, сеять смуту», закрывая глаза на то, что в этом случае Вадим — единственное в своем роде канонизированное имя-оскорбление, да и с суффиксом здесь не все гладко. По нашей версии, это имя двухкорневое, при чем слово «вадить» имеет значение не «спорить», а «влечь, привлекать, манить». Данный корень сохранился в русских словах «поВАДиться, приВАДА» и других. Второй корень — это «има, имати», означающий «обладание, имение, иметь». Таким образом, имя Вадим дословно значит «имеющий привлекательность, зовущий, любимый».

Энергетика и Карма имени: интересно, что энергетика этого имени окутана такой же тайной, как и его происхождение. По энергии звучания оно наполнено спокойствием, неторопливостью, но это тишина морской пучины. В самом деле, с ним легко ассоциируется слово «вода», спокойствие которой нередко бывает обманчивым; иногда она пугает, но чаще завораживает. Древняя поговорка утверждает, что «на три вещи можно смотреть бесконечно: на бегущую воду, на горящий огонь и на человека, который работает». Так и с именем Вадим: оно способно заворожить своей не очень-то понятной глубиной.

Другой вопрос — как это отражается на характере Вадима? Безусловно, данное имя, отождествляясь со своим хозяином, склоняет его к размышлениям и задумчивости. Вряд ли эти размышления будут омрачены каким-либо тягостным чувством, скорее, неторопливая мелодия имени направит их в спокойное русло. Даже если на пути Вадима встретится преграда, он может, что называется, вскипеть, но когда конфликт останется позади, быстро вернет себе привычное равновесие. Это приводит к тому, что среди Вадимов мало злопамятных людей. Порою вызывает удивление то равновесие, в котором находится энергия этого имени,— при всей своей подвижности оно тем не менее невероятно устойчиво, и потому часто Вадим легко и безболезненно приспосабливается к новым для себя обстоятельствам жизни. Не ощущая тяги к омрачающим душу страстям, он обычно склонен воспринимать жизнь как некую игру, в которой можно немного пошуметь, поспорить, повеселиться, даже поогорчаться, но вот рвать потом на себе волосы уже совершенно ни к чему. Часто это значительно помогает ему в делах: он попросту не устает от тяжести ненужных переживаний за судьбу своего дела, а потому сохраняет массу сил для самой работы. В то же время он едва ли успокоится, пока не доведет дело до конца, просто будет продолжать его без надрыва.

Все перечисленное делает имя Вадим весьма удобным для своего обладателя и окружающих, но в основном это относится к повседневной жизни и работе. Другая сторона медали менее благоприятна: ведь глубокие страсти и переживания способны не только омрачать душу, часто они являются той волной, на гребне которой человек достигает невиданных высот! В связи с этим имя Вадим мало помогает человеку в его честолюбивых устремлениях, если, конечно, таковые у него имеются. Таким образом, если Вадиму вдруг придет в голову попасть на страницы истории, то ему не обойтись без воспитания в себе страстности.

Секреты общения. Интересно, что в разговоре Вадим часто говорит то, что думает, порою не замечая, что его слова могут быть поняты превратно. Иногда это способно обидеть собеседника, тем не менее за обидными словами Вадима редко стоит намерение оскорбить, а потому и нет резона обижаться. Будьте уверены, что, подружившись с Вадимом, вы получите союзника, который не станет скрывать от вас правду.

Астрологическая характеристика:

Знак зодиака: Рыбы. Планета: Меркурий. Цвета имени: синий, красный, коричневый. Наиболее благоприятные цвета: красный и черный для большей целеустремленности, белый и синий для повседневных дел. Камень-талисман: лазурит. Для честолюбивых Вадимов — гематит-кровавик, благородный черный опал.

Празднуем именины: 22 (9) апреля — Вадим Персидский, архимандрит, священномученик.

След имени в истории. Вадим Михайлов — лидер и основатель движения «Диггеры планеты Андеграунд», тот самый человек, благодаря которому несколько лет назад была создана группа энтузиастов про изучениеъ московских подземелий. Пожалуй, даже на фоне самых экзотических проектов диггерство не только не теряется, но и, наоборот, кажется чем-то совершенно необычным — недаром оно настолько вошло в моду, что экскурсионные походы по канализациям и шахтам метрополитена получили распространение в среде «новых русских», музыкантов и даже... политиков. Что же касается самого Вадима — тридцатилетнего богатыря и бодибилдера,— то, по его собственным словам, подземный мир — это вся его жизнь.

— Мы начали с изучения обыкновенных подвалов, — рассказал диггер в интервью журналистам,— и тогда, конечно, даже не подозревали о том, что только копошимся над гигантским пространством подземных сооружений Москвы. Настоящая работа началась позднее: мы составляли карты подземных глубин, исследовали заброшенные подземные ходы, часто натыкаясь на совершенно невероятные, почти мистические вещи. Иногда я представляю себе это так: мы, диггеры, находимся как будто в желудочно-кишечном тракте огромного города, подобно лилипутам в теле железобетонного Гулливера. И наша цель — донести до вас, людей поверхности, осознание того, сколько тайн кроется у вас под ногами.

ВАЛЕНТИН

Значение и происхождение имени: в переводе с латыни имя означает «сильный, крепкий, хваткий».

Энергетика и Карма имени: в русском языке, который сам по себе обладает значительной твердостью, имя Валентин довольно странным образом сочетает в себе легкость и в то же время готовность к некоему напряжению, порой значительному. Еще более легкость имени подчеркивается тем, что в настоящее время оно гораздо чаще употребляется в женском варианте — Валентина. Надо заметить, что такое положение вещей может доставить немало неприятностей в подростковом возрасте, когда в дворовых компаниях намеки на принадлежность к другому полу порою звучат особенно оскорбительно. Таким образом, если, конечно, Валентин не воспитывается в каких-то особых условиях, изолированных от влияния улицы, ему нередко приходится проявлять характер, что, в свою очередь, способно усилить свойственное имени напряжение.

Впрочем, в любом случае это имя оказывает ощутимое воздействие на своего носителя. Очень часто за спокойствием и дружелюбием Валика ощущается весьма прочное основание, некий внутренний стержень, сломить который не так-то просто, и можно полагать, что в немалой степени это произошло по тому, что Валентин испытывал потребность закалять характер, чтобы подчеркнуть свое мужество хотя бы в собственных глазах.

С возрастом такое влияние постепенно исчезает, но внутренняя сила и способность долго аккумулировать напряжение остаются и могут принести в жизни существенную пользу. В то же время присущая имени легкость не способствует развитию деспотичных и жестоких черт характера; больше того, среди Валентинов очень много человечных людей, способных понять чужую беду и помочь ближнему.

Лучше всего характер Валентина может проявиться в профессиях, требующих кропотливого, упорного труда и терпения. Они могут реализовать себя в медицине, науке, искусстве. В то же время им бывает непросто на руководящих должностях, где порой нужно применение не только пряника, но и его более радикального дополнения — кнута.

Секреты общения. Среди Валентинов очень много душевных людей, с которыми бывает приятно пообщаться, поэтому, обращаясь к нему с каким-либо делом, попробуйте поговорить с ним по душам. Если вы будете искренни, то он лучше сможет понять вас.

Астрологическая характеристика:

Знак зодиака: Рак. Планета: Плутон. Цвета имени: синий, красный, светло-коричневый. Наиболее благоприятные цвета: теплые оттенки коричневого, зеленый. Камень-талисман: яшма, хризопраз.

Празднуем именины: 6 мая (24 апреля) — Валентин Доростольский, мученик.

12 августа (30 июля) — Валентин Италийский, епископ, священномученик.

19 (6) июля — Валентин Римлянин, пресвитер, священномученик.

След имени в истории. Каждый, кому довелось побывать в Третьяковской галерее, просто не мог не остановиться перед знаменитой картиной Валентина Серова «Девочка с персиками». На этом полотне изображена Вера Мамонтова: девочка как будто только что вбежала на террасу и села за стол, па котором рассыпаны румяные персики; вся картина пронизана солнцем, светом, счастьем... Талант Серова (1865—1911), считавшего себя портретистом (хотя он писал и пейзажи, и натюрморты), был признан еще при жизни, причем слава доставляла художнику гораздо больше хлопот, чем радости. На него сразу посыпались заказы «сверху», от людей, которым он просто не имел права отказать. Однако, несмотря на «портретную кабалу», Серов оставался человеком с чувством собственного достоинства и весьма своенравным, из которого высокопоставленным особам так и не удалось сделать послушного придворного художника.

История сохранила такой факт: один раз Валентина Серова пригласили ко двору писать портреты членов царской семьи. Отказать было невозможно. Сначала художник начал писать портрет Николая II в форме шотландского полка, и на законченную работу пожелала взглянуть царица. Она попросила царя встать в его обычную позу, взяла кисть и, сличив черты лица царя на портрете с натурой, заметила художнику:

— Вот тут слишком широко, а там надо поднять...

Серов вынул из ящика палитру и протянул ее царице со словами:

— Тогда вы, Ваше Величество, и пишите, а с меня хватит.

Прошло несколько лет, и царь через приятеля художника, Дягилева, обратился к Серову с просьбой написать новый портрет. Серов пошел на почту и продиктовал телеграмму Дягилеву. Ответ был лаконичным: «В этом доме я больше не работаю».

ВАЛЕРИЙ

Значение и происхождение имени: бодрый, крепкий (лат.).

Энергетика и Карма имени: данное имя исполнено энергии жизнелюбия, и хотя в целом оно не довлеет над своим носителем, все же его влияние на характер Валеры достаточно велико. По звучанию оно призывает стремиться к выбранной цели и по тайным законам музыкальной гармонии вселяет в человека уверенность в достижении этих целей. При этом убежденность в успехе бывает иногда столь велика, что порою Валерий позволяет себе расслабиться и отвлечься, переключив свою энергию на другое.

В энергетике имени не ощущается склонности к противоборству: Валерий не ищет боя, чаще всего у него иные дороги, не связанные с противостоянием и борьбой. Тем не менее имя может склонять его и постоять за себя в случае необходимости — ведь гордость для него не пустой звук. Подвижность, остроумие, любознательность, оптимизм — вот, пожалуй, наиболее важные черты, которые предполагает имя в своем хозяине, и большинство Валериев стараются соответствовать такому образу. Безусловно, качества эти довольно привлекательны, но все же многое в судьбе Валеры зависит от воспитания и самовоспитания. Скажем, если оптимизм в большинстве случаев встречает симпатии окружающих, то острый язык способен спровоцировать немало конфликтных ситуаций; вот почему так важно для Валеры уважительно относиться к людям. В противном случае врагов у него может появиться больше чем достаточно.

Оптимистический склад характера делает его ум весьма подвижным, в детстве Валера часто становится инициатором каких-либо проказ, заводилой в играх. Если с возрастом это не проходит, из него может получиться неплохой организатор. Тем не менее неплохо бы не забывать и об осторожности: ведь оптимизм оптимизмом, а далеко не все в жизни заканчивается благополучно!

К сожалению, имя мало располагает к основательности; в связи с этим нередко Валерий способен легко отвлекаться и размениваться на мелочи, вместо того чтобы терпеливо вести до конца одно дело. Если же ему удастся преодолеть этот недостаток, то можно быть уверенным, что его оптимизм и энергия помогут Валерию добиться значительных успехов практически в любой области, будь то бизнес, искусство или наука.

Секреты общения. Часто в лице Валерия можно встретить приятного собеседника, мало склонного к унынию. Если же по разным причинам вы вступили с ним в конфронтацию, то на всякий случай неплохо быть готовым к насмешкам с его стороны — часто они бывают весьма болезненны. Еще один совет можно дать на случай совместных дел: заражаясь оптимизмом Валерия, не забывайте все же лишний раз основательно все просчитать и продумать.

Астрологическая характеристика:

Знак зодиака: Лев. Планета: Солнце. Цвета имени: синий, красный. Наиболее благоприятные цвета: черный, темная сталь — способны помочь сосредоточиться. Камень-талисман: гагат, лабрадорит.

Празднуем именины: 20 (7) ноября — Валерий Мелитинский, мученик.

22 (9) марта — Валерий Севастийский, мученик.

След имени в истории. Про Валерия Леонтьева журнал «Таймс» писал так: «Это вокал Мика Джаггера и хореография Барышникова». Ни больше ни меньше. Тем временем за ярким образом преуспевающей эстрадной звезды, каким мы привыкли видеть Леонтьева сейчас, стоит долгий путь на сцену, без чьей-либо помощи, без так называемой раскрутки.

Вообще, многие из обладателей имени Валерий хоть и уверены в успехе, но реально оценивают свои силы. Быть может, потому Леонтьев, выросший в деревне Усть-Уса (Коми АССР), в семье оленеводов, приехал было в Москву поступать в ГИТИС, но испугался собственной смелости и, вернувшись домой, поступил рабочим на кирпичный завод. За несколько лет он сменил множество профессий — от разнорабочего и почтальона до модельера и электрика, однако параллельно продолжал заниматься музыкой и вокалом, а затем наконец перешел на работу в областную филармонию.

Его путь к большой эстраде, был постепенным, без надрыва и наскока, и этим Леонтьев всегда выгодно отличался от людей, делающих ставку на музыкальную карьеру. Кроме того, освоенные профессии позволили певцу самому создать свой неповторимый имидж — он собственноручно шил себе костюмы и ставил танцевальные номера. Обладая большой работоспособностью, Валерий Леонтьев добился всего, о чем только мог мечтать; тем не менее слава не сделала из него ни заносчивого кумира, ни хвастуна. Скорее наоборот: он тщательно скрывает от посторонних глаз свою личную жизнь и не любит говорить о проблемах. Да и нужно ли? Ведь для зрителей он — всегда уверенный в себе, вызывающе яркий, веселый. Одним словом, человек, сумевший поймать свою Птицу Счастья.

ВАРЛААМ, ВАРЛАМ

Значение и происхождение имени: сын Божий (халдейск.).

Энергетика и Карма имени: обрисовать основные черты энергетики имени Варлам можно одной фразой — ломается, но не гнется. Это имя способно придать своему владельцу такие черты, как упорство, твердая воля, независимость, но оно также наделяет человека повышенной возбудимостью и довольно острой реакцией на внешнее воздействие. Все это делает Варлама чрезвычайно неравнодушным и взрывоопасным человеком. Он, несомненно, самолюбив и всегда готов отстаивать свою честь. Вместе с тем и чужая боль способна вызвать у него невыразимую муку. Здесь надо быть несколько осторожным, поскольку в психологии не раз отмечались случаи, когда чересчур острое сочувствие приводит, увы, к тому, что человек попросту не в силах вынести вида чужих страданий и либо закрывает на них глаза, либо это вызывает у него приступ ярости и агрессии по отношению к пострадавшему. Если Варлам не сможет преодолеть эту тенденцию, то ему противопоказаны такие профессии, как медицина и юриспруденция.

Успех Варламу могут обеспечить такие качества, как сильная воля и довольно трезвый ум; однако его независимость, обидчивость и резкость способны не только помешать удачной карьере, но и привести к тому, что у него будет великое множество врагов и недоброжелателей. Конечно, прямотой можно было бы гордиться, если бы она хоть немного сочеталась с уравновешенностью. В противном случае ничего, кроме пустого крика и бессмысленных эмоций, не получится. Очень жаль, что энергия имени не предполагает пластичности по отношению к ударам Судьбы и здорового чувства юмора. Вернее будет сказать, что острый и наблюдательный Варлам способен на юмор, однако частенько в его устах шутки приобретают характер злой сатиры. Едва ли это благоприятно, так что и карьера, и личная жизнь Варлама скорее всего будут находиться под вечной угрозой конфликта, а то и нервного срыва. Если же он желает избежать этого, то ему не мешает немного легче относиться к жизни и попытаться смягчить свое самолюбие с помощью доброй самоиронии. Когда ему это удастся, тогда и Судьба вскоре смягчит свое отношение к нему самому.

Секреты общения. Нередко острое самолюбие и недостаток пластичности заставляют Варлама долго помнить обиды, так что если вам довелось попасть в число его врагов, то это скорее всего на всю жизнь. С другой стороны, и в дружбе он остается верным, вот только иногда мешает его чрезмерная требовательность к людям.

Астрологическая характеристика:
Знак зодиака: Скорпион. Планета: Марс. Цвета имени: синий, красный, стальной. Наиболее благоприятные цвета: зеленый, теплые тона желтого. Камень-талисман: хризопраз, нефрит, гелиодор.

Празднуем именины: 2 декабря (19 ноября) — Варлаам Кесарийский, мученик.

19 (6) ноября — Варлаам Архангельский.

11 октября (28 сентября) — Варлаам Печерский, игумен в Ближних (Антониевых) пещерах.

22 (9) июня — Варлаам Пинежский, преподобный.

След имени в истории. Мало кто не читал знаменитых «Колымских рассказов» Варлама Шаламова (1907—1982) или хотя бы не слышал о сложной, трагической судьбе их автора. Первый раз писатель был арестован, еще учась в университете, и приговорен к пяти годам лагерей; второй раз — всего через несколько лет после освобождения — снова арест и снова лагеря, на этот раз уже на 17 лет.

По сути дела все творчество писателя автобиографично — героями повествования Шаламов делает себя самого, своих друзей или просто людей, которых он когда-то знал. Его страшные рассказы, полные горя и трагедий,— не вымысел, а правда; однако основной упор в своем творчестве автор делает даже не столько на видимые ужасы концлагерей, сколько на проблему развития и деградации личности, попавшей в эти нечеловеческие условия. Кстати говоря, сам Шаламов с честью прошел через все испытания, лишний раз на своем примере доказав: как правило, имя Варлам принадлежит человеку, который может сломаться, но согнуться — никогда.

ВАСИЛИЙ

Значение и происхождение имени: царский (греч.).

Энергетика и Карма имени: в наши дни это имя стало чуть ли не нарицательным, даже появился особый тип настенной письменности под общим девизом «здесь был Вася». Между тем в реальной жизни имя Василий теперь встретишь не часто, скорее, оно переходит в разряд редких. Ничего странного здесь нет, просто многие имена, получив одно время не в меру широкое распространение, становятся слишком обыкновенными, и уже немногие родители спешат назвать ими своих детей. Далее какое-то время имя как бы находится в забытьи, после чего снова становится редким и выразительным. Так что можно ожидать, что имя Василий однажды вернет свои утраченные позиции.

Надо сказать, что не зря в свое время это имя было так широко распространено на Руси, поскольку его энергетика довольно точно соответствует тому представлению, которое сложилось у нас о нашем же народе. Во-первых, это такие душевные качества, как открытость, добродушие, неторопливость и вместе с тем этакая мужицкая хитринка. Не буду спорить о том, обладает ли русский народ этими качествами на самом деле; скажу только, что для того, кто любит Россию, подобное представление весьма оправданно и имеет определенный вес. Для нас же главное то, что такие качества предполагает в Василии само это имя.

Итак, осознав себя не кем-нибудь, а именно Василием, человек поневоле принимает на себя Карму данного имени. Прежде всего это склоняет его к добродушию и спокойной жизнерадостности. Он становится осмотрительным, стараясь подмечать все детали, по возможности пытается избежать конфликтов, и, чтобы вывести его из себя, надо немало постараться.

Словом, Карма имени у Василия в целом весьма благоприятна, хотя в частностях тоже имеет свои недостатки. Очень может статься, что Вася начнет стесняться кажущейся «мужиковатости» своего имени, его простоты. Впрочем, большинство Василиев обладают немалым зарядом уверенности в себе, и это порою помогает им добиться признания не только среди простых людей, но также и в тех кругах, которые принято считать элитарными и интеллектуальными. Больше того, иногда именно простота имени способна выделить Василия среди остальных.

Наилучшим образом положительные качества Василия могут найти применение в профессиях, связанных с техникой, в научно-исследовательской работе, в торговле. В гораздо меньшей степени имя склоняет его к должностям, требующим руководства и подчинения, хотя и здесь бывают исключения.

Секреты общения. Едва ли имеет смысл стараться оказать давление на Василия, скорее всего, он просто проигнорирует ваши попытки. Лучше сразу попробовать договориться с ним о чем-либо на взаимоприемлемых условиях; в этом случае, будьте уверены, он постарается сделать дело хорошо и основательно. Тем не менее, говоря о сроках, нелишне помнить о его склонности к неторопливости.

Астрологическая характеристика:
Знак зодиака: Рак. Планета: Юпитер. Цвета имени: красный, синий. Наиболее благоприятный цвет: для большей активности очень хорош красный. Камень-талисман: рубин, красный гранат.

Празднуем именины: 14 (1) января — Василий Великий, Кесарийский архиепископ, Вселенский учитель.

12 мая (29 апреля) — Василий Острожский, митрополит.

25 (12) апреля — Василий Парийский, епископ, исповедник.

24 (11) августа — Василий Печерский, иеромонах, священномученик в Ближних (Антониевых) пещерах.

След имени в истории. Что касается кажущейся простоватости имени, которую Василий может либо всячески игнорировать, либо, наоборот, подчеркивать, то последнее более всего относится к знаменитому петербургскому актеру прошлого века Василию Каратыгину (1802—1853), ведущему трагику группы Александринского театра. Рассказывают, что однажды, когда Василий Каратыгин вернулся из оперы, где давали вагнеровского «Лоэнгрина», кто-то спросил его:

— Какое у тебя впечатление от оперы?

— Да такое, — не задумываясь ответил Каратыгин, — что в первый раз не поймешь, а во второй — не пойдешь.

Подобные высказывания, выделявшие Каратыгина из толпы, стали со временем его лицом, неотъемлемой частью имиджа, и от них во многом и зависел его головокружительный актерский успех.

Можно смело сказать, что этот подчеркнуто «простонародный» беззлобный юмор стал теперь поистине народным, войдя в историю в виде множества анекдотов вроде следующего.

На светском приеме Каратыгину указали на какую-то сильно нарумяненную и накрашенную даму, спросив:

— Посмотрите, какая красавица! Нравится ли она вам?

— Не знаю, — с сожалением ответил актер, — я ведь не знаток в живописи.

ВЕНЕДИКТ

Значение и происхождение имени: от имени Бенедикт, что означает «благословенный» (лат.).

Энергетика и Карма имени: сила, заключенная в этом имени, весьма существенна. Быть может, его уменьшительная форма — Веня — и не так выразительна, но это с лихвой восполняется в полном имени. Вообще это весьма

96

требовательное имя, и его обладателю приходится порою приложить немало усилий, чтобы соответствовать ему. Оно как бы ждет от человека таких качеств, как твердость, властность, упорство, и если его носитель не отвечает подобному представлению, имя начинает выглядеть глуповато. Это все равно что дать прозвище Громила тщедушному карлику. Однако, по счастью, у Венедикта всегда есть путь отступления — уменьшительный вариант имени.

Еще более энергия и Карма усиливаются его редкостью, и имя начинает воздействовать на психику своего владельца с утроенной силой. Надо, наверное, родиться пуританином, чтобы вместить в себя всю его холодную и дисциплинированную тяжесть, однако большинство русских Венедиктов находят выход в спасительном чувстве юмора. При таком подходе сухость и твердость имени заметно сглаживаются, а присущее ему стремление к точности и дисциплине оборачивается своей весьма небесполезной стороной.

Впрочем, иногда Венедикт, осознав бессмысленность своих попыток соответствовать этому строгому образу, вообще превращается в мягкого, добрейшего человека, признающего собственные слабости и потому легко прощающего слабости чужие. Сегодня это стало еще более возможным благодаря стараниям небезызвестного Венедикта Ерофеева, так трогательно описавшего беззлобность и даже некоторую созерцательную безмятежность русского алкоголика.

Тем не менее гораздо чаще можно увидеть в Венедикте весьма старательного и усердного человека, обладающего достаточно развитой силой воли, в меру требовательного к себе и другим, что часто делает его незаменимым в делах, связанных с управлением, особенно в бухгалтерской области. Такие качества могут найти применение и в научно-исследовательской работе, в армии и других сферах, где требуется исполнительность.

Секреты общения. Постарайтесь не опаздывать, если у вас назначена встреча с Венедиктом,— совсем не факт, что именно этот Венедикт окажется мягким и понимающим слабости человеком! Когда речь идет о вашем начальнике, то, скорее всего, добиться его расположения можно только одним способом — исполнительностью. Если же вам больше по душе компенсировать непунктуальность инициати-

97

вой и интересными идеями, то гораздо логичнее будет поискать другого начальника.

Астрологическая характеристика:

Знак зодиака: Козерог. Планета: Сатурн. Цвета имени: серо-синий, темно-коричневый. Наиболее благоприятный цвет: для обретения равновесия и спокойствия может подойти золотой. Камень-талисман: золотые украшения, пирит.

Празднуем именины: 27 (14) марта — Бенедикт Нурсийский, игумен.

След имени в истории. Бенедикт Карпцов (1595—1666), известный тем, что подписал смертные приговоры 20 000 ведьм и колдунов, несомненно, был человеком, который повлиял на развитие колдовской истории в Германии сильнее, чем кто-либо другой. Прозванный «законодателем Саксонии», он, интеллигентный человек, профессор, заседал в Верховном суде, рассматривая тысячи запутаннейшех дел и без промедления вынося смертные приговоры несчастным, обвинявшимся в ведовстве.

Прочитав, по его собственным словам, Библию 53 раза, он, по существу, являлся фанатиком, считая себя орудием справедливого возмездия. Во всяком случае, он ни на секунду не сомневался в том, что ведьмы по ночам действительно летают на шабаш, как верил и в другую мистическую чушь. Однако, несмотря на то что позиция Бенедикта по отношению к чародейкам была абсолютно однозначна и беспощадна, надо отдать ему должное: он выступал за некоторое облегчение их участи. Так, к числу его «гуманистических» нововведений относится, например, указ, запрещавший содержать заключенных в подземной тюрьме, где они могут погибнуть от укусов ядовитых змей; уведомление же о своей смертной казни, по его мнению, заключенный имел право получать за три дня, в течение которых должен был получать хорошую пищу и вино.

Автор многих трудов по демонологии и процессам над ведьмами, Бенедикт Карпцов, по сути, сам был человеком глубоко несчастным. Всю свою жизнь он прожил в страхе перед порчей, сглазом и другими дьявольскими проделками и умер в твердом убеждении, что спас мир, по крайней мере, от пары десятков тысяч орудий сатаны.

ВЕНИАМИН

Значение и происхождение имени: от древнееврейского имени Беньямин — сын правой стороны (денницы), любимый сын.

Энергетика и Карма имени: в русском звучании это имя обладает удивительной мягкостью и пластичностью. Оно как глина, которая способна течь в руках мастера и приобретать нужную форму, благо ничего опасного из этого материала слепить нельзя. Обычно это приводит к тому, что Веня с детства растет добрым и довольно мягким ребенком. Он не конфликтен, хорошо поддается воспитанию, в то же время у него отмечаются достаточная настойчивость в делах и хорошая гибкость ума. Очень нежелательно, если его воспитание будет чересчур жестким; в результате не склонный к открытой конфронтации Вениамин рано научится использовать свой подвижный ум для каких-либо хитростей. Впрочем, гораздо чаще это качество находит проявление в хорошо развитом воображении и мечтательности.

Несомненно, старательный и мало подверженный эмоциональным вспышкам Вениамин способен многого добиться в жизни; однако, к сожалению, часто он совершенно не умеет отказывать людям в их просьбах, и не исключено, что на его шею найдется превеликое множество «наездников», использующих добродушного Веню в своих корыстных интересах и мешающих его собственной жизни. Одним словом, ему не мешало бы научиться некоторой твердости в отношениях с людьми, да и в семье бывает нелишне проявить характер. В противном случае Вениамин может попросту устать от всего этого и начать искать нужное отдохновение в бутылке.

В целом же имя довольно благоприятно для занятий творчеством или какими-либо науками, где в тиши кабинета Вениамин может быть по-настоящему счастлив и его творческое воображение способно отыскать дорогу в совершенно невероятные и таинственные миры знаний.

Секреты общения. Часто люди своими многочисленными просьбами доставляют Вениамину невыразимые мучения, и он начинает искать уединения. Это, однако, не означает, что перед вами замкнутый человек: попробуйте пообщаться с ним, избегая просьб, и вы сможете увидеть его совершенно с другой стороны.

Астрологическая характеристика:

Знак зодиака: Рак. Планета: Луна. Цвета имени: синий, светло-желтый. Наиболее благоприятный цвет: коричневый. Камень-талисман: яшма.

Празднуем именины: В Неделю св. праотец — Вениамин, один из 12 сыновей ветхозаветного пророка Иакова.

13 апреля (31 марта) — Вениамин Персидский, диакон, священномученик.

27 (14) января — Вениамин Синайский, мученик.

13 августа (31 июля) — Вениамин Петроградский, митрополит, священномученик.

След имени в истории. Если какая-то книга за 25 лет выдержала 42 издания, о ее авторе смело можно сказать: как писатель он состоялся. Именно это утверждение справедливо относится к Вениамину Каверину, ставшему лауреатом Государственной премии СССР благодаря своему знаменитому роману «Два капитана».

Интересно, что хотя Каверина и тянуло к литературе с молодых лет, он, не будучи уверен в своих силах, поступил — и успешно окончил — Институт восточных языков, а затем и историко-филологический факультет ЛГУ. Днем изучая языки и филологию, по ночам Каверин писал, и уже в 20 лет первый его рассказ появился в печати. После нескольких публикаций писателя заметили: он любил творческие эксперименты, и критиков удивляло, насколько его рассказы разнятся по жанру и манере письма. Однако за видимым разнообразием нетрудно разглядеть и характерный почерк автора: как правило, это сложный сюжет, держащий читателя в постоянном напряжении, меткие портретные и психологические зарисовки.

Романтик по своей природе, Каверин открывает перед читателем увлекательный и немного наивный мир, где добро побеждает зло, а справедливость торжествует над пороком. Пожалуй, именно в этом удачном сочетании идеализма с увлекательным повествованием и кроется секрет успеха книг Вениамина Каверина. В частности, успех «Двух капитанов», готовящихся к своему 43-му переизданию.

ВИКТОР

Значение и происхождение имени: победитель (лат.).

Энергетика и Карма имени: энергия имени Виктор обладает значительной импульсивностью, порывистостью, в музыке этого слова ощущается способность быстро воспламеняться какими-либо идеями, не очень-то опасаясь предстоящих трудностей и последствий; но в то же время в нем чувствуется и готовность остановиться в нужный момент. На деле это может толкнуть Виктора на непродуманные шаги, возможно его соблазнят не в меру рискованные, но многообещающие проекты; тем не менее, встретив на пути значительную преграду, он едва ли будет пытаться, что называется, прошибить стенку лбом. К тому же Виктор умеет учиться на собственных ошибках и потому, пострадав в юности от своей импульсивности, становится с возрастом более осторожным.

Имя Виктор мало склоняет его носителя к романтизму и идеализму, скорее, он трезвомыслящий и довольно прагматичный человек, хотя и не лишенный авантюрной жилки. Даже если Виктор ощутит тягу к искусству, то едва ли его прельстит описание красот природы или чувственных переживаний вздыхающих о любви героев. Его привлекают приключения, сильные эмоции, особенно если они связаны со значительными материальными благами; он обычно азартный игрок, однако, начав всерьез проигрывать, скорее всего, успеет вовремя остановиться.

Хуже обстоит дело с алкоголем. Если подвижность Виктора не сможет найти выход в иных занятиях, он рискует постепенно пристраститься к бутылке — ведь в отличие от прочих опасностей алкоголь затягивает незаметно, а значит, и остановиться бывает слишком трудно.

Лучший выход импульсивность характера Виктора может найти в остроумии, что делает его весьма интересным и веселым собеседником. В этом случае Виктор бывает невоздержан в словах, порой говорит лишнее, но все же это не так опасно, как импульсивность в делах. Поэтому наиболее оптимально, когда именно чувство юмора получает у Виктора достаточное развитие.

В общем и целом энергия этого имени довольно благоприятна и может найти применение в самых разнообразных областях, особенно в тех, которые не связаны с поисками абстрактных истин и философских понятий. Надо заметить, что наш материалистический век предоставляет Виктору весьма широкие возможности практически в любой профессии, будь то наука, технические специальности или даже литература.

Секреты общения. С Виктором желательно говорить как можно более конкретно и внятно, долгие рассуждения о чем-либо, скорее всего, не найдут у него отклика. Вполне возможно, что за его серьезным тоном может скрываться шутка или даже насмешка; в этом случае попробуйте тоже пошутить в ответ.

Астрологическая характеристика:

Знак зодиака: Телец. Планета: Меркурий. Цвета имени: синий, темно-серый. Наиболее благоприятные цвета: красный для большей активности, теплые оттенки коричневого для терпеливости. Для спокойного равновесия подойдет темно-серый. Камень-талисман: сердолик, агат.

Празднуем именины: 24 (11) ноября — Виктор Дамасский, мученик.

28 (15) апреля — Виктор Грузинский, мученик.

2 апреля (20 марта) — Виктор Римский, мученик.

След имени в истории. Виктора Степановича Черномырдина, премьер-министра РФ, сатирик Михаил Задорнов называет не иначе как Цицероном. Действительно, формулировки премьера часто при всей их образности бывают неожиданными не только по смыслу, но и грамматически. Однако, как и большинство людей, носящих такое же имя, Виктор Черномырдин предпочитает конкретное дело словам, и даже многочисленные остроты шутников вряд ли заставят его переменить собственное мнение на этот счет.

Среди других качеств Виктора Степановича можно отметить основательность, хозяйственность и значительную подвижность, находящую свое выражение в широкой сфере деятельности премьера. Пройдя долгий путь от слесаря на Орском нефтеперерабатывающем заводе до председателя концерна «Газпром» (производственная карьера) и от инструктора отдела тяжелой промышленности ЦК КПСС до премьер-министра России (политическая карьера), он в 1995 г. создал и возглавил движение «Наш дом — Россия», дав выход своим ранее не реализованным идеям.

Свободное время неутомимый премьер-министр делит между любимой охотой, занятиями автомобилизмом и игрой на баяне, а в политике предпочитает вести другие игры, расчет в которых, как правило, преобладает над эмоциями.

ВИЛЕН

Значение и происхождение имени: это имя появилось после Октябрьской революции и образовано от сокращенного В. И. Ленин.

Энергетика и Карма имени: в энергетике этого не так давно появившегося имени преобладает ярко выраженная подвижность, на фоне которой его иные качества не очень заметны. Впрочем, большую роль также играет его значительная редкость и необычность, что может сказаться на значительном самолюбии Вилена.

Вилен обычно вырастает очень общительным и коммуникабельным человеком, он легко вступает в контакт с незнакомыми людьми и редко страдает от каких-либо комплексов. Он достаточно весел и находчив, обладает значительным зарядом оптимизма, хорошим чувством юмора и живым аналитическим умом. Имя мало склоняет его к агрессии и конфликтности; скорее, он дипломат, предпочитающий добиваться желаемого мирным путем. При этом заподозрить его в особой мягкости и уступчивости довольно трудно: Вилен знает себе цену и тщательно блюдет свои интересы.

Одним словом, Вилен обычно является прекрасным актером, что облегчает ему контакт с людьми, а заодно позволяет держать в тайне многие свои настоящие планы. Нередко большое самолюбие способно сделать Вилена довольно эгоистичным человеком. В этом случае не исключено, что он рано научится хитрить, преследуя какие-либо собственные цели. Вилен человек земной и умеет ценить чисто житейские радости, однако и честолюбие для него далеко не пустой звук. Скорее всего, он постарается избрать карьеру, способную обеспечить не только материальный достаток, но и высокое общественное положение.

Коммуникабельность и легкость Вилена во многих случаях делают его неотразимым в глазах женщин, однако это вовсе не означает, что семейная жизнь Вилена будет счастливой: ведь привыкший к легким победам, он может слишком легкомысленно относиться к браку и своим обещаниям. Не исключено также, что, будучи веселым и общительным на людях, в домашней обстановке Вилен предпочтет снять эту маску, превратившись в чересчур требовательного и себялюбивого человека. Если же он желает полноценного счастья, ему не мешает быть более внимательным к своим близким.

Секреты общения. Общение с Виленом обычно не представляет никаких проблем, однако вам не мешает быть чуточку внимательней — вполне возможно, что за его благорасположением может скрываться какой-либо расчет.

Астрологическая характеристика:

Знак зодиака: Близнецы. Планета: Меркурий. Цвета имени: синий, светло-зеленый. Наиболее благоприятный цвет: фиолетовый. Камень-талисман: турмалин.

ВИССАРИОН

Значение и происхождение имени: лесной (греч.).

Энергетика и Карма имени: Виссарион — имя довольно противоречивое, оно предполагает повышенную возбудимость, подвижность, и вместе с тем в нем заметна ярко выраженная склонность к основательности и упорству, граничащему с упрямством. Обычно Виссарион обладает хорошим гибким умом, в спокойной обстановке он может даже удивлять окружающих своими аналитическими способностями; однако часто взрывной темперамент и сильная обидчивость мешают ему сосредоточиться и принять правильное решение. Дело осложняется еще и тем, что, однажды приняв какое-то решение, Виссарион, сам того не замечая, попадает под власть собственной основательности и упрямства, порою сохраняя верность обидам и негативному отношению на протяжении чуть ли не всей своей жизни. Впрочем, с другой стороны, такая же верность отличает его и в дружбе.

Часто взрывоопасный характер заставляет Виссариона пройти через великое множество конфликтов, что нередко делает его довольно замкнутым и нелюдимым человеком, однако в общении с друзьями Виссарион может преобразиться, дав волю своей общительности и подвижной энергии. В этом случае перед вами предстанет удивительно щедрый и гостеприимный человек, обладающий к тому же хорошим чувством юмора и зарядом жизнерадостности.

Безусловно, сильная воля и гибкий пытливый ум могут здорово помочь Виссариону и в жизни, и в карьере, однако его беда в том, что обычно он не терпит над собою начальства, пресекая любые попытки командовать им. Конечно, такая независимость способна вызвать уважение, однако нелишне все же научиться некоторой терпимости и пониманию человеческих слабостей. Если Виссарион преодолеет взрывоопасность своей натуры, то он, по крайней мере, освободит себя от множества проблем. А заодно и избавит от своей горячности близких ему людей.

Секреты общения. Обычно, несмотря на ясный ум Виссариона, в споре с ним, увы, мало пользы приносит апелляция к его разуму. Здесь гораздо уместнее дать ему остыть и попробовать еще раз обсудить ситуацию в более доброжелательной обстановке. Не стоит также проявлять излишнюю настойчивость, которую Виссарион может принять за попытку повлиять на него, что способно привести к взрыву.

Астрологическая характеристика:

Знак зодиака: Лев. Планета: Марс. Цвет имени: синий, стальной. Наиболее благоприятный цвет: оранжевый, теплые оттенки коричневого. Камень-талисман: сард, сердолик.

Празднуем именины: 19 (6) июня — Виссарион Египетский, пустынник.

След имени в истории. Множество ярких образов, принадлежащих перу литературного критика Виссариона Белинского (1811—1848), некоторым успели набить оскомину еще со школьной скамьи. Быть может, именно потому при одном упоминании его имени возникает образ заумного человека — однако с действительностью это представление имеет мало общего. Напротив, в жизни Белинский был, скорее, из тех людей, о ком говорят: «не от мира сего»; будучи талантливейшим и всем известным критиком, он умудрялся жить чуть ли не в нищете и абсолютно терялся, сталкиваясь с обыкновенными бытовыми проблемами. Тем не менее в общении и искусстве заводить друзей ему не было равных — человек жизнерадостный и легкий, Белинский любил шумные компании, дружеские посиделки.

За свою короткую 37-летнюю жизнь, всего за 15 лет пребывания в литературе, Виссарион Белинский благодаря яркому таланту и удивительной работоспособности создал не только пособие для многих поколений школьников. Он явился основателем такой области литературной деятельности, как художественная критика, когда критическая статья по своим достоинствам ничуть не хуже самого обсуждаемого произведения.

ВИТАЛИЙ

Значение и происхождение имени: жизненный (лат.).

Энергетика и Карма имени: по своей энергетике имя Виталий весьма благоприятно для нормальной жизни, в нем достаточно оптимизма, мягкости, подвижности; вместе с тем оно несет на себе некоторую печать отрыва от действительности. Иногда это склоняет Виталия к мечтательности, которую он, скорее всего, будет тщательно скрывать от окружающих. На то есть свои причины: нередко самолюбие Виталика бывает ущемлено, что особенно хорошо видно в подростковом возрасте. В немалой степени это связано с довольно странным свойством имени — при всей его относительной редкости оно все же умудряется оставаться не слишком заметным, вплоть до того, что порою Виталия начинают путать с другими людьми!

Кроме того, в отрочестве ребята иногда склонны переживать из-за недостаточной твердости собственных имен, стараясь скомпенсировать это своим поведением. Так, к примеру, в стремлении самоутвердиться Виталий может стать довольно резким, подчеркнуто грубоватым, однако едва ли эти черты останутся на всю жизнь. Скорее всего, мягкость имени рано или поздно возьмет верх, а оптимистический склад характера обеспечит Виталику достаточное количество товарищей.

Обыкновенно Виталий не чурается компаний и все же не растворяется в них, большую часть времени проводя от них в стороне. Его принимают за своего парня, к которому всегда можно прийти в случае какой-либо надобности или же просто пообщаться, и так продолжается, по крайней мере, до тех пор, пока он не заведет семью.

В семейной жизни Виталия едва ли можно ждать особых сложностей; большинство носителей этого имени испытывают любовь к хозяйственным заботам, довольно аккуратны и к тому же не склонны к затяжным скандалам. Они могут погорячиться, но довольно быстро отходят и успокаиваются. Единственное, чего, пожалуй, недостает Виталию,— напористости и сосредоточенности на каком-нибудь одном деле. Часто это мешает им сделать хорошую карьеру.

Секреты общения. Если в разговоре с Виталием вам вдруг начнет казаться, что он чем-то недоволен и готов к проявлению агрессии, то не торопитесь ответить ему тем же. Скорее всего, его недовольство — лишь маска, за которой скрывается довольно мягкий человек, а то, что вы принимаете за агрессивность,— не более чем готовность к самообороне. Попробуйте поговорить с ним по-человечески, и напряжение исчезнет.

Астрологическая характеристика:

Знак зодиака: Дева. Планета: Меркурий. Цвета имени: синий, красный. Наиболее благоприятный цвет: для большей сосредоточенности и успеха в делах подойдет черный. Камень-талисман: благородный черный опал.

Празднуем именины: 3 мая (20 апреля) — Виталий Александрийский, преподобный.

11 мая (28 апреля) — Виталий Керкинский, мученик.

7 февраля (25 января) — Виталий Римлянин, мученик.

След имени в истории. С самого раннего детства писатель Виталий Бианки (1894—1959) нисколько не сомневался, что какую бы профессию он себе ни выбрал, она все равно так или иначе будет связана с природой. Эту любовь, трепетное отношение ко всему живому писатель унаследовал от своего отца, известного ученого-орнитолога, работавшего в Зоологическом музее Академии наук. «Отец каждую птицу и зверюшку, каждую травку называл мне по имени-отчеству», — вспоминал позже Виталий Бианки, и эти уроки не пропали даром: все его книги, написанные для детей, повествуют о жизни животных и птиц, червячков и букашек в такой увлекательной и веселой форме, что реальные знания, заложенные в тексте, усваиваются незаметно и без всякого труда.

Человек добрый и мягкий, Виталий Бианки оставался большим ребенком, которому гораздо интереснее было проводить время с детьми, чем обсуждать «важные» проблемы политики или философии. Тем не менее и он по какой-то непостижимой причине в 1935 г. был отправлен в ссылку и лишь благодаря ходатайству многочисленных друзей, талантливых писателей, через два года вернулся в Ленинград.

Его жизнь трудно назвать легкой и безоблачной — ссылка, больное сердце, несколько инфарктов; однако одни проблемы сменились другими, а он так и остался «чудаком», для которого взгляд на распустившийся цветок или птицу, порхающую с ветки на ветку, компенсировал все неудачи, вместе взятые. И это поразительное мироощущение писатель сумел передать в своих книгах, а потому «Лесные домишки», «Кто чем поет», знаменитая «Лесная газета» и другие произведения Виталия Бианки давно уже стали классикой и признаны лучшими учебниками природоведения для людей всех возрастов.

ВЛАДИМИР

Значение и происхождение имени: оно означает «владеющий миром» (старослав.). Едва ли, однако, речь идет о мировом господстве, поскольку само понятие «мир» чаще употреблялось в значении «договор, согласие». Именно эти понятия почитались на Руси священными, а ранее, в эпоху индоарийской общности, обожествлялись в образе бога Митры. Нарушение Договора или Слова считалось величайшим позором и смывалось кровью.

Энергетика и Карма имени: имя Владимир предполагает в своем владельце широту души и благородство. По звучанию оно начисто лишено агрессии, скорее, склоняя человека к проявлению спокойной силы, уверенности в себе, к общительности и доброте. Часто все это делает Владимира весьма уважаемым человеком в своем кругу; он охотно поддержит разговор, поможет советом, нередко к нему обращаются с просьбами разрешить какой-нибудь конфликт или спор.

Удивительно, что, получив в России столь широкое распространение, имя Владимир не потеряло своей силы, не затерлось от частого употребления. Быть может, это связано с тем, что его энергия — энергия любви и уважения, а само оно уходит корнями в глубокое прошлое России с ее былинами, сказками, богатырями. Кто знает, не сыграло ли это в свое время положительной роли в образовании культа коммунистического гения Владимира Ленина?

Как бы то ни было, наиболее характерная черта большинства Владимиров — значительный запас уверенного спокойствия и легкости в общении. Иногда бывает интересно наблюдать, как, даже выполняя подчиненную роль, Владимир умудряется сохранить свое достоинство и не потерять лицо. Он редко горячится, в семейной жизни может спокойно воспринять главенство жены, однако при этом подкаблучником его не назовешь. Просто обычно он является вполне самоценной личностью, не нуждающейся в лишнем доказательстве своих достоинств.

Здесь, правда, нелишне будет напомнить, что самоценность хороша для обыкновенной жизни; если же родители желают, чтобы Володя достиг значительных высот, то не стоит принуждать его усердно заниматься тем или иным делом, гораздо логичнее развить в нем именно то качество, которого ему главным образом и не хватает,— честолюбие. Без него он не добьется ничего, кроме тихой и спокойной жизни, с ним же его работоспособность позволит Владимиру достичь многого!

Володя — работяга; редко испытывая страсть к преодолению трудностей, он просто уверенно делает свое дело, не тратя понапрасну силы на пустые переживания. Конечно же, такое качество может найти себе достойное применение в самых разнообразных областях, начиная от чисто домашних забот и заканчивая профессиями, требующими большого мастерства и таланта.

Секреты общения. Всегда следует учитывать, что в каком бы ранге ни находился Владимир, он все равно является самоценной личностью, готовой постоять за свои права. В то же время, поскольку самолюбие Владимира редко бывает ущемлено, то случайно обидеть его в разговоре весьма затруднительно. Он не обидчив и способен оценить чужую шутку.

Астрологическая характеристика:

Знак зодиака: Водолей. Планета: Солнце. Цвета имени: синий, коричневый. Наиболее благоприятные цвета: золотой, оранжевый. Для большей активности — красный. Камень-талисман: сердолик, рубин.

Празднуем именины: 7 февраля (25 января) — Владимир Киевский и Галицкий, митрополит, священномученик.

28 (15) июля — Владимир равноапостольный, великий князь.

След имени в истории. Как устроен мир? Правда ли, что Вселенная разумна? Знаменитый ученый Владимир Вернадский (1863—1945) имел на этот счет свое собственное мнение. Оно широко известно теперь как теория ноосферы — информационного поля вокруг Земли, из которого подготовленные люди (экстрасенсы, писатели и поэты, изобретатели) способны черпать нужную информацию. А вообще академик Вернадский из числа тех ученых, чью специализацию определить просто невозможно; такое впечатление, что он занимался всем одновременно. Минералогия, кристаллография, геохимия, биохимия, философия... Такой широкий диапазон интересов вполне объясним, если принимать во внимание свойство всякой по-настоящему цельной личности — умение сказать свое слово практически в любой отрасли знаний.

На первый взгляд трудно найти что-либо общее между такими разными людьми, как спокойный и последовательный ученый Вернадский и рассеянный Владимир Немирович-Данченко — известный театральный режиссер. Действительно, последнего друзья называли «двадцать два несчастья», так как во время репетиций с ним постоянно что-то случалось — то чернильницу на себя опрокинет, то лампу уронит, то сам упадет. Но за внешней непутевостью — дань творческой профессии — скрывался уверенный человек, знающий себе цену, добродушно соглашающийся быть предметом общего веселья и не упускающий возможности по-доброму посмеяться над ближним. Один раз Немирович-Данченко предложил драматургу, жаловавшемуся на отсутствие хороших тем, такую: молодой человек, влюбленный в девушку, после отлучки возобновляет свои ухаживания, но она предпочитает ему другого, гораздо менее достойного.

— Что это за сюжет? — возмутился драматург. — Пошлость и шаблон.

— Вы так полагаете? — возразил Немирович-Данченко.

А вот Грибоедов сделал из этого недурную пьесу. Она называется «Горе от ума».

ВЛАДИСЛАВ

Значение и происхождение имени: владеющий славой (старослав.).

Энергетика и Карма имени: нельзя сказать, что характер Влада относится к разряду простых. Энергия этого имени склоняет человека к достаточной твердости, пробуждая такие черты, как хорошая сила воли, стойкость, внешняя открытость. В то же время у него есть четко выраженный второй план: имя как бы открывает своему обладателю возможность еще одной жизни, скрытой от глаз окружающих. Вероятно, интуитивно ощущая эту возможность, многие считают Влада человеком, что называется, себе на уме, не очень-то доверяя его кажущейся открытости.

Надо сказать, что такая особенность имени в первую очередь действует на самого Владислава; и не то чтобы эта двойная жизнь была чем-то из ряда вон выходящим — на самом деле очень многие люди склонны вести себя на людях иначе, чем в какой-либо другой обстановке, называя это дипломатичностью; просто Владу подобные мысли начинают приходить в голову еще в юном возрасте. Ну а раз уж мысли приходят, то трудно не заметить очевидного удобства такой позиции.

На практике это обычно приводит к тому, что Влад редко спорит до хрипоты: он лучше согласится, но останется при своем мнении. Или, допустим, когда компания ждет от него таких качеств, которые ему не по душе, он сыграет эту роль (если, конечно, она не унизительна), но ни на секунду не забудет, что это всего лишь игра. Только наедине с особо близкими друзьями Влад может неожиданно разоткровенничаться, чем иногда способен изрядно удивить окружающих, проявив совершенно неожиданные черты.

С другой стороны, обладая значительной силой, имя требует от Влада сохранять свое достоинство, а потому едва ли он станет лебезить перед кем-то, и в силу этого двуличным его не назовешь. Он может смолчать, сыграть роль понимающего человека, но вряд ли унизится до лести и подхалимства.

Еще одна характерная черта, к которой склоняет Владислава энергетика его имени,— ироничность, граничащая порой с насмешливостью. Это качество особенно проявляется, когда положение Влада в обществе начинает укрепляться; иногда он даже становится несносен со своей иронией. Кстати говоря, именно за ней легче всего скрывать настоящие мысли.

Семейная жизнь Владислава может сложиться по-разному, все зависит от того, что у него за душой. Бывают случаи, когда, соблазнившись его общественной маской, женщина разочаровывается в подлинном Владе. Если же и дома Владислав будет носить эту маску, то, скорее всего, начнет рано или поздно искать расслабления на стороне. Кроме того, и сам имея тайные мысли, он способен превратиться в ужасного ревнивца.

Обладая изрядной настойчивостью, Владислав может с успехом использовать свои качества в бизнесе, в политической карьере, на руководящей работе. Могут найти свое применение и весьма развитые артистические способности.

Секреты общения. Если вы по каким-либо причинам решили перейти Владу дорогу, будьте готовы к тому, что он постарается выставить вас на посмешище. В решении спорных вопросов не стоит забывать о его дипломатичности, поэтому на всякий случай, получив от Владислава согласие с вашей точкой зрения, попробуйте еще раз подчеркнуть свою правоту, но не прямо, а на каком-нибудь понятном примере.

Астрологическая характеристика:

Знак зодиака: Близнецы. Планета: Юпитер. Цвета имени: синий, светло-зеленый. Наиболее благоприятный цвет: коричневый. Камень-талисман: яшма, сард.

Празднуем именины: 7 октября (24 сентября) — Владислав Сербский, князь.

След имени в истории. Пожалуй, не найдется человека в России, который ничего не знал бы о Владиславе Листьеве. Один из самых крупных реформаторов телевидения, создатель таких интереснейших программ, как «Поле чудес», «Угадай мелодию», «Час пик» и многих других, молодой, веселый, энергичный, Листьев, казалось, всегда излучал какие-то флюиды обаяния, благодаря которым всегда становился центром любой компании, любой передачи.

Ему не было равных на телевидении хотя бы уже потому, что именно в нем непостижимым образом сочетались абсолютно все качества, необходимые телевизионщику-профессионалу: умение хорошо и интересно говорить, искренний, почти детский интерес, проявляемый к собеседнику, безукоризненная, немного хулиганистая внешность и, наконец, присущий ему одному шарм.

По словам людей, хорошо знавших Владислава Листьева, он и с друзьями, и в семье оставался таким же, каким его привыкли видеть зрители на экране,— излучающим энергию жизни, творчества. Очень любил делать неожиданные подарки, сюрпризы. Говорят, что когда-то в детстве его жена потеряла любимую мягкую игрушку. Узнав об этом, Влад стал дарить ей игрушки в неимоверном количестве, пытаясь компенсировать ту давнюю потерю.

У него всегда была масса всевозможных идей, и все их он хотел постепенно претворить в жизнь, сделав Российское телевидение соответствующим мировым стандартам, если не лучше. Но пуля наемных убийц 1 марта 1995 г. оборвала жизнь этого замечательного человека, любимца всей страны — человека, у которого, казалось, просто физически не могло быть врагов.

— Он ведь каждый день приходил в наш дом, — сказала одна старушка, пришедшая попрощаться с любимым телеведущим. — Он мне почти как сын был.

Так говорили многие, и потому на похороны Владислава Листьева пришли тысячи людей, в том числе приехавшие из других городов. В последний раз страна так оплакивала человека только в 1980 г., на похоронах Владимира Высоцкого.

ВЛАДЛЕН

Значение и происхождение имени: это послереволюционное имя является сокращением имени Владимир Ленин.

Энергетика и Карма имени: трудно не заметить, насколько гармонично образована мелодия имени Владлен; по своей энергетике оно обладает достаточной твердостью, и эта твердость совершенно не портит красоту имени. Пожалуй, даже несколько чрезмерную красоту. Обычно человек по имени Владлен в любом обществе держится уверенно и знает себе цену. Он достаточно трудолюбив, способен быть настойчивым в достижении цели, может постоять за себя, хотя все же предпочитает избегать конфликтов и решать их более с помощью логики, чем эмоций и тем более рук. Одним словом, он стремится соответствовать образу уверенного в себе, интеллигентного человека, и, надо заметить, в большинстве случаев это ему удается.

Особый момент — самолюбие Владлена, которое обычно бывает весьма заметным, но не болезненным. Просто Владлен часто склонен уделять много внимания самому себе, в том числе и своей внешности, а также небезразличен к тому, какое впечатление в обществе он производит. Впрочем, скорее всего, он достаточно спокойно отнесется к тому, что его персона кому-либо не по душе. Другой вопрос — как на это могут отреагировать окружающие. В самом деле, если кому-то такая позиция покажется симпатичной, то немало найдется и тех, кто за спокойствием Владлена сумеет разглядеть высокомерное презрение к чужому мнению. Но здесь, как говорится, ничего не попишешь.

Владлен относится к той породе людей, которые умеют держать себя в руках, а его хорошие пробивные качества и не замутненный излишними эмоциями рассудок часто позволяют ему сделать неплохую карьеру. Он бывает очень целеустремленным и терпеливым, причем интеллигентность и дипломатичность могут сослужить ему хорошую службу на руководящей работе. А вот в семейной жизни едва ли все будет так гладко. Обычно он не испытывает недостатка в женском внимании, но ему не мешает задуматься — не слишком ли высокие требования он предъявляет к будущей супруге? В конце концов идеальных людей не бывает, любят же человека не за какие-то качества, а просто так. В противном случае любовь не приносит счастья.

Секреты общения. Владлен — дипломат, и потому говорить с ним желательно с позиций логики и здравого смысла. При этом стоит учесть, что, несмотря на его коммуникабельность, от него не так уж просто добиться истинной дружбы или хотя бы настоящего благорасположения.

Астрологическая характеристика:
Знак зодиака: Лев. Планета: Юпитер. Цвета имени: синий, коричневый, серебристый. Наиболее благоприятные цвета: оранжевый, фиолетовый. Камень-талисман: янтарь, аметист.

След имени в истории. Поскольку за несколько десятилетий советской власти имя Владлен не успело по-настоящему прижиться, так и не став достаточно распространенным, на сегодняшний день нет известных личностей, носящих это имя (не считая, разумеется, человека, которому оно было обязано своим появлением на свет).

ВЛАС, ВЛАСИЙ

Значение и происхождение имени: неповоротливый (греч.). Имя получило на Руси прописку с одной главной целью — вытеснить культ языческого бога Велеса, чей образ был постепенно заменен образом святого Власия.

Энергетика и Карма имени: это имя довольно уравновешенного и достаточно твердого человека. Влас обычно человек с характером, он трудолюбив, настойчив и независим. В то же время его внутреннее спокойствие часто позволяет ему избегать многих конфликтов, так что независимость Власа обычно воспринимается окружающими как самостоятельность и уверенность в себе. Особую роль в жизни Власа может сыграть некоторая простонародность его редкого имени. Очень благоприятно, если этот момент будет обойден с помощью чувства юмора, позволяющего хорошо сгладить все неприятные стороны. В противном случае самолюбие Власа может быть несколько ущемленно, что заставит его искать способы самоутвердиться, хотя за маской спокойствия скорее всего окружающие этого и не заметят.

Особенно это нежелательно в юном возрасте, когда Влас может вести себя несколько вызывающе по отношению и к сверстникам, и к учителям. Впрочем, едва ли это оставит в его душе слишком глубокий след, и с возрастом он снова обретет должное спокойствие и уверенность, а самолюбие найдет проявление в честолюбивых устремлениях. Надо сказать, что у Власа есть все шансы реализовать свои планы, что обеспечено как его внутренней энергией и трудолюбием, так и заметностью имени. Практически в любом коллективе он будет на виду, и потому маловероятно, что его достоинства останутся незамеченными и неоцененными. Единственное, что остается здесь добавить,— то, что его практичный ум будет более уместен в областях, связанных с техникой и точными науками.

В семейной жизни Власа обычно отличают хозяйственность и деловитость, а также верность своим обещаниям. Маловероятно, что его потянет искать любовные утехи на стороне; при этом и от супруги он ожидает того же.

Секреты общения. Обычно Влас больше всего ценит в людях верность слову, точность и аккуратность. С этих позиций он и оценивает людей. Если же при этом он еще и обладает чувством юмора, то трудно найти человека более приятного в общении, чем он.

Астрологическая характеристика:

Знак зодиака: Козерог. Планета: Сатурн. Цвета имени: синий, серебристый, иногда красный. Наиболее благоприятный цвет: оранжевый. Камень-талисман: сердолик.

Празднуем именины: 16 (3) февраля — Власий (Вукол) Кесарийский, исповедник.

24 (11) февраля — Власий Севастийский, епископ, священномученик.

След имени в истории. С пришествием на Русь христианства образ святого Власия (чей праздник отмечается 16 и 24 февраля) практически слился с существовавшим еще со стародавних времен культом поклонения могущественному богу Велесу — покровителю скота и охоты. И действительно, вместо того чтобы изживать язычество с корнем, гораздо более легким и безболезненным было такое слияние языческих богов с христианскими святыми — постепенно святые полностью заменили в сознании народа образы своих предшественников, и теперь только некоторые обряды и предания могут указать на их языческие корни.

В славянской мифологии Велес считался вторым по «старшинству» после бога-громовержца Перуна. Это и неудивительно — в те далекие времена, когда выживание племени полностью зависело лишь от охотничьего искусства и удачи мужчин, именно поклонение звериному покровителю было жизненно необходимым. Впоследствии по мере развития земледелия и скотоводства Велес, до этой поры изображавшийся в виде медведя, автоматически становится и охранителем домашнего скота.

Интересно, что и по сей день некоторые народные праздники и обычаи своими корнями восходят непосредственно к древнему культу Велеса. Так, например, вплоть до последнего времени в восточных областях России неизменно соблюдался следующий обычай: в ходе жатвы несколько хлебных стеблей специально оставляли нетронутыми, принося в жертву скотьему богу; эти стебли так и называли «Волосовой бородкой».

Точно так же отголоски древнего культа находят свое отражение и в обычае справлять святки и масленицу, наряжаясь в тулупы. Для современного человека подобное действие выглядит бессмысленным, однако достаточно вспомнить, что тысячи лет тому назад именно в это время — весной — наши предки отмечали праздник пробуждения Велеса-медведя и, приветствуя его, сами наряжались в звериные шкуры.

ВСЕВОЛОД

Значение и происхождение имени: всевластный (слав.).

Энергетика и Карма имени: странным образом энергия данного имени входит в диссонанс с его конкретным значением — оно настолько не предполагает властности характера, что если Всеволод и имеет влияние на людей, то исключительно в силу умения убеждать. Впрочем, вполне возможно, что наши далекие предки и вложили в это имя именно такой смысл, выразив свою мечту об идеальном правителе, чья власть строится не на насилии, а на уважении и любви.

Это имя наделяет своего носителя стойкостью, терпеливостью, спокойным мужеством. Его энергия незлобива, но тверда, от нее веет уравновешенным оптимизмом, а это именно те качества, которые передаются другим людям наиболее легко. В самом деле, из человека трудно сделать борца, на излишней самоуверенности и стремлении к превосходству очень легко сломаться, встретив сопротивление окружающих, но уравновешенность и оптимизм ни у кого не вызывают отторжения. Таким образом, и сам Всеволод, и большинство окружающих воспринимают это имя положительно, что нередко открывает Севе многие двери на его жизненном пути. Еще более это усиливается благодаря относительной редкости имени.

В то же время в отличие от многих других оптимистичных имен имя Всеволод располагает к сосредоточенности и самоуглубленности, а это может стать значительным плюсом! Тем более что оно мало склоняет к педантизму. Обычно из Всеволодов вырастают весьма старательные люди; они хорошо учатся, редко попадают в неприятные истории, пользуются любовью учителей, но в любимчики не рвутся и потому не теряют авторитета среди товарищей. Чаще всего подобные тенденции остаются у них и во взрослой жизни, обеспечивая хорошую карьеру и крепкую семью.

Одним словом, имя Всеволод очень благоприятно для спокойной жизни и в этом-то и заключается его главный недостаток. Не испытывая глубоких страстей и всепоглощающих желаний, недолго и потерять ориентиры в жизни. Нередко Всеволод начинает мучиться от отсутствия главной цели и какой-либо захватывающей мечты, без которых все старания рано или поздно теряют смысл. Это очень существенный момент, и на него следовало бы обратить внимание родителей Севы, поскольку если в самом имени не заложены четкие устремления, то крайне необходимо еще в детстве привить ему интерес к чему-либо. Чем сильнее и достойнее будет этот интерес, тем больше у Всеволода шансов прожить полноценную, насыщенную событиями жизнь. Самому же Всеволоду можно пожелать не бояться рискованных поступков и в большей степени относиться к жизни как к довольно увлекательной игре. Будьте уверены, с началом игры придут и интерес, и здоровый азарт, а ваши лучшие качества обязательно помогут вам достичь успеха!

Секреты общения. Бывает, что в разговоре со Всеволодом собеседника начинает невольно завораживать его неторопливая уверенность. Иногда это может сбить человека с мысли. Если вы не желаете поддаваться такому невольному гипнозу, то лучше всего сделать разрядить ситуацию с помощью пары удачных шуток. Кроме того, хотя обычно Всеволод мало расположен к эмоциональному разговору, все же юмор — это одна из тех эмоций, которая поможет вести беседу в нужном вам русле. Главное, чтобы шутка была удачной и беззлобной.

Астрологическая характеристика:
Знак зодиака: Рыбы. Планета: Луна. Цвета имени: светло-зеленый, синий. Наиболее благоприятные цвета: для большей активности красный; оранжевый способствует мечтательности. Камень-талисман: сердолик, красный гранат.

Празднуем именины: 24 февраля, 5 мая, 10 декабря (11 февраля, 22 апреля, 27 ноября) — Всеволод Новгородский, князь.

След имени в истории. Выросший в семье предпринимателя Всеволод Мейерхольд (1874—1940) не унаследовал от своего отца коммерческой жилки — напротив, поступки его часто казались окружающим нелогичными и необоснованными. Так, окончив драматическое училище и проработав 4 сезона в Художественном театре, молодой режиссер неожиданно уходит из него и едет в провинцию, где и начался его активный поиск новых путей в искусстве. «Меньше декораций — больше игры», — к такому выводу пришел Мейерхольд, выступая перед разношерстной публикой в захолустных городках; и позже, работая в знаменитых столичных театрах, оставался верен этому принципу.

Он горячо принял Октябрьскую революцию и даже возглавил движение «Театральный Октябрь», направленное на создание зрелищного агитационного театра. Однако через некоторое время ему становится тесно в узких рамках дозволенного; он любил своими смелыми экспериментами шокировать публику, а такая его яркая эксцентричность в свою очередь не могла остаться безнаказанной. В конце 30-х гг. Всеволод Мейерхольд был репрессирован. Реабилитирован посмертно.

ВЯЧЕСЛАВ

Значение и происхождение имени: наиславнейший (старослав.).

Энергетика и Карма имени: имя Вячеслав очень звучное, оно зовет к лидерству, первенству, но это скорее спортивное состязание, чем стремление к превосходству. Другое дело — сумеет ли Вячеслав реализовать такую свою устремленность? Здесь дело даже не в ассоциации с понятием славы как таковой, оно читается слишком явно и не так уж однозначно — ведь слава бывает разная, в том числе и дурная. В то же время первый слог этого слова гораздо сильнее воздействует на психику в силу своей четкой ритмики и непонятности.

Таким образом, в силу энергетики имени перед Славой открываются два наиболее вероятных пути — реализовать свой импульс к лидерству, воспитывая характер, или же испытать значительное разочарование, столкнувшись с естественными для этого трудностями. Впрочем, большинство Вячеславов проходят такое испытание успешно, поскольку относятся к нему со спортивным азартом. Вообще тяга к спортивности остается у них обычно на всю жизнь, они следят за своим здоровьем, не злоупотребляют алкоголем, обладают терпеливостью и веселым нравом.

В реальной жизни, однако, их лидерство не так заметно, поскольку это требует не столько состязания, сколько искусства подчинять людей своей воле. Часто им нравится организовывать всевозможные мероприятия, особенно связанные с отдыхом; они также могут стать инициаторами каких-либо совместных предприятий с друзьями, но, к сожалению, порою начинают увлекаться все тем же спортивным азартом — кто больше, у кого лучше? — и это начинает мешать общему делу. Если Слава хочет стать хорошим руководителем, ему в первую очередь необходимо выйти самому из общей игры и больше использовать личные качества подчиненных, примиряя их интересы с интересом дела.

Еще одна важная черта, присущая многим Вячеславам,— чувство справедливости, которое также обусловлено его спортивностью, ведь спортивный дух может процветать только там, где все честно и по правилам. Его может искренне огорчать, что в жизни дело далеко не всегда обстоит именно так, а иногда это даже способно надолго вышибить Вячеслава из седла и вызвать депрессию.

Славу тяжело назвать трудоголиком, обычно он умеет и работать, и отдыхать, а потому и к домашним заботам относится с должным вниманием — ведь это его место для отдыха. В отношениях с женщинами часто легок, ревность его не слишком беспокоит, однако на измену скорее всего отреагирует весьма болезненно; может быть, даже чересчур.

Характер Вячеслава способен помочь ему в самых разных профессиях, особенно же в тех, где есть дух состязания и многое зависит от него лично.

Секреты общения. Ведя какие-либо дела с Вячеславом, не следует забывать о его чувстве справедливости; он может охотно согласиться вам помочь, но если ему покажется, что вы просто используете его в своих интересах, он, скорее всего, перестанет иметь с вами дело.

Астрологическая характеристика:

Знак зодиака: Овен. Планета: Марс. Цвета имени: вишневый, коричневый, красный. Наиболее благоприятный цвет: коричневый. Камень-талисман: сард, яшма, янтарь.

Празднуем именины: 17 марта, 11 октября (4 марта, 28 сентября) — Вячеслав Чешский, князь, страстотерпец.

След имени в истории. Штирлиц напоил кошку бензином. Кошка сделала два шага и упала. «Бензин кончился», — подумал Штирлиц.

Так уж исторически сложилось, что чуть ли не больше всего анекдотов сложено про народного героя товарища Штирлица. Причем трудно отрицать тот факт, что в основном эти самые анекдоты обязаны не кому-нибудь, а лично Вячеславу Тихонову (род. в 1928 г.), блестяще сыгравшему роль отважного разведчика в фильме «Семнадцать мгновений весны». Анекдоты же свидетельствуют вовсе не о «смешной» роли, но о всеобщей любви и огромной популярности актера. И в этом есть определенная закономерность: в детстве многие мальчишки хотели быть похожими на Штирлица или стать такими же отважными, как Чапаев, однако именно этих своих любимцев народное творчество больше всего и высмеивает.

Энергетика имени, склоняющая Вячеславов к состязанию и целеустремленности, нашла отражение и в характере Тихонова — еще учась в институте кинематографии, он, по словам преподавателей, выделялся из массы студентов огромным трудолюбием и желанием вникнуть во все тонкости будущей профессии. И это несмотря на то, что при поступлении ему прямо сказали: «Вы не киногеничны, вас никто не будет снимать».

Однако время расставило все по своим местам, и сейчас даже если в стране найдется человек, не знающий, кто такой Вячеслав Тихонов, то Штирлица из фильма он помнит наверняка и анекдот рассказать может:

«Штирлиц пошел в лес за грибами. Поискал справа — нет грибов, поискал слева — тоже нет. ”Видимо, не сезон“, — подумал Штирлиц и сел в сугроб».

ГАВРИИЛ

Значение и происхождение имени: от древнееврейского имени Габриел, означающего «Моя мощь — Бог» или «Крепость Божия».

Энергетика и Карма имени: по своим звуковым качествам это имя обладает хорошей прочностью и деятельной энергией, однако на сегодняшний день оно является довольно устаревшим и даже грубоватым. Большую роль в этом сыграли также небезызвестные поэтические шедевры Ильфа и Петрова, типа «Служил Гаврила хлебопеком, Гаврила булки выпекал...» и в том же духе («Золотой теленок»). Маловероятно, что подобная сатирическая классика пройдет мимо современного носителя этого имени, и, скорее всего, самолюбие Гавриила будет подвержено довольно серьезным испытаниям, что особенно сильно может проявиться в юности. При этом трудно ожидать, что активный и твердый характер позволит Гавриилу спокойно реагировать на подшучивания и насмешки; наоборот, в силу своего болезненного самолюбия он может замкнуться в себе и начать искать способы самоутвердиться. Не исключено также, что в его жизни будет достаточное количество конфликтов.

Очень многое в его жизни зависит от воспитания. Так, скажем, энергия этого имени мало располагает к веселому остроумию, однако если в процессе воспитания у Гавриила разовьется нормальное чувство юмора, то жизнь его сложится гораздо более удачно. Больше того, над остроумным Гаврилой уже практически невозможно будет насмехаться, а сам он, избавившись от болезненного самолюбия, может найти своему деятельному характеру достойное применение. Это же способно помочь ему и в преодолении некоторой взрывоопасности его натуры. Нередко носители этого имени стараются держаться подчеркнуто интеллигентно и втайне вынашивают честолюбивые мечты о высоком общественном положении. Однако если Гавриил начнет замыкаться в себе, то осуществить эти мечты ему вряд ли удастся. У него, несомненно, есть множество способностей, Гавриил добродушен и может проявить сострадание; вот только, пожалуй, он слишком уж серьезно относится к жизни и к самому себе, и это мешает ему добиться успеха.

Секреты общения. Как и многие из легкоранимых людей, Гавриил часто держится замкнуто, а иногда и угрюмо, но это только маска. Попробуйте поговорить с ним по душам, и вы можете обрести очень дружелюбного и приятного собеседника.

Астрологическая характеристика:

Знак зодиака: Стрелец. Планета: Плутон. Цвета имени: черный, синий, коричневый. Наиболее благоприятные цвета: оранжевый, зеленый. Камень-талисман: янтарь, нефрит.

Празднуем именины: 9 апреля, 26 июля, 21 ноября (26 марта, 13 июля, 8 ноября) — архангел Гавриил.

28 (15) января — Гавриил Лесновский, преподобный.

12 сентября (30 августа) — Гавриил I Сербский, патриарх, священномученик.

След имени в истории. Привычное представление о Гаврииле Державине (1743—1816), поэте и государственном деятеле, заключается в том, что он писал царям хвалебные оды. На самом же деле Державин как никто другой был в свое время одним из самых «неудобных людей» в стране. Его оды (далеко не только хвалебные, часто обличительные и гневные) никак не могли компенсировать власть имущим привычку Державина всегда говорить правду в глаза, а потому царские подарки и награды в жизни этого человека постоянно чередовались с немилостью и ссылкой.

Однако и вдали от столицы — сначала в Петрозаводске, потом в Тамбове — Гавриил Державин сумел развернуть настолько бурную деятельность (открыл театр, народный дом, сиротский приют, школу в собственном доме), что из провинции его срочно отозвали. Екатерина II посчитала, что безопаснее держать поэта при себе, строго приказав ему «никакими делами не заниматься».

В семейной жизни Державин также отличался оригинальностью: овдовев в 50 лет, он женился на подруге жены, бывшей на 30 лет моложе его. Не имея собственных детей, воспитал детей умершего друга. В его доме всегда было шумно, весело и много народу, и остается только удивляться — когда же ему все-таки удавалось находить время для творчества?

ГАРРИ

Значение и происхождение имени: ставшая самостоятельной уменьшительная форма имени Генрих (герм.).

Энергетика и Карма имени: это имя невольно напоминает голливудские вестерны, где не знающие покоя киногерои то и дело попадают во всевозможные передряги и почитают за честь сохранить лицо и достоинство. Трудно представить, чтобы этот романтический ковбойский образ прошел мимо современного русского ребенка, не знаю уж в силу каких причин названного крайне редким для России именем Гарри. Впрочем, хоть имя и редкое, однако его часто дают в качестве довольно уважительного прозвища, в частности иногда так называют Игоря.

Действительно, энергетика имени буквально пропитана духом геройства и мужества, и маловероятно, что это не будет льстить самолюбию Гарика. Скорее всего, он поневоле начнет пытаться копировать образы киноковбоев и, обладая довольно взрывным темпераментом, будет стараться выглядеть спокойным и уравновешенным. Кстати говоря, это поможет ему избежать множества конфликтов: ведь сдержанная сила характера обычно не вызывает у людей ничего, кроме уважения.

Обычно Гарри вырастает довольно независимым человеком, обладающим к тому же чувством юмора. Он добродушен, но вряд ли захочет уступить кому-либо в споре и уж тем более признать чье-то первенство и превосходство. Это может несколько осложнить ему карьеру, однако самостоятельный Гарри чаще всего предпочитает заниматься самостоятельным делом, в чем в силу своих природных качеств способен добиться значительных успехов. Впрочем, многое зависит от того, насколько успешно он преодолеет свой взрывной темперамент и направить его энергию в какое-либо конструктивное русло.

Секреты общения. В дружеском кругу Гарри может стать прекрасным собеседником, а в некоторых случаях и душой компании, хотя среди незнакомых людей нередко предпочитает держаться чуть отстраненно, отделываясь иронично-сдержанными замечаниями. Обычно он высоко ценит дружбу и способен долгое время хранить верность. Скорее всего, Гарри охотно откликнется на просьбу о помощи. Однако излишняя настойчивость в споре или чьи-то претензии на лидерство могут навсегда испортить отношения с ним.

Астрологическая характеристика:

Знак зодиака: Скорпион. Планета: Юпитер. Цвета имени: красный и темно-стальной. Наиболее благоприятный цвет: синий. Камень-талисман: лазурит, сапфир.

След имени в истории. Невероятно, но факт — почти шесть месяцев продлился первый поединок между чемпионом мира по шахматам Карповым и молодым 21-летним шахматистом Гарри Каспаровым (род. в 1963 г.). Победа в изнурительной борьбе в тот раз не досталась ни тому ни другому, и лишь год спустя, после еще одной схватки, Каспаров получил звание чемпиона мира. В принципе его победа была предопределена заранее, и потому не так уж важно, когда именно это произошло — годом раньше или позже. Уже в 4 года юный вундеркинд начал проявлять незаурядные способности к математике, через которую и пришел к шахматам. Дальше его карьера развивалась стремительно, и окружающим оставалось только удивляться: в 16 лет чемпион среди юношей, через год Каспаров уже получает звание гроссмейстера, а в 22 становится чемпионом мира — самым молодым за всю историю шахмат.

Импульсивный и непредсказуемый, взрывной и эмоциональный Каспаров любит ставить перед собой задачи на первый взгляд невыполнимые и добиваться желаемого. К разряду таких экстравагантных поступков относятся и его поединки с компьютером. В первый раз подобный поединок закончился победой Каспарова («Благодаря этой победе я чувствую себя человеком мира», — заявил тогда шахматист), во втором же матче искусственный интеллект восторжествовал над настоящим.

— Я недооценил силы машины и был в плохой форме, — так прокомментировал свое поражение Каспаров. — В следующий раз буду готовиться тщательнее.

Являясь лучшим в мире шахматистом, больших успехов Гарри Каспаров достиг и в сфере бизнеса; доказательство этого — его «Орден Орла», учрежденный предпринимателями России, и победа в конкурсе «Деловой человек — формула успеха». Говорят, что Каспарова на Западе любят — за его образованность, хороший английский и, конечно же, блестящий имидж: он сумел превратить шахматы в увлекательное шоу, сделав эту игру не менее эмоциональной, чем хоккей или футбол.

ГЕННАДИЙ

Значение и происхождение имени: родовитый (др. греч.).

Энергетика и Карма имени: это имя вполне спокойного и самостоятельного человека; быть может, оно несколько неторопливо, склоняя своего обладателя к некоторой флегматичности, располагая и в этом есть определенные преимущества. Обычно Гена с детства растет в меру послушным, старательным и аккуратным мальчиком. Пусть в его комнате и нет идеального порядка, зато все на месте. В школе он чаще всего учится хорошо.

Энергия имени не несет четко выраженного стремления к лидерству; он предпочитает скорее идти своей дорогой сам, чем тянуть за собой остальных, но игры Гена любит, при этом часто проявляет в игре свойственную ему основательность и аккуратность. Он редко суетится или торопится; готовясь к какому-либо мероприятию, тщательно подготовит все необходимое, неважно, идет ли речь о работе или, скажем, рыбалке. Безусловно, вредными такие качества не назовешь, и среди окружающих Геша пользуется достаточным уважением.

Большинство Геннадиев обладают уравновешенным самолюбием; чаще всего не склонные особо задаваться, они все же могут и постоять за свою честь. Не чужды им и честолюбивые помыслы, в реализации которых изрядно помогает терпеливость и умение проявить настойчивость. Конечно, судьба у них может сложиться по-разному: ведь равновесие характера хорошо только с одной стороны, с другой же — на уравновешенного ребенка легче воздействовать родителям или другим воспитателям. Поэтому очень многое в жизни Гены будет зависеть от того, какой человек оказывал на него большее влияние.

Если с детства честолюбие Геннадия получит достаточное развитие, он может сделать неплохую карьеру, довольно спокойно относясь к недовольству своих врагов и конкурентов-завистников. Часто родители прививают ему стремление к интеллектуальности, что также сказывается на хорошем выборе жизненного пути. Быть может, он и не будет рваться в великие ученые, но приложит немало усилий, чтобы достичь достойного положения.

Секреты общения. Начиная вместе с Гешей какое-либо дело, можно не опасаться, что вы забудете взять с собой что-то важное, скорее всего, Геннадий сам позаботится обо всем. Если же ваши и его интересы где-то пересекаются, будьте осторожны — в делах ему редко приходят в голову мысли о сострадании к неприятелю, он едва ли прислушается к вашим доводам, продолжая двигаться к своей цели, словно танк.

Астрологическая характеристика:

Знак зодиака: Козерог. Планета: Сатурн. Цвета имени: черный, коричневый, иногда красный. Наиболее благоприятный цвет: теплые оттенки коричневого. Камень-талисман: сард.

Празднуем именины: 22 (9) февраля — Геннадий Важеозерский, преподобный.

13 сентября (31 августа) — Геннадий Константинопольский, патриарх.

17 (4) декабря — Геннадий Новгородский, архиепископ.

След имени в истории. Помните, как лет 15 назад яркой звездой ворвался на эстраду Геннадий Хазанов и начал веселить публику, показывая в пантомиме «цыпленка табака» или же распевая: «Не по размеру тулуп мне тройной, пришлось кататься в дубленке одной!» Такой пример веселого Геннадия совсем не редкость, однако наряду с этим типом существует и другой — достаточно вспомнить лидера коммунистов Геннадия Зюганова.

В жизни этого человека все происходило постепенно и было как бы разложено по полочкам. Учитель в четвертом поколении, он еще с института начал заниматься партийной работой, а в 1972 г. был избран первым секретарем Орловского обкома комсомола. Затем — обычная партийная карьера, по ступенькам ведущая наверх, и кто знает, куда бы она привела Геннадия Андреевича, если бы не перестройка. После запрета в 1991 г. деятельности КПСС Зюганов вошел в руководство КПРФ, а в 1995 г. ее возглавил.

Как и многие его тезки, Геннадий Зюганов предпочитает не кидаться куда-то очертя голову, а спокойно и уверенно идет к поставленной цели, с завидным терпением ожидая результата. Человек несомненно дальновидный (согласитесь, мало кто в 1991 г. мог предполагать, что компартия в состоянии вернуть хотя бы миллионную долю утраченных позиций), он в отличие от многих своих коллег по партии отличается гибкостью мышления — во время предвыборной кампании Геннадия Зюганова обвиняли в том, что он нередко выступал с теми же предложениями, которые месяцем ранее выдвигались его оппонентами. Многими «однопартийцами» Зюганова это было воспринято как предательство и измена коммунистическим догматам и привело (после президентских выборов) к расколу в рядах КПРФ.

Многих обладателей имени Геннадий отличает постоянство, и это может касаться всего — от идеалов и работы до личной жизни. Так, про Геннадия Зюганова известно следующее: после школы он ровно год ждал, пока его невеста получит аттестат зрелости, вместе они поступили в институт и с тех пор неразлучны. И пожалуй, этот маленький факт говорит о лидере коммунистов больше, чем все его политические победы, вместе взятые.

ГЕОРГИЙ

Значение и происхождение имени: земледелец (греч.). В русском языке это греческое имя чаще употребляется в другой форме — Юрий. Еще один его вариант — Егор.

Энергетика и Карма имени: в нем таится склонность к честолюбию, возможно даже к некоторому высокомерию, однако оно как бы и намекает своему хозяину о чреватости такого возвышения над людьми. Прислушайтесь к звучанию этого слова: оно начинается на подъеме, затем напряжение его возрастает и в конце — неопределенность. Может быть, поэтому часто Георгий предпочитает называть себя просто Жорой, в то время как уменьшительный вариант мог бы звучать и иначе — Гера. Нет, имя Жора больше сглаживает или маскирует опасное честолюбие.

Есть у этого имени и другая характерная особенность — оно оживляет в памяти героический образ, и у окружающих невольно возникает ассоциация — Победоносец. А раз так, то, потерпев поражение или отступив от трудностей, Георгий может небезосновательно опасаться насмешки: мол, тоже мне Победоносец! В молодые годы, когда большинство мальчиков испытывают потребность в самоутверждении, подобная насмешка способна больно ударить по самолюбию и подорвать авторитет. С другой стороны, соответствовать по характеру и силе этому образу всегда и везде безумно сложно. Зато никому не придет в голову такая параллель с Жорой: Жора Победоносец — это уже ни к чему.

Все это довольно интересно отражается на характере Георгия. Обычно Жора, следуя за располагающей к юмору энергией своего уменьшительного имени, легко вписывается в коллектив и даже порою становится душой компании. Он может поднять настроение, развеселить, затеять что-либо интересное, но у него есть и другая жизнь, жизнь мечтателя и честолюбца. Компании не затягивают Жору слишком сильно, чаще всего он много времени проводит за книгами, хотя на людях склонен посмеиваться над этим своим увлечением.

Интересно, что когда Жоре удается достичь высокого положения или же когда у него будут для этого хорошие шансы, он, скорее всего, предпочтет, чтобы его называли Георгием, забыв об уменьшительном имени. Многим может показаться, что Жора совершенно изменился, что удачи вскружили ему голову, однако это не так; просто он наконец-то перестал скрывать свои истинные мысли и стал таким, каким он всегда и ощущал себя в мечтах.

В отношениях с женщинами Георгию обеспечивают успех его внешняя веселость и внутренняя мечтательность, с ним бывает легко и интересно. Нередко у Жоры большой выбор, что обычно мешает сделать его правильно. Примерно как в супермаркете, когда глаза разбегаются и в конце концов берешь то, что ближе и ярче. Одним словом, шансов на удачный брак у него немного, к тому же успех у женщин может привести к тому, что он будет легкомысленно относиться к семейной жизни.

В профессиональном плане ему стоит попробовать себя в творческих специальностях или в науке, где его развитое воображение, вполне вероятно, найдет достойное применение. Многих Георгиев привлекает карьера военного или же профессии, связанные с романтикой и приключениями.

Секреты общения. Если вы желаете, чтобы ваш разговор с Жорой получил более доверительное направление, можете рискнуть открыть ему душу, рассказать немного о своих мечтах, слегка пофантазировать. Скорее всего, он ответит искренностью на искренность. Самый легкий способ смертельно оскорбить Георгия и стать его врагом — это усомниться в его достоинствах. Наоборот, он любит заслуженные комплименты и похвалы, чем нередко и пользуются окружающие.

Астрологическая характеристика:

Знак зодиака: Близнецы. Планета: Луна. Цвета имени: темная сталь, иногда белый. Наиболее благоприятные цвета: для большей активности и решительности хорошо подойдут красный и золотой. Камень-талисман: тигровый глаз, рубин.

Празднуем именины: 31 (18) августа — Георгий I Константинопольский, патриарх, исповедник.

5 мая, 16 ноября, 9 декабря (23 апреля, 3 ноября, 26 ноября) — Георгий Победоносец, великомученик.

10 (27) июня — Георгий Святогорец.

След имени в истории. Про таких людей, как Георгий Жуков (1896—1974), обычно говорят: «У него талант от Бога». И действительно, кто бы мог подумать, что мальчик из крестьянской семьи, закончив всего 3 класса школы, получит возможность в 1915 г. поступить в школу унтер-офицеров и проявит чудеса храбрости в гражданской войне. Окружающие поражались его безошибочной интуиции, умению мгновенно оценить обстановку и принять единственно верное решение. Особенно этот талант раскрылся во время Великой Отечественной войны, когда Сталин доверял Георгию Жукову (к тому времени уже заместителю Верховного Главнокомандующего) руководить самыми ответственными участками боевых действий. Возможно, в этом была даже доля суеверия, поскольку все больше и больше людей начинали считать, что одно только появление Жукова на том или ином участке фронта способно принести победу. Так, именно Жуков зимой 1942—1942 гг. координировал ход военных действий под Сталинградом, в результате чего было уничтожено более 300 тысяч немцев.

Человек-легенда, Жуков 24 июня 1945 г. принимал Парад Победы, когда к Мавзолею было брошено 200 трофеев — немецких знамен. Так к образу Георгия Победоносца, поразившего змея, добавился не менее героический образ его тезки — Георгия Жукова, победившего фашизм.

ГЕРАСИМ

Значение и происхождение имени: почтенный (греч.).

Энергетика и Карма имени: в имени Герасим довольно хорошо сочетаются добродушие, твердость и склонность к остроумию, что в немалой степени помогает сглаживать довольно чувствительное самолюбие Геры. Так уж случилось, что с легкой руки Ивана Тургенева трогательные отношения между безымянной собачкой Муму и утопившим ее глухонемым Герасимом давно стали достоянием анекдотов, и что если бы современный Герасим не обладал чувством юмора, то ему с детства пришлось бы выслушать немало подначиваний и даже насмешек. Остроумие же Геры часто выручает его, хотя при этом его самолюбие обычно все равно остается весьма чувствительным.

Чаще всего Герасим является человеком добрым и неконфликтным, в обществе он держится довольно уравновешенно, однако в некоторых довольно редких случаях все же может и вспылить. При этом остановить его бывает очень тяжело. Он достаточно трудолюбив и большое значение придает своей карьере, упорно стараясь достичь высокого общественного положения. Вообще упорства ему не занимать, по крайней мере, до тех пор, пока он имеет какую-либо высокую цель. Выбирая свой жизненный путь, он обычно предпочитает тот, где все будет зависеть от его личных стараний и усердия, что, впрочем, не мешает ему работать под чьим-либо началом. По природе Гера склонен больше доверять разуму, чем чувствам.

В целом у него много шансов добиться успеха в профессиях, связанных с техникой или точными науками; из него мог бы даже получиться неплохой руководитель, не боящийся ответственности и в меру осторожный. А вот в личной жизни, где очень многое зависит от потенциальных партнеров, Герасиму, вполне вероятно, не будет хватать уверенности в себе. Иными словами, он может стать нерешительным в отношениях с женщинами и долго не заведет семью. Быть может, ему следует просто немного легче относиться к возможным неудачам и больше доверять своей счастливой звезде.

5*

Секреты общения. Чаще всего Герасим, занятый делом, и он же в обычном общении — это два разных человека. Если в работе на первый план выходят его упорство, трудолюбие и достаточная активность, то в дружеской компании Гера может держаться несколько отстраненно, скрывая свои истинные чувства за уравновешенной ироничностью. В повседневном общении с ним постарайтесь не забывать о его чувствительном самолюбии, даже когда он и старается не показывать вида.

Астрологическая характеристика:

Знак зодиака: Козерог. Планета: Сатурн. Цвета имени: черный, стальной. Наиболее благоприятный цвет: коричневый. Камень-талисман: яшма, сард.

Празднуем именины: 14 (1) мая — Герасим Болдинский, преподобный.

6, 11 февраля (24, 29 января) — Герасим Великопермский, епископ, священномученик.

17 (4) марта — Герасим Вологодский, преподобный.

След имени в истории. Сейчас, как правило, имя Герасим вызывает в памяти образ лишь одного героя, да и то литературного — глухонемого, утопившего свою собачку по имени Муму. Тем временем в историю войны 1812 года вошел человек с таким же именем, но гораздо более достойный остаться в памяти народной еще на многие века. Этот человек — бывший крепостной Герасим Курин — своей смелостью, мужеством, организаторским талантом и неподдельным патриотизмом восхищал даже спесивую знать, считающую дураками всех, кто находится на нижних ступенях социальной лестницы.

И действительно, знаменитая «дубина народной войны», которую Лев Толстой сделал чуть ли не одним из действующих лиц «Войны и мира», своим существованием была обязана только таким людям, как Герасим Курин,— тем, кто способен был не только возглавить спонтанно создававшиеся народные отряды, но и направить их энергию в нужное русло.

Около пятисот конных и не меньше пяти тысяч пеших партизан возглавил Герасим — больше чем насчитывает современная дивизия! На счету этого отряда — самого большого народного партизанского отряда в России — сотни убитых и взятых в плен французов, десятки захваченных вражеских обозов с оружием и продовольствием, множество выигранных сражений с французами... Наградой же герою стала медаль «За участие в Отечественной войне» и солдатский Георгиевский крест — все, чем сочли возможным отметить заслуги бывшего крепостного.

ГЕРМАН

Значение и происхождение имени: родной, истинный (лат.)

Энергетика и Карма имени: само по себе имя Герман обладает хорошей четко выраженной энергетикой, в ней благородство, сила характера, уверенность, способность к сосредоточению и вместе с тем незлобливость. Однако в разных поколениях его воздействие ощущалось по разному. Представьте себе, каково было мальчику с этим именем во время Отечественной войны. Дети — всегда дети, они любят в своих играх копировать взрослую жизнь, и если страна воевала с Германией, то русский мальчик с именем Герман был хорошей мишенью для детских нападок. Отсюда Германам военных лет частенько приходилось силой отстаивать свои честь и достоинство, а, как известно, у этого пути два исхода — либо характер закаляется, либо происходит надлом, наделяющий человека порою самыми неблаговидными качествами. Однако Судьба, обойдясь с Германами 40-х и 50-х довольно неласково, вырастила среди них немало достойных людей и героев.

Совсем другое дело Герман, если можно так выразиться, образца последней трети XX века, когда общая положительная энергетика имени еще более усиливается в силу модного влияния культуры Запада. Маятник Судьбы качнулся в прямо противоположную сторону, открыв для Германа широкий спектр возможностей.

На его стороне симпатии людей, и это часто помогает ему в карьере, бизнесе, делает неотразимым в глазах «слабого» пола. Здесь уже Герману уготовано иное испытание и поневоле приходят на ум слова Киплинга: «... и будешь тверд в удаче и несчастье, которым, в сущности, цена одна...» Очень непросто не потерять рассудок от такого количества удач и соблазнов, может быть, до «звездной болезни» дело и не дойдет, но все равно, как легко оступиться в упоении успехом. Дело даже не в количестве врагов, скорее, беда в другом — Герман может потерять друзей —

и тогда вся его удачливость пойдет прахом. Одним словом, гордость и самомнение не должны превышать пределов необходимого самолюбия. Спасение же для Германа — в умении уважать людей. Если он почаще будет ставить себя на место другого, пытаясь лучше понять его, то удача вряд ли оставит Геру.

Секреты общения. Работать под начальством Германа обычно легко и приятно, но все же будьте осторожны, он не забывает промахов! В случае конфронтации он легко может вспылить и стать беспощадным. Часто в общении многие начинают поддаваться его обаянию: и действительно, Гера готов оказать любезность и помощь, однако, кто знает, не предъявит ли он однажды счет за свои услуги?

Астрологическая характеристика:

Знак зодиака: Водолей. Планета: Солнце. Цвета имени: темная сталь, желтовато-красный. Наиболее благоприятный цвет: зеленый. Камень-талисман: хризопраз.

Празднуем именины: 11 июля, 24 сентября (28 июня, 11 сентября) — Герман Валаамский, преподобный.

25 (12) марта — Герман Константинопольский, патриарх.

12 июля, 21 августа (30 июля, 8 августа) — Герман Соловецкий, отшельник.

След имени в истории. Скорее всего, родители летчика-космонавта Германа Титова (род.1935) прежде всего ожидали от сына твердости характера, целеустремленности — иначе бы не дали ему такое сильное имя. Однако вряд ли они, учителя из Алтайского края, могли предположить, что карьера их сына получится в буквальном смысле звездной.

Упорство, работоспособность и умение идти к поставленной цели всегда отличали Германа Титова, чей послужной список подобен прямой взлетной полосе: сначала военно-авиационное училище, затем военно-воздушная академия им. Жуковского и, наконец, академия Генштаба ВС СССР. Тем не менее, несмотря на кажущуюся серьезность выбранной профессии, на характере Германа Титова это отразилось мало, он так и остался человеком легким в общении, обаятельным и веселым. Иначе бы он просто не попал в центр космической подготовки, где вопрос о психологической устойчивости космонавта значит ничуть не меньше, чем его физические данные.

6—7 августа 1961 года Герман Титов на «Востоке-2» 17 раз облетел вокруг Земли, тем самым установив новый рекорд по длительности пребывания человека в космосе. Так получилось, что этот полет оказался первым и единственным в жизни космонавта.

ГЛЕБ

Значение и происхождение имени: защищаемый Богом (др.-герм.).

Энергетика и Карма имени: имя Глеб любимо на Руси с давних пор и, наверное, не только потому, что одним из первых оно попало в число не заморских, а чисто русских православных святых имен. Немалую роль здесь сыграла и притягательная энергетика слова. В нем явственно слышится основательность и доброжелательность, сила характера, твердость, хозяйственность, и к тому же все это усиливается четкой ассоциацией с хлебом, без которого, как известно, и жизни нет. Безусловно, будь эта ассоциация более откровенной, смысл бы ее затерся, а так — в самый раз, чтобы чувствовать не сознанием, а сердцем.

Можно смело сказать, что Глебу повезло с его именем, и не важно, что сегодня оно не имеет такого широкого распространения, как раньше. Все дело в том, что одно время оно стало звучать уж больно по-крестьянски, и когда в моду вошла городская жизнь, постепенно утратило притягательность. Сегодня же эта ситуация выправляется, во многом, кстати, благодаря образу Глеба Жеглова в фильме «Место встречи изменить нельзя», и вполне можно ожидать, что имя в ближайшем времени вернется. По крайней мере, сегодня в нем уже мало прослеживаются «сельские мотивы».

По своей энергетике имя Глеб имеет четкую направленность, предполагая в своем носителе деловитость и хозяйственность, и чаще всего именно эти качества определяют жизненный путь человека. С самого детства на Глебе лежит некая печать серьезности и основательности. Обычно он любит мастерить, часто берется помогать взрослым в их делах, старателен, но при этом своеволен и упрям.

Повзрослев, он скорее всего выберет свою дорогу самостоятельно, причем главной целью для него едва ли будет карьера, главное — обеспечить семью, поставить на ноги детей, обустроить дом и хозяйство. Тем не менее может случиться и по-другому. Не исключено, что Глеб захочет преодолеть некоторую простоту своего имени и с тем же упорством и основательностью начнет прокладывать себе дорогу к какому-либо высокому положению. Вряд ли его сможет прельстить аристократический лоск или богемная вседозволенность, но он все же способен принять подобные правила игры, оставаясь при этом самим собой и оттого выгодно выделяясь из причесанного под одну гребенку окружения. В конце концов, в любом деле главное — характер, а с этим у него обычно все нормально.

Особенно хорошо, когда у Глеба будет достаточно развито чувство юмора, иначе его серьезность может превратиться в угрюмость. В то же время удачная шутка, сказанная с серьезным лицом, часто приобретает еще больший вес.

Секреты общения. В мужчине Глеб уважает мужество и умение вести себя достойно, даже если перед ним соперник. В то же время обычно он не слишком симпатизирует не в меру твердым женщинам, не без оснований полагая, что природа для женщины определила женственность и мягкость. Не любит, когда люди дают пустые обещания, и сам старается не бросать слов на ветер. И вообще, общаться с ним лучше не словом, а делами, им он верит больше.

Астрологическая характеристика:

Знак зодиака: Скорпион. Планета: Юпитер. Цвет имени: густо-коричневый. Наиболее благоприятные цвета: теплые тона коричневого, золотистый. Для удачной карьеры — темно-синий. Камень-талисман: звездчатые камни, яшма.

Празднуем именины: 3 июля (20 июня) — Глеб Владимирский, князь.

15 мая, 7 июля, 18 сентября (2 мая, 24 июня, 5 сентября) — Глеб страстотерпец, князь.

След имени в истории. Глеб Самойлов — один из лидеров знаменитой «Агаты Кристи», группы, стиль которой трудно определить как рокерский, попсовый или какой-либо еще: такое впечатление, что ребята создали совершенно новое музыкальное течение. Сейчас «Агата Кристи» на слуху — множество поклонников определяется в

136

фан-клубы, редкая передача на радио обходится без их песен. Тем временем во многом своей популярностью группа обязана именно Глебу Самойлову, который, придя в нее в 1989 году, привнес со своим появлением свежую струю.

Сам о себе певец рассказывает журналистам со свойственным ему спокойным юмором:

— Время от времени могу позволить себе всякие глупости. Например, выпить как следует и поехать кататься на машине.

Что же касается поступления Глеба в группу, то это — отдельная история. По его словам, на первой же репетиции он вдруг почувствовал себя лишним и никому не нужным: вокруг суетились музыканты, каждый был занят своим делом, и на него никто не обращал внимания. Подойдя к одному из музыкантов, Глеб спросил, что ему надо делать.

— А что ты вообще умеешь? — задал тот встречный вопрос.

— Ну, вообще-то пока ничего...

— А раз ничего, тогда сядь где-нибудь и сиди.

— Вот так с тех поря я и сижу на сцене, — объясняет Глеб Самойлов журналистам. — И пою теперь поэтому только сидя.

ГОРДЕЙ, ГОРДИЙ

Значение и происхождение имени: возможно, от греческого имени Горгий, что означает «грозный, быстрый». По другой версии, имя происходит от мифического основателя фригийского царства Гордия, а его точное значение неизвестно.

Энергетика и Карма имени: прежде всего в энергетике имени Гордей заметны уравновешенная твердость и достаточная активность. По своему характерному звучанию оно довольно открыто, однако здесь может сказаться явная ассоциация с понятием гордости, что может значительно ослабить открытость, а в отдельных случаях даже привести к некоторой замкнутости Гордея. В самом деле, нередко, чтобы избежать подозрений в излишней гордыне, человеку с этим именем приходится не просто скрывать свою независимость и негативные эмоции, но и старательно делать вид, что его это мало трогает. В противном случае он просто будет вынужден уйти в себя, как это и подобает натуральному гордецу.

По этой причине обычно Гордей производит впечатление вполне уравновешенного человека. В общении он ровен, хотя нередко его импульсивность все же находит свое отражение в склонности к остроумию. В делах он очень старателен и усерден, частенько удивляя окружающих своей работоспособностью и энергией и, надо заметить, его деловитость является для него просто спасительной. Дело в том, что сдержанность — это отнюдь не лучший способ совладать со своими эмоциями. Наоборот, не имеющие себе выхода чувства и переживания часто приобретают характер страсти, так что если Гордей не будет расходовать свою скопившуюся энергию в каком-нибудь деле, то эмоции рано или поздно найдут себе гораздо менее безопасный выход, вплоть до возможного нервного срыва.

Несомненно, работяга Гордей имеет все шансы добиться успеха в карьере. Не лишенный дипломатичности и умения уважать чужое достоинство, он может быть неплохим организатором. Однако для настоящего счастья ему все же не хватает некоторой открытости, по крайней мере это относится к взаимоотношениям с близкими.

Секреты общения. Гордей обычно надежный и преданный друг. Он может быть очень внимательным, но при этом терпеть не может хвастовства. У него достаточно товарищей, однако настоящим другом Гордей обычно считает того, кому он может доверить свои наиболее глубинные и нередко пугающие его самого мысли и чувства. С этим человеком он мог бы пройти и огонь, и воду.

Астрологическая характеристика:

Знак зодиака: Скорпион. Планета: Плутон. Цвета имени: коричневый, стальной. Наиболее благоприятные цвета: белый, голубой. Камень-талисман: агаты, бирюза.

Празднуем именины: 16 (3) января — Гордий Каппадокийский, сотник, мученик.

След имени в истории. Выражение «гордиев узел» уже давно и прочно вошло в поговорку — так говорят всегда, когда речь заходит о какой-то трудной и очень запутанной проблеме. Однако на вопрос, кто он был, этот таинственный Гордий, сможет ответить сейчас далеко не каждый.

В мифологии древних греков Гордий, впоследствии

ставший царем Фригии, родился в семье обыкновенного крестьянина, и его восхождение на трон произошло следующим образом: когда фригийский народ лишился царя, оракул, к которому обратились люди, произнес:

— Теперь вашим царем станет тот человек, которого вы первым встретите на дороге, ведущей к храму Зевса. Он будет ехать на повозке.

Нетрудно догадаться, что этим человеком оказался именно Гордий. Получив таким образом царские полномочия, он первым делом основал большой город, которому дал свое имя. Затем в цитадели этого города он поставил ту самую повозку, которой был обязан своим высоким положением, опутав ее ярмо запутаннейшим узлом.

Еще долго после смерти Гордия из уст в уста передавалась заманчивая легенда: кто сумеет распутать царский узел, тот и сам станет могущественнейшем повелителем, владыкой всей Азии. Многие приходили к телеге попытать счастья — но оставались ни с чем. По преданию, сам Александр Македонский попробовал было распутать коварный узел и, наконец, отчаявшись, просто-напросто разрубил его мечом, вслед за чем завоевал полмира.

ГРИГОРИЙ

Значение и происхождение имени: бодрствующий (греч.).

Энергетика и Карма имени: энергия этого имени весьма значительна и часто даже отчество Григорьевич воздействует на человека сильнее, чем его собственное имя. Эту энергию Гриша начинает ощущать с самого раннего детства, оно призывает его действовать без оглядки, стремиться к осуществлению своей цели и не очень-то задумываться о трудностях. Родителям с ним непросто, зато в компании одногодок Гриша чувствует себя уверенно. Нередко недостаток физической силы он успешно восполняет своим решительным нравом, иногда даже начинает казаться, что ему и в голову не приходят мысли об осторожности, но это, конечно, не так. Просто часто задетое самолюбие вызывает у него столь сильные эмоции, что другие чувства, в том числе и чувство самосохранения, основательно притупляются. Впрочем, когда ярость проходит, он едва ли будет долго хранить зло.

Взрослея, Григорий обычно находит другое применение своей энергии. Бывает, что, не испытывая особой любви к усердным занятиям в школе и часто отставая по многим предметам, Гриша вдруг проявит недюжинные способности, быстро наверстает упущенное время и на удивление всем успешно сдаст экзамены в какой-нибудь престижный вуз. А секрет здесь прост — ему нужна цель, причем не какая-нибудь отдаленная и туманная, гораздо лучше он чувствует себя там, где все решается одним-двумя рывками, этаким кавалеристским наскоком.

Скорее всего, у Григория будет непростая судьба, особенно если он не сможет совладать со своей горячностью. Его дерзость почти наверняка обеспечит ему на пути немало препятствий, однако она же в сочетании с самоуверенностью и честолюбивыми устремлениями иногда способна и вознести его до головокружительных высот. Одним словом, не надо забывать, что все хорошо, когда в меру, прекрасно, когда человек не боится сильных мира сего, но и дерзить по всякому поводу совсем не обязательно. Впрочем, у многих Григориев эта горячность с возрастом несколько сглаживается, оставляя место самоуверенности и твердости характера.

В отношениях с женщинами и в семейной жизни у Грини могут возникнуть такие же проблемы, и здесь можно дать совет — раз уж имя мало склоняет своего владельца к мягкости, то нелишне самому поучиться более легкому отношению к жизни и к самому себе. Если Григорий откроет в себе способность по доброму посмеиваться над самим собой, его шансы на нормальную судьбу и успех в делах резко возрастут.

Секреты общения. Зачастую главной проблемой Григория являются отношения с коллективом, обычно он в своем кругу открыт, откровенен, общителен, но стоит задеть его самолюбие, и произойдет взрыв. Если после конфликта с Григорием вы не желаете портить с ним отношения окончательно, то знайте, он редко бывает злопамятен. Ну а разрядить конфликтную ситуацию можно, переведя ее в шутливое русло. Если же вы были не правы, то он, скорее всего, сумеет принять извинения, не ущемив вашего самолюбия.

Астрологическая характеристика:
Знак зодиака: Овен. Планета: Марс. Цвет имени: тем-

140

ная сталь. Наиболее благоприятные цвета: коричневый, зеленый. Камень-талисман: нефрит, морион.

Празднуем именины: 28 (15) июня — Григорий Авнежский, игумен, священномученик.

13 октября (30 сентября) — Григорий Армянский, епископ, священномученик, просвятитель Великой Армении.

25 (12) марта — Григорий Великий, Двоеслов, папа.

30 (17) ноября — Григорий Чудотворец, Неокесарийский.

След имени в истории. Трудно поспорить с тем утверждением, что Григорий Распутин (1864—1916) — одна из самых таинственных, непонятных и сильных фигур, когда-либо стоявших у трона. Можно знать досконально всю его биографию, и все равно не знать о нем ничего. Кто он был: волшебник? маг? чародей? Или просто ловкий проходимец, владеющий основами гипноза? Так или иначе, этому человеку удалось то, что ни до, ни после него не удавалось никому: крестьянин из дальнего села Тамбовской губернии, он — не прилагая к этому почти никаких усилий — стал одной из самых значимых фигур в государстве и влиял на политику России, как никто другой.

Обладая сильной волей и исключительной уверенностью в своих силах, Григорий Распутин славился также удалым нравом (справедливости ради надо сказать, что настоящая его фамилия Новых, Распутин же — не более чем заслуженное прозвище). Тем не менее царица, зная обо всех похождениях своего «друга» (так она его называла), не только полностью игнорировала их, но и прислушивалась к советам Распутина, касающимся управлением государства.

Смерть Григория Распутина оказалась не менее загадочна, чем его жизнь и лишь укрепила его статус как человека-легенды. Убийцы сначала подложили жертве отравленную пищу, но яд не подействовал. В него начали стрелять, но он все не умирал. Изрешеченного пулями, но еще живого, убийцы бросили его в прорубь, и только после этого Григория Распутина не стало. Но разве так уж важна смерть физическая? Распутин оставил после себя Тайну, он задал своим потомкам загадку, которую вряд ли кому суждено разгадать, а потому, мучимые вопросом, о нем станут вспоминать снова и снова, на протяжение еще многих поколений.

ДАВИД

Значение и происхождение имени: любимый (евр.).

Энергетика и Карма имени: Давид — это имя уверенного в себе и довольно уравновешенного человека, ну а там, где равновесие, там очень многое начинает зависеть от воспитания. Так, скажем, если маленький Давид, которому, несомненно, не чуждо самолюбие, будет воспитываться в чересчур жестких или даже жестоких условиях, то его самолюбие может стать болезненным, что, вполне вероятно, сделает Давида довольно вспыльчивым. Впрочем, это достаточно редкое явление, и, кроме того, обладая определенной мягкостью, маловероятно, чтобы он сам стал жестоким или мстительным. Наоборот, он обычно способен на сочувствие, и особенно благоприятно, если это сочетается в нем с нужной решительностью. Одним словом, в большинстве случаев у Давида хорошо уравновешены заметная сила воли и добродушие, что обеспечивает ему большое количество друзей и открывает двери к жизненному успеху.

Кроме этого, имя способно пробудить воображение, однако и здесь проявляется присущее Давиду равновесие, так что, скорее всего, его наклонности к творчеству и любовь к литературе будут сочетаться с некоторой прагматичностью. Наиболее же часто это вызывает у него тягу к путешествиям и перемене мест. Обычно Давид обладает прекрасными аналитическими способностями и стремится получить хорошее образование, однако даже если в силу разных причин последнее ему и не удается, все равно начитанность и цепкая память позволяют ему легко восполнить этот пробел. Бывает, что даже в самых, казалось бы, неподходящих условиях Давид держится довольно интеллигентно.

У него много шансов для хорошей карьеры или же для самостоятельного бизнеса. Нет сомнений в том, что он способен пробить себе дорогу в жизни и обеспечить своей семье хорошее материальное положение, что обычно стоит для него на первом по значимости месте. Однако если у Давида преобладают честолюбивые мечты и он желает найти себя в каком-либо творчестве, то ему частенько мешает его логичность, которой он пытается подменить недостаточную глубину своих чувств.

Секреты общения. Как и большинство уравновешенных людей, Давид обычно умеет ценить в людях чувство юмора. Он довольно общительный человек и немного романтик, любящий поговорить о каких-либо приключениях, однако когда речь заходит о делах или планах, он становится осторожным и расчетливым. Если вы желаете завести с ним нормальные отношения, то не стоит излишне апеллировать к его чувствам, будьте логичны, и он вас сможет понять гораздо лучше.

Астрологическая характеристика:

Знак зодиака: Весы. Планета: Меркурий. Цвета имени: коричневый, синий, красный. Наиболее благоприятный цвет: фиолетовый. Камень-талисман: аметист, турмалин.

Празднуем именины: 20 (7) мая — Давид Гареджийский, преподобный, один из основателей грузинского монашества.

19 (6) сентября — Давид Ермопольский, преподобный, бывший разбойник.

В Неделю по Р.Х — Давид Псалмопевец, царь Израилевский, пророк.

След имени в истории. «Юноша, умеющий играть, человек храбрый и воинственный» — так характеризует ветхозаветное предание пастуха по имени Давид, которому суждено было стать царем Израильско-Иудейского государства. Его поединок с Голиафом, отразивший историю борьбы израильтян с филистимлянами, предание описывает красочно и со всеми подробностями; неудивительно, что эта тема вдохновила немало художников и скульпторов на создание прекраснейших произведений искусства.

По преданию, когда филистимляне выставили свои войска против стана израилевского, вперед вышел великан Голиаф, ростом «шести локтей и пяди», предлагая желающим сразиться с ним. Ровно сорок дней выставлял себя Голиаф, закованный в тяжелую броню и с копьем «в шестьсот сиклей железа», но его вид устрашал израильтян, и не нашлось никого, кто бы захотел проверить свои силы в смертельном поединке. Именно тогда и пришел к царю Саулу Давид, бросив свои стада: он услышал про поединок и выразил желание сразиться. Обрадованный Саул предложил юноше самые крепкие доспехи и самое лучшее оружие, но тот отказался от них, выступив против великана с одной пращей, говоря:

— Ты идешь против меня с мечом, копьем и щитом, а я иду против тебя во имя Бога воинств израилевских.

Камень из пращи, умело пущенный Давидом, попал прямо в лоб Голиафа, и тот как подкошенный свалился на землю. Герой же, подойдя к поверженному противнику, отсек ему голову, что и обеспечило победу израильского войска: увидев, что их непобедимый великан мертв, филистимляне обратились в бегство. Что же касается самого героя, то Давид, совершив еще немало ратных подвигов, стал любимцем народа, а позднее — был провозглашен царем и израильтянами, и иудеями.

ДАНИИЛ

Значение и происхождение имени: Бог мой судья (евр.)

Энергетика и Карма имени: это имя нельзя отнести к разряду особо распространенных, а значит, и воздействовать на человека оно будет в довольно сильной степени. Нетрудно заметить, что по своему звучанию имя достаточно спокойно. Оно может склонить своего носителя к проявлению таких качеств, как умеренная активность, неторопливость, способность к сосредоточению, но вместе с тем в русском звучании в нем нетрудно уловить некоторую неопределенность. С одной стороны, слово «Даниил» звучит как-то даже подчеркнуто солидно, в то время как иная форма — Данила — может восприниматься слишком непритязательно и простонародно. Часто это приводит к тому, что, начиная взрослую жизнь, Даниил из опасения выглядеть в обществе неуклюжим, начинает подчеркивать свою интеллигентность. По этой причине очень важно, чтобы родители с детства уделили много внимания развитию у Даниила чувства вкуса, иначе он рискует выглядеть в своих стараниях смешным. Не мешает также в процессе воспитания привить ему побольше уверенности в себе и умение уважать не только людей, но и себя самого.

Энергия имени абсолютно не склоняет Даниила к агрессии и вспыльчивости, любая сильная отрицательная эмоция не найдет в нем опоры и быстро увязнет. Единственное, что порой всерьез омрачает ему жизнь,— это внутренние самокопания, особенно заметные во время «переходного возраста» и нередко продолжающиеся вплоть до женитьбы. Впрочем, женившись, Даниил отвлекается от подобных переживаний, переключив свою энергию на заботы о благосостоянии семьи.

Долгие размышления и самонаблюдения могут сделать из Даниила неплохого психолога, так что в отношениях с женщинами едва ли он прельстится броской внешностью, если за ней не стоит душевный и добрый человек. В связи с этим в браке Даниил обычно удачлив, тем более что в общении предпочитает не силу, а убеждения, сглаживая острые углы своим добродушием и неконфликтностью.

В профессиональном плане такие душевные качества могут обеспечить Даниилу успех в самых разнообразных сферах. Быть может, он и не испытывает тяги к независимости и самостоятельному делу, но при этом может быть неплохим руководителем отдела. Также у него достаточно шансов реализовать себя в творчестве, медицине или научной работе.

Секреты общения. Даниила достаточно сложно вызвать на активный спор, скорее всего, он просто терпеливо будет стараться обосновать свою точку зрения, не поддаваясь при этом никаким отрицательным эмоциям. Он охотно отзовется на просьбу о помощи, может даже закрыть глаза на нарушения дисциплины, за которой он обязан следить, но при этом в душе будет испытывать мучения. Если же за действиями просителя обнаружится какая-либо хитрость, то этот человек навсегда потеряет уважение Даниила.

Астрологическая характеристика:
Знак зодиака: Рак. Планета: Плутон. Цвета имени: красный, теплый коричневый. Наиболее благоприятный цвет: темно-синий. Камень-талисман: лазурит.

Празднуем именины. 5 апреля (23 марта) — Даниил Угличский, игумен, священномученик.

30 (17) декабря — Даниил Египетский, преподобный, исповедник.

24 (11) декабря — Даниил Столпник.

След имени в истории. «Отрок, красивый видом и понятливый для всякой науки», — именно так характеризует библейская книга пророка Даниила, только что прибывшего в числе других таких же юношей из знатных семей в Вавилон, ко двору царя Навуходоносора. Впоследствии сам Яхве наградил Даниила за его набожность и прилежание, даруя ему разумение всякой книги, а также понима-

145

ние всех видений и снов, и вскоре эти бесценные качества сослужили юноше хорошую службу.

Однажды, по преданию, Навуходоносор собрал своих мудрецов, в числе которых был и Даниил, и велел им разгадать свой сон. Тех же, кто не в состоянии будет растолковать предзнаменование, ждет немедленная казнь, предупредил царь. Один за другим бессильные мудрецы приговаривались жестоким царем к смерти, и лишь когда наступила очередь Даниила, Яхве помог ему разгадать истинный смысл сновидения.

— Мне снилось, — рассказал царь, — будто среди земли стоит дерево до неба, и что оно срублено по воле Всевышнего, но так, что корень его главный остался в земле.

— Это дерево — ты сам, — объяснил Даниил Навуходоносору, — но ты будешь отлучен от людей, станешь жить со зверями, питаться травой, как вол, доколе не познаешь, что Всевышний владычествует над царством человеческим и дает его, кому хочет.

Потрясенный и опечаленный царь склонился перед Даниилом, признав его «богом богов» и поставив его за мудрость «над всей областью вавилонскою и главным начальником над всеми мудрецами вавилонскими».

ДЕМЬЯН

Значение и происхождение имени: Демьян — русская форма имени Дамиан, которое предположительно произошло от греческого корня, означающего «покорять».

Энергетика и Карма имени: в энергетике имени Демьян наиболее заметную роль играют его достаточная импульсивность и резкость. Обычно Демьян — человек эмоциональный и увлекающийся, он общителен, любознателен, однако в большинстве случаев открытым и простым его характер не назовешь. Да это и неудивительно, поскольку многие носители этого устаревшего на сегодняшний день имени предпочитают называть себя более привычным — Дима. Таким образом, уже в раннем возрасте Демьян как бы начинает вести актерскую игру, и не то чтобы он выдавал себя за другого человека, но все же это свидетельствует о его неравнодушном отношении к тому, как он будет выглядеть в глазах окружающих. Именно в силу этого самолюбие Демьяна частенько бывает болезненным и чтобы застраховаться от негативного отношения к нему общества, он, скорее всего, предпочтет создавать в глазах окружающих какой-либо благоприятный по его мнению образ. Хорошо это или нет, однако это помогает Демьяну обретать необходимое равновесие и заодно делает его довольно рассудительным и расчетливым человеком.

Интересно, что по мере взросления его отношение к своему имени может поменять свой знак на противоположный. Так в наше время многие молодые люди специально придумывают себе простонародные и нелепо звучащие псевдонимы как с целью забавы, так и для того, чтобы выделиться из общего окружения или даже противопоставить себя обществу. Демьяну же и придумывать ничего не надо. При этом ему может доставлять удовольствие сознавать, что, когда он перестает играть свою роль, окружающие воспринимают это как какую-то маску и наоборот — его маска воспринимается ими как настоящее лицо.

Артистизм Демьяна, его энергичность и честолюбие способны значительно помочь ему в жизни, особенно когда это сочетается с чувством юмора, без которого Демьян может быть подвержен приступам депрессии и апатии. Скорее всего, он большое значение будет придавать своей карьере, в чем может добиться значительных успехов. Тем не менее для полноценного счастья ему часто не хватает подлинного душевного равновесия и открытости с близкими людьми.

Секреты общения. Если вам довелось повстречаться с веселым добродушным Демьяном, то не следует забывать, что, скорее всего, за этой маской скрывается ранимое самолюбие. Быть может, в случае каких-либо конфликтов он и не покажет свою обиду, но запомнит ее. С друзьями Демьян обычно довольно доброжелателен, но часто за его на первый взгляд бескорыстной помощью скрывается какой-нибудь расчет.

Астрологическая характеристика:
Знак зодиака: Близнецы. Планета: Меркурий. Цвета имени: коричневый, оранжевый, красный. Наиболее благоприятный цвет: белый. Камень-талисман: агаты, благородный опал.

Празднуем именины: 30 (17) октября — Дамиан Аравийский, бессребренник, мученик.

147

11 октября, 18 октября (28 сентября, 5 октября) — Дамиан Печерский, пресвитер, целебник, в Ближних пещерах.

След имени в истории. Среди людей творческих профессий ходит такая поговорка: «Удачный псевдоним решает все». Ну, если и не все, то, во всяком случае, не меньше половины. Ведь если обычного человека встречают по одежке, а провожают по уму, то книгу какого-нибудь малоизвестного писателя могут купить (или не купить) только лишь благодаря тому, что написано на обложке. В свете вышеизложенного можно смело утверждать, что, назвавшись Демьяном Бедным (1883—1945), поэт Алексей Придворов сделал большой шаг в своей карьере. Действительно, нетрудно найти человека, абсолютно не знакомого с творчеством этого поэта, однако тех, кто никогда в жизни не слышал этой фамилии, гораздо меньше.

Уже судя по одному псевдониму нетрудно догадаться, что в жизни Демьян Бедный был человеком, склонным ко всякого рода максималистским проявлениям: юмор он доводил до состояния гротеска, злость преподносил как праведный гнев, а в свои стихи и басни старался заложить побольше «непреходящих истин».

В годы Гражданской войны творчество поэта оказалось особенно востребованным — его агитационные песни и стихи, стихотворные фельетоны, едкие сатирические произведения и тому подобная литература, распечатывавшаяся огромным тиражом на папиросной бумаге, пришлась как нельзя кстати в сырых окопах.

Поднимая настроение и боевой дух солдат, «агитки» Демьяна Бедного сделали его автора в свое время очень популярным. То же самое можно сказать и по поводу его эпических поэм «Про землю, про волю и про рабочую долю» и «Главная улица», великолепно передающих сам дух того времени. Сейчас они могут служить прекрасным историческим пособием.

ДЕНИС

Значение и происхождение имени: имя Денис является русской формой древнегреческого божества плодородия и виноделия Диониса. Это божество было заимствовано греками во Фракии, другие его названия Бахус, Вакх.

Энергетика и Карма имени: не так уж часто можно встретить имя, конкретное значение которого так хорошо согласуется с его энергетикой, как это происходит в случае с Денисом. В этом имени огромный заряд жизнелюбия, подвижности и склонности к веселью. Впрочем, веселье это с некоторой хитринкой, что немного настораживает. Носителю этого имени, как, наверное, никому другому, надо знать меру в радостях жизни, ведь здесь, как и с вином: оно может поднять настроение, а может и довести до безумия.

Обычно подвижность Дениса проявляется в самом раннем возрасте, он непоседлив, любопытен, любит всевозможные игры, причем нередко пытается включиться в игру более старших ребят. В школе он часто компенсирует недостаток старательности и усидчивости способностью быстро соображать и схватывать информацию на лету. Впрочем, достаточно Денису заразиться каким-либо интересным делом, и усидчивей его трудно будет найти человека! Вполне возможно, что учеба не даст ему глубоких знаний, но вряд ли у кого будет повод усомниться в эрудированности Дениса. Если в детстве его любознательность получит хорошее развитие, то из него может выйти неплохой ученый-энциклопедист, который в отличие от «кабинетного» ученого часто успевает сказать свое слово в самых разных областях. Таковыми были Эдисон, Ломоносов и некоторые другие. Частенько энергия имени подбивает Дениса на всевозможные авантюры, а его энтузиазм бывает весьма заразителен. Он редко стремится подчинять себе людей, но все же неплохо может увлечь за собой товарищей, что способно сделать из него довольно толкового организатора. Жаль только, что, когда его энтузиазм затухает, он легко может бросить дело на полдороге, не обращая внимания, что те, кого он в свое время увлек, продолжают делать дело и даже обижаются на него.

Надо сказать, что у подвижного и быстрого ума есть одна опасность — искушение: в случае угрозы наказания быстренько сочинить складную ложь. Соблазнившись этой легкостью, Денис однажды может обнаружить, что и сам уже не в силах отличить правду от выдумки, отчего станет совершать множество ошибок, провоцирующих всевозможные неприятности. Особенно часто это может проявляться в отношениях с женщинами и в семейной жизни, тем более что домашние неурядицы способны резко усилить тягу к алкоголю.

Одним словом, чуточку осторожности, терпения и обязательности — именно эти качества помогут Денису добиться успеха практически в любом деле и в любой профессии.

Секреты общения. Чтобы подбить Дениса к какой-либо затее, нередко бывает достаточно всего-навсего эмоционально и оживленно рассказать о ней и спросить его мнения. Дело здесь не в его самолюбии, просто это наиболее легкий способ заставить его задуматься, а там для него уже будет все равно, чья это идея, главное, чтобы было интересно! При этом, скорее всего, Денис быстро заразит этим энтузиазмом и остальных, так что будьте осторожны: из инициатора вы легко можете превратиться в исполнителя.

Астрологическая характеристика:

Знак зодиака: Водолей. Планета: Меркурий. Цвета имени: коричневый, светло-зеленый. Наиболее благоприятные цвета: золотой, насыщенный зеленый. Камень-талисман: хризолит, малахит.

Празднуем именины:

18 (5) октября — Дионисий Александрийский, епископ, исповедник.

17 января, 16 октября (4 января, 3 октября) — Дионисий Ареопагит, апостол от 70-ти, епископ Афинский, священномученик.

10 августа, 16 октября (28 августа, 3 октября) — Дионисий Печерский, Щепа, иеромонах, затворник в Дальних (Феодосиевых) пещерах.

След имени в истории. «Я считаю себя рожденным единственно для рокового 1812 года», — любил говорить Денис Давыдов (1784—1839), писатель, гусар, герой Отечественной войны. Справедливости ради надо отметить, что он принимал участие и в войне с французами 1807 года — в качестве адъютанта самого Багратиона, однако именно в Отечественную войну Давыдову удалось внести свой личный вклад, повлияв на ход боевых действий.

Романтик, любимец женщин, поэт, в бою Давыдов показывал чудеса бесстрашия и удальства, и именно ему первому пришла в голову мысль вести партизанскую борьбу с захватчиками, исподволь, набегами уничтожая их число. Как писал Толстой в «Войне и мире»: «Дубина народной войны...». Кто знает, поднялась бы эта дубина, если бы лихой гусар Денис Давыдов не показал Кутузову всю силу такого оружия. «Удачные опыты твои, — писал Давыдову Кутузов, — доказали мне пользу партизанской войны». Сам же герой после ратных сражений вернулся к тому, к чему его всегда влекло,— к литературе, к стихам, в которых щедро поделился собственным опытом: «Не обещайте деве юной любови вечной на земле»...

ДМИТРИЙ

Значение и происхождение имени: принадлежащий Деметре (греч.). Деметра — одно из наиболее почитаемых божеств олимпийского пантеона. Буквальное значение — мать-земля, олицетворение плодородия.

Энергетика и Карма имени: в этом имени энергия пружины, которая, кажется, способна сжиматься сколь угодно долго, пока вдруг неожиданно не выстрелит. Увы, нередко это происходит в самый неподходящий момент. С одной стороны, энергетика имени склоняет Дмитрия к терпению, причем нередко это происходит так незаметно, что окружающие, а иногда и сам Дима, воспринимают это как чуть ли не абсолютное спокойствие, но этот аккумулятор должен разрядиться. И здесь на первый план выходит другая сторона энергетики — импульсивность и взрывоопасность характера.

Большинство Дмитриев знают или догадываются об этой своей особенности, однако, даже если это и не так, накапливающееся напряжение все равно ищет разрядки, и от того, какой из возможных выходов для нее найдет Дмитрий, и будет зависеть его судьба. В раннем возрасте это часто проявляется во внезапных приступах капризности, чередующихся с бурным весельем. Затем, взрослея, Дима преображается, в нем начинает пробуждаться самостоятельность, граничащая порою со своеволием, сдержанность и спокойствие. Он дружелюбен, незлоблив, однако обида и несправедливость способны привести его в ярость, часто выходящую за разумные пределы. В детстве это нередко выражается в потасовках, которые могут либо закалить характер, либо, как это ни прискорбно, сломать его.

Во взрослом же возрасте нужны другие выходы и наиболее простой, который предоставляет жизнь,— это воз-

151

можность снять напряжение в разговоре, особенно в шутливом. Легкость такого выхода очевидна, и порою Дмитрий способен превратиться в исключительного краснобая-болтуна, понапрасну тратя энергию, которую с успехом мог бы использовать с большей пользой. Дело в том, что, привыкнув с детства накапливать напряжение, Дима развивает в себе значительную выносливость и работоспособность. Правда, и здесь его энергия стремится выплеснуться как можно скорее, и он часто предпочитает решать дела одним ударом, избегая долгой осады, но все же за это короткое время иногда он умудряется успеть очень даже немало. Кстати сказать, именно в такие минуты Дмитрий может испытывать наибольший подъем духа, вдохновение и даже эйфорию. Однако если Дмитрий хочет достигнуть успеха в жизни, ему надо научиться в первую очередь разумно распределять свои силы, приучить себя к ежедневному труду, не забывая при этом, что все же желательно оставлять часть энергии и на решающий бросок, когда дела у него получаются наилучшим образом.

Стоит также отметить, что среди Дмитриев встречается еще один тип характера, в котором все вышеперечисленные черты заметным образом сглажены. Обычно такой Дмитрий предпочитает называть себя Митей.

Секреты общения. Часто Дмитрий бывает несдержан в разговоре, но после конфликта обычно быстро отходит и успокаивается. Едва ли он будет долго таить злобу. Нередко в совместных делах он на первое место ставит не выгоду, а доверительные и дружеские отношения, однако, начиная с ним очередной проект, постарайтесь поменьше обсуждать его, иначе Диму может настолько захватить процесс обсуждения, что на само дело не останется времени. Впрочем, когда обсуждение закончено и сроки оговорены, он скорее будет работать за троих, чем подведет партнера.

Астрологическая характеристика:

Знак зодиака: Скорпион. Планета: Плутон. Цвета имени: желтовато-коричневый, стальной. Наиболее благоприятные цвета: черный для сосредоточения, оранжевый, серебряный. Камень-талисман: черный и огненный опал, серебряные украшения.

Празднуем именины: 1 июня (19 мая) — Димитрий Донской, великий князь.

8 ноября (26 октября) — Димитрий Солунский, Мироточивый, великомученик.

28 мая, 5 июня, 16 июня (15,23 мая, 3 июня) — Димитрий Угличский и Московский, царевич.

След имени в истории. То, что таблица периодических элементов приснилась Дмитрию Менделееву (1834—1907) во сне, известно всем. Часто этот факт оспаривают всеми силами, но, собственно, почему? Для самого звучания имени Дмитрий характерна повышенная чувствительность, а значит, и предрасположенность к тому, что называют экстрасенсорикой. Великий химик поверил в свой сон, и оказался прав. Более того, на основе своего закона он даже рискнул предсказать свойства трех неизвестных в то время науке элементов, в результате чего был объявлен шарлатаном, и лишь через несколько лет открытие нового металла галлия полностью подтвердило все предположения Менделеева.

Вообще, надо сказать, что Дмитрий Иванович слыл в свое время этаким авантюристом — слишком уж выделялся из серой и скучной массы своих наукообразных коллег. Так, одним из многочисленных хобби великого химика было... собственноручное производство великолепных чемоданов, а однажды, во время солнечного затмения, ученый должен был подняться вместе с воздухоплавателем на воздушном шаре. Однако пошел дождь, воздухоплаватель испугался, и тогда Менделеев, высадив летчика из кабины, полетел на шаре один.

Возможно, именно благодаря своему неудобному нраву и независимому характеру Дмитрию Менделееву два раза отказывали при избрании в члены Российской академии наук — да он особенно и не переживал, поскольку являлся членом десятков престижнейших научных обществ всего мира, находя утешение в старой фразе: нет пророка в своем отечестве.

ЕВГЕНИЙ

Значение и происхождение имени: благородный (греч.).

Энергетика и Карма имени: в целом энергетика имени довольно спокойна, в ней хорошо прослеживается склонность к добродушию и уравновешенной подвижности. Вряд ли маленький Женя будет чересчур непоседлив, но и тихоней его тоже не назовешь. Чаще всего это равновесие между подвижностью и спокойствием сохраняется у него на всю жизнь. При всей мягкости имени в нем все же заметна некоторая импульсивность, способность ответить на какое-либо раздражение, однако в сочетании с другими качествами, скорее всего, это найдет свое проявление в ироничности Евгения. Он не сторонник силовых методов разрешения споров, и идеалом человеческих качеств ему нередко представляется внутренняя интеллигентность. Между тем иногда он становится способным на решительный поступок, даже на подвиг, однако, совершив его, сам впоследствии может долго удивляться этому факту.

Не лишено имя и определенного заряда честолюбия, хотя и здесь наблюдается равновесие между желанием известности и материальными благами, а там, где равновесие, там многое начинает зависеть от воспитания. Впрочем, часто Евгений выбирает свой жизненный путь с учетом обеих своих потребностей, тем более что обычно продвижение в карьере сочетается с улучшением благосостояния. На работе он вряд ли станет из кожи лезть, но шанс продвинуться постарается не упустить. Может попробовать начать свое дело, хотя чаще всего его планы о самостоятельности так и остаются на уровне мечты. Исключение составляют лишь те случаи, когда выгоды этого шага очевидны или же в детстве ему сумели привить тягу к самостоятельности.

В отношениях с женщинами на первый план выходят такие качества Жени, как легкость, общительность и чувство юмора, он галантный кавалер, держится обычно очень интеллигентно и нередко становится неотразим в глазах прекрасного пола. Бывают даже случаи, когда обаятельный Евгений, успев жениться несколько раз, умудряется сохранить прекрасные отношения со всеми своими бывшими женами. Тем не менее для полноценной семьи этого мало, а значит, и назвать такого Женю счастливым в браке можно только со стороны, сам он наверняка считает иначе, хоть виду и не подает.

Быть может, потому, что с самого детства Евгений придает огромное значение тому, как он выглядит в глазах окружающих, часто ему бывает присуща хорошо развитая артистичность, которая наряду с интеллигентным обаянием может обеспечить успех в творческой карьере.

Секреты общения. Нередко уравновешенность Евгения позволяет окружающим легко склонять его на свою сторону, что может быть ложно воспринято, как слабохарактерность. Это далеко не так, и подобная иллюзия быстро рассеивается, когда затронуты интересы Евгения. Вступив с ним в конфронтацию, прежде всего следует опасаться не каких-либо решительных действий, а значительных запасов его иронии.

Астрологическая характеристика:

Знак зодиака: Телец. Планета: Меркурий. Цвета имени: белый, иногда серебристый и синий. Наиболее благоприятные цвета: черный и красный. Камень-талисман: рубин, яшма.

Празднуем именины: 4 марта (19 февраля) — Евгений Антиохийский, пресвитер, священномученик.

26 (13) декабря — Евгений Севастийский, мученик.

20 (7) марта — Евгений Херсонесский, епископ, священномученик.

След имени в истории. Пожалуй, все самые яркие и характерные для имени Евгений черты нашли свое проявление в жизни и творчестве талантливого актера «Современника» и МХАТа Евгения Евстегнеева (1926—1992), умевшего передать все тонкости характеристики персонажа. Множество самых разнообразных ролей сыграл он в театре и кино — это и Король в «Голом короле», и Фирс («Вишневый сад»), и профессор Преображенский («Собачье сердце»). Упомянутую в характеристике имени ироничность можно назвать одной из наиболее выразительных черт Евгения Евстигнеева, придававших ему неповторимый шарм не только в жизни, но и на сцене.

Говорят, что как-то раз, когда «Современник» давал спектакль «Декабристы», Олег Ефремов в роли царя Николая I должен был произнести следующую фразу: «Я в ответе за все и за всех», но оговорился и вместо этого сказал: «Я в ответе за все и за свет».

— Ну уж тогда и за газ, и за воду, ваше величество, — подхватил его партнер Евгений Евстигнеев.

ЕВДОКИМ

Значение и происхождение имени: славный (греч.).

Энергетика и Карма имени: попробуйте подобрать удобное уменьшительное имя для Евдокима: Евдокимка, Кимка, Евдокуша, наконец, Евдя — все эти имена либо слишком длинны, либо неблагозвучны, а то и просто не имеют достаточной связи с полным именем. Безусловно, все это несколько затрудняет общение, и потому вряд ли стоит удивляться, если с детства Евдоким будет отличаться неразговорчивостью, временами производя впечатление замкнутого или даже нелюдимого человека. Конечно, это вовсе не означает, что Евдоким плохо относится к окружающим, наоборот, он достаточно добродушен, способен на сочувствие, просто имя больше склоняет его носить свои впечатления и переживания в себе. При этом в некоторых случаях когда чувства начинают слишком уж переполнять его, он способен неожиданно преобразиться, что часто бывает на каких-нибудь праздниках и дружеских вечеринках, однако чаще всего после быстрого всплеска он опять замыкается в себе.

В целом все это приводит к тому, что внешне Евдоким кажется довольно уравновешенным и серьезным человеком, однако за этой спокойной маской могут вызревать весьма глубокие чувства. В первую очередь это, конечно же, отражается на самолюбии, ведь обиды, не имея себе внешнего выхода, часто начинают накапливаться и укрепляться в душе. То же самое относится и к другим чувствам, которые, найдя себе место в сердце Евдокима, начинают отличаться удивительным постоянством, а потому такие понятия, как друг или враг, значат для него довольно много.

Такое постоянство характеризует Евдокима практически во всем. В делах он необычайно терпелив и настойчив, благодаря чему способен достигать значительных успехов в работе. Жаль только, что его молчаливость часто делает его незаметным, что обычно мешает карьере. Кроме того, Евдоким плохо приспосабливается к новым для себя обстоятельствам. Иной раз он слишком уж тяжело воспринимает крушение собственных планов, и когда приходится снова начинать с нуля, да еще и в новых условиях, он может впасть в депрессию. Кроме этого, будучи прекрасным хозяином и отличаясь постоянством своих чувств в семье, он все же может своей молчаливостью создавать в доме довольно тяжелую обстановку. Когда же он желает не осложнять себе жизнь, ему все же не мешает научиться большей открытости и веселости.

Секреты общения. С Евдокимом довольно трудно вести какие-либо пустые беседы, зато очень легко работать. При этом чем больше его пытаются разговорить, тем меньше шансов на нормальное общение с ним. Зато он хорошо умеет слушать, а это уже немало! Тем более что незаметно для себя, слушая вас, он и сам может разговориться.

Астрологическая характеристика:

Знак зодиака: Козерог. Планета: Плутон. Цвета имени: синий, коричневый, белый. Наиболее благоприятные цвета: оранжевый, фиолетовый. Камень-талисман: янтарь, аметист.

Празднуем именины: 13 августа (31 июля) — Евдоким Каппадокиянин.

След имени в истории. «Хочешь быть счастливым — будь им!» — с этой фразой, чуть ли не ежедневно звучащей сейчас с экранов телевизоров, за много лет до ее написания был согласен один из учеников Аристотеля Евдоким Родосский. Поначалу во всем разделяя взгляды своего великого учителя, постепенно Евдоким начал отходить от навязываемых ему формул, предпочитая до всего доходить своим собственным умом.

Если верно утверждение о разделении человечества на две группы, одна из которых изобретает велосипед, а вторая считает их дураками, то Евдоким Родосский, несомненно, относился к первой группе — изобретателям. Его пространные рассуждения о счастье поначалу могут вызвать одно лишь недоумение, однако если вдуматься, то окажется, что и современный человек в эпоху научно-технического прогресса также мало знаком с происхождением этого простого чувства, как и многие тысячелетия тому назад.

В то же время Евдокиму Родосскому удалось создать интересную модель происхождения человеческих эмоций, точкой отсчета которых, по его мнению, является Бог. Все, что каким-либо образом приближает нас к Богу, в качестве своеобразного «Божественного поощрения» вызывает в душе человека такую приятную эмоцию, как счастье. Все же, что, наоборот, ведет в противоположную сторону от главной цели, «блокируется» чувствами неудовлетворения, злости, обиды. В примитивном варианте система сводится к методу кнута и пряника, хотя на самом деле она, конечно же, неизмеримо сложнее.

«Все является благом в той мере, в какой оно способствует познанию Божества», — писал Евдоким Родосский, философ, на много сотен лет опередивший свое время.

ЕГОР

Значение и происхождение имени: старорусский вариант греческого имени Георгий. Дословно означает земледелец.

Энергетика и Карма имени: Егор — имя довольно неожиданное, оно удивляет своей резкой цельностью и вместе с тем некоторой замкнутостью. Такое ощущение, что его вырубили из целого куска камня. Кроме того, на сегодняшний день это не самое распространенное имя, и потому его энергия изрядно воздействует на психику Егора. Чаще всего люди с этим именем действительно являются довольно замкнутыми, обычно их недовольство или раздражение внешне не проявляется и, оставаясь внутри, постепенно накапливается, пока не найдет себе выход. В юном возрасте это нередко выливается в конфликты с окружающими, однако с годами Егор начинает находить разрядку в каких-либо занятиях. Дело в том, что в отличие от других имен, способных накапливать напряжение, это имя не обладает пластичностью, и конфликт обычно оставляет в душе Егора слишком глубокий след.

Одним словом, волей-неволей Егору приходится искать более безопасные выходы. Он может найти удовлетворение и в едкой иронии, и в упоении работой, и в спорте. Немало опасностей таит для него алкоголь, в употреблении которого Егор может легко потерять меру, ведь поводов для «снятия напряжения» таким способом у него всегда будет много.

Нередко Егор сглаживает ситуацию тем, что начинает как бы играть некую выбранную жизненную роль, пряча за ней свои реальные проблемы, при этом он порою отдает этой игре большую часть своей энергии, получая необходимую разрядку. Конечно, такую маску носит огромное множество людей, но мало кто так же, как и он, умеет вести свою игру с упоением. Для него это прекрасная возможность расслабиться. Бывает и так, что он этой своей ролью увлекает людей и может быть даже становится идеологом какого-либо движения, однако обычно главной его целью является не реализация своих идей, а реализация себя самого.

И конечно же, ему нужен рядом человек, которому он сможет показаться таким, каков он есть на самом деле и который сумеет его понять. Поэтому Егор может долго искать себе хорошую жену, а когда найдет то, что искал, ему уже могут не понадобиться иные пути для расслабления. Скорее всего, в этом случае из него получится прекрасный муж и отличный хозяин, от напряжения не останется и следа, а незлобливость характера Егора обеспечит ему множество друзей и успех в карьере.

Однако все это может прийти к Егору значительно раньше, ведь если в его напряжении виновато в первую очередь его самолюбие, то когда Егор привыкает сглаживать это качество с помощью чувства юмора, он освобождает себя от доброй половины проблем.

Секреты общения. Будьте осторожны, если вас увлекли какие-либо проекты или идеи Егора, не забывайте, что для него это может быть всего лишь игра, которую он в один прекрасный момент способен бросить. Чаще всего о его реальных взглядах знают только близкие друзья. Если же однажды Егор решит открыть вам душу, будьте уверены, он зачислил вас в списки своих друзей. Вообще, для нормального общения с Егором лучше всего сглаживать его иронию, далеко не всегда светлую, добрым юмором.

Астрологическая характеристика:

Знак зодиака: Скорпион. Планета: Сатурн. Цвета имени: светло-серый, стальной. Наиболее благоприятные цвета: теплые оттенки коричневого, золотистый. Камень-талисман: хризолит, агат.

Празднуем именины: 9 декабря (26 ноября) — Егорий Хиосский, новомученик.

След имени в истории. Когда императору Николаю I была подана докладная записка о якобы неправомерных действиях в Черногории инженера Егора Ковалевского (1811—1868), тот, ознакомившись с делом, лаконично написал на полях докладной: «Капитан Ковалевский поступил как истинный русский». Тот черногорский инцидент заключался в том, что Ковалевскому пришлось принять участие в пограничных схватках с австрийцами — однако царская рецензия одинаково применима ко всем поступкам этого интересного человека.

Вообще, судьба распорядилась так, что всю жизнь Егор Ковалевский находился в центре всевозможных событий — экономических, политических, военных. Возможно, он в чем-то и сам провоцировал многие ситуации, испытывая тягу к приключениям. Вот только некоторые факты из его биографии: во время Хивинской экспедиции этот человек вместе с несколькими товарищами выдержал долгую осаду кочевников, во время которой храбрецы питались одной лишь кониной. Произведя геологические исследования с Северной Африке, он первым дал верное описание загадочной для европейцев страны Абиссинии. Кроме того, именно Егор Ковалевский был активным участником при заключении важнейшего договора, обеспечившего торговлю России с Китаем...

Все подвиги и заслуги этого авантюриста трудно перечислить, достаточно лишь сказать, что в 50 лет он дослужился до чина генерал-лейтенанта и был назначен сенатором и членом совета министров иностранных дел. Но и, занимая самые важные посты, Ковалевский оставался прежде всего человеком творческим и сострадательным; он много занимался благотворительностью, а его книги, повествующие об удивительных приключениях, пользовались в свое время огромной популярностью.

ЕМЕЛЬЯН

Значение и происхождение имени: Емилиан — льстивый (греч.).

Энергетика и Карма имени: имя Емельян способно наделить своего владельца довольно болезненным самолюбием, в чем большую роль играет как его значительная редкость и простонародность, особенно в уменьшительной форме Емеля, так и достаточная импульсивность звуковой энергетики. Самолюбие Емельяна как бы мечется между двумя противоположными образами, где, с одной стороны, выступает сказочный Емеля-лапотник, а с другой — великий разбойник Емельян Пугачев. Второе более привлекательно для мальчишеского воображения, однако здесь очевидна вся трудность соответствовать столь сильному образу, так что в большинстве случаев в детстве Емельян будет стесняться своего редкого имени, выделяющего его из общего окружения, и начнет стараться стать более незаметным и держаться в тени.

Наиболее благоприятно, если этот опасный момент будет обойден с помощью чувства юмора, тем более что импульсивная энергетика имени предполагает остроумие. Поистине юмор способен оказаться для Емели спасительным, причем в этом случае заметность может изрядно поспособствовать карьере, а самолюбие, избавленное от болезненности, способно утроить его силы в достижении поставленных целей. Несомненно, Емельян будет обладать довольно развитым воображением, жаль только, что чувствительное самолюбие часто мешает ему открыть свои фантазии окружающим и реализовать их в каком-либо творчестве.

Кроме этого, несмотря на некоторые положительные моменты энергетики, Емельяну мешает некоторый недостаток постоянства. Мало того, что его интерес способен остывать так же быстро, как и воспламеняться, он еще и старается скрыть это за маской уравновешенности. Нередко носители этого имени, что называется, не могут найти себя и остановить свой выбор на одном деле. Эти же метания характерны для него и в семейной жизни. Избежать же многих ошибок в жизни он может, если научится умению концентрироваться и станет более открытым в общении.

Секреты общения. Часто Емельяну не хватает некоторой уверенности в себе, чем нередко пользуются те, кто хочет склонить его на свою сторону. Это же обычно заставляет его горячиться в споре, защищая свое мнение, что несколько затрудняет общение с ним. Если вы желаете завести с ним дружеские отношения, то постарайтесь больше шутить, не задевая его самолюбия.

Астрологическая характеристика:
Знак зодиака: Весы. Планета: Марс. Цвета имени: зеленовато-белесый, красный. Наиболее благоприятные цвета: зеленый, коричневый. Камень-талисман: яшма, морион.

Празднуем именины: 30 (7) марта — Емилиан Италийский, преподобный.

21 января, 21 августа (8 января, 8 августа) — Емилиан Кизический, епископ, исповедник.

31 (18) августа — Емилиан требийский, епископ, священномученик.

След имени в истории. Почему-то принято считать, что Емельян Пугачев (1742—1775) пришел к бунту как-то спонтанно, прямо от сохи. Но это не совсем так. В молодости он поступил на военную службу, участвовал в нескольких войнах, где и освоил специальность артиллериста. Его независимый характер провоцировал бесконечные стычки с начальствами, и потому, покинув службу, Пугачев подался к казакам, где и начал выдавать себя за Петра III. Почему? Откуда взялась эта фантастическая легенда? Так или иначе, Емельян Пугачев, будучи личностью сильной и властной, обладал природным даром убеждения. Скорее всего, он и сам искренне верил в свое царское происхождение.

Во всяком случае, будучи предводителем крестьянской войны, Пугачев действовал действительно по-царски: захватывая крепость, убивал всех, кто не признавал его власти. Даже враги Пугачева признавали его недюжинные организаторские способности — его состоящая из земледельцев и почти невооруженная армия мало в чем уступала армии регулярной и дважды сумела разбить правительственные войска. Тем не менее трагическая развязка была неизбежна, и в конце концов преданный друзьями и посаженный в клетку бунтарь был доставлен для казни в Москву.

Но и перед лицом смерти он оставался таким же властным и сильным. Говорят, что, когда палач собрался четвертовать Емельяна Пугачева, тот так посмотрел на него, что палач, засуетившись, сразу отрубил ему голову, не в силах вынести этого тяжелого страшного взгляда.

ЕРМАК, ЕРМОЛАЙ

Значение и происхождение имени: Ермак — народная форма имени Ермолай, что означает «народ Гермеса» (греч.).

Энергетика и Карма имени: в наши дни имя Ермак встречается не часто, но если уж родители решили дать своему ребенку столь выразительное имя, оживляющее в памяти героический и загадочный образ покорителя Сибирского ханства донского казака и разбойника Ермака

Тимофеевича, чей таинственный клад, по слухам, до сих пор покоится на дне одной из многочисленных сибирских рек, то им придется довольно много времени уделить воспитанию сына. Действительно, имя способно наделить Ермака твердостью и силой духа, однако оно в силу своей редкости слишком уж заметно и, кроме того, предполагает в своем хозяине огромное самолюбие и уверенность в себе. Не исключено, что Ермак будет излишне полагаться на свою силу и право быть лидером, что может вызвать резкое противодействие со стороны окружающих, вплоть до того, что, потерпев в своем самоутверждении неудачу, он вообще может потерять веру в себя или, проще говоря, сломаться.

Чтобы подобная неприятность не произошла, очень желательно, чтобы наряду с самоуверенностью у Ермака было воспитано умение уважительно относиться к окружающим и совмещать силу своего характера с добродушием и даже мягкостью. Быть может, он слишком серьезно относится ко всему, и ему не мешает стать несколько проще и веселее — ведь только в этом случае его волевой и сильный характер может найти достойное применение. Зато если этот нежелательный момент будет успешно преодолен, то Ермак может избежать множества ошибок. Он хороший хозяин и верный муж, а не лишенный творческого воображения и при этом довольно трезвый ум способен обеспечить ему хорошую карьеру, в том числе и на руководящих должностях или помочь добиться успеха в самостоятельном бизнесе.

Секреты общения. Самолюбивый и волевой Ермак обычно не терпит над собой чьего-либо руководства, однако по трезвому размышлению он все же способен признать главенствующую роль своего начальника, если, конечно, тот обладает необходимыми качествами. В общении с ним желательно больше апеллировать к разуму — ведь дать волю своему воображению и мечтательности он может только с самыми близкими друзьями.

Астрологическая характеристика:
Знак зодиака: Стрелец. Планета: Юпитер. Цвета имени: стальной, иногда красный. Наиболее благоприятные цвета: теплые тона коричневого и желтого, а также белый. Камень-талисман: агаты, сард, золото.

Празднуем именины: 8 августа (26 июля) — Ермолай Никомидийский, иерей, священномученик.

След имени в истории. Поэтический образ казачьего атамана Ермака Тимофеевича (?—1585), история его удалой жизни и трагической смерти нашли отражение во многих песнях, сказках и балладах.

Когда атамана Ермака пригласили вместе с его отрядом для охраны земель на Оби и Иртыше для охраны от нападений хана Кучума, он начал свой исторический поход в глубь Сибири. После нескольких побед над войсками хана в решающем сражении, длившемся 3 дня, все главные силы Кучума были разбиты. Отряд победителей во главе с Ермаком занял столицу Сибирского ханства, однако Кучум, собрав остатки своего войска, ночью напал на отряд Ермака и уничтожил его. Раненный, чудом спасшийся Ермак пытался переплыть реку Вагай, но утонул из-за тяжелой кольчуги.

Так закончился жизненный путь этого отважного человека и так трагически завершился его поход — пусть не победоносный, но тем не менее положивший начало освоению Сибири и ее присоединению к России.

ЕФИМ

Значение и происхождение имени: происходит от греческого имени Евфимий — благодушный.

Энергетика и Карма имени: Ефим — не самое простое имя и часто наделяет своего владельца весьма противоречивым характером. С одной стороны, оно недостаточно звучное, с другой же — очень даже выразительное и заметное. В нем нет значительного напряжения, оно не призывает к борьбе и противостоянию трудностям, зато в нем можно уловить некий зов к чему-то неизведанному. Очень жаль, что недостаток твердости имени часто мешает Фиме найти в нем внутреннюю опору в трудную минуту, ведь сколько ни говори себе: «Я — Ефим, а значит мне все по плечу», уверенности от этого не прибавляется. Но и здесь есть выход: повзрослев, Ефим легко может найти эту опору в своем отчестве или фамилии, если они обладают достаточной твердостью.

В детстве Фима обычно наделен болезненным самолюбием и нередко начинает искать какие-либо средства для

164

самоутверждения, пытаясь восполнить недостаток мужественности своего имени своим поведением. В психологии такое положение дел далеко не редкость, когда ущемленное самолюбие либо становится причиной развития болезненного комплекса неполноценности, либо прямо наоборот, приводит человека к тем или иным высотам. Так, скажем, многие выдающиеся люди в свое время болезненно преодолевали свои физические или моральные недостатки.

Однако наиболее характерной чертой Фимы чаще всего является мечтательность. Энергия имени увлекает его к чему-то прекрасному, но отсутствие опоры мешает реализовать мечты на практике, оставляя простор для развития воображения. Обычно Ефим — творческая натура, хотя, конечно, совсем уж отрываться от земли не следует, иначе и в творчестве можно уйти черт-те куда. Кроме того, мечтать о прекрасном будущем, конечно, хорошо, если только это лишний раз не подчеркивает недостатки дня сегодняшнего. Недовольство сегодняшним днем может совершенно измотать нервную систему, сделав Ефима раздражительным и вечно недовольным всем и вся.

Секреты общения. При знакомстве с Ефимом можно посоветовать обратить внимание на его отчество или фамилию, которые нередко оказывают на него более сильное влияние, чем имя. Скорее всего, Ефим с удовольствием поддержит разговор на тему искусства, однако при этом может усомниться в вашей компетентности в этой области. Постарайтесь в разговоре избегать панибратства, даже если Фима хочет казаться простым свойским парнем,— такое отношение ему не придется по вкусу. А вот от комплиментов он, к сожалению, может растаять и стать легкой добычей для нечестных людей.

Астрологическая характеристика:
Знак зодиака: Дева. Планета: Сатурн. Цвета имени: фиолетово-синий, серебристый. Наиболее благоприятные цвета: красный, коричневый. Камень-талисман: яшма, если он сумеет разглядеть ее неброскую красоту, то она может сгладить недовольство Ефима.

Празднуем именины: 2 февраля (20 января) — Евфимий Великий, иеромонах.

14 апреля, 17 июля (1 апреля, 4 июля) — Евфимий Суздальский, архимандрит.

8 января (26 декабря) — Евфимий Сардийский, епископ, священномученик.

След имени в истории. «Нет науки, которая была бы ему чужда»,— с уважением говорили современники о митрополите Евгении (до пострижения — Евфимий Болховитинов, 1763—1837). И действительно, в отличие от многих своих духовных коллег митрополит резко отличался не только тягой к разнообразным познаниям и невероятной любовью к книгам, но и насмешливым, даже скептическим нравом, совсем не соответствующим занимаемой должности. Приняв монашество в 1800 году, сразу после смерти жены и троих детей, Евфимий хотел только одного — обрести в стенах монастыря возможность тихо посвятить книгам и исследованиям остаток своей жизни, и его стремительная церковная карьера стала неожиданностью — а в чем-то даже помехой — в первую очередь для него самого.

Человек трезвомыслящий, нрава веселого и насмешливого, он не только не был религиозным фанатиком, напротив, всего через 3 дня после пострижения он уже шутил над тем, что монахи, как пауки, опутали его в черную рясу, мантию и клобук. Человека митрополит считал растленной Адамом тварью, а в ответ на милосердные реформы в тюрьмах и сумасшедших домах заявлял: «Многие ученые нуждаются в пропитании больше сумасшедших и тюремных». После себя Евфимий оставил множество написанных им книг и исторических трактатов, имеющих немалое значение и по сей день, кроме того, именно благодаря стараниям митрополита-оригинала в Киеве были организованы раскопки, открывшие фундамент Десятинной церкви.

ЕФРЕМ

Значение и происхождение имени: имя Ефрем произошло от названия одного из древнеиудейских племен и дословно означает «плодовитый» (евр.).

Энергетика и Карма имени: энергетика имени Ефрем предполагает очень сильную реакцию на внешние раздражители и взрывной темперамент, так что едва ли стоит ожидать от Ефрема уравновешенности и спокойствия. Обычно человек с таким именем обладает острым самолюбием и, увы, вывести его из себя большого труда не составляет. Иной раз достаточно малейшей искры, чтобы его негативные эмоции вырвались наружу. Впрочем, это совсем не означает, что Ефрем абсолютно не умеет держать себя в руках, просто имя склоняет его к прямоте, а взрывной темперамент, как это ни прискорбно, может превратить эту прямоту в агрессию. Сказывается также отсутствие в общей энергетике имени некоторой пластичности, что делает Ефрема крайне чувствительным человеком, заставляя болезненно воспринимать даже те события, которые более толстокожие собратья оставляют без внимания.

Жаль, конечно, однако все это может привести к тому, что в жизни Ефрема будет великое множество всевозможных конфликтов, а это, в свою очередь, способно еще более обострить чувствительность и самолюбие. Не всегда помогает и чувство юмора, ведь чаще всего прямолинейный и темпераментный Ефрем применяет остроумие для едкой сатиры и насмешек, что тоже не укрепляет нервы. С другой стороны, чувствительность Ефрема способна не только на негативные эмоции, но и на не менее острое сочувствие и сострадание. Он человек преданный и умеет хранить верность не только делу, но и людям, вот только порою он совершенно не способен прощать людям ошибки и слабости.

Обладая изрядной силой характера, настойчивостью и честолюбием, Ефрем мог бы добиться в жизни заметных успехов, если бы только эмоции не ослепляли его, то и дело заставляя совершать необдуманные, а иногда и роковые шаги. Да и в семейной жизни с таким характером ему придется нелегко, так что, быть может, все же стоит обратить внимание на свое болезненное самолюбие и постараться относиться к людям если и не более мягко, то хотя бы более терпимо. Ведь, в конце концов, понятия добра и зла в этом мире не так уж однозначны, так почему бы, прежде чем осудить человека, не попробовать его понять и простить?

Секреты общения. Интересно, что, несмотря на взрывной темперамент, друзей у Ефрема бывает достаточно много, ведь он, хоть и бывает резок, все же обладает развитым чувством справедливости и охотно приходит на помощь, когда это необходимо. Не задевайте его самолюбие, умейте уважать его достоинство, и вполне возможно, что у вас окажется верный и щедрый друг.

Астрологическая характеристика:

Знак зодиака: Овен. Планета: Марс. Цвета имени: фиолетовый, стальной. Наиболее благоприятные цвета: спокойные тона коричневого, оранжевый. Камень-талисман: агаты, сард, янтарь.

Празднуем именины: 21 (8) июня — Ефрем Антиохийский, патриарх.

20 (7) марта — Ефрем Херсонесский, епископ, священномученик.

10 января, 11 октября (28 января, 28 сентября) — Ефрем Печерский, Переяславский, епископ.

След имени в истории. Ефрем Сирин, которого называют учителем покаяния, родился в IV веке в Месопотамии, и был, согласно легенде, человеком злым, нетерпимым и вспыльчивым. Соседи с трудом выносили постоянные выходки грубияна, а потому, когда у одного из односельчан пропало несколько овец, никто ни на секунду не усомнился, чьих рук это дело. Так Ефрем оказался в тюрьме, осужденный за кражу, которой не совершал.

Однако именно тюрьма дала ему возможность пересмотреть всю свою жизнь, а услышанный во сне голос, призывающий к покаянию, предопределил его дальнейшую судьбу. После освобождения Ефрем Сирин стал отшельником, и прошло немало лет, прежде чем он переселился в один из монастырей недалеко от города Эдессы. Именно там он и стал учителем — монахи, подвижники и просто жители окрестных городов и деревень приходили послушать наставления этого мудрого человека. Его проповеди не казались никому «поучениями свысока», поскольку за основу их Ефрем взял обличение себя самого, своих грехов и слабостей.

Немало добрых дел успел сделать за свою жизнь Ефрем Сирин: многие язычники, послушав его, обратились в христианство, а когда в Эдессе случился голод, именно он, использовав все свое красноречие, сумел убедить богачей поделиться едой с малоимущими. Тем не менее истинным своим призванием учитель покаяния считал жизнь в уединении — под старость он удалился в пещеру, где и прожил до конца своих дней.

ЗАХАР

Значение и происхождение имени: Захария — память Господня (евр.).

Энергетика и Карма имени: имя Захар обладает такой выразительной энергетикой, что нередко оказывает на человека значительное, а то и преобладающее влияние даже тогда, когда оно просто присутствует в отчестве или фамилии. С одной стороны, оно наделяет своего владельца достаточной твердостью и упорством, с другой же — оно как будто вовсе не предполагает никакой устойчивости негативных эмоций, которые если и появляются, то довольно быстро уходят, как вода через песок. Обычно это придает характеру Захара добродушие и не позволяет его самолюбию стать болезненным или излишне чувствительным.

Впрочем, последнее хоть и помогает Захару в общении с окружающими, но в то же время это же способно несколько мешать его собственной жизни и карьере, поскольку очень даже может склонить к чрезмерной уступчивости. Таким образом, не исключено, что уговорами и просьбами Захару то и дело будут мешать пожинать плоды своего собственного труда. В конце концов, раз за разом уступая, нетрудно и сорваться, однако неспособный долго держать зло Захар опять может уступить или же впасть в депрессию. Если подобное случилось, то ему нелишне будет задуматься, а не слишком ли серьезно он относится к чужим проблемам да и вообще к жизни? Иногда бывает очень даже полезно отказать кому-либо в его просьбах хотя бы уже для того, чтобы человек не привыкал ездить на чужом горбу, да и сделать это можно безо всякого зла и агрессии, а с помощью доброго юмора.

В целом энергетика имени довольно благоприятна для нормальной, спокойной жизни, если, конечно, Захар пожелает удовлетвориться ролью второй скрипки в семье, а на работе — ролью безотказного и скромного трудяги. Если же в его планы входит достижение жизненного успеха, то нелишне ему быть немного потверже по отношению к окружающим и больше обращать внимания на свое чувство юмора. В этом случае ему может сопутствовать удача в карьере, требующей терпения и спокойного аналитического мышления.

169

Секреты общения. Если вам представилась редкая возможность вывести Захара из себя и вы успешно этим воспользовались, то можете быть уверены — его негодование вскоре пройдет, а то и сменится чувством неловкости. Обычно добиться его расположения довольно нетрудно, однако настоящим другом он считает того, кто не только знает меру своим просьбам, но и сам готов всегда прийти на помощь.

Астрологическая характеристика:

Знак зодиака: Рак. Планета: Сатурн. Цвета имени: зеленый, коричневый, иногда красный. Наиболее благоприятные цвета: черный и оранжевый. Камень-талисман: черный благородный опал, янтарь.

Празднуем именины: 18 (5) сентября — Захария праведный, священник, пророк, отец св. Иоанна Предтечи.

21 (8) февраля — Захария Серповидец, пророк, из 12-ти малых пророков.

18 (5) декабря — Захария Египтянин, Скитский, преподобный.

След имени в истории. Согласно библейскому преданию, священник иерусалимского храма Захария — муж Елисаветы и отец Иоанна Предтечи. Несмотря на то, что муж и жена денно и нощно молились, детей у них не было до старости, пока однажды во время богослужения к Захарию не явился архангел Гавриил, предсказав ему скорое появление наследника, которого следует назвать Иоанном. Недоверчивый Захария усомнился, что в таком преклонном возрасте жена его способна родить, и в наказание за неверие тут же онемел.

Тем временем Елисавета действительно забеременела, пять месяцев скрывая ото всех свое положение, на шестом же месяце ее навестила родственница — Дева Мария, и по бурной реакции сына в своем чреве Елисавета поняла, что перед ней будущая Мать мессии. Когда же родился ребенок, мать захотела было назвать его в честь отца, но немой Захария написал на дощечке: «Иоанн имя ему», после чего обрел дар речи. Впоследствии Елисавете пришлось бежать с ребенком от козней царя Ирода, а Захария, отказавшийся назвать их местопребывание, был убит людьми кровожадного царя прямо в храме; его кровь застыла и превратилась в камень.

ЗИНОВИЙ

Значение и происхождение имени: Зиновий — живущий по воле Зевса, богоугодно живущий (греч.).

Энергетика и Карма имени: думается, излишне будет еще раз подчеркивать женственность имени Зиновий, и здесь мало что может изменить даже тот факт, что созвучное женское имя Зинаида имеет совершенно другое значение и происхождение. Все равно: созвучие имен и сходство их уменьшительных форм сделали свое дело, так что неудивительно, если с детства Зиновию придется не раз защищать себя от насмешек и доказывать свое мужество. Обычно это приводит к росту болезненного самолюбия, а в отдельных случаях даже к развитию ярковыраженного комплекса неполноценности — все зависит от того, насколько успешно Зиновий преодолеет опасности детского и юношеского возраста, а также от воспитания.

В целом энергетике этого имени свойственна достаточная активность и жизнерадостность, если бы только дело не осложнялось повышенной ранимостью и восприимчивостью. Бывает, что обостренное самолюбие с возрастом ставит Зиновия на путь мучительного самоутверждения, что находит свое отражение в карьерных устремлениях, в которых честолюбие преобладает над вопросами чисто материальными, либо же подвигает его к какой-либо общественной деятельности, чаще всего протестующей и не так уж важно против чего именно.

Гораздо более удачно складывается судьба Зиновия, если вопросы самолюбия и взаимоотношений с окружающими ему удалось преодолеть с помощью спокойного и добродушного юмора. В конце концов, мало ли кого как зовут, пусть даже твое имя будет Крокодил, это еще не значит, что ты будешь кусаться и, подобно этому зверю, плакать во время трапезы. В этом случае Зиновию обычно удается преодолеть опасные моменты энергетики своего имени если и не полностью, то все же в значительной мере. Более того, жизнерадостность и активность могут сослужить ему прекрасную службу и в плане семейной жизни, и в плане удовлетворения здорового честолюбия, а умение сострадать и уравновешенная мягкость обеспечат Зиновию прекрасные отношения с окружающими. Единственное, чего при таком раскладе остается ему пожелать, так это чуть больше веры в себя и в свое право быть таким, каков ты есть.

Секреты общения. Независимо от того, встретили ли вы уравновешенного и остроумного Зиновия, или же перед вами человек, мучимый всевозможными комплексами, все равно постарайтесь не задевать его самолюбие даже в шутку. В первом случае вы рискуете нарваться на ответную и не всегда безобидную остроту, во втором же и вовсе наживете себе довольно активного врага. Зато, затеяв с ним доверительный душевный разговор, вы можете получить прекрасного и доброжелательного собеседника.

Астрологическая характеристика:
Знак зодиака: Рак. Планета: Венера. Цвета имени: золотисто-зеленый, синий. Наиболее благоприятные цвета: красновато-оранжевый, коричневый. Камень-талисман: яшма, морион, янтарь.

Празднуем именины: 12 ноября (30 октября) — Зиновий Ешейский, епископ, священномученик.

30 (17) сентября — Зиновий Тирский, пресвитер, священномученик.

След имени в истории. Поистине удивительно сложилась судьба Зиновия Пешкова (1884—1966), французского генерала и дипломата. Достаточно хотя бы сказать, что он, старший брат Я.М.Свердлова (председателя ВЦИК и соратника Ленина), со временем — так уж получилось — был усыновлен не кем иным, как Максимом Горьким.

После эмиграции в 1904 году в Канаду Пешков много путешествовал по миру — жил сначала в Нью-Йорке, потом на Капри, а с началом первой мировой войны перебрался во Францию, где и вступил в армию добровольцем. Отважный и дерзкий, он сразу обратил на себя внимание, подтверждением чему — его блестящая военная карьера и высокие награды. Даже лишившись руки из-за ранения, Зиновий Пешков остается на военной службе, и во время второй мировой воевал с немцами на территории Марокко, а после войны стал французским послом в Китае. Человек прекрасно образованный, он свободно владел многими языками и считал себя гражданином всего мира, не переставая удивляться, как извилисты дороги судьбы, сделавшей его, приемного сына «Буревестника революции», прославленным французским генералом.

ИВАН

Значение и происхождение имени: русская форма древнееврейского имени Иоанн — милость Божия.

Энергетика и Карма имени: это имя далеко не так однозначно, как может показаться,— слишком много прошло по Руси Иванов и даже в сказках он бывает совершенно разным. Похоже, что русский народ решил вложить в это имя все свое представление о себе самом, со всеми противоречиями, исканиями и мечтами.

По энергетике это имя довольно уравновешено, в нем ощущается внутренняя сила, незлобивость и основательность, в тоже время с самого детства мальчик с этим именем, скорее всего, немало пострадает от таких привычных словосочетаний, как Иван-дурак, Ванька-Встанька, и так далее. Трудно представить, чтобы ребенок мог с пониманием отнестись к подобным насмешкам или хотя бы к большой вероятности таковых, а потому в жизни Вани возможно достаточное количество обид и конфликтов. В своем стремлении самоутвердиться Иван может изрядно измотать себе нервы, но также может и обрести умение ставить себя в любом коллективе, что впоследствии способно сослужить ему прекрасную службу. Увы, бывает и так, что у Вани на этой почве развивается значительный комплекс неполноценности, однако все же это происходит довольно редко. Впрочем, те же русские сказки предлагают еще один исход — Иван может рано осознать выгоды спокойного отношения к насмешкам, пусть, мол, считают кем угодно, но хорошо смеется тот, кто смеется последним.

Все это приводит к тому, что многие Иваны остаются, что называется, себе на уме. Они весьма честолюбивы, хотя внешне это не проявляется никак. К лидерству Иван обычно не стремится, его тянет не командовать, а просто занимать высокое положение в обществе, к чему он, скорее всего, и будет идти с завидным упорством. Привыкнув с детства стоять за себя, может дать обидчику достойный отпор. Словом, обычно Ваня вполне самостоятельная личность. Иногда он склонен подчеркивать свое достоинство и независимость, но чаще предпочитает держаться так, как того требуют обстоятельства, скрывая за этим свой собственный расчет.

В отношениях с женщинами Иван часто становится очень обаятельным и пользуется успехом, если, конечно, детские обиды не привели его к развитию комплекса неполноценности. В семейной жизни он хороший хозяин, любит материальный достаток и уважительное отношение к себе, этого он будет добиваться весьма настойчиво. Наибольшую пользу в жизни и карьере способны ему принести такие качества, как незлобивость и умение ставить себя в коллективе.

Секреты общения. Не стоит, наверное, пытаться подшучивать над Иваном, если, конечно, вы не желаете вызвать бурю. Быть может, он и не покажет виду, но обида его может оказаться слишком глубокой. Исключения составляют лишь те случаи, когда авторитет Ивана позволяет ему быть снисходительным к насмешкам. Не стоит забывать, что с Ваней бывает очень приятно и интересно общаться, однако завоевать его сердце очень непросто.

Астрологическая характеристика:

Знак зодиака: Водолей. Планета: Юпитер. Цвета имени: синий, красный, коричневый. Наиболее благоприятный цвет: зеленый. Камень-талисман: малахит.

Празднуем именины: 21 мая, 9 октября (8 мая, 26 сентября) — Иоанн Богослов, апостол из 12-ти, евангелист.

13 января, 11 июля (31 января, 28 июня) — Иоанн Александрийский, мученик.

9 февраля, 27 сентября (27 января, 14 сентября) — Иоанн Златоуст, Константинопольский, Вселенский учитель.

20 января, 7 июля, 11 сентября (7 января, 24 июня, 29 августа) — Иоанн Пророк, Предтеча и Креститель Господень.

След имени в истории. Истории известно немало замечательных Иванов. К примеру, знаете ли вы, кто первым из европейцев побывал на острове Пасхи и рассказал о населяющих его громадных статуях-исполинах? Этим человеком был не кто иной, как Иван Крузенштерн (1770—1846), мореплаватель, первым в России осуществивший кругосветное путешествие.

Упорство и честолюбие — качества, отличающие людей с именем Иван, в большой мере были присущи и Крузенштерну — ему не исполнилось и 19-ти, когда он был награжден за геройские действия во время сражения у острова Готланд и произведен в лейтенанты.

Свое первое кругосветное плавание он совершил, пересаживаясь с корабля на корабль, как обычный путешественник, после чего, вернувшись на родину, стал настойчиво рекомендовать Павлу I профинансировать кругосветный проект русских кораблей. Ходатайствовать пришлось долго, и лишь после восшествия на престол Александра I инициатива была поддержана, и в августе 1803 года два корабля — «Надежда» и «Нева» вышли из Кронштадта. Плавание было долгим и трудным, однако оно принесло миру множество замечательных открытий. Так, помимо острова Пасхи, именно Иван Крузенштерн и его спутники стали одними из первых европейцев, чьи корабли прошли по Японскому морю, в результате чего были впервые составлены его точные мореходные карты. В августе 1806 года мореплаватели с триумфом вернулись в Россию, и вдохновитель проекта Иван Крузенштерн был награжден золотой медалью Географического общества и удостоен звания почетного члена Академии наук. Что и неудивительно — составленное им описание путешествия, а также «Атлас Южных морей» на несколько десятилетий стали руководством для географов и моряков всего мира.

ИГНАТ, ИГНАТИЙ

Значение и происхождение имени: Игнатий — огненный (лат.). По другой версии, имя означает «неродившийся». Часто такие имена давали в защиту от злых духов, в надежде, что, приняв смысл имени буквально, те не заметят рождения ребенка и не причинят ему вреда.

Энергетика и Карма имени: имя Игнат звучит резко и кратко, как сухой удар кнута. Еще более эта краткость проявляется в западных регионах СНГ, где имя встречается в несколько иной форме — Гнат. Несомненно, такое сильное, да к тому же еще и редкое имя способно оказать большое влияние на своего носителя. Обычно человек с именем Игнат обладает волевым, твердым и решительным характером. Кроме того, общая энергетика может поспособствовать развитию у Игната уверенности в своих силах и немногословия. Надо заметить, что последнее качество изрядно страхует от множества опасных ситуаций, в которые испытывающий стремление к лидерству Игнат попадал бы гораздо чаще, если бы не привык говорить мало, но веско. Здесь же происходит наоборот, и в большинстве случаев его сдержанное немногословие вызывает у окружающих уважение и подчеркивает его мужество.

Иными словами, у Игната есть все задатки для становления себя если и не как лидера, то как самоценной личности. Его самолюбие очень редко бывает болезненным, однако он умеет за себя постоять. Конечно же, человек с таким характером может проложить себе дорогу в жизни, сделать прекрасную карьеру, однако нередко дело осложняется излишней твердостью и серьезностью Игната. Беда в том, что довольно мужественно сдерживая свои эмоции, Игнат не умеет их смягчать с помощью юмора, и эти эмоции, запертые в душе, часто приобретают характер страстей. Это всерьез способно омрачить человеку жизнь, временами Игнат начинает выглядеть довольно хмуро, и в такие моменты он особенно самолюбив, и иной раз бывает достаточно малейшей искры, чтобы сдерживаемые негативные эмоции выплеснулись в коротком, но мощном взрыве. Бывает же и так, что результатом долгого внутреннего стресса становятся хронические бессонницы или другие нервные расстройства.

Наиболее благоприятно, если Игнат сумеет несколько смягчить свой характер и вместо того, чтобы скрывать свое недовольство, научится сглаживать его добрым юмором. Это же, кстати, поможет ему стать более открытым с близкими людьми, что придаст семейным отношениям Игната нужную теплоту и взаимопонимание.

Секреты общения. Если вас угораздило вступить в конфронтацию с Игнатом, то лучше всего следовать заветной формуле — не буди лихо, пока оно тихо. Стоит также учитывать, что подшучивать над собой Игнат может позволить только близким друзьям, да и то не всегда. Завоевать же его расположение не так уж трудно, надо просто вести себя по-мужски и держаться уважительно и с достоинством.

Астрологическая характеристика:

Знак зодиака: Весы. Планета: Плутон. Цвета имени: коричневый, черный. Наиболее благоприятные цвета: зеленый, желтый. Камень-талисман: изумруд, нефрит, цитрин.

Празднуем именины: 11 января, 2 февраля (29 января, 20 декабря) — Игнатий Богоносец, епископ, священномученик.

5 ноября (23 октября) — Игнатий Константинопольский, патриарх.

10 января (28 декабря) — Игнатий Ломский, Ярославский, преподобный.

След имени в истории. Игнатия Богоносца (I век нашей эры) называют апостолом Единения, поскольку он учил, что все христиане должны объединиться вне зависимости от того, где они находятся; а еще его считают образцом твердости и мужества, человеком, до последнего защищавшего свою веру.

Существует предание, что именно Игнатий Богоносец и был тем самым младенцем, которого Иисус, взяв на руки, назвал символом невинности и чистоты. Вероятно, поэтому сами апостолы назначили Игнатия впоследствии правителем антиохийской церкви, и 40 лет продолжалось его мудрое правление, пока не начались гонения на христиан. Собственно говоря, именно с этого момента, когда закованного в цепи Игнатия привели к царю Трояну, и началось самое главное испытание в жизни этого человека, которое он выдержал с честью. По преданию, Троян был поражен, не увидев на лице мятежного христианина страха перед смертным приговором — напротив, тот встретил слова о своей участи с улыбкой. Быть может, Игнатий понимал, что мученическая смерть обратит в его веру больше людей, чем все написанные им книги и прочитанные проповеди? Так или иначе, но царь сделал еще одну непростительную ошибку: он решил казнить Игнатия не сразу, а сначала отправить его в Рим, чтобы там уже бросить на растерзание диким зверям.

В результате же это «предсмертное турне» превратилось в настоящий триумф христианина, которого народ везде встречал с ликованием, и по приезде в Рим Игнатий Богоносец был спешно казнен — во избежание дальнейших беспорядков.

ИГОРЬ

Значение и происхождение имени: воинственный, охраняемый богом-громовержцем (скандинавск.).

Энергетика и Карма имени: даже будучи распространенным, это имя все равно продолжает оставаться очень заметным и выразительным и во многом определяет характер своего обладателя. По энергетике оно довольно сильное, однако при этом в нем ощущается некоторая замкнутость. Не обладай имя определенной мягкостью, это могло бы привести к значительным внутренним напряжением, а так энергия Игоря находится в равновесии, что делает его достаточно подвижным и активным человеком.

В детском возрасте это равновесие может склоняться в ту или иную сторону, к примеру, иногда Игорь вообще не отличается усидчивостью, но чаще он все же способен проявить известную старательность и терпеливость в делах и учебе, совмещая это с активными детскими играми. Еще одно важное свойство энергии имени в том, что оно наделяет своего хозяина достаточным самолюбием, которое, впрочем, редко бывает ущемленным, просто большинству Игорей не чуждо понятие гордости. Многие из них готовы постоять за свою честь всегда и везде и даже иногда подчеркивают это своим видом.

В целом большинство носителей этого имени являются деятельными натурами, хотя деятельность их трудно назвать кипучей, скорее, в ней прослеживается все то же равновесие. Очень редко внутренние переживания Игоря окрашены в мрачные тона, повседневные заботы и дела помогают ему обрести спокойствие. Даже в случае каких-либо неприятностей энергия имени позволяет ему сохранить необходимый оптимизм, и сила негативных эмоций направляется в созидательное русло, тратясь не на мучительные переживания, а на поиски реальных выходов из трудной ситуации.

Обычно Игорь хорошо вписывается в любой коллектив, причем если он с детства не отличался усидчивостью, то часто становится вожаком в компании одногодок. Впрочем, с возрастом тяга к лидерству чаще всего не находит себе применения, и в немалой степени это зависит от того, что Игорь нередко предъявляет к людям слишком высокие требования.

Наилучшим образом способности Игоря могут проявиться в тех областях, где все будет зависеть от его собственных усилий. Если же он желает плодотворно сотрудничать с кем-либо или же стремится занять руководящий пост, ему необходимо научиться совмещать свою требовательность с более спокойным восприятием человеческих слабостей. Тот же совет можно дать и относительно его семейной жизни. Так, скажем, не исключено, что, уважая в человеке силу характера, Игорь будет искать это качество в своей потенциальной жене, а найдя, рискует либо сам попасть «под башмак», либо превратить семейную жизнь в настоящую борьбу характеров.

Секреты общения. Следует отметить, что если Игорь предпочитает называть себя Гошей, то в его характере более заметно наблюдается уравновешенность и спокойствие. В случае совместных дел с Игорем работа будет более эффективна, если вы четко распределите между собой задачи и предоставите друг другу большую свободу действий.

Астрологическая характеристика:

Знак зодиака: Стрелец. Планета: Сатурн. Цвета имени: зеленовато-коричневый, стальной. Наиболее благоприятные цвета: оранжевый, зеленый. Камень-талисман: агат, сердолик.

Празднуем именины: 18 июня, 2 октября (5 июня, 19 сентября) — Игорь Ольгович, Черниговский и Киевский, великий князь.

След имени в истории. Кто знает, насколько больше наших кораблей подорвалось бы на немецких минах во время войны, если бы не физик Игорь Курчатов (1902—1960) — созданная под его руководством установка позволила размагничивать боевые корабли, во много раз уменьшая степень риска. Впрочем, за свою жизнь великий ученый успел сделать множество других не менее сенсационных открытий: от создания нового направления в науке — учения о сегнетоэлектричестве — до уникальных работ по атомной физике. Именно под руководством Игоря Курчатова создавался первый в СССР ускоритель, на котором и было открыто спонтанное деление ядер урана; именно в институте Курчатова заработал первый в Европе ядерный реактор, и там же было проведено испытание первой советской атомной бомбы. Возможно, последний факт и придал бы личности Курчатова мрачноватый оттенок, если бы сам ученый до конца своих дней не ратовал за применение атома в исключительно мирных целях. Так, в 1954 г. в Обнинске появилась созданная по его проекту первая в мире атомная электростанция.

В настоящее время имя Игоря Курчатова на слуху, оно стало практически нарицательным, и теперь уже очень

179

трудно поверить в то, что в молодости великий физик подрабатывал сторожем в кинотеатре, расклейщиком объявлений, диспетчером в автоколонне и даже пильщиком дров. Однако вера в собственные силы была велика и (как вспоминал впоследствии Курчатов), пиля дрова, он не уставал повторять про себя: «Мне кажется, что я способен на большее».

ИЗЯСЛАВ

Значение и происхождение имени: взявший славу (слав.).

Энергетика и Карма имени: самое главное, что можно сказать об имени Изяслав, так это то, что по своей энергетике оно очень спокойно, беззлобно и красиво. Обычно с самого детства Изяслав наделен уравновешенным характером, он покладист, добродушен, а его незамутненный чрезмерными эмоциями рассудок хорошо сочетается с достаточно развитым воображением. Тем не менее, если родители желают счастья своему ребенку, им все же следует обратить достаточно много внимания на его воспитание. Дело в том, что, несмотря на то, что покладистый и несклонный к эмоциональным всплескам характер хоть и является чрезвычайно удобным для общения и нормальной жизни, в нем все же заключается немалая опасность. Так, обычно самолюбие Изяслава удовлетворено хорошим отношением окружающих настолько, что не способно подвигнуть его на какие-либо перспективные дела, а другие эмоции, равно как и его интересы, частенько растворяются в неторопливой энергетике имени без следа.

Проще говоря, есть опасность, что Изяслав без должного воспитания постепенно превратится в ужасающе ленивого человека, а потому очень важно, чтобы с детства в него была заложена доля здорового честолюбия или интерес к каким-либо областям знаний. Только в этом случае он способен успешно реализовать свои многочисленные способности и создать нормальные условия для жизни и карьеры. Здесь ему могут изрядно помочь логический склад ума и добродушие. Он легко сходится с людьми, в общении легок и последователен, пусть он и не является душой компании, однако симпатии большинства из его окружения ему обеспечены. Есть, правда, возможность того, что Изяслав будет чересчур уступчивым, однако при его склонности к некоторой лени едва ли кому будет удобно кататься на его горбу — Изяслав просто не пойдет дальше сочувствия или обещаний.

Секреты общения. Изяслав чаще всего не умеет помнить обиды и держать зло, так что, если у вас вдруг случилась неожиданная ссора, будьте уверены: уже в самое ближайшее время Изяслав забудет об инциденте, хотя мириться первым вряд ли пойдет. Впрочем, это скорее следствие лени, чем гордости.

Астрологическая характеристика:

Знак зодиака: Рыбы. Планета: Луна. Цвета имени: коричневый, зеленый, серебристый. Наиболее благоприятные цвета: красный, фиолетовый. Камень-талисман: рубин, турмалин, аметист.

Празднуем именины: 6 июля (23 июня) — Изяслав Владимирский, князь.

След имени в истории. Изяслав — князь Полоцкий, сын Владимира Святого, родился в 980 году. В отличие от своего отца, знаменитого многочисленными завоевательными походами, укреплением Киева и введением на Руси христианства как государственной религии, Изяслав за свою короткую (21 год) жизнь прославиться не успел, однако именно с его именем связана довольно темная история покушения на Владимира Святого.

Согласно одному летописцу-современнику, мать Изяслава, Рогнеда — первая супруга великого князя, испытывала к мужу достаточно смешанные чувства. Быть может, она хотела сама со временем сесть на княжение или же поставить главой Киева и Новгорода одного из своих сыновей — так или иначе, согласно древней летописи, в один прекрасный день Рогнеда решила от мужа избавиться. К счастью, покушение оказалось неудачным, и Владимир Святой, отделавшись легким испугом, решил казнить коварную жену, но тут-то и вмешался Изяслав — вступившись за мать, он всеми силами пытался доказать отцу ее невиновность. Слезы юноши тронули великого князя, и в конце концов он великодушно простил супругу.

В 988 году, вскоре после крещения, Изяслав вместе со своей матерью получил в правление Полоцк, однако не прошло и нескольких лет, как юноша скончался, оставив после себя двоих детей — Всеслава и Брячеслава, а также память потомкам в виде построенного в честь него города Изяславля.

ИЛЛАРИОН

Значение и происхождение имени: веселый (греч.).

Энергетика и Карма имени: для энергетики имени Илларион характерна повышенная чувствительность и подвижность. С одной стороны, оно обладает некоторой твердостью, однако эта твердость не предполагает какой-либо долгой концентрации, и потому подвижность Иллариона чаще всего не находит свое отражение в деловой активности. Зато это проявляется в мыслительных процессах и эмоциональном восприятии. В подавляющем большинстве случаев носитель имени Илларион является человеком довольно тонкой душевной организации. Он восприимчив и легко раним, как правило, живой ум и колоссальная любознательность делают его прекрасно образованным человеком.

Интересно, что при всей чувствительности трудно ожидать, что Илларион будет излишне обидчив и хоть немного склонен к конфликтам, скорее, это качество можно определить как ранимость. Он мучительно переживает ссору, но, как правило, вместо того, чтобы принять какое-то решение, начинает задаваться вопросами о том, почему же все так произошло? Даже если Илларион на словах и осудит человека, все равно подобные вопросы не оставят его в покое. Возможно, он даже найдет какое-то оправдание своему обидчику.

Нужно ли говорить, что с таким интеллигентным и мягким характером жить в наше время довольно трудно? Впрочем, подобное отмечалось и в более спокойные времена, так что Иллариону не помешало бы научиться некоторой твердости и настойчивости, что вовсе даже не противоречит интеллигентности, а, наоборот, придает этому качеству необходимую действенность. Главное, чтобы эта твердость была уравновешена и сочеталась с уважением к людям. Такой подход может поспособствовать Иллариону в его становлении в обществе, а его творческие способности, воображение и быстрый ум могли бы хорошо проявиться в какой-либо гуманитарной области науки или в искусстве.

Секреты общения. Нередко чужое страдание воспринимается Илларионом не менее, а то и благодаря живому воображению более остро, чем свое собственное. Однако не следует излишне злоупотреблять его отзывчивостью, — сгущая краски в описании своих проблем, вы действительно можете причинить Иллариону реальную боль. Вплоть до того, что, не выдержав этого, он может просто начать избегать встречи с вами.

Астрологическая характеристика:

Знак зодиака: Рак. Планета: Венера. Цвет имени: салатовый, коричневый, серебристый. Наиболее благоприятный цвет: зеленый, синий. Камень-талисман: лазурит, бирюза, хризопраз.

Празднуем именины: 3 января (21 декабря) — Илларион Великий, преподобный.

19 (6) июня — Илларион Новый, Далматский, игумен, исповедник.

31 (18) августа — Илларион Требийский, иеромонах, священномученик.

След имени в истории. «Житие святого Иллариона» подробно описывает множество чудесных деяний этого подвижника, умевшего силой молитвы провидеть будущее, исцелять людей и изгонять дьявола. Согласно одному из преданий, описанных в «Житие», как-то раз к святому Иллариону привели огромного взбесившегося верблюда, кричавшего громче, чем 30 человек, которые тщетно пытались его удержать с помощью прочных веревок. Его глаза были налиты кровью, и он уже многих покалечил, тем не менее, лишь увидев его, старик попросил, чтобы животное развязали. Ослабив путы верблюда, люди тотчас бросились врассыпную. Илларион же пошел верблюду навстречу со словами:

— Ты не причинишь мне зла, дьявол, хотя твое тело сейчас огромно. Будь ты хоть верблюдом, хоть лисицей, по сути ты один и тот же.

И действительно, после этих слов животное бессильно повалилось на землю, после чего стало таким же кротким, как и раньше. Святой же спокойно объяснил собравшимся, что часто дьявол вселяется именно во вьючных животных, чтобы как можно больше навредить людям.

ИЛЬЯ

Значение и происхождение имени: крепость Господня (евр.).

Энергетика и Карма имени: уважение к этому имени на Руси имеет глубокие корни: здесь и русские былины, и православный образ Илии-пророка, заменивший в свое время языческого громовержца Перуна. Порою даже Илья испытывает чрезмерное внимание к своей персоне и потому может держаться в обществе несколько настороженно и сдержанно. Тем не менее назвать его характер замкнутым нельзя, скорее, он просто ровный в общении как с близкими, так и с посторонними людьми.

По своей энергетике это имя наделяет своего владельца достаточной уравновешенностью, указывая тем не менее на возможность эмоционального взрыва. Впрочем, Илья не склонен копить в себе напряжение, и потому едва ли сила этого взрыва будет слишком сильной, а конфликтные ситуации, скорее всего, не оставят в его душе глубокого и болезненного следа. Кроме того, очень часто этот эмоциональный импульс находит свое проявление в устремленности к будущему, пробуждая в Илье честолюбивые мечты. В этом случае он будет упорно строить свое «счастливое завтра», терпеливо приближая его своим собственным трудом.

В самом деле, такому упорству можно позавидовать, но и здесь есть свои нюансы — когда человек слишком много внимания уделяет будущему счастью, он может не заметить счастья сегодняшнего. Быть может, это сделает Илью чересчур строгим и недовольным своей настоящей жизнью, причем ему может казаться, что именно это недовольство и толкает его работать на перспективу. На самом же деле это замкнутый круг — мечты о завтрашнем счастье рождают недовольство сегодняшним днем, а недовольство, в свою очередь, усиливает мечты о светлом будущем. Это похоже на попытки дойти до горизонта, причем многие носители имени, так и не достигнув осуществления своей заветной мечты, пытаются реализовать ее в своих детях. Может быть, поэтому среди наших вождей было так много Ильичей?

Еще одна важная черта, свойственная Илье,— его хозяйственность и основательность, которая в сочетании с терпением и способностью преодолевать трудности может принести ему немало пользы в жизни и карьере, особенно если Илья сумеет научиться радоваться не только будущей, но и сегодняшней жизни. В противном случае к старости он может превратиться в ворчливого несносного старика.

Секреты общения. Иногда в общении с Ильей бывает трудно понять, как он относится к вам, тем не менее знайте, что даже если он выглядит несколько холодновато, то, скорее всего, это не из-за негативного отношения, а в силу особой манеры держаться. Будьте уверены, если вы ему не по душе, он найдет способ дать вам это понять или даже скажет прямо. Если вы хотите получить расположение Ильи, то обратите внимание, что он не любит комплименты, уважая в похвалах сдержаность.

Астрологическая характеристика:

Знак зодиака: Козерог. Планета: Сатурн. Цвета имени: коричневый, салатовый, иногда темно-малиновый. Наиболее благоприятные цвета: теплые тона желтого, оранжевый. Камень-талисман: сердолик, огненный опал.

Празднуем именины: 11 октября, 1 января (28 сентября, 19 декабря) — Илия Муромец, Печерский, в Ближних (Антониевых) пещерах.

27 (14) января — Илия Синайский, мученик.

2 августа (20 июля) — Илия Фесвитянин, пророк.

След имени в истории. Навязанная мысль о том, что Илья Репин (1844—1930), создатель картины «Бурлаки на Волге», является борцом за народное счастье, еще в школе многим набила оскомину и помешала воспринимать картины художника такими, какие они есть,— без идеологической подоплеки. Выбирая сюжеты для своих картин, Илья Репин отдавал предпочтение прежде всего эмоции, в них заложенной, а также колориту и даже некоторой экзотичности персонажей. Идея «Бурлаков» идеально отвечала всем этим требованиям и была лишь первой из ряда таких ярких полотен, как «Иван Грозный и сын его Иван», «Царевна Софья», «Заседание Государственного совета».

В жизни Илья Репин, по свидетельству современников, был человеком доброжелательным, мягким и имел много друзей. Несмотря на то, что он был выходцем из бедной семьи и всего в жизни добился лишь благодаря своему таланту и упорному каждодневному труду, классовая ненависть была ему чужда. Исходя из собственного опыта, он был уверен: в принципе каждый бедняк может стать богатым — надо только очень захотеть. Сомневающимся же Илья Репин говорил: «Посмотрите на меня. Я родился военным поселянином, а это звание очень презренное — ниже поселян у нас считались только крепостные».

ИННОКЕНТИЙ

Значение и происхождение имени: невинный (лат.).

Энергетика и Карма имени: по своей энергетике имя предполагает в своем владельце человека довольно тихого, но легко возбудимого и ранимого. Раньше такие черты характера назывались аристократическими, однако сегодняшний день требует от человека несколько иного. Очень часто в детстве и юношестве Иннокентий склонен болезненно переживать недостаточную твердость и даже кажущуюся женственность своего имени, тем не менее обычные для этих возрастов конфликтные ситуации ему мало свойственны. Имя не склоняет его к агрессивности, вместо этого Иннокентий пытается найти успокоение в книгах или общении с близкими друзьями. Он романтик и высшим достоинством человека с детства считает интеллект, с чем, кстати, трудно не согласиться.

Все это определяет его круг общения, где среди товарищей и друзей он перестает быть тихим и проявляет такие черты характера, как общительность, дружелюбие, хорошее чувство юмора. Очень плохо, если Кеша не сможет отыскать себе такой круг, ведь тогда, вынужденный порою находиться в обществе сверстников, где в почете не только разум, но и грубая сила, Кеша может либо совершенно замкнуться в себе, либо постепенно порастерять свои идеалы, находя удовлетворение в грубом цинизме, так свойственном легкоранимым людям!

Тем не менее большинство носителей этого имени с возрастом находят хорошее применение своим душевным качествам в профессиях, связанных с искусством. Обычно у них достаточно развито честолюбие, но, быть может, недостает пробивных способностей, для достижения значительных успехов в карьере. Так что если Иннокентий желает настоящего успеха, ему не мешает совместить интеллигентность с умением спокойно настаивать на своем. Кроме того, нельзя забывать, что ранимость человека обусловлена не столько нападками окружающих, сколько повышенным самолюбием. Честное слово, это можно преодолеть, и есть для чего: тонкая душевная организация

Иннокентия способна наделить его прекрасной интуицией, которую можно было бы даже назвать экстрасенсорными способностями, но чтобы дойти до такой степени, Иннокентию необходимо более легко относиться к своим обидам и научиться искренно прощать людям, сумев разглядеть за агрессией просто-напросто человеческие недостатки и слабость.

Секреты общения. Едва ли у Иннокентия найдет понимание грубая шутка или сальный анекдот, зато разговор на интеллектуальную тему может изменить его представление о человеке в лучшую сторону. Однако не стоит все же без достаточных на то оснований касаться тех областей, где он считает себя компетентным: непрофессионализм или же попросту иное видение предмета могут вызвать у него раздражение, и он может навсегда порвать отношения. Что делать, искусство — тонкая вещь, и даже Толстой с презрением относился к творчеству Шекспира!

Астрологическая характеристика:

Знак зодиака: Рыбы. Планета: Луна. Цвет имени: светло-коричневый. Наиболее благоприятный цвет: густо-коричневый. Для большей активности и настойчивости — темно-красный. Камень-талисман: рубин, яшма.

Празднуем именины: 19 (6) июля — Иннокентий Афинянин, Македонский, мученик.

1 апреля (19 марта) — Иннокентий Московский и Коломенский, митрополит, просветитель Сибири и Америки.

След имени в истории. Видя на экране Иннокентия Смоктуновского (1925—1994), воплощение внутренней мягкости и обаяния, трудно поверить, что перед вами не интеллигент в десятом поколении, а сын обыкновенного сибирского грузчика. Однако не только это кажется невероятным в судьбе актера; глядя на факты его биографии, не перестаешь удивляться: Смоктуновский учился в медицинском училище, в школе киномехаников, поступил в военное училище, ушел на фронт, дойдя до Берлина,— и все это произошло до того, как ему исполнилось 20 лет. Жизнь только начиналась.

После войны началась актерская карьера Смоктуновского, известность к которому пришла после спектакля «Идиот», где он сыграл князя Мышкина. Многочисленные роли в кино (фильмы «Гамлет», «Берегись автомобиля», «Девять дней одного года» и многие другие) принесли ему всесоюзную популярность и народную любовь, однако, несмотря ни на что, актер отдавал предпочтение театру. Талантливому, глубоко чувствующему, ироничному и немного грустному, Иннокентию Смоктуновскому лучше всего удалась роль принца Гамлета, которую он с успехом сыграл не только на сцене, но и в жизни.

ИОСИФ, ОСИП

Значение и происхождение имени: имя Иосиф дословно означает — Он приумножит (евр.). Обычно в древнем Израиле местоимением «он» заменяли название Бога, чтобы лишний раз не упоминать его имя всуе. Осип — русская народная форма имени Иосиф, ставшая самостоятельной.

Энергетика и Карма имени: несмотря на общий корень, имена Иосиф и Осип по своей энергетике разительно отличаются друг от друга. Вернее будет сказать, они представляют как бы два полюса одного магнита, что и позволяет рассматривать их в одном разделе. На этом примере, кстати, очень хорошо видно, насколько сильно может изменяться характер человека в зависимости от звучания его имени.

Нетрудно заметить, что имя Иосиф не обладает излишней твердостью и не потому ли величайший диктатор коммунистической эпохи Иосиф Джугашвили взял себе псевдоним Сталин? По своей энергетике оно довольно спокойно, однако в нем чувствуется значительная сила, похожая на силу морской волны, неторопливо накатывающей на гранитный берег и методично превращающей непобедимую скалу в песок. Иосиф обычно умеет ждать, он никуда не спешит, как будто впереди у него вечность. Странная, немного завораживающая мелодия имени способна пробудить у человека с таким именем довольно могучее воображение, жаль только, что при этом фантазии Иосифа нередко окрашены в темные тона. Причина этого в том, что основная сила имени направлена на преодоление каких-либо препятствий и предполагает склонность к недовольству. Другое дело, что уравновешенный Иосиф обычно не торопится излить свое недовольство, однако при этом и не накапливает негативные эмоции, направляя свою энергию на постепенное продвижение к цели.

Иосиф очень настойчив и вряд ли когда легко отступит

от своего. Вместе с тем он незлобив и даже в спорах предпочитает отстаивать свои убеждения спокойно. Часто вся его жизнь посвящена какому-либо одному делу и с таким характером он, конечно же, имеет все шансы на достижение успеха. Его спокойствие способно заворожить и одновременно обеспечить ему симпатии окружающих.

В другой своей форме — Осип — имя звучит значительно тверже, однако в этом случае его устойчивая энергетика не имеет четкой направленности на достижение цели. Скорее, наоборот, имя Осип представляет собой тот самый берег, о который разбивается волна. Осип тверд и самолюбив, однако ему не хватает некоторой активности и открытости. При этом замкнутая энергетика имени предполагает накопление эмоций, а значит, и достаточную силу чувств, граничащую со страстностью. Не исключено, что самолюбие Осипа будет чересчур болезненным, при этом если Иосиф сглаживает свое самолюбие поисками решения возникших проблем, то Осип просто носит свои обиды внутри себя, что иной раз очень сильно может осложнить ему жизнь и превратить в нервного, раздражительного человека.

В обоих случаях энергия имени способна обеспечить успех в карьере, особенно в творческих областях, однако для того, чтобы обеспечить себе полноценное счастье и избежать проблем в семейной жизни, и Иосифу, и Осипу не помешает стать чуть более открытыми и чуть веселее относиться к жизни.

Секреты общения. Если вам вздумается пошутить над Осипом или Иосифом, то лучше сделать это поосторожнее или же вообще не делать. В первом случае вы можете нарваться на довольно жесткий ответ, а во втором — рискуете тем, что, если шутка ему не понравится, Иосиф будет очень долго вспоминать об этом, то и дело в разговоре возвращаясь к неприятному инциденту, словно волна к берегу.

Астрологическая характеристика:

Знак зодиака: Козерог. Планета: Иосифу покровительствует Юпитер, Осипу — Сатурн. Цвета имени: Иосиф — коричневый, стальной, фиолетовый, Осип — стальной. Наиболее благоприятные цвета: оранжевый, желтый. Камень-талисман: янтарь, сердолик, благородный опал.

Празднуем именины: В Неделю св. праотец — Иосиф Прекрасный, один из 12-ти сынов ветхозаветного патриарха Иакова.

В Неделю св. жен-мироносиц — Иосиф Аримафейский, тайный ученик Христа.

В Неделю по Р.Х. — Иосиф Праведный, обручник Пресвятой Богородицы.

След имени в истории. После выхода в свет «Семнадцати мгновений весны» появилась шутка: «У каждого мгновенья свой Кобзон». Да и вообще сколько их было — шуток, анекдотов, сплетен по поводу жизни и творчества Иосифа Кобзона (род. в 1937 г.). Пожалуй, единственное, о чем говорит такое людское неравнодушие,— это о непреходящем интересе ко всему, что касается личности Иосифа Давыдовича.

«Документ эпохи» — так уважительно назвал певца известный художник Илья Глазунов. Однако для того, чтобы стать таким «документом», Иосифу Кобзону пришлось пройти долгий и трудный самостоятельный путь: горный техникум, работа на радио с параллельной учебой в институте Гнесиных... Быть может, именно благодаря богатому жизненному опыту он так непритязателен (по словам жены) в быту и так легок в общении?

В настоящий момент Иосиф Давыдович является не только популярным певцом, но и преуспевающим бизнесменом. О планах же, связанных с политикой, Иосиф Кобзон предпочитает только отшучиваться: «Больше ни в какие партии вступать не собираюсь. Разве только Лужков создаст партию честных людей... И то только в том случае, если меня туда примут».

ИППОЛИТ

Значение и происхождение имени: распрягающий коней (греч.).

Энергетика и Карма имени: по своей энергетике имя Ипполит наделено твердостью, значительной возбудимостью и подвижностью. При этом ему явно не хватает пластичности. Обычно с самых малых лет Ипполит отличается заметной импульсивностью, порывистостью и ужасной обидчивостью. Он самолюбив, однако частенько ему недостает уверенности в себе, что способно сделать самолюбие болезненным. Он может постоять за себя, но, к великому сожалению, очень часто эта самозащита похожа на нервный срыв. Ипполит попросту, вместо того чтобы найти какой-либо оптимальный путь для решения недоразумения, начинает горячиться и не задумывается о последствиях до тех самых пор, пока не наломает дров.

Безусловно, жить с таким характером довольно сложно. Ипполит то и дело рискует попасть в очередную конфликтную ситуацию и, не умея сглаживать противоречия, еще более усиливает негативные аспекты своего имени. По этой причине, если родители желают Ипполиту счастья, им надо уделить воспитанию ребенка достаточно много времени и как минимум уравновесить самолюбие Ипполита. Дело осложняется тем, что во время вспышек ярости Ипполит может производить впечатление крайне категоричного и самоуверенного человека. Между тем, наломав дров, он обычно теряется и не знает, что делать, так что, увы, за его категоричностью скрывается, скорее, растерянность, чем вера в свои силы.

Для того чтобы его жизнь сложилась более удачно, ему очень не мешало бы обратить внимание на свое чувство юмора и легче относиться к жизни, а в частности, к самому себе. В этом случае в его характере появится недостающая пластичность, а подвижность ума найдет свое проявление уже не в категоричной импульсивности, а в разносторонности. Это поможет ему удовлетворить свое врожденное честолюбие, добившись успеха в карьере, а заодно избавит от великого множества семейных конфликтов и недоразумений.

Секреты общения. Чтобы разговор с Ипполитом ненароком не перешел в конфронтацию, всегда учитывайте его острое самолюбие и импульсивность. Не стоит также смущаться его излишней категоричностью, нередко, чтобы остановить его, ему достаточно предоставить свободу действий. Лишенный вашего сопротивления, Ипполит, скорее всего, потеряет и свою самоуверенность.

Астрологическая характеристика:

Знак зодиака: Весы. Планета: Марс. Цвета имени: черный, салатовый, иногда холодный коричневый. Наиболее благоприятные цвета: теплый коричневый, зеленый, желтый. Камень-талисман: яшма, агаты, изумруд.

Остинский, епископ, священномученик.

26 (13) августа — Ипполит Римский, мученик.

След имени в истории. Согласно греческой мифологии, Ипполит — сын афинского царя Тесея и царицы амазонок Ипполиты (той самой Ипполиты, волшебным поясом которой впоследствии завладел Геракл,— и это стало одним из его знаменитых 12 подвигов). Сам же Ипполит всегда сторонился любви — женщины не привлекали его. Будучи горячим поклонником богини-охотницы Артемиды, он предпочитал большую часть времени проводить на охоте, в уединении, наедине с природой.

Как ни пыталась богиня любви Афродита внушить юноше свойственные его возрасту желания — все было тщетно, и в отместку разгневанная богиня подвергла Ипполита жестокому наказанию. Она внушила его мачехе, Федре, преступную страсть к пасынку. Одержимая желанием, Федра стала преследовать Ипполита в надежде завоевать его любовь, когда же она поняла, что все старания тщетны, Федра покончила жизнь самоубийством, в предсмертной записке обвинив Ипполита в насилии.

Тесей, поверив обвинению жены, проклял сына, призвав на него гнев бога морей Посейдона, и Ипполит погиб, растоптанный своими собственными конями. Согласно некоторым легендам, позднее Ипполит был воскрешен, но, не в силах простить отца, уехал в Италию. Там он вернулся к прежним юношеским увлечениям, а потому, став царемАриции, в первую очередь воздвиг храм своей любимой богине Артемиде.

ИРАКЛИЙ

Значение и происхождение имени: Ираклий — православная форма древнегреческого имени Геракл, что означает «Слава Геры», богини любви и супружеской верности.

Энергетика и Карма имени: в имени Ираклий в первую очередь бросаются в глаза такие качества, как твердость, напористость и активность. Обычно уже с детства человек с таким именем умеет не только постоять за себя, но и обладает хорошими задатками лидера. При этом редкость имени наделяет Ираклия значительным самолюбием. Он заводила и все время лезет в первые ряды, частенько начиная проявлять свое чувство превосходства по отношению к сверстникам. Нетрудно догадаться, что такая позиция имеет свою обратную сторону, поскольку подобные устремления способны пробудить недовольство окружающих и вызвать их активное сопротивление. На этом недолго и сломаться, в результате чего энергетика имени поменяет свой знак на прямо противоположный, и из самоуверенного лидера Ираклий может превратиться в крайне закомплексованного человека.

Впрочем, подобный неприятный исход маловероятен, Ираклия здорово выручает подвижность и гибкость его энергетики. Очень часто, встречая сопротивление на своем пути, Ираклий, в отличие от своего мифического тезки — Геракла, умеет трезво оценивать свои силы и способен на временное отступление. Больше того, нередко, привыкнув с детства уважать силу характера, он начинает искать поддержку у сильных мира сего. Хорошо это или плохо, однако, обладая достаточно гибким аналитическим умом и дипломатичностью, Ираклий в большинстве случаев имеет за спиной надежные тылы, предохраняющие его от многих житейских катастроф.

В целом имя очень благоприятно для карьеры, в том числе и на руководящих должностях. Здесь Ираклий как будто не знает усталости, и его энергичность нередко вызывает изумление. Дипломат и прекрасный стратег и тактик, он кузнец своего счастья. Однако в семейной жизни сила его характера может иметь далеко не столь благоприятные последствия. Здесь его судьба может сильно осложниться некоторой эгоистичностью, а стремление к лидерству способно спровоцировать множество семейных ссор и недоразумений. Избежать этого можно только одним способом — быть более внимательным и мягким к людям, особенно к близким. В этом случае удача не оставит его.

Секреты общения. Иногда, если вам кажется, что Ираклий чересчур жесток с вами, ему не мешает исподволь показать свою спокойную силу и уверенность. В разговоре с ним очень желательно апеллировать к его рассудку, а не к чувствам и эмоциям, если, конечно, вы не ищете повода для конфликта.

Астрологическая характеристика:

Знак зодиака: Водолей. Планета: Юпитер. Цвета имени: коричневый, красный, стальной. Наиболее благоприятные цвета: желтый, оранжевый. Камень-талисман: сердолик, опал.

Празднуем именины: 4 ноября (22 октября) — Ираклий Адрианопольский, мученик.

22 (9) марта — Ираклий Севастийский, мученик.

След имени в истории. В греческой мифологии Геракл — один из самых почитаемых героев-полубогов, сын Зевса и смертной женщины Алкмены. По легенде, Зевс, прельстившись красотой Алкмены, принял облик ее мужа, ушедшего на войну, и явился к ней. От их романа родился невероятно сильный младенец, еще в колыбели задушивший подосланных к нему ревнивой женой Зевса змей.

В основном Геракл известен, благодаря своим экзотическим подвигам: именно он достал пояс царицы амазонок Ипполиты, очистил от навоза Авгиевы конюшни, убил эриманфского вепря... Все эти подвиги были не по силам обычному человеку — но Геракл справлялся с ними шутя.

Так, один раз он отправился на поиски лернейской гидры, опустошавшей окрестности Лерны, у которой было 9 голов, причем одна из них — бессмертная. Как только герой, начав сражение, отрубил одну из голов чудовища, на ее месте сразу выросло еще две. К тому же на помощь гидре выполз огромный рак и вцепился Гераклу в ногу. В свою очередь герой, растоптав рака, призвал на помощь племянника Иолая. Вместе они осуществили свой план: Геракл рубил головы гидры одну за другой, а Иолай прижигал шеи горящими головнями, чтобы головы не отрастали вновь. Отрубив последнюю, бессмертную голову гидры, герой закопал ее в землю, а в желчь чудовища погрузил свои стрелы, ставшие после этого смертельно ядовитыми.

Однако именно этот подвиг царь Эврисфей, для которого Геракл должен был выполнить 10 заданий, не засчитал ему, сославшись на то, что с гидрой герой сражался не один — а это противоречило условиям их договора.

ИСААК, ИСАК

Значение и происхождение имени: Исаак дословно означает Он будет смеяться (евр.). Вполне возможно, что первоначально местоимение «он» заменяли название Бога, и в этом случае имя можно перевести как Радость Господня.

Энергетика и Карма имени: в русском звучании энергетика имени Исаак обладает удивительной широтой и плавной подвижностью. Оно как море, которое, кажется, может вместить в свои глубины все и вся, но при этом совершенно не изменит свои очертания. Так и Исаак, он удивительно восприимчив и внимателен, он прислушивается к чужому мнению, предпочитая терпеливо выслушать, чем спорить, однако при этом склонить его на чью-либо сторону или заставить что-либо сделать крайне затруднительно, а то и вовсе невозможно. Пока он сам не созреет для того, чтобы так или иначе измениться.

В большинстве случаев Исааку не свойственны резкие движения, и часто от людей с этим именем веет какой-то легкой грустью. Даже юмор у них нетороплив, есть в их шутках что-то осеннее, однако в иные моменты эта уравновешенная картина может внезапно измениться. Хоть и очень редко, но все же иногда случается, что, казалось бы, бездонная чаша терпения Исаака вдруг переполняется, он становится резким и холодным. В эти минуты он может быть стремителен и даже дерзок, однако это всего лишь моментальный порыв, после которого Исаак снова как бы растворяется в своей бездонности.

Чаще всего люди с этим именем обладают необычайно развитым воображением, они настойчивы и уравновешены, однако это далеко не всегда может хорошо проявиться в удачной карьере. По своей натуре Исаак индивидуалист, и ему гораздо легче делать свое собственное дело, чем работать с кем-нибудь в паре и уж тем более под чьим-либо руководством. Не то чтобы он не терпел над собой начальства, скорее, он просто не замечает его, частенько совершенно спокойно игнорируя его требования. Это может изрядно омрачить его судьбу, зато, с другой стороны, Исаак при этом сохраняет свою самоценность. Кто знает какой путь лучше?

Секреты общения. Если вам нужно поделиться хоть с кем-нибудь своими проблемами, смело идите к Исааку, лучшего слушателя, чем он, вам вряд ли найти. Вот только рассчитывать на его активную помощь, скорее всего, не стоит — он может помочь вам вернуть утраченное равновесие, дать какой-нибудь философский совет, но включаться в чужую игру не в его правилах.

Астрологическая характеристика:
Знак зодиака: Рыбы. Планета: Плутон. Цвета имени: серебристый, красный. Наиболее благоприятный цвет: белый. Камень-талисман: агат.

Празднуем именины: 31 (18) мая — Исаак Персидский, епископ, священномученик.

27 (14) января — Исаак Синайский, мученик.

След имени в истории. Вопрос: почему комета Галлея, открытая одноименным астрономом, получила свое имя во многом благодаря Исааку Ньютону? Ответ: потому что, не будь расчетов Ньютона, Галлей не смог бы предсказать появление кометы, она была бы открыта позже и названа чьим-нибудь другим именем.

Впрочем, за свою жизнь Исаак Ньютон (1643—1727) не только заложил основы такой новой отрасли астрономии, как небесная механика. Ему мы обязаны также появлению нового поколения телескопов, где вместо линз используются вогнутые зеркала (по сей день крупнейшие в мире телескопы строятся именно по этому принципу), а также открытию, на основе которого возник метод спектрального анализа.

С раннего детства Исаак Ньютон поражал взрослых своими математическими способностями, а уже в 27 лет занимал должность профессора математики. За 74 года жизни заслуги ученого неоднократно отмечались — он был президентом Королевского общества Англии, рыцарем и даже членом парламента. Впрочем, высокие должности мало изменили его характер. Ходит анекдот о том, что двадцать шесть лет ученый сидел на заседании палаты лордов и за все это время только один раз попросил слова. Все присутствующие замерли от удивления и приготовились слушать.

— Милорды! — торжественно обратился Ньютон к собранию. — Если никто не возражает, я попросил бы закрыть форточку. Кажется, в зале сквозняк.

КАЗИМИР

Значение и происхождение имени: примиряющий (зап. слав.).

Энергетика и Карма имени: имя Казимир обладает значительной импульсивной подвижностью и уравновешенной твердостью. Его энергетика как будто создана из отдельных лоскутов, которые тем не менее гармонично сочетаются между собой. Конечно, это всего лишь звуковое восприятие имени, однако не поэтому ли Казимир Малевич, как это принято сегодня говорить, самовыражаясь на своих полотнах, так часто использовал ломаный штрих и мозаичную композицию? По крайней мере, его увлечение кубизмом с точки зрения энергетики имени весьма обосновано.

Обычно импульсивность начинает проявляться в характере Казимира с самого детства. Он весьма самолюбив и частенько это качество делает его достаточно резким в общении. Однако к лидерству Казимир стремится крайне редко, предпочитая быть просто независимым человеком. Отсюда среди людей с этим именем мало конфликтных людей, хотя, конечно, постоять за себя они могут.

Во многих случаях порывистая подвижность энергетики имени находит свое отражение в любознательности и прекрасном воображении Казимира. Его могут интересовать вопросы, связанные с самыми разнообразными сферами человеческой деятельности, и, как правило, эти интересы не бывают поверхностными. Наоборот, загоревшись какой-либо идеей, Казимир начинает довольно углубленно изучать вопрос, не жалея ни времени, ни сил. Однако нередко, как только на горизонте появляется что-либо новое и заслуживающее внимания, Казимир надолго может забыть о своих старых интересах и с тем же энтузиазмом переключится на новые. Порою это мешает ему доводить дело до конца, и, если он желает добиться успеха в какой-либо области, ему следует обратить внимание на непостоянство в своих привязанностях. К примеру, чтобы охлаждение к делу не вредило ему, он может взять за правило ставить перед собой конкретные цели, как многочисленные ступеньки на своем пути, и не оставлять своих занятий до тех пор, пока не будет достигнута хотя бы какая-то промежуточная цель. В этом случае ему хотя бы не придется начинать с нуля по мере возвращения к старым занятиям.

Кроме этого, неприятности могут ожидать его в семейной жизни, где так же, как и в делах, требуется известное постоянство.

197

Секреты общения. С увлеченным каким-либо делом Казимиром очень трудно общаться на посторонние темы, за своими мыслями и заботами он может попросту не слышать собеседника. Тем не менее, если вы сумеете интересно рассказать о чем-либо да еще сопроводить свой рассказ какими-то авантюрными моментами, вы можете захватить его внимание надолго.

Астрологическая характеристика:
Знак зодиака: Стрелец. Планета: Меркурий. Цвета имени: черный, красный, зеленый. Наиболее благоприятный цвет: белый. Камень-талисман: агат, опал.

След имени в истории. Вряд ли сейчас найдется человек, никогда не слышавший про «Черный квадрат» Казимира Малевича (1878—1935). Нередко можно даже услышать такое мнение: «Подумаешь, черный квадрат! Каждый ребенок такое нарисовать может!» Конечно может. Но лишь квадрат Малевича по праву считается произведением искусства и новым словом в художественной культуре — ведь за ним стоит целое мировоззрение человека, мастерски владеющего традиционными видами рисования.

Недаром говорят: чтобы нарушать правила, надо сначала в полной мере ими овладеть. Вся жизнь Казимира Малевича была посвящена поиску — новых форм, новых выразительных средств. Великолепный скульптор и живописец, в рамках традиционного искусства он чувствовал себя не очень уютно, понимая, что может сделать большее. Став основоположником такого абстрактного направления, как супрематизм (беспредметность), Малевич продолжал экспериментировать, как бы примеряя свое новое видение на все окружающее. Он принимал участие в оформлении спектаклей, разрабатывал рисунки для текстиля и посуды, преподавал в художественной школе. И это все: свой поиск, свой беспокойный жизненный путь — Казимир Малевич передал черным пятном квадрата на белом листе. Квадрата, который, казалось бы, может нарисовать даже ребенок.

КАСЬЯН, КАССИАН

Значение и происхождение имени: принадлежащий Кассию (лат.). Кассий — римское родовое имя, происходящее от корня «пустой».

Энергетика и Карма имени: в этом имени — сила и натиск. Обычно уже с самого раннего детства человек с этим редким по сегодняшним меркам именем отличается напористостью, глубиной чувств и огромнейшим самолюбием. Он решителен и смел, часто претендует на роль лидера, однако Касьяну следует быть несколько осторожнее — не исключено, что в своем стремлении командовать он получит слишком жесткий отпор. Здесь ведь на кого нарвешься, а нарвавшись, можно однажды, что называется, сломаться. При этом заводная энергетика вряд ли позволит Касьяну легко успокоиться, так что негативные последствия конфликтов будут очень долго беспокоить его, изматывая нервную систему или даже приводя к развитию каких-либо комплексов.

Гораздо лучше, если с самого детства взрывная сила характера Касьяна будет направлена в созидательное русло. Здесь, заразившись каким-либо интересом, Касьян нередко способен на чудеса, посвящая своему любимому делу всю свою могучую энергию. Большую роль играет также его повышенная чувствительность, причем не только к своим собственным страданиям. Очень часто чужие проблемы вызывают у него не менее острые эмоции, и он обычно всегда готов мужественно прийти на помощь. Жаль только, что иногда он слишком активно берется помогать, незаметно для себя самого пытаясь подчинить пострадавшего человека своей воле. Иными словами, ему не помешает научиться некоторой умеренности, иначе его помощь и сочувствие могут стать чересчур навязчивыми.

Еще один немаловажный аспект имени — это прекрасное воображение Касьяна. Его страстная натура то и дело склоняет его к каким-то авантюрам если и не в реальной жизни, то по крайней мере в мечтах. Среди Касьянов много азартных игроков, хотя, как ни страшно, выигрывать они не любят. Здесь тоже не помешает осторожность, поскольку азарт в сочетании с чрезмерным сочувствием к своему противнику способен обеспечить Касьяну полный проигрыш. В остальном же это верный, надежный человек, разве что он, быть может, излишне серьезно относится к жизни, и ему не хватает спокойного юмора. Но это дело наживное.

Секреты общения. Интересно, что Касьян хоть и стремится лидировать чуть ли не во всех сферах общения, но при этом в нем обычно нет и намека на свое превосходство. Он долго может помнить обиды, однако злопамятным его не назовешь, скорее, эта боль от конфликта не предполагает мести. В отношениях между людьми Касьян наиболее всего ценит верность, честность и справедливость. По крайней мере, не стоит опаздывать, если у вас назначена с ним встреча.

Астрологическая характеристика:

Знак зодиака: Водолей. Планета: Марс. Цвета имени: стальной, красный. Наиболее благоприятные цвета: зеленый, синий. Камень-талисман: изумруд, сапфир, лазурит.

Празднуем именины: 29 (16) мая — Кассиан Комельский, преподобный.

28 (15) июня — Кассиан Авнежский, келарь, мученик.

10 сентября (28 августа) — Кассиан Печерский, затворник в дальних (Феодосиевых) пещерах.

След имени в истории. «Кто поест яиц василиска — умрет, а если раздавит — выползет василиск», — предупреждает книга пророка Исайи в греческом переводе. Знаток Египта Кассиан живо интересовался такими и подобными же преданиями, дошедшими до наших дней и повествующих о всякого рода сказочных существах, в которых так верили наши предки.

Ряд трудов Кассиана, посвященные всевозможным монстрам, представляют собой очень любопытные работы с большим количеством интересных фактов. К примеру, если в средневековой Европе василиск представлялся настоящим чудовищем, то со временем, приобретая все новые и новые качества, в народном сознании он становился все менее экзотическим существом, пока, наконец, не превратился в народном сознании в нечто обыденное, на которое (если очень не повезет) можно наступить прямо за порогом собственного дома.

Человек любознательный, любитель всевозможных экзотических легенд и преданий, Кассиан подходил к вопросу о существовании подобных странных животных с интересом натуралиста: будучи уверен в существовании чудовищ древности, он даже пытался вывести своего рода генеалогию этих таинственных существ.

«Нет сомнения в том, — рассудительно писал Кассиан в одном из своих трактатов, — что василиски рождаются из яиц птицы, которую в Египте зовут ибисом. Всех же, кто не согласен с этим моим утверждением, прошу предоставить убедительные доказательства обратного».

КИМ

Значение и происхождение имени: имя Ким появилось на заре эпохи социализма и представляет собой аббревиатуру от названия Коммунистический Интернационал молодежи.

Энергетика и Карма имени: прежде всего энергетика имени Ким выделяется уравновешенностью и легкостью. Действительно, особенно эмоциональным и уж тем более страстным Кима назвать трудно. Тем не менее легкость характера делает его достаточно подвижным человеком. Он легок на подъем и не склонен излишне долго обдумывать свои решения, раз уж пришла в голову какая-то блажь, то почему бы не попробовать? В конце концов, никогда ведь не поздно остановиться.

Однако недостаточная глубина эмоций никоим образом не касается самолюбия Кима, которое в большинстве случаев является очень заметным. Частенько красота и редкость имени заставляют Кима считать себя непохожим на окружающих, а может быть, даже наделяют его сознанием своего некоторого превосходства над другими, впрочем, в данном случае большой опасности такое самомнение не представляет — спокойный и незлобливый, Ким чаще всего удовлетворяется собственным мнением на этот счет, никого не стараясь убедить в этом. Он просто верит в свою счастливую звезду и тем доволен. Зато если кто-то решит покуситься на его честь, то Ким способен на решительный отпор, хотя практически всегда готов прийти к компромиссу.

В целом имя довольно благоприятно для нормальных взаимоотношений с окружающими, а вот в карьере Кима могут ожидать некоторые сложности. Прежде всего ему не хватает напористости и умения концентрировать усилия. Иногда Ким бывает настолько расслаблен верой в свою удачу, что предпочитает плыть по течению в ожидании какого-то чудесного случая. Увы, этот случай крайне редко приходит к ленивому человеку. То же и в семейной жизни — легкость в общении с противоположным полом и редкая самоуверенность часто обеспечивают ему довольно быстрые победы в любви, однако вряд ли это так уж благоприятно для нормального полноценного брака. Одним словом, не имея в своей душе постоянства, Ким, конечно, может стать неплохим пловцом по течению, но вряд ли когда найдет надежную пристань в своей жизни.

Секреты общения. Кима обычно бывает довольно легко подбить на какое-либо быстрое дело, однако заниматься с ним долгосрочным планированием вряд ли логично. Скорее всего, ему быстро надоест ваше совместное начинание.

Астрологическая характеристика:

Знак зодиака: Рыбы. Планета: Меркурий. Цвета имени: коричневый. Наиболее благоприятные цвета: черный, фиолетовый. Камень-талисман: черный благородный опал, лабрадор, аметист.

След имени в истории. В то время как на экране действовал отважный агент 007, в Вашингтоне орудовал другой агент, которому впоследствии суждено было стать не менее знаменитым, благодаря разразившемуся скандалу, связанному с его разоблачением. И действительно, дело Кима Филби (1912—1988) трудно назвать достаточно заурядным: будучи с 1949 по 1951 годы офицером связи США, он одновременно снабжал важнейшей информацией, к которой имел доступ через созданную им сеть осведомителей, одновременно две страны: Британию и Советский Союз.

Справедливости ради надо сказать, что идея поработать на английскую разведку пришла к Киму Филби значительно позже, когда он уже 7 лет добывал сведения для СССР, но еще много лет он оставался так называемым двойным агентом, пока ему не предложили отставку. После того как в 1963 году разведчик предупредил двоих своих коллег, тоже двойных агентов, Дональда Маклина и Гая Бергесса о том, что их деятельность раскрыта, ему самому пришлось спасаться бегством в СССР, где Филби получил советское гражданство и закончил свою бурную карьеру в чине генерала КГБ.

КИРИЛЛ

Значение и происхождение имени: имя происходит либо от персидского корня, означающего «Солнце», либо от греческого слова «повелитель».

Энергетика и Карма имени: напряженность этого имени не сразу заметишь. По энергетике в нем ощущается значительная сила и твердость, быть может, даже излишняя. В то же время оно звучит довольно замкнуто, мало склоняя своего владельца к внешнему проявлению силы. Обычно имя наделяет Кирилла умеренным спокойствием и жизнерадостностью, однако с возникновением каких-либо проблем в его душе начинает нарастать напряжение, особенно заметное в подростковом периоде, когда оно нередко делает Кирилла чересчур раздражительным. Да и в более зрелые годы за его видимой уравновешенностью можно иногда разглядеть готовность моментально ощетиниться и постоять за себя.

Чаще всего Кирилл любит хорошие компании, хотя и предпочитает держаться в них достаточно самостоятельно, и, если что не так, он легко может уйти из нее. При этом уравновешенность с посторонними людьми в семейном кругу иной раз оборачивается излишней строгостью и требовательностью, ведь где-то же ему надо выливать накапливающееся недовольство. Впрочем, если и жена Кирилла будет обладать достаточно твердым характером, то, скорее всего, он уступит ей первенство и начнет искать разрядку либо в работе, либо на стороне.

Тем не менее все это наделяет характер Кирилла такими полезными качествами, как способность к терпеливому труду, самостоятельность, завидная работоспособность, умение держаться в коллективе, и многими другими. Безусловно, у Кирилла есть неплохие шансы добиться в карьере или бизнесе значительных успехов, однако для того, чтобы испытать полноценное счастье, ему надо обратить внимание на слабые стороны своего характера, в развитии которых также немалую роль играет имя.

Главный минус имени — недостаток мягкости и пластичности. Это может привести к чрезмерно болезненному восприятию конфликтных ситуаций, обостряя и без того хорошо развитое самолюбие Кирилла. Порою скандалы оставляют в его душе столь глубокий след, что он может очень долго помнить обиду, однако, скорее всего, попытается впредь избегать новых конфликтов, что может быть воспринято окружающими как миролюбие. Бывает, что жизненные удары заставляют его искать успокоение в цинизме, однако вряд ли этот выход можно назвать наилучшим. Наиболее благоприятно для Кирилла, если в его воспитании было заложено достаточно легкое отношение к жизни и к себе, а также умение посмеяться над собой не только внешне, но и внутренне.

Секреты общения. Обычно Кирилл ценит свою самостоятельность, но нередко люди, соблазнившись его видимой уравновешенностью, пытаются активно воздействовать на него и незаметно наживают себе врага. Бывает и так, что кто-то невольно становится источником раздражения для Кирилла. Вряд ли дело дойдет до скандала, тем не менее человек проницательный сможет заметить растущее напряжение в его душе. В этом случае разрядить обстановку можно, переключив разговор на ту тему, где Кирилл чувствует себя профессионалом. Если вы сумеете разглядеть его достоинства в этой области, то, скорее всего, вместо раздражения между вами появится взаимное уважение.

Астрологическая характеристика:

Знак зодиака: Лев. Планета: Солнце. Цвета имени: темная сталь, салатовый. Наиболее благоприятные цвета: зеленый, теплые оттенки красного. Камень-талисман: изумруд, пироп.

Празднуем именины: 31 января, 1 октября (18 января, 28 сентября) — Кирилл Радонежский, схимонах, отец преподобного Сергия Радонежского.

31 (18) января — Кирилл Александрийский, патриарх.

17 февраля, 24 мая (4 февраля, 11 мая) — Кирилл Философ, Моравский, равноапостольный, учитель Словенский.

След имени в истории. Генерал-фельдмаршал, последний гетман Украины и морганический супруг императрицы Елизаветы Петровны граф Кирилл Разумовский (1728—1803) был в свое время очень заметной фигурой в государстве Российском. Обладающий всеми необходимыми качествами характера — смелостью, сильной волей, умением подчинять себе людей, Кирилл Разумовский, помимо всего прочего, получил блестящее образование за границей, и много лет являлся бессменным президентом Петербургской Академии наук.

До сих пор про этого человека ходит немало исторических анекдотов, обрисовывающих характер графа Разумовского как человека достаточно простого и незаносчивого, умевшего ценить чужую шутку и любившего пошутить самому.

Так, один раз племянница Разумовского, Софья Апраксина, заведовавшая всем его хозяйством, в категоричной форме потребовала от графа уменьшения числа его прислуги, содержать которую тому было не по средствам. Внимательно выслушав доводы племянницы, Разумовский ответил:

— Я согласен с тобой, что эти люди мне не нужны, но сначала спроси у них, не имеют ли они во мне надобности. Если они откажутся от меня, тогда и я без возражений откажусь от них.

В другой раз когда Разумовский играл в карты с Екатериной II, его позвал стоящий в карауле гвардии капитан. Граф вышел в через несколько минут возвратился.

— Что было? — с интересом спросила императрица.

— Так, государыня, безделица: господин капитан немного обиделся. Там в караульной на стене нарисовали его портрет во весь рост с длинной косою и шпагой в руках и подписали: «Тран-тараран, Булгаков храбрый капитан».

— И чем же вы решили это важное дело?

— Я приказал, коли портрет похож, оставить, коли нет — стереть.

Государыня расхохоталась.

КЛИМ, КЛИМЕНТ

Значение и происхождение имени: по одной версии, имя Климент происходит от латинского корня, означающего «милостивый», по другой — от греческого слова со значением «виноградная лоза».

Энергетика и Карма имени: легкость и вспыльчивость — вот, пожалуй, наиболее существенные качества, которые определяют энергетику имени Клим, не зря ведь оно тесно связано с образом лихого рубаки Клима Ворошилова, да и созвучие со словом «клинок» не такое уж слабое. Впрочем, в обычном своем состоянии Клим чаще всего удивительно спокоен и даже безмятежен. Он не испытывает глубоких чувств, и излишние переживания не омрачают его душу. Другое дело, если что-то затронет его за живое! Здесь уже Клим с той же легкостью готов выйти из себя. Вряд ли он станет долго ломать голову над тем, как лучше ему поступить и избежать пагубных последствий в случае каких-либо конфликтов, скорее, он в своей ярости сделает первое, что придет ему в голову, хотя после того, как опасность минует, он так же быстро успокоится.

Очень многое в его судьбе зависит от воспитания и от привычных ему условий жизни. Не то чтобы он был чрезмерно подвержен посторонним влияниям, просто Клим, как типичный экстраверт, легко приспосабливается к окружающей обстановке, он принимает ее как данность и строит свое поведение исходя из ситуации. Так, если родители Клима придают большое значение образованию, то и Клим будет относится к своей учебе хоть и не так серьезно, как хотелось бы родителям, но вполне нормально. Больше того, его подвижный ум позволяет ему быстро запоминать информацию, так что вряд ли у него будут большие сложности с учебой.

Другое дело, если Клим воспитывается в неблагоприятных и жестких условиях или в атмосфере насилия. Это для него тоже может стать нормой жизни, и хоть жестоким он не станет, но подчас его равнодушие к чужим трудностям и бедам хуже любой жестокости.

Наиболее благоприятно, если Клим научится сдерживать свой пылкий нрав или направит свою энергию в созидательное русло. Постоянство и сдержанность — вот две главные вещи, недостающие ему для успеха.

Секреты общения. Хотите приключений или неприятностей? Тогда затейте с Климом какой-нибудь спор и плавно перейдите на обсуждение личных качеств собеседника. Погасить же возникший конфликт часто можно тем, что, дав Климу выговориться, просто предложите ему мировую. Нередко выручает и ценимое Климом чувство юмора.

Астрологическая характеристика:
Знак зодиака: Весы. Планета: Марс. Цвета имени: темно-коричневый, салатовый, желтый. Наиболее благоприятные цвета: зеленый, черный. Камень-талисман: изумруд, лабрадор.

Празднуем именины: 5 февраля (23 января) — Климент Анкирский, Многострадальный, епископ, священномученик.

17 января, 5 мая (4 января, 22 апреля) — Климент апостол от 70-ти, папа римский, священномученик, сподвижник апостола Павла.

След имени в истории. О том, что человек произошел не от кого-нибудь, а от обезьяны, студенты в России впервые услышали вовсе не от Дарвина, а от Климента Тимирязева (1843—1920), великого русского ученого-биолога. Являясь популяризатором науки, Тимирязев умел просто и ясно объяснить самые сложные процессы нормальным человеческим языком, а потому его книги о дарвинизме, фотосинтезе или экологии можно читать почти как приключенческую литературу.

Талантливый ученый, именно Тимирязев установил механизм фотосинтеза, а также предложил в своих работах немало таких экологических рецептов (о борьбе с засухой, к примеру), которые стали использоваться только много лет спустя, получив повсеместное признание.

Трудно поверить в то, что кабинетный ученый мог быть неугоден властям, однако Тимирязев затворником не был, а, напротив, отличался редкой независимостью и свободой мышления. Рассказывают, что еще в бытность его студентом второго курса, ему принесли на подпись листок, пояснив:

— Это ваше обязательство о том, что вы не будете заниматься антиправительственной деятельностью.

— А кто вам сказал, что я не буду? — удивился Тимирязев, отказываясь ставить свою подпись, и на следующий день был исключен из университета.

КОНДРАТ, КОНДРАТИЙ

Значение и происхождение имени: Кондратий — четырехугольный (греч.).

Энергетика и Карма имени: имя Кондрат представляет собой тот довольно редкий случай, когда энергетика прекрасно согласуется с конкретным значением имени. По своим качествам оно обладает значительной твердостью, надежностью, быть может, в нем и чувствуется некоторая угловатость, однако, как и в настоящем квадрате, в энергетике имени явственно ощущается гармоничность и уравновешенность. Как говорится, неладно скроен, да крепко сшит.

Безусловно, такие качества могут весьма благоприятным образом отразиться на характере Кондрата, придать ему мужественность, настойчивость и уравновешенность. Обычно Кондрат представляет собой довольно самостоятельную, а может быть, даже и самоценную личность. Он незлобив и уверен в себе, умеет концентрироваться и обладает хорошими волевыми качествами. Тем не менее острые углы его имени могут давать о себе знать.

В первую очередь заметную роль играет редкость и некоторая грубоватость имени, что частенько отражается на самолюбии Кондрата. Не исключено, что Кондрат будет испытывать потребность в самоутверждении и, либо попытается реализовать свои честолюбивые устремления, стараясь добиться признания в каком-нибудь «избранном обществе», либо противопоставит этому обществу свой грубоватый характер. Впрочем, в любом случае этот конфликт не будет носить слишком жесткий характер и уверенный в себе Кондрат чаще всего находит удовлетворение в том, что живет так, как сам считает нужным, и имеет четкое мнение на тему, что такое хорошо, а что не очень.

Как бы то ни было, однако его честолюбие в сочетании с твердостью характера способно обеспечить ему успех в карьере, в том числе и на руководящих должностях. Наиболее хорошо ему удается реализовать себя в тех областях, которые связаны с техникой или точными науками. Он трудолюбив и умеет хорошо поставить себя в коллективе. Наиболее же благоприятно, если Кондрат сгладит свою несколько излишнюю твердость с помощью чувства юмора и станет более раскованным с близкими людьми. Это позволит ему избежать неприятных моментов в семейной жизни и придаст внутрисемейным отношениям недостающую теплоту.

Секреты общения. Более всего Кондрат уважает в людях точность, обязательность и простоту. Иногда он старается держаться несколько щеголевато и с легким намеком на аристократизм, однако это вовсе не означает, что он благоклонно воспримет, когда заметит такие же манеры в окружающих. В общении с ним никогда нелишне учитывать его самолюбие и резкость в случае возникновения каких-либо недоразумений. Побольше спокойного юмора, поменьше эмоций — и все будет нормально.

Астрологическая характеристика:
Знак зодиака: Лев. Планета: Сатурн. Цвета имени: черный, коричневый. Наиболее благоприятные цвета: белый, оранжевый. Камень-талисман: алмаз, опал, янтарь.

Празднуем именины: 19 июля (6 июля) — Кондрат Месукевийский, Грузинский, мученик.

След имени в истории. Поэт и декабрист Кондратий Рылеев (1795—1826) окончил свои дни в том возрасте, когда многие только начинают активную жизнь,— в 31 год. Однако и за это короткое время он успел сделать немало, войдя в историю как один из руководителей скандального восстания декабристов и одновременно как поэт, оставивший немалое литературное наследие.

Сын мелкопоместного дворянина, Рылеев успешно окончил Кадетский корпус в Петербурге, вместе с русскими войсками побывал за границей, после чего подал в отставку в знак протеста против жестокого аракчеевского режима. Однако на этом не успокоился: его мятежная натура жаждала действия, и уже 28-летним убежденным противником режима он вступает в тайное Северное общество декабристов, где его задатки лидера не остались невостребованными. Именно Рылеев подготавливал восстание 14 декабря 1825 года и отдавал распоряжения в его ходе, тем не менее оно было заранее обречено — выйдя на площадь, декабристы растерялись, и их молчаливое стояние сейчас можно определить скорее как невинную акцию протеста, чем как собственно восстание. Однако это не спасло пятерых лидеров движения, в числе которых был и Кондратий Рылеев, повешенных в Петропавловской крепости.

Поэмы и стихи Рылеева, отразившие мятежные чувства декабриста, его идеалы и мечты о лучшем устройстве общества, еще не одно десятилетие после смерти автора бередили чувства молодых и дерзких. Как писал Огарев, стихи Рылеева стали «доблестным заветом и путеводной звездой для последующих поколений революционеров».

КОНСТАНТИН

Значение и происхождение имени: твердый, постоянный (лат.).

Энергетика и Карма имени: в этом имени нет перебора с твердостью, оно довольно спокойное, стойкое, незлобивое, но в нем заметно ощущается недостаток теплоты, что может в детском возрасте стать источником страдания для Кости. Еще более подобное влияние может усиливаться такими ассоциациями, как «кость, костыль и т. д.». Вполне возможно, что с самого детства Костик будет невольно тянуться к чему-либо красивому, будет пытаться найти тепло в отношениях с товарищами, однако здесь легко поскользнуться на болезненном самолюбии. Очень хорошо, если он найдет это тепло, если же нет, то боязнь насмешки, скорее всего, приведет к тому, что Костя начнет скрывать свою истиную душу за маской этакого грубого циника.

Таким образом, среди Константинов можно выделить два главных типа — обаятельный и мягкий Костик и Константин — циник и насмешник. Впрочем, второй тип — это всего лишь общественная маска, за которой, скорее всего, скрывается ранимая душа.

Так или иначе, однако Костик чаще всего в течение всей жизни остается неравнодушным к тому, как его воспринимают окружающие. Он хорошо умеет играть жизненную роль, а поиск своего достойного места в детском кругу во взрослом возрасте обычно находит продолжение в честолюбивых мечтах о карьере. Иногда бывает очень трудно понять, что у Константина на уме, поэтому многие склонны считать его хитрым, но он скорее все-таки скрытный, а не хитрый. Другое дело, что иной раз, внезапно открывшись, окружающих могут удивить истинные планы Кости. Порою дело доходит даже до откровенного возмущения, заставляя подозревать в нем интригана. На самом же деле Константин просто терпеливо шел к своей цели, никому особенно не желая зла.

Из положительных качеств, в развитии которых Константин многим обязан своему имени, можно отметить его стойкость, уравновешенное терпение и способность на решительный поступок. Наиболее благоприятно, если ему удастся избавить свое самолюбие от болезненности и совместить его с мягкостью. В то же время мягкому Костику можно пожелать немного больше честолюбия и твердости, без которых ему будет трудно достичь хороших высот. Одним словом, если эти качества он сумеет привести в равновесие, то жизнь его может сложиться более удачно, а хорошо развитый артистизм поможет обеспечить успех в общественной карьере.

Секреты общения. Нередко для того, чтобы вместо Кости-циника вы увидели симпатичного человека, достаточно всего-навсего завязать с ним откровенный разговор. Если вы будете искренни и он сможет поверить вам, то вполне возможно, что вы обретете надежного друга, который не предаст вас ни за какие блага земли. А вот в случае конфликта Константин может долго помнить зло, и заметить это за его повседневной маской бывает порою очень трудно.

Астрологическая характеристика:

Знак зодиака: Дева. Планета: Меркурий. Цвета имени: стальной, иногда светло-коричневый. Наиболее благоприятные цвета: коричневый, зеленый. Камень-талисман: нефрит, яшма.

Празднуем именины: 3 июня (21 мая) — Константин Великий, равноапостольный, император.

15 (2) октября — Константин Арагветский, князь, мученик.

11 августа (29 июля) — Константин Киевский и всея Руси митрополит.

След имени в истории. «Земля — колыбель человечества. Но нельзя же вечно жить в колыбели» — эта фраза принадлежит одному из самых великих ученых (и по совместительству — пророков) нашего времени Константину Эдуардовичу Циолковскому (1857—1935). Надо сказать, что судьба этого удивительного человека с самого начала складывалась необычайно. Кто знает, не потеряй в детстве сын лесничего из Рязанской губернии слух, может, и мир был бы сейчас немножко иным. А так Циолковского миновала судьба получивших среднее образование сверстников, и он вырос гениальным самоучкой, до всего доходящим своим умом.

Правда (особенно на первых порах), ученый нередко изобретал велосипед, открывая уже известные вещи, однако это касалось далеко не всех его открытий. Так, именно Константин Циолковский первым спроектировал дирижабль, исследовал аэродинамику самолета, а затем «заболел» космосом. И несмотря на то, что часто ему не удавалось подтвердить свои догадки математическими выкладками, однако, он был уверен во многом. К примеру, в том, что оптимальной высотой для полета вокруг Земли является 300—800 км — высота, на которой и происходят ныне космические полеты. Или в том, что ракета должна быть многоступенчатой. Многие его знания брались как бы «из ниоткуда», просто из уверенности, что должно быть так, а не иначе, и такое положение дел в немалой мере повлияло на мировоззрение Циолковского, на его философию.

Действительно, темы, волновавшие ученого, далеко не ограничиваются сферой практического применения. В своих работах он много писал о будущем человечества, об освоении других планет, о миллионах обитаемых миров во Вселенной, и о существах, их населяющих, пытался понять окружающий мир и его закономерности.

«Скажу откровенно, — писал Константин Эдуардович в одной из книг, — раньше я все таинственные явления объяснял известными законами природы, обманом, невежеством и т.д. И теперь я думаю, что более 99% этих явлений именно таковы. Но не все. Какая-то очень малая часть их хотя и естественна, но не может быть объяснена без вмешательства разумных сил, исходящих от сознательных и неизвестных нам существ».

КОРНЕЙ, КОРНЕЛИЙ

Значение и происхождение имени: предположительно имя Корней произошло от латинского корня, означающего «рог». По другой версии — от слова «корнум» — ягода кизила (лат.).

Энергетика и Карма имени: в этом имени преобладают основательность, надежность и уравновешенная мягкость. Вместе с тем оно выдает человека, обладающего значительным, а иногда и болезненным самолюбием. Немалую роль здесь играет и образ Корнея Чуковского, чьи прекрасные произведения известны практически каждому ребенку. Впрочем, в юном возрасте наличие такого именитого тезки в сочетании с редкостью и заметностью имени, может быть не только предметом гордости, но и поводом для насмешек и подтруниваний. Скорее всего, все это сделает Корнея весьма честолюбивым человеком и заставит его болезненно реагировать на какую бы то ни было критику.

Нередко в обществе Корней держится несколько замкнуто и настороженно, стараясь не привлекать к себе излишнего внимания. Однако с таким заметным именем это вряд ли у него получится, что может заставить его проявлять холодность по отношению к навязчивым собеседникам. Вместе с тем за его внешней сдержанностью частенько кипят эмоции и страсти. Бывает, что даже незначительная обида понемногу разрастается в его душе до значительных размеров, в дальнейшем определяя негативное отношение Корнея к своему невольному обидчику. Жаль, ведь если вовремя объясниться, а не держать обиду в себе, то, глядишь, и не было бы никаких недоразумений в последствии.

С другой стороны, и положительные эмоции порою достигают в душе Корнея значительной силы. У него могучее воображение и ярковыраженные творческие способности, вот только болезненное самолюбие обычно мешает ему реализовать свои многочисленные таланты. Нет со мнений, что его трудолюбие и основательность могли бы обеспечить ему успешную карьеру, однако для этого ему крайне необходимо научиться самоиронии и стать чуть более открытым, смягчая недоразумения с помощью юмора. Это же способно избавить его и от многих семейных проблем.

Секреты общения. Не стоит, наверное, излишне доверять сдержанности Корнея — его память способна очень долго помнить зло. Наиболее же негативное отношение у него вызывают такие человеческие качества, как повышенное самомнение, непостоянство и командирские наклонности. Не будьте также слишком настойчивы в своих просьбах и в разговоре постарайтесь заменять эмоции спокойной рассудительностью.

Астрологическая характеристика:
Знак зодиака: Близнецы. Планета: Плутон. Цвета имени: стальной, коричневатый. Наиболее благоприятные цвета: зеленый, белый. Камень-талисман: изумруд, агат.

Празднуем именины: 26 (13) сентября — Корнилий—сотник, священномученик.

5 марта (20 февраля) — Корнилий Псковский, преподобный.

4 августа (22 июля) — Корнилий Переяславский, преподобный.

След имени в истории. «Муха по полю пошла, муха денежку нашла...» — эти незамысловатые строки известны, наверное, всем детям. Также известно им и то, что написал их человек со сказочным именем — Корней Чуковский. На самом же деле Корней — псевдоним писателя, настоящее имя которого Николай Корнейчуков (1882—1969), однако это как раз тот случай, когда псевдоним, заменив имя, оказал гораздо большее влияние на характер и судьбу человека.

Талантливый литературный критик и переводчик, лично знакомый с Г. Уэллсом и А. Конан-Дойлом, Корней Чуковский всегда с особым интересом относился ко всему, что связано с детьми. Так, каждый год он устраивал у себя в Переделкино настоящие праздники для окрестных ребятишек под девизами «Здравствуй, лето!» и «Прощай, лето!», в которых принимало участие больше тысячи детей. Тем не менее он и не предполагал, что когда-нибудь начнет писать для детей. Все получилось как бы случайно, когда Чуковский вез в поезде заболевшего маленького сына. «Для того чтобы он не хныкал, — вспоминал позже поэт, — я стал под стук колес рассказывать ему какую-то сказку, которую уже давно хотел написать, но раньше у меня ничего не выходило». Так появился на свет «Крокодил», и с тех пор яркие, образные, легко запоминающиеся стихотворения Корнея Чуковского стали любимым чтением для детей и немалым подспорьем в воспитании для их родителей.

КУЗЬМА, КОЗЬМА

Значение и происхождение имени: имя происходит от греческого слова «космос», что означает «мир, мироустройство» (греч.).

Энергетика и Карма имени: Кузьма — имя звонкое и подвижное, но, пожалуй, ему несколько не хватает твердости. Увы, позитивным этот факт не назовешь, особенно с учетом тех образов и ассоциаций, которые связаны с ним. Так, скажем, мало кто помнит, что один из российских национальных героев, увековеченный в памятнике на Красной площади — Минин — тоже носил имя Кузьма, зато каждый знает такие поговорки, как «Кузькина мать» и «Такого Кузьму я и сам возьму». Есть, конечно, еще и

Козьма Прутков, но и его классический образ более связан со всевозможными остротами, чем с каким бы то ни было уважением к человеку. В связи с этим очень трудно ожидать, что самолюбие современного Кузьмы не станет болезненным в силу чрезмерного остроумия окружающих, ведь пусть даже эти остроты и не имеют под собой цель унизить человека, все равно мало кто любит, когда над ним потешаются.

Пожалуй, единственным спасением для Кузьмы может являться его собственное чувство юмора. Можно быть уверенным, что если склонность к остроумию в его характере будет отсутствовать, то Кузьма попросту пропадет. Или просто превратится в человека с явным комплексом неполноценности. С другой же стороны, наделенный своим остроумием, Кузьма может не только сглаживать негативные аспекты своего чувствительного самолюбия, но даже и использовать свое редкое и веселое имя для утверждения в коллективе. Так, в некоторых околоэлитных кругах иногда становятся особенно модными такие «простонародные» имена, как Дуня, Феофан, Пафнутий и иже с ними, включая, конечно, и Кузьму.

В остальном же энергетика этого имени подразумевает беззлобие, добродушие и жизнерадостность, и если вопросы болезненного самолюбия будут успешно решены, то вполне можно ожидать, что жизнь Кузьмы сложится удачно. Хотя, конечно, для нормальной карьеры ему бы не помешало набраться некоторой твердости.

Секреты общения. В общении с Кузьмой можно посоветовать поосторожнее пользоваться своим остроумием. Если сам Кузьма не склонен к юмору, он может крайне болезненно отреагировать на шутку в свой адрес. Если же он и сам не прочь пошутить, то как бы его ответное остроумие не задело бы за живое вас самих. Вообще же, не стоит забывать, что вы имеете дело хоть и с мягким, но весьма самолюбивым человеком.

Астрологическая характеристика:
Знак зодиака: Рак. Планета: Меркурий. Цвета имени: темно-серый, желтый, зеленый. Наиболее благоприятный цвет: коричневый. Камень-талисман: яшма.

Празднуем именины: 11 августа (29 июля) — Косьма Косинский, Старорусский, преподобный.

25 (12) октября — Косьма Святоградец, творец канонов, епископ.

215

14 (1) ноября — братья Косьма и Дамиан, святые бессребреники, мученики.

След имени в истории. «Бросая в воду камешки, смотри на круги, от них расходящиеся, дабы такое занятие не стало пустой забавою», — глубокомысленно советовал Козьма Прутков, под псевдонимом которого скрывалось несколько заядлых шутников. Однако псевдоним псевдонимом, но и в жизни нередко за строгим на первый взгляд именем Кузьма можно обнаружить личность яркую и неоднозначную. Взять хотя бы знаменитого художника Кузьму Петрова-Водкина (1878—1939), творчество которого трудно назвать заурядным.

В результате долгого поиска и многочисленных экспериментов Петров-Водкин создал ни на что не похожий стиль. В его картинах, ярких, напряженных и выразительных, на первый взгляд все «неправильно» — неестественные цвета, острые углы, фантастическая перспектива. Однако именно эта «неправильность» приводит к тому, что каждое полотно является, по существу, клубком эмоций, передающихся зрителю.

Петров-Водкин любил примерять на себя разные творческие специальности — оформлял спектакли, писал пьесы, повести, очерки, книги — как будто хотел опровергнуть утверждение своего не менее великого тезки, сказавшего как-то: «Нельзя объять необъятное».

ЛАВР, ЛАВРЕНТИЙ

Значение и происхождение имени: имя Лавр происходит от названия лаврового дерева, символизирующего торжество победителя. Лаврентий же означает «житель г. Лаврента» (лат.).

Энергетика и Карма имени: несмотря на то, что происхождение имен Лавр и Лаврентий различно, все же общность их энергетики позволяет рассматривать их в одном разделе. Да и в силу сегодняшней редкости и созвучия этих имен, сознание большинства людей рассматривает их как вариации одного и того же имени.

Прежде всего следует отметить ту твердость и уверенность, которой обладает энергетика этого имени. По своим задаткам Лавр может испытывать ярковыраженный импульс к лидерству, при этом он довольно уравновешен, однако наделенный колоссальным самолюбием часто излишне резко реагирует на какую-либо конфликтную ситуацию. Особую роль играет образ правой руки Сталина — Лаврентия Берии. Имея такого тезку, названного чуть ли не главным виновником сталинских репрессий, неудивительно, если современному Лавру придется не раз отстаивать свою честь и достоинство. Подобные напоминания могут восприниматься им чересчур болезненно, однако не склонный к агрессивности и умея сохранять равновесие, Лавр легко может преодолеть это негативное влияние и самоутвердиться в обществе.

Интересно, что до тех пор, пока его положение в коллективе не станет достаточно прочным, Лавр не торопится проявлять свое стремление к лидерству. Зато в своем привычном кругу его волевые качества и умение уравновешивать свои глубокие эмоции как бы сами собой обеспечивают ему место лидера. Из него мог бы получиться прекрасный руководящий работник, не лишенный к тому же творческого воображения. Пользуясь способностью приводить в равновесие свои страсти и чувства, Лавр нередко открывает в себе прекрасные аналитические способности и проницательный ум. Одним словом, он имеет все шансы реализовать себя в самых разнообразных сферах человеческой деятельности, но единственное, чего ему, пожалуй, не хватает для полноценного успеха и счастья,— это чувства юмора.

Секреты общения. На Лавра обычно очень трудно воздействовать и тем более командовать им, так что, если вы хотите склонить его к чему-либо, то ни в коем случае не следует пытаться применить силу. Единственный способ повлиять на него без лишних осложнений — это призвать на помощь логику. Это же поможет избежать нежелательных конфликтов и недоразумений.

Астрологическая характеристика:
Знак зодиака: Стрелец. Планета: Юпитер. Цвета имени: сине-зеленый, стальной. Наиболее благоприятные цвета: оранжевый, желтый, белый. Камень-талисман: янтарь, опал.

Празднуем именины: 23 (10) августа — Лаврентий Римский, архидиакон, священномученик.

29 (16) мая — Лаврентий Комельский, преподобный.

11 февраля, 11 октября (29 января, 28 сентября) — ав-

217

рентий Печерский, епископ, затворник, в Ближних (Антониевых) пещерах.

След имени в истории. «Мой многообещающий земляк» — так называл Сталин Лаврентия Берию (1899—1953) к тому времени, когда он был назначен на пост наркома внутренних дел СССР, сменив на нем Николая Ежова. И «земляк» не обманул ожиданий: именно Берия стал организатором печально известного «переселения народов», за что был награжден орденом Суворова — высшей полководческой наградой. Он же всячески стимулировал работы по созданию ядерного оружия, что считал своей главной миссией, делом своей жизни.

Вообще, личность Лаврентия Берии не так однозначна, как кажется на первый взгляд, и это стало особенно очевидно после смерти Сталина, когда Берия вдруг резко изменил курс, первым во всеуслышание заявив: пора объявлять амнистию невинно пострадавшим от сталинского террора, прекратить пытки и произвол (правда, Политбюро проигнорировало это предложение). Также по его настоянию было прекращено «дело врачей»; Берия даже выступил за воссоединение ГДР с ФРГ, отказавшись от строительства социализма в братской республике.

Одно время Берия весьма скептически относился к любым проявлениям загадочного, считая, что все на свете объяснимо, однако случай с Вольфом Мессингом заставил его пересмотреть свои позиции. Наслышавшись об опытах Мессинга и считая их шарлатанством, как-то раз Берия вызвал гипнотизера на Лубянку и спросил:

— Сможешь выйти отсюда мимо охраны без пропуска наружу?

— Смогу, — ответил Мессинг, повернулся, вышел из кабинета Берии и спокойно прошествовал к выходу. Охрана отдала ему честь.

ЛАЗАРЬ

Значение и происхождение имени: Лазарь — русская форма имени Елизар (Илизар), что означает «Бог помог» (евр.).

Энергетика и Карма имени: по своей энергетике имя Лазарь очень выразительно, оно предполагает глубину чувств, внутреннюю прочность и уравновешенную мягкость. Одна беда — пожалуй, оно слишком уж серьезно. Наверное, именно по этой причине Лазарь с детства растет весьма самолюбивым и легкоранимым человеком. Он незлобив, даже, скорее, добродушен, умеет сострадать окружающим, но вот эта серьезность заставляет его чересчур болезненно относиться ко всякого рода недоразумениям и превратностям жизни. Еще более это усиливается вследствие редкости и заметности имени. Иногда Лазарь настолько чувствителен к обидам, что хоть и не желает ни мести, ни какой бы то ни было сатисфакции, он все равно мучительно переживает конфликт.

Вообще, по своим качествам, да и по вызываемым ассоциациям, имя очень созвучно общему духу христианской религии — не зря ведь именно Лазарь является одним из наиболее заметных героев Евангелия, не считая, конечно, Христа и его ближайших сподвижников. Впрочем, это вовсе не означает, что современному Лазарю будет обязательно присуща религиозность, к религии он может быть полностью равнодушен, однако этакое христолюбие все же так или иначе найдет отражение в его характере.

Иногда, правда, самолюбие Лазаря развивается до такой степени, что даже начинает проявляться в упрямстве и некоторой горячности в спорах. Кроме того, слишком серьезно относясь к жизни вообще и к себе в частности, Лазарь может находить успокоение в оптимистических мечтах. С одной стороны, это хорошо, но с другой — эти надежды на светлое будущее часто только подчеркивают негативные моменты «темного» настоящего, отчего сегодняшний день в глазах Лазаря может показаться еще более никудышным, чем он есть на самом деле. В некоторых случаях это его недовольство жизнью и терпеливое ожидание прекрасных перемен приобретает характер надрыва. Что и говорить, с таким характером Лазарю придется ой как нелегко, и дело здесь не столько в предполагаемой интеллигентности Лазаря, сколько в его мрачноватом взгляде на настоящие условия жизни.

Наиболее благоприятно судьба Лазаря может сложиться в том случае, если он научится любить жизнь такой, какая она есть, а заодно начнет совмещать свою мягкость с добрым чувством юмора. В противном случае в общении с ним люди могут испытывать странное гнетущее чувство, что создаст ему множество лишних сложностей.

Секреты общения. Лазарь очень не любит легкомысленность, хотя втайне может завидовать легкомысленным людям. Иногда, устав от своей серьезности, он начинает неосознанно тянуться к человеку, который живет под девизом «Бог не выдаст, свинья не съест!». В целом общение с ним не представляет особых трудностей — он практически всегда готов прийти на помощь или хотя бы посочувствовать.

Астрологическая характеристика:

Знак зодиака: Лев. Планета: Солнце. Цвета имени: золотисто-зеленый, красный. Наиболее благоприятный цвет: оранжевый. Камень-талисман: янтарь, сердолик.

Празднуем именины: 30 (17) октября — Лазарь Четверодневный, Китийский, епископ, друг Божий.

30 (17) ноября — Лазарь Константинопольский, иконописец иеромонах, исповедник.

След имени в истории. Согласно библейским преданиям, Лазарь Четверодневный был воскрешен Иисусом Христом из мертвых через 4 дня после погребения. Как только Иисус узнал о смерти Лазаря, брата Марфы и Марии, гостеприимно принимавших его в своем доме, он поспешил в Иудею, несмотря на грозящую ему там опасность, и, подойдя к дому Лазаря, увидел Марфу, вышедшую ему навстречу.

— Знаю, что ты попросишь у Бога, то даст тебе Бог, — сказала женщина, не смея попросить у Христа чуда напрямую.

В ответ Христос приказал отвалить камень от пещеры, где лежит покойник, и Марфа напомнила ему, что тело разлагается и смердит. «Лазарь! Иди вон!» — приказал ему Иисус, и тот действительно вышел из склепа, вняв его призыву, после чего прожил еще 40 лет в строгом воздержании и даже был поставлен первым епископом города Китиона на Кипре.

Еще один Лазарь — герой многих фольклорных текстов — в свое время был особенно популярен в народе, поскольку являлся своеобразным олицетворением нищеты и всех надежд и чаяний бедняков на лучшую жизнь.

По преданию, Лазарь Убогий был нищим, который в струпьях валялся у ворот богача, питаясь крошками, падающими с его стола. После смерти, однако, он был отнесен ангелами в рай, в отличие от жадного богача, который попал в преисподнюю и, мучаясь, взмолился к Аврааму, чтобы тот послал к нему Лазаря облегчить его страдания.

— Чадо! — рассудительно отвечал ему Авраам в ответ на все его стенания.— Вспомни, что ты получил уже доброе в жизни твоей, а Лазарь злое. Ныне же он здесь утешается, а ты страдаешь.

ЛЕВ

Значение и происхождение имени: имя имеет греческие корни, где оно означало то же, что и в русском языке,— лев.

Энергетика и Карма имени: это имя говорит само за себя, человек, который называет себя львом должен либо хоть немного соответствовать силе этого образа, либо же его имя обретет характер насмешки. Перво-наперво еще в период детства, Лёва может стать объектом ребячьей игры в дразнилки, когда соседские дети будут пытаться довести его своими насмешками до белого каления, чтобы Лёва немного погонялся за ними. Впрочем, многие родители, дающие своему ребенку такое имя, предпочитают изолировать мальчика от вредного по их мнению влияния улицы и часто тем самым оказывают Лёве поистине медвежью услугу. В конце концов, во взрослой жизни Льву все равно придется иметь дело с теми, кто вырос на такой же улице, и здесь может сказаться его абсолютное незнание этих людей. К примеру, они вдруг покажутся ему грубыми и злыми, отчего Лев и сам может основательно озлобиться.

Более благоприятно складывается судьба Лёвы, когда он, что называется, узнает жизнь. Рано или поздно детские обиды основательно забываются. Не исключено, правда, что в период юношества Лев еще услышит много насмешек, касающихся его мужских качеств, которые могут подвергаться сомнению со стороны соперников. Здесь у него два пути — либо доказывать свое мужество с помощью силы и скандалов, либо научиться относиться к этому спокойно. Здесь очень важно не забывать, что ущемленное самолюбие иногда наделяет человека весьма неприятными чертами характера. Иногда даже не мешает для самоутверждения и подраться, чтобы самолюбие получило необходимое удовлетворение и придало человеку уверенности в своих силах.

Если в юношеский период Лев сумеет набраться уверенности в себе, то его характер действительно будет соответствовать его имени, совмещая в себе уравновешенность, добродушие, честолюбие и энергичность. Если же нет, то все это омрачится такими чертами, как раздражительность и подозрительность, делающие его характер несносным. Может быть, окружающим это и не будет заметно, но вот семья от этих негативных качеств может основательно пострадать.

Впрочем, энергия имени все равно склоняет Льва к некоторой скрытности, так что даже если у него и будут проблемы с характером, то, скорее всего, на карьере это не отразиться, тем более что, извините за каламбур, львиная доля окружающих весьма благожелательно предрасположена к носителям этого имени.

Секреты общения. К сожалению, в близком кругу Лев часто склонен указывать людям на их недостатки, забывая о том, что он мог и ошибиться в своем восприятии. Это же часто относится ко Льву-начальнику, которого трудно убедить в своих благих намерениях, зато легко можно назвать чересчур придирчивым. Впрочем, если довольно подробно и без эмоций обсудить с ним конфликтные вопросы, то вполне возможно, что его придирки поменяют знак на противоположный. Если же перед вами уравновешенный Лев, то эти вопросы вообще не возникнут.

Астрологическая характеристика:

Знак зодиака: Лев. Планета: Сатурн. Цвета имени: салатовый, иногда синий. Наиболее благоприятный цвет: густо-зеленый. Камень-талисман: изумруд.

Празднуем именины: 5 марта (20 февраля) — Лев Катанский, епископ.

3 марта (18 февраля) — Лев I римский папа.

След имени в истории. Типичным примером честолюбивого, но вместе с тем веселого и добродушного Льва может послужить знаменитый физик-теоретик Лев Ландау (1908—1968), автор классического курса теоретической физики, с именем которого связывают следующую историю:

«Едут в купе старый и молодой еврей. Старый размышляет про себя: «Этот юноша небогат, иначе бы он ехал в первом классе. Он постелил постель, значит, едет до конца, в Бердичев. Судя по одежде, он студент, следовательно, едет по личному делу. Какие могут быть дела у молодого человека, кроме женитьбы? Итак, у нас в городе сейчас три невесты: Сара — но она невеста богатая, ее за него не отдадут. Рава — но она бесприданница, и он на ней не женится. Значит, Рая. Известно, что Рая выходит замуж за какого-то Рабиновича...» И старый еврей обращается к спутнику:

— Господин Рабинович...
— Откуда вы меня знаете?
— Вычислил.

— Ну вот, теперь вы знаете, что такое теоретическая физика — так обычно начинал свой курс лекций Лев Ландау.

ЛЕОНИД

Значение и происхождение имени: подобный льву (греч.).

Энергетика и Карма имени: легкость, оптимизм и основательность достигли в энергетике имени такого равновесия, что сегодня, пожалуй, это одно из наиболее благоприятных для жизни имен. Обычно это приводит к тому, что с детства Лёня растет достаточно жизнерадостным ребенком, довольно общительным и мало склонным к конфликтам. Есть, конечно, и исключения, однако большинство носителей данного имени обладают какой-то удивительной способностью переводить конфликтную ситуацию в шутку, что делает Леонида душой компании или же просто очень приятным человеком. При этом он умудряется не переигрывать в своей веселости и потому это не надоедает ни ему самому, ни окружающим. Безусловно, и ему знакомо чувство недовольства кем-либо, он может и вскипеть, но чаще всего плохое настроение выражается лишь в пожатии плечами, ну, может, еще рукой махнет, мол, ну тебя. Правда, если конфликт все же дойдет до драки, то, скорее всего, он и к этому будет готов.

Вместе с тем в отличие от иных жизнерадостных имен в данном имени кроме уравновешенности заложен достаточный заряд честолюбия и довольно энергичной деловитости, что делает Лёню не только приятным в общении, но и наделяет его хорошими деловыми качествами. Однако для самореализации ему нужна большая цель, без которой он может постепенно разлениться. Не исключено также некоторое пристрастие к алкоголю, свойственное многим компанейским людям.

Такие качества в молодости часто обеспечивают Леониду успех среди женщин, что, впрочем, едва ли вскружит ему голову, и эти же качества позволяют создать в семье все условия для нормальной жизни. Он достаточно хороший хозяин, в воспитании детей умеет проявить и заботу и твердость, но порою все может перечеркнуться тягой к спиртному. Наиболее оптимально для Леонида совмещать тихую семейную жизнь с большими планами, касающимися карьеры или личных занятий. В этом случае он не потеряет смысл жизни, и, скорее всего, удача не оставит его.

Наилучшим образом его положительные качества могут найти себе применение во всех сферах, связанных с общественным вниманием, будь то сцена, политика или же создание каких-либо детских или взрослых организаций. Из него может получиться прекрасный менеджер, руководитель или актер. С другой стороны, имя мало склоняет его к тихому и незаметному труду, тем более если Леонид уже успел хоть немного покрутиться в обществе и добиться кое-каких успехов. К сожалению, лишившись этого, Лёня вполне может впасть в депрессию.

Секреты общения. Обычно Лёня так хорошо сходится с людьми, что здесь какие-либо рекомендации просто излишни. Тем не менее не стоит задевать его самолюбие, особенно в области его профессиональных интересов. Он вряд ли поднимет скандал, но его расположение вы все же потеряете. В случае же открытой конфронтации будьте уверены, он сумеет за себя постоять.

Астрологическая характеристика:
Знак зодиака: Лев. Планета: Юпитер. Цвета имени: светло-зеленый, красный. Наиболее благоприятный цвет: фиолетовый. Камень-талисман: аметист.

Празднуем именины: 18 (5) июня — Леонид Египетский, мученик.

30 (17) июля — Леонид Устьнедумский, иеромонах.

21 (8) августа — Леонид, мученик.

След имени в истории. О том, что большинство Леонидов действительно легкие люди, можно судить хотя бы по тому, сколько людей с этим не таким уж частым именем сейчас на слуху: Ярмольник, Филатов, Якубович... Все эти люди добродушные, общительные, талантливые, каждый из них пришел к известности лишь благодаря упорному труду, надеясь только на собственные силы. Взять хотя бы Леонида Якубовича: его головокружительной карьере телеведущего предшествовал строительный институт и работа на ЗИЛе, затем десятилетнее пребывание в КВН, выступления с чтением своих рассказов на эстраде. Зато такой разнообразный опыт научил его чувствовать аудиторию и, как результат, мгновенно реагировать на настроение зала.

Шутки и розыгрыши Леонид Аркадьевич любит не только в шоу, но и в жизни. Так, он обожает разыгрывать своих друзей, записывая на автоответчике, к примеру, следующее: «Ушел красить Останкинскую телебашню помазком для бритья». Что же касается самооценки Леонида Якубовича, то, говоря о себе, он скромно замечает: «Я — сумасшедший республиканского масштаба». И к этому, пожалуй, трудно что-либо добавить.

ЛУКА, ЛУКЬЯН

Значение и происхождение имени: от латинского корня, означающего свет.

Энергетика и Карма имени: надо, наверное, быть слепым, чтобы не заметить явную ассоциацию имени Лука со словом «лукавый», однако, как это часто бывает, слишком явное указание на какое-либо качество вызывает обратный эффект. Не исключено, что именно намек на хитрость, содержащийся в имени, вызовет в душе у Луки неприятие какой бы то ни было лжи и неискренности как своей, так и чужой. Хотя, конечно, в отдельных случаях Лука и в самом деле может научиться лукавству исходя из того простого соображения, что раз уж все равно над ним подшучивают и подозревают, то почему бы не использовать это качество в корыстных целях? Впрочем, это случается крайне редко.

Так это или нет, однако имя все же заставляет Луку задуматься над проблемой человеческих взаимоотношений, что обычно помогает ему неплохо разбираться в психологии и довольно тонко чувствовать собеседника. Вполне возможно, что он будет очень остро чувствовать чужую фальш, определяя ее по малейшим интонациям голоса. Кроме того, уравновешенная энергетика имени наделяет Луку хорошим аналитическим умом.

Обычно человек с таким именем обладает значительным самолюбием и склонен к честолюбивым устремлениям. Быть может, ему несколько недостает пробивных способностей, но, относясь к делу как к необходимости и используя трезвый расчет, он может добиваться неплохих результатов в карьере. Наиболее хорошо его таланты раскрываются в сферах, требующих спокойного рассуждения и кропотливости. В семейной жизни у него тоже не предвидится большого количества проблем. Он хороший хозяин, редко когда горячится и не склонен срывать свое раздражение на близких людях. Единственное, чего он вряд ли когда сможет простить, так это неискренности и тайных измен.

Иначе складывается жизнь тех, кто предпочитает называть себя Лукьяном. В этом случае все вышеперечисленные аспекты могут быть перечеркнуты импульсивностью и горячностью Лукьяна. Зато, с другой стороны, его уже вряд ли кто сможет упрекнуть в нехватке пробивных качеств.

Секреты общения. Лука — человек логичный, и это следует учитывать в общении с ним. Кроме этого, обратите внимание на то, как он обычно представляется людям, и если он называет себя Лукьяном, то я бы не рекомендовал пытаться с ним спорить — это может привести к конфликту.

Астрологическая характеристика:

Знак зодиака: Близнецы. Планета: Меркурий. Для Лукьяна — Марс. Цвета имени: зеленый, черный. Для Лукьяна также характерен красный. Наиболее благоприятные цвета: оранжевый, белый. Камень-талисман: агат, янтарь.

Празднуем именины: 28 (15) октября — Лукиан Антиохийский, пресвитер, священномученик.

16 (3) июня — Лукиан Бельгийский, епископ, священномученик.

10 сентября (28 августа) — Лукиан Печерский, пресвитер, священномученик.

След имени в истории. Умнейшим и образованнейшим человеком своего времени по праву считается греческий писатель Лукиан (120—190 гг.), чьи сочинения («Диалоги гетер», «Диалоги в загробном царстве» и другие) являют собой прекрасный образец древнегреческой сатиры.

Человек очень умный, хороший психолог и знаток человеческой природы, Лукиан знал, что именно юмор лучше всего доходит до людского сердца, а боязнь быть высмеянным часто помогает человеку избежать многих ошибок. В своих книгах Лукиан, как это и полагается сатирику, высмеивал все замечаемые им общественные пороки, но самой больной темой для него была, несомненно, тема суеверий и мистического тумана, под властью которого люди нередко сходили с ума. Он объявил беспощадную войну всякого рода ведьмам, колдунам и другим шарлатанам, вытягивающим из людей деньги и только морочащим им голову.

Произведения Лукиана, яркие, смелые, выдают склонность автора к экспериментаторству: то он берет за основу своей книги якобы существовавшие когда-то письма, то пародирует всем известные мифы и популярные сочинения, то облекает повествование в живую форму диалога... После себя Лукиан оставил более 80 произведений, каждое из которых — немалый вклад в литературу эпохи Возрождения.

МАКАР

Значение и происхождение имени: блаженный, счастливый (греч.).

Энергетика и Карма имени: энергетику имени Макар, а стало быть, во многом и характер самого Макара, в первую очередь определяет такое качество, как сдержанность. Это имя обладает достаточной прочностью, а недостаток пластичности компенсируется слабой реакцией Макара на внешнее воздействие. Иногда человек с таким именем выглядит несколько холодновато, он нередко бывает замкнут, по крайней мере, чересчур общительным его назвать тяжело, но и отсутствием эмоций Макар тоже не отличается. Наоборот, ему присуща значительная внутренняя сила, которая, по счастью, редко тратится на пустые разговоры и бесполезные мечтания. Макар человек дела, чем, собственно, и гордится.

Вообще, большинству Макаров свойственно значительное самолюбие и независимость. Впрочем, он умеет прощать и сдерживать свои обиды, при этом его негативные эмоции хоть и не имеют легкого выхода, все же и не накапливаются в его душе, как это отмечается для многих других замкнутых имен. Вместо этого его энергия получает иное направление — Макар использует ее на конкретное решение проблемы, вызвавшей конфликт, в то время как месть очень редко входит в его планы. Кроме того, ему не приходится прятать свои обиды еще и потому, что он обычно умеет сразу постоять за себя, предпочитая «махать кулаками» не после «драки», а в самый разгар таковой. Тем не менее и душевных чувств к обидчику после разрешения конфликта он тоже не будет испытывать.

Сдержанный, энергичный, Макар имеет все шансы добиться значительных успехов в какой-нибудь карьере и тем самым удовлетворить свои честолюбивые запросы. Он достаточно легко входит в коллектив, и за его немногословием часто можно увидеть готовность прийти на помощь. Вот только не надо пытаться использовать его умение сочувствовать в корыстных интересах. Благоприятен характер и для нормальной семейной жизни, если, конечно, в семье действуют принципы справедливости. В остальном же Макару можно пожелать чуть побольше открытости в отношении с близкими и чувства юмора. Это поможет избежать некоторых недоразумений и жизненных ошибок.

Секреты общения. Сдержанность и внутреннее добродушие Макара нередко склоняет людей к тому, чтобы попытаться подчинить Макара своей воле, и очень плохо, если за внешним спокойствием человек не заметит его недовольства. Да, Макар быть может не покажет виду, но он просто спокойно перешагнет через такого непрошенного седока на свою шею и вряд ли уже вернет свое расположение к нему.

Астрологическая характеристика:

Знак зодиака: Скорпион. Планета: Плутон. Цвета имени: желтовато-красный, стальной. Наиболее благоприятный цвет: для общения с близкими — белый, благоприятны теплые оттенки коричневого. Камень-талисман: алмаз, опал, яшма.

Празднуем именины: 4 марта (19 февраля) — Макарий Мавританский, пресвитер, священномученик.

26 марта, 20 сентября (13 марта, 7 сентября) — Макарий Переяславский, архимандрит, священномученик.

1 февраля (19 января) — Макарий Великий, Египетский, иеросхимонах.

След имени в истории. Множество всевозможных чудес предания приписывают святому Макарию Александрийскому, отшельнику и чудотворцу, для которого общение с нечистой силой, судя по всему, было делом обычным. Во всяком случае, как-то раз, согласно преданию, черти настолько одолели отшельника, соблазняя его оставить пустыню и вернуться в Рим, что в ответ он лег на порог своей кельи и, положив ноги наружу, предложил: «Тяните и тащите меня, бесы, сами, если можете, а своими ногами я в Рим не пойду».

Что же касается целительской практики, то, как описывает «Житие», однажды к Макарию привели кобылицу, а точнее — женщину, колдовством превращенную в животное. Осмотрев пациентку, святой рассудительно обратился к приведшим ее родственникам: «Вы сами звери, если не в силах различить того, чего видите. Эта женщина ни во что не превращена, она только околдована и потому кажется вам кобылицею»,— и он спрыснул голову женщины святой водой, после чего все тотчас увидели, что это и вправду не кобылица, а человек.

МАКСИМ

Значение и происхождение имени: величайший (лат.).

Энергетика и Карма имени: энергетика этого имени буквально пропитана честолюбивыми устремлениями, причем это воздействие отмечается по всем главным пунктам. Здесь и мелодия имени, замирающая на высочайшей ноте, и конкретный смысл, и ассоциации, и общеизвестные исторические и литературные образы, начиная от пулемета Максим с его одноименного изобретателя и заканчивая Максимом Перепелицей и даже Максами-героями рекламных роликов. Одним словом, все силы сконцентрированы на одном и, попадая в резонанс, достигают огромной мощности. Я бы не сказал, что это так уж благоприятно.

Во-первых, гордость и честолюбие хороши, когда они в меру, и потому очень неплохо, если в процессе воспитания эти черты у Максима были уравновешены. Если так, то положительная энергия его имени способна обеспечить ему благорасположенность окружающих, а завидная энергичность позволит добиться хороших успехов в карьере. Во-вторых, очень часто гордость наталкивается на жесткое, а порой и жестокое сопротивление людей и не исключено, что у Макса однажды не хватит сил отстоять свое достоинство. Он может сломаться, и если это произойдет, то громкое имя будет только еще больше угнетать его самолюбие, он рискует потерять свою самоуверенность, впадет в депрессию, и удача отвернется от него. По крайней мере, на практике такие случаи отмечались неоднократно, из чего явствует, что умеренность никогда не повредит. Впрочем, часто Макс умудряется находить сильных покровителей, позволяющих ему избежать подобной участи, правда, при этом теряет самостоятельность.

Особенно удачлив Максим может быть в молодые годы, когда завышенная самооценка менее опасна, а в отдельных случаях даже помогает самоутвердиться. Тем более что обычно энергия имени тянет его в интелектуальные или какие-либо иные круги, считающиеся элитными, где красивый образ ценится выше, чем сила. Особенно это касается женщин, для которых в этом возрасте одного только имени Макс бывает достаточно, чтобы пробудить романтические мечты. Жаль только, что молодость всегда проходит очень быстро. Иногда даже повзрослев, Макс пытается продолжить юношеское веселье, не замечая, что смотрится при этом нелепо. Одним словом, сильное имя таит в себе множество опасностей и соблазнов.

Зато если Максиму удается преодолеть излишнее самолюбие и гордость, из него может получиться весьма неординарная личность. В этом случае у него будет много хороших шансов проявить свойственные ему интелектуальность и способности, ведь энергии у Максима обычно более чем достаточно, надо только направить ее в нужное русло.

Секреты общения. При первом знакомстве с Максимом очень многое о его характере может сказать его манера называть себя. Более уравновешенные склонны представляться как просто Максим, если же он предпочитает имя Макс, то это обычно говорит о значительной гордости, честолюбии, а возможно, и о склонности к элитарности. Соответственно и общение с ним надо строить, исходя из этого.

Астрологическая характеристика:

Знак зодиака: Весы. Планета: Солнце. Цвета имени: теплые оттенки желтого, красный. Наиболее благоприятный цвет: густо-зеленый. Камень-талисман: изумруд, хризопраз.

Празднуем именины: 3 февраля (21 января) — Максим Грек, преподобный.

26 (13) августа — Максим Исповедник, преподобный.

(11 ноября) — Максим Московский, Христа ради юродивый.

13 мая (30 апреля) — Максим мученик.

След имени в истории. Если бы Максиму Греку (ок.1475—1556) на заре его блестящей карьеры публициста, писателя, философа и богослова сказали, что суждено ему 22 года провести в заточении в монастыре варварской России, он вряд ли поверил бы. И даже когда русский князь Василий III выписал к себе многообещающего церковника для перевода богословских книг, ничто не предвещало таких осложнений. Правда, когда после выполнения первого поручения Максим Грек захотел вернуться на родину, ему в этом мягко отказали, и тогда он, поняв, что застрял в Москве уже надолго, втянулся в местную жизнь и даже принял участие в религиозных спорах. Последнее и стало его роковой ошибкой.

Действительно, только человек нерусский мог во всеуслышание заявить, что церкви пора вернуться к аскетизму, отказавшись от накопления материальных ценностей. В результате — осуждение церкви, ссылка, заточение...

Будучи человеком широко образованным, Максим Грек еще в Москве собрал вокруг себя кружок единомышленников, где обсуждались любые проблемы — от религии до политики и философии. После себя он оставил больше 150 книг, статей и проповедей, в которых так ярко рисуется его собственный портрет — одинокого идеалиста, слишком образованного для своего времени.

МАКСИМИЛИАН

Значение и происхождение имени: предположительно имя означает «величайший из рода Эмилиев» (лат.).

Энергетика и Карма имени: в силу своей энергетики имя Максимилиан способно наделить человека огромным самолюбием, уверенностью в себе и подвижностью. Впрочем, последнее качество отнюдь не означает исключительно двигательную активность, гораздо чаще речь идет об эмоциональной подвижности. С самого детства Максимилиан обычно отличается любознательностью и способностью быстро усваивать информацию. Он настолько легко увлекается и так часто эти увлечения сменяют одно другое, что кажется, будто бы Максимилиан решил посвятить себя сразу же всему на свете. Тем не менее благодаря способности к быстрому запоминанию приобретенные им знания нельзя назвать слишком поверхностными.

Интересно, что в большинстве случаев у Максимилиана замечается некое внутреннее «второе я», и это тоже связано с особенностями имени. Так, среди сверстников он ощущает себя как просто Максим, а один на один с собой и с близкими людьми становится уже не совсем обыкновенным Максимилианом. С одной стороны, это способно пробудить в нем сознание своей неповторимости, придать уверенности в себе, наделить верой в свою счастливую и необыкновенную судьбу, а с другой — может склонить его к тому, что большую часть своей жизни Максимилиан проживет не среди окружающих его людей, а в своих собственных фантазиях.

Хорошо это или нет — зависит от многих обстоятельств, в частности от воспитания. Если Максимилиан не научится проявлять некоторую терпеливость, он, в силу частой смены своих интересов, может так и не довести до конца ни одно дело. Да, он будет хорошо эрудированным человеком, но, увы, вряд ли добьется какого-либо успеха в карьере или творчестве. То же касается и семейной жизни, где для нормальных взаимоотношений решающее значение имеет постоянство привязанностей и чувств, что далеко не всегда можно заменить щедростью и широтой души.

Наиболее благоприятно складывается судьба Максимилиана, если с самого детства он был приучен к ежедневному кропотливому труду, а личные интересы удовлетворял в свободное от основных занятий время.

Секреты общения. Если вы затеяли какое-либо совместное дело с Максимилианом, то не забывайте о его способности быстро увлекаться и так же быстро остывать. Кроме того, во время разговора надо быть готовым к тому, что

Максимилиан может неожиданно потерять нить беседы и уйти во власть собственных мыслей. Если хотите привлечь сго внимание, попробуйте поговорить о каких-либо путешествиях и приключениях.

Астрологическая характеристика:

Знак зодиака: Близнецы. Планета: Меркурий. Цвета имени: оранжевый, салатовый, серебристый. Наиболее благоприятные цвета: черный, коричневый. Камснь-талисман: лабрадор, яшма, морион.

Празднуем именины: 17 августа, 4 ноября (4 августа, 22 октября) — Максимилиан Ефесский.

След имени в истории. «Великий, мудрый и добрый человек» — так писала поэтесса Марина Цветаева о Максимилиане Волошине (1877—1932). Он жил то в Париже, то в Коктебеле (Крым), занимался то живописью, то переводами, то литературой. Свой дом в Коктебеле он превратил в бесплатный приют для неприкаянных художников и писателей, а после смсрти завещал его Союзу писателей и тем не менее не переставал сожалеть, что не может сделать большего для людей, живущих творчеством. Свою жизнь, яркую, как фейерверк, он сумел прожить так же цельно, гармонично и легкс, как будто она была одним из его стихотворений.

Считая живопись «величайшим наслаждением», в историю Волошин вошел все же в первую очередь как поэт, давший классические образцы сонета и венка сонетов, как мастер лирического и стихотворного пейзажа, любившего говорить о себе: «Я — странник по мировым путям и перепутьям».

МАРК

Значение и происхождение имени: предположительно имя Марк произошло от латинского корня, означающего «молоток».

Энергетика и Карма имени: Марк — это имя трезвого, практичного и самостоятельного человека. Нетрудно заметить, что среди большинства других употребимых в России имен, оно звучит как иностранное, что, конечно же, так или иначе скажется на самосознании Марка. Обычно человек с таким именем обладает повышенным самолюбием, которое в сочетании с уравновешенностью и несклонностью к мучительным самокопаниям вполне способно перерасти в ощущение своего права на некоторое превосходство. Впрочем, практичный Марк во избежание недоразумений, скорее всего, предпочтет не показывать это самомнение окружающим.

Несмотря на свой трезвый ум, Марк все же далеко не лишен воображения и мечтательности. Другое дело, что его мечты обычно имеют под собой довольно твердую почву и совершенно не похожи на романтические витания в облаках. Несомненно, он очень честолюбив, но при этом старается не забывать и о чисто материальной стороне жизни. Обладая твердым характером и неплохими волевыми качествами, Марк может добиться заметных успехов в жизни, а явные дипломатические способности могут сделать из него хорошего руководителя.

Жаль только, что в некоторых случаях Марк стремится восполнить недостаточную глубину своих чувств логикой и актерской игрой. Кроме того, предпочитая скрывать свои негативные эмоции на людях, он может давать им волю в кругу своих близких. Если же, кроме этого, он начинает для утверждения в коллективе разыгрывать некую теплоту отношений, то со временем это может вытеснить из его души реальное тепло. В целом ему можно пожелать побольше искренности во взаимоотношениях и побольше вникать в проблемы близких людей. В противном случае его строгость способна создать довольно холодные и натянутые отношения в семье.

Секреты общения. С практичным Марком лучше всего говорить на языке логики, расставляя акценты на конкретных выгодах и перспективах. Трудно ожидать, что он затеет скандал с сослуживцами или с малознакомыми людьми, тем не менее, если это случится, то можно попробовать исправить ситуацию с помощью спокойного юмора.

Астрологическая характеристика:
Знак зодиака: Дева. Планета: Сатурн. Цвета имени: желтый, красный, стальной. Наиболее благоприятный цвет: белый. Камень-талисман: агат, алмаз.

Празднуем именины: 17 января, 8 мая (4 января, 25 апреля) — Марк Евангелист, апостол от 70-ти, епископ Александрийский, Вавилонский, священномученик.

18 (5) марта — Марк Египетский, Постник, ученик святого Иоанна Златоуста.

11 октября, 11 января (28 сентября, 29 декабря) — Марк Печерский, Гробокопатель.

След имени в истории. Одним из непревзойденных юмористов всех времен и народов по праву считается американский писатель Марк Твен (1835—1910). На его природное чувство юмора не повлиял даже тот печальный факт, что при рождении родители назвали его Сэмюэлем Ленгхорном — во всяком случае, в жизни и творчестве писателя гораздо большую роль сыграл его удачный псевдоним, отразивший реальное положение дел.

Подобно еще одному великому шутнику Бернарду Шоу, Марк Твен блистал остроумием не только в книгах, но и в жизни, сыпля афоризмами на каждом шагу. Так, однажды, когда знаменитый английский актер Генри Ирвинг начал рассказывать историю из своей сценической жизни, он вдруг обратился к Марку Твену с вопросом:

— Вы еще не слышали эту историю?

— Нет, — искренне ответил Марк Твен.

Ирвинг продолжал рассказ, но вдруг опять остановился и снова спросил писателя:

— Так вы действительно не знаете эту историю?

— Да нет же, я впервые ее слышу, — ответил тот.

Ирвинг продолжал рассказывать, но, подойдя к кульминационному моменту, снова спросил Марка Твена, не знает ли он этой истории.

— Послушайте, Ирвинг, — сказал Марк Твен, которому порядком все это надоело, — дважды я еще могу соврать, но три раза — это слишком. Эту историю я написал три года назад.

МАТВЕЙ

Значение и происхождение имени: от древнееврейского имени Матфей — Божий дар, дарованный Господом.

Энергетика и Карма имени: на сегодняшний день имя Матвей довольно редкое, хотя и не исключено, что вскоре оно может войти в моду. По крайней мере, сегодня такие тенденции можно заметить. Тем не менее сейчас на носителя этого имени в первую очередь воздействует его редкость и некоторая старомодность.

Еще один момент, который желательно не упускать из виду: это вопрос, в каких случаях родители дают ребенку немодное имя? Прежде всего такие имена своим детям дают те, кто не привык следовать за модой, а, скорее, склонен сам ее создавать, т. е. люди достаточно самоуверенные и не предрасположенные к комплексам. Следовательно, и воспитание Матвея будет происходить именно с этих позиций. Однако точно так же могут поступить и те родители, для которых Матвей — поздний ребенок, и они смотрят на него лишь с позиций собственной любви через призму философского отношения к жизни. Здесь будет уже другой ключ воспитания, и родители будут стремиться сделать из ребенка послушного кроткого человека. Впрочем, часто такая позиция не проходит испытания реальной жизнью и, скорее всего, судьба Матвея будет определяться иными причинами.

Каковы бы ни были мотивы родителей, но Матвею все же придется испытать неудобства, связанные с непривычностью имени. Причем, поскольку в имени ощущается некая простонародность, то именно это Матвей и будет пытаться преодолеть. Если это ему не удастся, то может, осуществится мечта тихих родителей, но надо сказать, что «заводная» энергетика имени способна помочь Матвею и, скорее всего, он все-таки преодолеет возможные в детстве и юношестве насмешки. И тогда неудобства имени только подчеркнут его достоинства как самоценной личности, а добродушие и незлопамятность обеспечат большое количество друзей, среди которых он даже может стать лидером.

Такая тенденция во взрослом возрасте чаще всего находит свое продолжение в честолюбивых замыслах Матвея: не исключено, что он будет стремиться в несколько элитные круги, где в силу своего редкого имени будет даже более заметным, однако при этом следует быть осторожным, чтобы однажды у него не закружилась голова.

Секреты общения. Часто Матвей может оказаться азартным спорщиком, и здесь с ним очень трудно бывает прийти к согласию. Тем не менее обычно в споре он не обижается и едва ли перейдет на оскорбления. Легче всего прекратить этот спор можно, заключив с ним шутливое пари, если, конечно, вы сами умеете проигрывать и признавать поражение безболезненно. Кстати говоря, добиться расположения Матвея можно безо всяких дополнительных ухищрений, достаточно просто уметь уважать собеседника и быть при этом самоценной личностью.

Астрологическая характеристика:

Знак зодиака: Рак. Планета: Юпитер. Цвета имени: теплый желтый, красный, синий. Наиболее благоприятный цвет: любой из вышеназванных. Камень-талисман: благородный опал.

Празднуем именины: 26 июня, 29 ноября (13 июня, 16 ноября) — Матфей, апостол из 12-ти и евангелист, священномученик, бывший мытарь, брат апостола Иакова Алфеева.

18 октября, 11 октября (5 октября, 28 сентября) — Матфей Печерский, Прозорливый.

След имени в истории. Что такое лицо города? Наверное, в первую очередь это его архитектура, здания, которыми по праву гордятся все горожане и мимо которых проложены туристические маршруты. А значит, хорошего архитектора вполне можно назвать городским визажистом. Именно таким визажистом для города Москвы и стал архитектор Матвей Казаков (1738—1812), один из основоположников классицизма в русской архитектуре XVIII века. Ему удалось уловить и великолепно передать в своих работах сам дух российской — в частности, московской — жизни, и потому видимая широта и размах спроектированных им зданий сочетается с удивительной их рациональностью.

Профессионал в своем деле, Матвей Казаков был прекрасным графиком, владел техникой архитектурного чертежа и обладал широкими познаниями во всем, что касается градостроительства. А потому неудивительно, что именно ему доверили руководство в таком важном и ответственном деле, как составление планов застройки Москвы и 13 архитектурных альбомов самых грандиозных московских зданий (построенных не только самим Казаковым, но и другими архитекторами). Одним словом, можно смело заключить, что московский облик (особенно в конце XVIII — начале XIX века) в немалой степени несет на себе отпечаток личности одного из главных архитекторов столицы — Матвея Казакова, тем более если учесть, что именно он принимал участие в строительстве Военно-воздушной академии им. Жуковского (бывший Петровский дворец), Колонного зала, а также являлся помощни-

237

ком Баженова по проектированию Большого Кремлевского дворца.

МИРОН

Значение и происхождение имени: имя происходит от названия благовонного масла — «миро» (греч.).

Энергетика и Карма имени: от этого имени веет какой-то еле уловимой грустью и поразительным добродушием. Возможно, даже щедростью души. Здесь сказывается и неторопливая мелодия имени, и явные ассоциации со словом «мир», и, наверное, в какой-то степени притягательный своей добротой образ актера Андрея Миронова. Да-да, это, похоже, тот самый случай, когда фамилия играет роль не меньшую, чем имя.

В то же время, несмотря на всю свойственную Мирону мягкость, его вряд ли можно заподозрить в недостатке твердости. Обычно человек с таким именем обладает достаточно волевым характером, он трудолюбив и настойчив, просто это прекрасно сочетается с человеколюбием и добросердечностью. Мирон обычно щедрый друг, готовый прийти на помощь и умеющий сочувствовать и сопереживать, однако при этом и за себя может постоять в случае необходимости.

Нельзя также упускать из виду самолюбие Мирона, которое обычно довольно уравновешено и редко бывает болезненным. Зато оно явственно проявляется в характерных честолюбивых устремлениях. Здесь Мирон, скорее всего, приложит все силы, чтобы реализовать свои способности в какой-либо карьере, а вот выбор этой карьеры часто зависит от его воспитания. Не исключено, что Мирон в этом вопросе захочет пойти по стопам родителей.

Вообще, роль воспитания в жизни Мирона очень значительна. Внутренняя уравновешенность в детстве делает его чрезвычайно податливым к влиянию родителей или других людей, имеющих для него авторитет. Так, скажем, родители могут развить в Мироне его предрасположенность к доброму юмору, а могут наоборот — усилить его склонность к легкой грусти до полной меланхолии. Безусловно, первый вариант куда как благоприятнее. Бывает и так, что родители ненароком усиливают твердость Мирона, хотя в любом случае трудно представить, чтобы в его характере с возрастом стала заметно проявляться некая жесткость. Словом, это имя довольно благоприятно для нормальной полноценной жизни и здоровых взаимоотношений с окружающими.

Секреты общения. Едва ли общение с Мироном вызовет у вас какие-либо затруднения, тем не менее следует помнить, что он обычно довольно отрицательно реагирует на неискренность, необязательность и тем более на откровенную ложь. Может до конфликта дело и не дойдет, но уважение его вы потеряете.

Астрологическая характеристика:

Знак зодиака: Козерог. Планета: Венера. Цвета имени: теплые тона желтого, стальной. Наиболее благоприятный цвет: фиолетовый. Камень-талисман: аметист, турмалин.

Празднуем именины: 30 (17) августа — Мирон Кизический.

21 (8) августа — Мирон Критский, епископ.

След имени в истории. С именем удивительного по доброте человека Мирона, епископа Критского, связано немало легенд, однако красивее любой сказки звучит правда о нем. Так, говорят, что когда он еще был обыкновенным земледельцем, то, застав на гумне воров, не только и не подумал их наказать, но и наоборот, помог воришкам поднять на плечи мешки с его зерном. Это и стало первым в жизни чудом Мирона: пристыженные и подавленные его добротой, воры впоследствии стали вести честную жизнь и даже отдали ранее награбленное законным владельцам.

Когда же жители Крита единодушно избрали Мирона епископом, тот, если верить сказаниям, начал творить уже настоящие чудеса, какие под силу далеко не каждому волшебнику. Однако только один раз в чудодейственной силе епископа Мирона возникла особая необходимость: река Тритон вышла из берегов, и ее буйные воды грозили разрушить немало домов и унести жизни их хозяев. Тогда одним движением жезла епископ прекратил наводнение — сначала он вовсе остановил воды реки а затем, перейдя через нее, как посуху, второй раз махнул жезлом, после чего вода спала, и река восстановила течение, войдя в свое прежнее русло.

МИТРОФАН

Значение и происхождение имени: явленный матерью (греч.).

Энергетика и Карма имени: так случилось, что благодаря творчеству Дениса Фонфизина и в частности его пьесе «Недоросль» имя его главного героя — Митрофанушка — одно время было чуть ли не нарицательным. Конечно, в разных слоях общества это проявлялось по-разному, однако на сегодняшний день имя Митрофан практически вышло из употребления и выглядит как совсем уж устаревшее. Скорее всего, человек с таким именем будет чувствовать себя в обществе довольно неуютно, и самолюбие Митрофана может стать довольно болезненным. В некоторых случаях это приводит к развитию комплекса неполноценности, в других же — склоняет человека на поиск путей самоутверждения в обществе. Если Митрофан умеет с юмором отнестись к своему имени, то оно может быть принято обществом довольно благосклонно. Так, сегодня в околобогемных компаниях входят в моду всякие забавные и устаревшие имена, такие как Митрофан, Феофан и тому подобное, которые, если их умело подать, способны выгодно выделить человека среди обладателей привычных и потому безликих имен. Кроме того, многие Митрофаны предпочитают менять свое имя на более нейтральное, как, скажем, Митя, хотя полностью от уколов самолюбия это и не спасает.

В целом же Митрофан обычно довольно добродушен, трудолюбив и к тому же обладает прекрасным воображением. Чувствительное самолюбие и некоторая страстность, заложенная в энергетике его имени, заставляют его больше жить внутренней жизнью, скрытой от глаз окружающих. Неудивительно, если мечты будут заменять ему реальность. Вполне возможно, что на людях Митрофан будет держаться несколько замкнуто, однако в близком кругу, где никто не ставит под сомнение его достоинства, он вполне может стать душой компании. Особенно если его характеру не чуждо будет чувство юмора.

С этих позиций Митрофан мог бы хорошо реализовать свои таланты в какой-либо творческой профессии, однако для полноценного успеха ему все же следует несколько сгладить свое самолюбие и набраться уверенности в себе.

Секреты общения. В разговоре с Митрофаном не стоит забывать, что вы имете дело с болезненно самолюбивым человеком. Пусть он не склонен к конфликтам и не станет вызывать вас на дуэль, если вы каким-то образом оскорбите его, все равно, расположение Митрофана вам вряд ли уже когда вернуть.

Астрологическая характеристика:

Знак зодиака: Рак. Планета: Луна. Цвета имени: желтый, коричневый, фиолетовый. Наиболее благоприятный цвет: белый. Камень-талисман: агат, опал, серебро.

Празднуем именины: 20 августа, 6 декабря (7 августа, 23 ноября) — Митрофан Воронежский, епископ.

17 (4) июня — Митрофан Константинопольский, патриарх.

След имени в истории. Знаменитый хор имени Пятницкого считается одним из самых престижных в России и известен во всем мире, однако мало кто вспоминает, слыша красивое пение, человека, этот хор основавшего. Митрофан Пятницкий (1864—1927), музыкант, исполнитель и собиратель народных песен, вырос в семье дьячка и учился в духовном училище, однако главным делом своей жизни всегда считал музыку. 24 года он проработал простым делопроизводителем в одной из московских больниц, одновременно беря уроки пения. Затем — также параллельно с работой — стал выступать на концертах, исполняя народные песни. Всего за свою жизнь Митрофан Пятницкий записал на фонограмму около 400 русских народных песен, бесценных для всех, кому небезразлично наше прошлое, а также собрал большую коллекцию костюмов и народных инструментов.

Лишь последние 10 лет своей жизни Пятницкий получил заслуженное признание; его хор вырос в большой и профессиональный исполнительский коллектив, а имя стало известным всей России. Впрочем, слава, как таковая, не привлекала его никогда; самое главное, чего он упорно добивался,— это возможности посвящать творчеству все свое время без остатка. И Пятницкий эту возможность действительно получил — пусть не сразу, зато в полном объеме.

МИХАИЛ

Значение и происхождение имени: кто как Бог (евр.).

Энергетика и Карма имени: по звуковой энергетике это имя довольно светлое и тихое, хотя заканчивается на достаточно низкой ноте, придающей слову некоторую основательность и даже строгость. Не зря на Руси оно стало прозвищем медведя — Михайло Потапыч. С другой стороны, за его тишиной можно разглядеть ясно выраженную подвижность, а то и порывистость. Конечно, воздействие имени на человека в данном случае заметно сглажено, и обусловлено это тем, что сегодня данное имя является очень распространенным; тем не менее оно все равно во многом определяет характер своего носителя.

Чаще всего с самого детства у Миши проявляются такие черты, как подвижность, любознательность, азартность в детских играх. Вряд ли его интерес сосредоточится на каком-либо одном предмете, скорее его будут привлекать самые разнообразные занятия: от всевозможных увлечений и хобби до интереса к школьным предметам. Многое здесь будет определяться влиянием родителей и той среды, где Миша вырастет. При этом его подвижность обычно уравновешена, что делает его довольно послушным ребенком, капризы которого редко слишком сильно беспокоят родителей. Вообще, имя склоняет его к добродушию, однако оно же частенько наделяет своего владельца изрядной обидчивостью. Порою обиды достигают такой силы, что Миша может и руки распустить, о чем вскоре начинает жалеть и чувствовать себя виноватым.

Во взрослом возрасте подвижность Михаила сменяется спокойной уравновешенностью, в семье он обычно неплохой хозяин, на работе — аккуратный и старательный работяга, но обидчивость может остаться присущей ему на протяжение всей жизни. Это существенный момент. Во-первых, он свидетельствует о значительном самолюбии Михаила. Во-вторых, обиды могут всерьез осложнить ему жизнь и помешать исполнению многих жизненных планов.

Очень важно помнить, что часто обидчивость не совместима с честолюбивыми устремлениями, если человек наметил для себя высокие цели, он должен быть готов к сопротивлению окружающих и даже их противодействию.

Это объективный закон психологии, и обижаться на него не так уж умно. Интересно, что многие Михаилы преодолевают это сопротивление с помощью чувства юмора, граничащего нередко с едкой иронией. Большинство людей беззащитны перед таким оружием, и потому бывает полезно, чтобы эти качества получили у Миши достаточное развитие, не зря ведь сегодня среди Михаилов так много сатириков и юмористов. Впрочем, и здесь надо знать меру, иначе можно нажить себе великое множество тайных врагов, которые куда опаснее явных. Наиболее же оптимально для Михаила — это избавить свое самолюбие от болезненности, что можно сделать с помощью простой веры в себя и умения видеть за недостатками людей не злой умысел, а недоразумения, причем не только чужие, но и свои.

Секреты общения. При всем своем спокойствии нередко Михаил любит затевать всевозможные споры, в которых частенько либо горячится, либо довольно удачно иронизирует. Тем не менее едва ли будет логично, если и вы ответите ему тем же, гораздо уместнее признать не его правоту, а его право на такую точку зрения, если она, конечно, не связана с личными оскорблениями. Не стоит также забывать, что среди Михаилов мало злопамятных людей.

Астрологическая характеристика:

Знак зодиака: Весы. Планета: Меркурий. Цвета имени: желтый, светло-коричневый, иногда салатовый. Наиболее благоприятные цвета: зеленый, коричневый. Камень-талисман: яшма, хризопраз.

Празднуем именины: 21 ноября, 19 сентября (8 ноября, 6 сентября) — Михаил Архангел, Архистратиг.

5 декабря (22 ноября) — Михаил Болгарский, равноапостольный.

31 (18) декабря — Михаил Константинопольский, преподобный, исповедник.

След имени в истории. Про предсказателя Мишеля Нострадамуса рассказывают множество различных историй, некоторые из которых похожи на анекдоты. Говорят, что однажды, когда он сидел у своего дома, мимо прошла хорошенькая дочка его соседа, направлявшаяся в лес за хворостом.

— Добрый день, мсье, — проговорила она.

— Добрый день, девочка, — ответил ей Нострадамус.

Час спустя она вернулась домой с вязанкой хвороста на плече.

— Добрый день, мсье, — снова поздоровалась она.

— Добрый день... маленькая женщина, — раздалось в ответ.

Трудно поспорить с тем утверждением, что именно Михаил (по-французски — Мишель) Нострадамус — не только самая загадочная, но и самая знаменитая фигура среди множества прославленных Михаилов со всего мира. Действительно, личность этого волшебника, умевшего видеть будущее на века вперед, вплоть до мельчайших деталей, до сих пор ввергает в недоумение всех, кто хотя бы немного знаком с его предсказаниями. Этот человек, живший в XVI веке, писал о французской революции, о Наполеоне, предсказал появление Адольфа Гитлера и Сталина, а также объявил точную дату, когда человек впервые ступит на Луну. Однако личность самого Нострадамуса не менее интересна, чем его феноменальное ясновидение — будучи врачом, он сумел предотвратить начавшуюся было во Франции эпидемию чумы, введя во всех крупных городах жесткий карантин.

Астролог, предсказатель, врач, Ностарадамус к тому же свободно владел многими иностранными языками, и именно потому его пророчества так трудно поддаются расшифровке — в своих книгах автор легко переходит от одного языка к другому, затрудняя понимание. Кстати, здесь как нельзя более выражается присущая многим Михаилам любознательность, вследствие чего они обычно становятся обладателями знаний в совершенно различных областях, людьми широких интересов (вспомнить хотя бы Михаила Ломоносова). Это же качество прослеживается и в самих пророчествах великого предсказателя — в них затронуты все возможные области человеческой деятельности: от политики и искусства до технических достижений и... контактов с инопланетянами.

«Ну, с чем мы придем к XXI веку?— вопрошает одна из его знаменитых центурий, относящаяся к ближайшему будущему, —

Сошедший с горящего неба теперь — повелитель Земли,
Конец и начало столетья мятежным живут человеком,
Открытие Марса свободе грозит».

МОДЕСТ

Значение и происхождение имени: скромный (лат.).

Энергетика и Карма имени: уже в самом этом имени содержится намек на снобизм и некоторую элитарность. Попробуйте произнести его вслух и при этом проследить за своей мимикой — на первом слоге у вас непроизвольно поднимутся брови, как если бы вы были чем-то удивлены, окончание же второго слога заставит вас цокнуть языком, как бы подытоживая свою реакцию на удивление. Вполне возможно, что после этого вам неожиданно захочется холодновато поджать губы. Не правда ли, очень похоже на этакую аристократическую манеру вести беседу?

Что и говорить, имя очень обращает на себя внимание и способно уверить своего владельца в его неповторимости. Кроме того, сказывается его значительная редкость, усиливающая и без того ярко выраженную заметность, да и ассоциации с модой так же намекают на элитарность Модеста. Одним словом, человек с таким именем действительно может верить в свое право возвышаться над окружающими.

Впрочем, в чем Модесту трудно отказать, так это в его умении держать себя в руках и в упрямстве. Жаль только, что это упрямство не предполагает стремление к какому-либо активному действию. Вряд ли стоит ожидать, что, осуществляя свои планы, Модест будет, что называется, землю рыть. Впрочем, здесь многое зависит от воспитания.

Зато он большой фантазер и честолюбец. При этом за его холодноватой внешностью могут скрываться поразительные страсти, раздирающие его душу. Безусловно, этим страстям можно было бы найти какое-либо применение в творческих специальностях, но часто Модест, раздираемый внутренними противоречиями, удовлетворяет свое самолюбие сознанием собственного превосходства даже тогда, когда оно ничем, кроме громкого имени, не подтверждено. Это парализует его волю и лишает Модеста способности к действию. Если он желает, чтобы его судьба сложилась более удачно, ему не мешает научиться более теплому отношению к людям, особенно к близким.

Секреты общения. Если вам доведется повстречать на своем пути человека по имени Модест, то, скорее всего, в

245

разговоре он будет предпочитать какие-либо интеллигентные или даже светские темы, хотя в душе при этом может испытывать страсти совсем иного плана. По крайней мере, вам не следует слишком уж доверять его сдержанности в вопросах человеческих взаимоотношений и особенно секса.

Астрологическая характеристика:
Знак зодиака: Дева. Планета: Плутон. Цвета имени: желтовато-коричневый, стальной. Наиболее благоприятный цвет: зеленый. Камень-талисман: нефрит, хризопраз.

Празднуем именины: 31 декабря (18 декабря) — Модест Иерусалимский, патриарх.

29 мая, 28 июня (16 мая, 15 июня) — Модест Римский, Пестун, мученик.

След имени в истории. На сегодняшний день творчество композитора Модеста Мусоргского (1839—1881) воспринимаются не иначе как классика, и теперь уже трудно поверить в то, какую бурю в музыкальных кругах встретило появление его «Бориса Годунова» и других произведений. Газеты пестрели самыми противоречивыми рецензиями: передовая общественность горячо приветствовала композитора, консервативно же настроенные критики (которых было несравнимо больше) ругали «авангардиста» на чем свет стоит. И действительно, «Борис Годунов» стал совершенно новым и дерзким словом в искусстве — исторической оперой, где народ выступает в качестве одного из главных действующих лиц, совершенно реальной силы.

Уже с 6 лет будущий композитор, вряд ли задумываясь о такой скандальной славе, начал заниматься на фортепьяно под руководством матери и одновременно сочинять первые музыкальные темы, навеянные сказками своей няни, крепостной крестьянки. Окончив школу гвардейских прапорщиков в звании офицера, Мусоргский уже через два года оставил постылую службу и всецело посвятил себя музыке. Большое влияние на его дальнейшие шаги в искусстве оказало знакомство с молодыми композиторами Даргомыжским и Балакиревым, составивших вместе с Мусоргским ядро «Могучей кучки» — объединение для борьбы за передовое национальное искусство. Если судить о работе этого объединения хотя бы по творчеству одного Мусоргского, приходится признать: цель оказалась достигнута.

246

При жизни композитор так и не получил заслуженного признания, а его «Борис Годунов» стал популярен лишь после того, как главную партию через 19 лет после смерти композитора спел Федор Шаляпин. Только тогда Модест Мусоргский из скандального новатора, каким его считали при жизни, превратился в признанного классика, традиции которого продолжило немало великих композиторов.

МОИСЕЙ

Значение и происхождение имени: взятый (спасенный) из воды (егип.).

Энергетика и Карма имени: Моисей — имя гордое и сильное, вместе с тем в нем совершенно не ощущается никакой агрессивности. Быть может, оно только чересчур серьезно, что мешает Моисею преодолеть некоторые негативные аспекты общееврейской Кармы народа-изгнанника. Еще более энергетику имени усиливает противоречивый образ библейского Моисея, первого законодателя Израиля. Что и говорить, тяжелый характер имел этот древний тезка современного Моисея.

Как бы то ни было, однако есть все основания полагать, что самолюбие Моисея будет весьма чувствительным, возможно, даже болезненным, что, в общем-то, характерно для большинства обладателей еврейских имен и не только на территории России. Дело обстояло бы гораздо легче, если бы не эта серьезность Моисея,— ему, пожалуй, очень не хватает спокойной самоиронии, чтобы сглаживать неприятные моменты, связанные со своим чувствительным самолюбием. По этой причине Моисей часто предпочитает держаться в стороне от шумных компаний.

Тем не менее его доброта и трудолюбие могут найти прекрасное применение в жизни. Он рассудителен и сдержан, способен к долгой концентрации на каком-либо одном деле и к тому же обладает довольно могучим творческим воображением. Жаль только, что за этой сдержанностью в его душе могут постепенно накапливаться какие-либо негативные эмоции и, не умея предотвращать конфликты с помощью юмора, Моисей рискует рано или поздно сорваться. Больше того, со временем это может сделать его удивительно раздражительным человеком, что способно напрочь перечеркнуть его врожденное добродушие.

Наиболее благоприятно складывается судьба Моисея, если он начинает сглаживать присущую ему серьезность доброй самоиронией, чем избавляет свое самолюбие от болезненности и тем самым открывает себе двери для нормальных взаимоотношений не только внутри семьи, но и практически в любом коллективе.

Секреты общения. Самолюбие, серьезность и обязательность — вот что необходимо всегда учитывать в общении с Моисеем. Не опаздывайте с ним на встречу, не нарушайте своих обещаний, не заходите в шутках слишком далеко, не пытайтесь его поддеть в разговоре — это может послужить прекрасным дополнением к тем десяти заповедям, которые в свое время принес людям легендарный Моисей.

Астрологическая характеристика:

Знак зодиака: Дева. Планета: Сатурн. Цвета имени: желтовато-коричневый, белый. Наиболее благоприятный цвет: оранжевый. Камень-талисман: янтарь, сердолик.

Празднуем именины: 15 сентября (2 сентября) — Моисей Боговидец, пророк.

10 сентября (28 августа) — Моисей Мурин, иеромонах, священномученик.

27 января (14 января) — Моисей Синайский, мученик.

След имени в истории. Согласно библейскому преданию, Моисей — первый ветхозаветный пророк, через которого Бог явил своему народу знаменитые 10 заповедей. Происхождение Моисея и его детские годы связаны с жестокой легендой: поскольку фараон приказал топить в Ниле всех новорожденных младенцев-евреев, мать Моисея, пытаясь уберечь свое дитя, положила его в просмоленную корзинку и пустила по реке. Дочь фараона, увидев красивого ребенка, взяла его в дом и велела отдать кормилице, которой, по счастливой случайности, и оказалась родная мать Моисея.

В таких необычных обстоятельствах началась жизнь великого пророка. Позднее, когда Моисей, бежав от двора фараона, жил в Мидиане, ангел окликнул его из тернового куста, объятого пламенем, но несгорающего:

— Я пошлю тебя к фараону, — сказал ангел от имени Яхве, — и выведи из Египта народ мой, сынов израилевых.

Далее начинается собственно миссия пророка: он является к фараону и просит его позволить евреям устроить праздник в пустыне; фараон отказывает, и тогда на Египет через Моисея обрушиваются одно бедствие за другим. Сначала вода Нила приобретает кровавый цвет и ужасающий запах, так что становится непригодной для питья, затем страна наполняется полчищами жаб и мошкары, во всем Египте, кроме еврейских домов, умирают первенцы, и так далее — всего десять «казней египетских».

Неудивительно, что вскоре фараон, будучи в ужасе от происходящего, разрешил евреям устроить свой праздник, и Моисей вывел свой многострадальный народ из страны. Войска фараона пустились было в погоню за беглецами, но остались ни с чем: как только евреи достигли моря, «Моисей простер руку свою на море, и гнал Яхве море сильным восточным ветром всю ночь, и сделалось море сушею, и расступились воды; и пошли израильтяне среди моря по суше». Так пророк с Божьей помощью совершил исход евреев из Египта, а позднее на горе Синайской передал людям записанные на скрижалях 10 заповедей — свод запретов и повелений, которые и в наши дни актуальны не менее, чем тысячелетия назад.

МСТИСЛАВ

Значение и происхождение имени: славный в мести (слав.). У древних славян месть была освящена законом, не отомстить за убитого родственника считалось крайним позором. Даже князь не имел права вмешиваться и был обязан отдать уличенного убийцу в руки ближайшей родни убитого.

Энергетика и Карма имени: это имя похоже на пружину, сжатую до чрезвычайности и готовую выстрелить в любой момент. Благо, что слишком уж явное указание на месть, заложенное в имени, лишает эту угрозу силы. Примерно как в поговорке: «Кто много говорит, тот мало делает»; так и с именем Мстислав — задумываясь с детства над понятием мести, Славик как минимум начинает сопротивляться в душе этому жесткому призыву. Зато такие вот размышления способны здорово развить его воображение и способность к анализу. Мстислав обычно прекрасный психолог и тонко разбирается в человеческой душе. А еще он великий фантазер, на что, собственно, и уходит львиная доля его могучей внутренней энергии.

Нельзя также оставить без внимания вопрос самолюбия, которое у Мстислава развито иной раз до очень внушительных размеров. Безусловно, он имеет право быть влюбленным в свое редкое имя, хорошо бы еще, чтобы это не переросло у него во влюбленность в самого себя. Это тем более опасно, что, склонный к внутреннему напряжению, Мстислав может крайне остро реагировать на внешнее воздействие как на приятное, так и, как вы сами понимаете, на негативное. Иными словами, иногда достаточно легкого намека на что-нибудь обидное, как Слава может буквально взорваться.

Нет, если уж родители не побоялись дать своему ребенку такое сильное и опасное имя, они должны уделить его воспитанию достаточно много времени, и самое глупое, что здесь можно им посоветовать, так это постараться приучить Мстислава к сдержанности. Увы, ничего хорошего, кроме нервного перенапряжения и срыва, из этого не выйдет. Наоборот, им надо попробовать направить могучую энергию Мстислава в полезное русло, развить в нем какие-либо интересы и научить уважать окружающих людей. Пригодится ему также и чувство юмора. Только в этом случае Мстислав может добиться успеха в жизни и обеспечить себе нормальные взаимоотношения с окружающими.

Секреты общения. Возбудимость Мстислава часто крайне затрудняет общение с ним, хотя, если Мстислав умеет управлять своими эмоциями, то он, вместо того чтобы впустую срываться, начинает тратить свою колоссальную энергию на урегулирование наметившегося конфликта. Тем не менее все равно не стоит давать ему для этого повода. Кроме того, нелишне будет учесть, что его эмоции бывают ужасно заразительными — вы и сами можете не заметить, как окажетесь во власти его энтузиазма.

Астрологическая характеристика:

Знак зодиака: Овен. Планета: Марс. Цвета имени: стальной, желтовато-красный. Наиболее благоприятные цвета: зеленый, синий. Камень-талисман: изумруд, бирюза.

Празднуем именины: 27 (14) июня — Мстислав Храбрый, Новгородский, князь.

След имени в истории. Жак Ширак, принц Чарльз, Элтон Джон, дочь Ельцина Татьяна Дьяченко, Юрий Лужков, принц Монако Альберт — это лишь немногие из огромного списка высокопоставленных гостей, съехавшихся со всего мира в Париж, чтобы поздравить с семидесятилетием великого дирижера и виолончелиста Мстислава Ростроповича (род. 1927).

Этого человека по праву считают одним из крупнейших виолончелистов XX века, которому многие крупнейшие композиторы мира (Прокофьев, Шостакович и другие) посвящали свои произведения. В 1973 году Ростропович дебютировал в качестве дирижера, и опыт оказался настолько удачным, что уже через год, перебравшись на постоянное место жительства за границу, и начиная с 1977 года возглавил Национальный симфонический оркестр США.

Мстислав Ростропович — автор великолепных произведений для виолончели; за свою жизнь он был отмечен множеством наград (Ленинская премия, Государственная премия СССР и другие), однако самой большой удачей своей жизни считает жену — певицу Галину Вишневскую, а самой большой наградой — детей и внуков, для которых признанный во всем мире музыкант — просто любящий отец и дедушка.

НАТАН

Значение и происхождение имени: данный Им, т. е. Богом (евр.). Еще одна форма имени — Нафанаил или Нафан.

Энергетика и Карма имени: по своему звучанию имя Натан выдает человека прямого, но далеко не резкого. В его энергетике явственно чувствуется равновесие, однако это равновесие натянутой струны, что делает Натана довольно чувствительным человеком. С учетом же того, что человек с таким именем обычно наделен хоть и уравновешенным, но все равно значительным самолюбием, можно ожидать, что чувствительность Натана к внешним воздействиям сделает его довольно обидчивым. Впрочем, совершенно не склонный к агрессии Натан вряд ли будет слишком активно реагировать на обиду, скорее, он просто начнет замыкаться в себе, а в отношениях с такими людьми в его тоне появится лед.

Вообще, многим Натанам свойственна некоторая холодность во взаимоотношениях с окружающими, хотя это нисколько не касается близких людей. В кругу семьи или среди настоящих друзей его обычно знают как очень душевного человека, умеющего сочувствовать и сострадать. Исключение составляют лишь те семьи, где нет подлинной близости между супругами: здесь Натан может продолжать носить свою ледяную маску и даже в силу своей возбудимости превратиться в довольно раздражительного человека.

Нередко Натан наделен определенными творческими способностями, однако реализовать их в какой-либо профессии ему удается редко. Для этого ему не хватает умения ставить себя в коллективе и излишняя обидчивость. А жаль. В конце концов все может сложится куда как лучше, если он перестанет так болезненно реагировать на критику, наберется большей уверенности в себе и научится с юмором относиться к колкостям коллег или конкурентов.

Секреты общения. Не стоит смущаться, если в общении с Натаном вы не найдете на его лице ничего, кроме холодной бесстрастности. Это всего лишь маска, которую часто носят легкоранимые люди. Попробуйте поговорить с ним по душам, и если вы найдете нужные ключи, то ваши взаимоотношения станут гораздо более теплыми. А вот если вы желаете склонить его к чему-либо, то не надо пытаться давить на его самолюбие или привирать для убедительности. Прямой характер Натана не переносит лжи ни в каком виде!

Астрологическая характеристика:

Знак зодиака: Рак. Планета: Плутон. Цвета имени: коричневый, красный. Наиболее благоприятные цвета: черный и белый. Камень-талисман: оникс.

След имени в истории. Натан Яковлевич Эйдельман (1930—1989) — русский писатель, историк. Нередко про историков говорят, что это люди, которые родились не в свое время, и просто пытаются исправить ошибку природы, с головой погрузившись в так занимающий их мир прошлого. Очевидно, именно поэтому каждый историк, как правило, имеет довольно узкую специализацию, и, выбрав для себя какой-то определенный отрезок времени и (или) определенную страну, занимается этим вопросом чуть ли не всю жизнь.

Все вышесказанное совершенно справедливо и по отношению к Натану Эйдельману, чей глубокий и проникновенный интерес к истории вращался главным образом вокруг исследования одной страны — России, и во вполне определенные периоды ее существования: в периоды великих исторических свершений.

Как выглядело знаменитое восстание декабристов глазами обычного человека того времени? Было ли оно действительно проявлением гражданского мужества или же просто довольно непродуманной и бессмысленной акцией? Эти вопросы, так же как и многие другие, живо интересовали Натана Эйдельмана, сумевшего передать в своих книгах реальную атмосферу, дыхание времени в свете увлекательных исторических событий.

«Пушкин и декабристы», «Лунин», «Грань веков», «Герцен против самодержавия», «Последний летописец» — все эти, а также многие другие книги писателя складываются, как кусочки мозаики, в одну большую и подробную картину истории вольномыслия России, начиная с того момента, когда, как сказал классик, «декабристы разбудили Герцена»...

НАУМ

Значение и происхождение имени: утешающий (евр.).

Энергетика и Карма имени: имя Наум имеет две стороны — внешнюю и внутреннюю, и надо заметить, что между этими сторонами такая же разница, как между двумя полюсами магнита. Впрочем, как в одном магните гармонично уживаются две противоположности, так они уживаются и в характере одного Наума.

Прежде всего следует отметить тот факт, что по своей энергетике имя Наум довольно замкнуто. Оно не призывает к излишней активности, и внешне Наум выглядит спокойным, покладистым человеком. В то же время он довольно возбудимый человек, просто особенности его энергетики не позволяют прорываться этому возбуждению наружу. Зато в глубине его души эмоции могут достигать огромной силы. В частности, это приводит к тому, что Наум способен очень долго носить в себе обиду, хотя внешне это может быть совершенно незаметно, и, кстати говоря, совсем не факт, что когда-нибудь эта обида будет излита на голову обидчика. Нет, скорее, она так и останется частичкой внутреннего мира Наума.

Однако для этого внутреннего мира характерны не только обиды, положительные эмоции точно так же живут в его душе и точно так же не торопятся вырваться наружу. Все это делает внутренний мир Наума чрезвычайно богатым, хотя со стороны этого обычно не скажешь. Однако если Науму вдруг однажды придет в голову открыть кому-нибудь свою душу, а случается подобное крайне редко, то он может изрядно удивить собеседника богатством своей фантазии.

Трудно сказать, что именно мешает Науму реализовать свое творческое воображение в профессиональном плане. Быть может, он просто недооценивает свой внутренний мир, относясь к нему как к чему-то само собой разумеющемуся. Тем не менее ему, наверное, стоит выпустить этого джина из бутылки, попробовав изложить свои переживания в каком-либо произведении или картине.

Секреты общения. Не надо искать среди Наумов краснобаев-ораторов, зато трудно найти более внимательных слушателей, чем они. Странно, но почему-то мало кому приходит в голову, что и самому Науму есть что сказать, тем не менее попробуйте его разговорить — вы можете узнать немало нового и интересного.

Астрологическая характеристика:

Знак зодиака: Близнецы. Планета: Луна. Цвета имени: зеленовато-коричневый, иногда красный. Наиболее благоприятный цвет: белый. Камень-талисман: огненный опал.

Празднуем именины: 9 августа (27 июля) — Наум Орхидский, равноапостольный, исповедник.

14 (1) декабря — Наум пророк, из 12-ти малых пророков.

След имени в истории. Известная народная мудрость гласит: «Нет пророка в своем отечестве». Это выражение справедливо по отношению практически к любым проводникам живой мысли — писателям, художникам, политикам. Но должно быть, самыми незащищенными пророками на Руси всегда были и оставались поэты. Все вышесказанное справедливо и по отношению к русскому поэту Науму Моисеевичу Коржавину (род. 1925), основной темой стихов которого стало право абсолютно каждого человека на внутреннюю свободу. Свободу мыслить, жить, писать, творить. К поэзии Наум Коржавин всегда относился особенно трепетно, считая, что любой поэт в первую очередь должен нести нравственную ответственность за все когда-либо им написанное, и в этом отношении с ним трудно не согласиться: нередко поэты пишут в угоду публике, пропагандируя «модные» идеалы насилия, войны, беспринципности.

Поколение Наума Коржавина, испытавшее сталинский террор, все ужасы Отечественной войны, навязчивую идеологию и изоляцию «железного занавеса», тем не менее, несмотря ни на что (а может быть, именно благодаря всем этим десятилетиям репрессий и лишений), было поколением порабощенным лишь внешне, но удивительно свободным внутри. Именно это и является одной из основных идей поэта, осмысляющего судьбы своих современников; об этом он пишет в мемуарах, стихах, публицистических статьях.

Но вот кончились послевоенные сороковые, промчались наивные шестидесятые, и уже в 1973 году, в самый разгар «холодной войны», писатель решил эмигрировать в США — страну обетованную, сделавшую своим основным лозунгом именно свободу каждого человека. Его сборники стихов «Годы», «Время дано» и другие пользуются популярностью не только в России, но и в среде русскоязычных иммигрантов на новой родине поэта.

НЕСТОР

Значение и происхождение имени: возвратившийся домой (греч.).

Энергетика и Карма имени: Нестор — имя сильное, но неровное. В нем самом уже заложены противоречия, что, конечно же, найдет свое отражение в характере Нестора. Нельзя также не учитывать огромное влияние исторических тезок — великого древнерусского летописца Нестора и не менее великого анархиста Нестора Махно. Несомненно, что все это способно уже в раннем возрасте пробудить в носителе этого имени склонность к фантазиям, романтизм, а также некоторую авантюрную жилку и гордость.

Особую роль играет заключенная в энергетике имени порывистость. Обычно Нестор является человеком импульсивным и испытывает стремление лидировать среди своих сверстников. Он решителен и смел, что импонирует его товарищам, которые к тому же точно так же могут быть заворожены притягательной силой имени. Однако даже если у Нестора и не получится стать лидером в своей компании, он чаще всего не склонен слишком сильно переживать и вместо этого будет стараться организовать вокруг себя новую команду. Бывает, правда, что ему мешает его горячность, нередко отпугивающая от него людей.

Вряд ли у Нестора не будет в жизни проблем — проблемы для него так же характерны, как для осени дождливая погода. Он удивительный спорщик, причем делает это в основном из азарта, хотя после спора и сам готов быстро поменять свои убеждения, которые только что так горячо отстаивал. Однако, невзирая на частые конфликты с учителями в школьном возрасте, он обычно умудряется получить хорошее образование. Сказываются его собственные интересы к знаниям и хорошее воображение.

Обладая хорошими волевыми качествами и организаторскими способностями, Нестор может найти себе хорошее применение в самых разнообразных сферах человеческой деятельности, однако на хорошую карьеру он может и не рассчитывать. Скорее всего, у него просто не получится работать под чьим-либо началом. Другое дело — самостоятельный бизнес или требующее одиночества творчество. Здесь он имеет все шансы, хотя от горячности все же не мешает избавиться. По крайней мере, это сократит количество конфликтов в его жизни как в семье, так и в рабочем коллективе.

Секреты общения. Если вы желаете потренировать свое умение убеждать, то попробуйте затеять спор с Нестором — это все равно что вести бой с тенью, которую нельзя победить. Зато уж если вам удастся склонить его к чему-либо, значит, вы и мертвого сможете уговорить встать из могилы. В остальном же всегда следует учитывать, что Нестор умеет уважать в человеке ум, независимость и силу. Если эти качества вам присущи, значит, вы можете стать ему настоящим другом.

Астрологическая характеристика:
Знак зодиака: Овен. Планета: Марс. Цвета имени: коричневый, стальной. Наиболее благоприятные цвета: зеленый, синий. Камень-талисман: изумруд, лазурит.

Празднуем именины: 11 октября, 9 ноября (28 сентября, 27 октября) — Нестор Летописец, Печерский.

13 марта, 14 марта (28 февраля, 1 марта) — Нестор Пергийский, епископ, священномученик.

10 ноября (27 октября) — Нестор Солунский, мученик.

След имени в истории. До сих пор не стихают споры о том, кем же все-таки был Нестор Махно (1889—1934) — «главарем мелкобуржуазной контрреволюции» или борцом за справедливость? Его неоднозначная биография не дает ответа на этот вопрос. В 19 лет осужденный за терроризм, Махно 9 лет провел в Бутырской тюрьме, где он и взлелеял мечту о создании «крестьянской вольницы». Выйдя по амнистии и вернувшись домой, он начал было осуществлять задуманное, однако вторгшиеся на Украину немецкие войска помешали его планам, и для борьбы Махно начинает собирать собственную армию. Его идеей было объединение; он вел переговоры и с анархистами, и с большевиками, собрав в итоге под своими знаменами около 55 тысяч человек.

Организаторский талант, мужество и умение добиваться своего делали Махно настолько яркой фигурой, что для советской власти он, с его непредсказуемостью и своеволием, становился опасным — после разгрома Врангеля охота была объявлена на махновцев... Чудом спасшийся, Нестор Махно, за чью голову в свое время власти обещали полмиллиона рублей, окончил свои дни в нищете за границей, и, по его собственным словам, «среди чужого народа и среди политических врагов, с которыми так много ратовал».

НИКИТА

Значение и происхождение имени: победитель (греч.).

Энергетика и Карма имени: в этом имени энергия уравновешенной твердости, терпеливость и некоторая серьезность. Интересно, что по звучанию оно напоминает бьющийся на ветру флаг, и потому нет ничего удивительного, если с самого детства у Никиты начнет пробуждаться мечтательность. Это тем более кстати, что достаточная серьезность имени, скорее всего, направит ее отнюдь не в сторону пустых фантазий, а в гораздо более полезное русло, обеспечив ему впоследствии хорошо развитое воображение. Кроме того, не зря ведь во всех странах звук развевающихся флагов поднимал боевой дух, так что вполне возможно, что с малых лет Никите будет знакомо чувство вдохновения и веры в себя, а это уже немало. Если же учесть, что имя довольно редкое, то, помня о силе воздействия редких имен, есть все основания полагать, что именно эти качества сыграют в судьбе Никиты решающую роль.

В детстве Никита обычно растет спокойным жизнерадостным ребенком, он любознателен, трудолюбив и не лишен творческих дарований. При этом его имя обладает странной притягательностью не только для него самого, но и для окружающих. Не исключено, что он будет оказывать на своих товарищей большое влияние. Здесь, впрочем, многое зависит от воспитания. Если родители умудрятся испортить Никиту, то здесь симпатии окружающих могут резко смениться на антипатии, и притягательность имени только лишь усугубит такую неприятную ситуацию. Одним словом, наиболее благоприятно, когда развитие получат именно те качества, к которым склоняет Никиту его имя. Лучше уж вообще его не воспитывать, чем воспитывать плохо. Впрочем, последнее встречается все же редко.

Не факт, что, повзрослев, Никита обязательно станет искать себя в творчестве, тем не менее это очень вероятно, особенно если учесть его честолюбие и уверенность в себе. Возможно также, что он выберет карьеру, связанную с общественной деятельностью или бизнес, в котором может хорошо преуспеть. Скорее всего, вокруг него всегда будет много друзей, для которых он станет авторитетом и которые будут охотно помогать ему в жизни, ведь и сам Никита очень любит оказывать помощь. Согласитесь, с таким раскладом можно добиться в жизни многого. Однако не следует забывать и об обратной стороне хорошего отношения Судьбы, а то как бы благорасположение окружающих не подменило собой трезвую самооценку. К сожалению, имя мало склоняет Никиту к спокойной самоиронии, между тем такое качество может хорошо защитить от неумеренных восхвалений друзей или недоброжелательства врагов. Если же Никита сумеет научиться с юмором относиться к себе, то это позволит ему избежать многих ошибок и добиться действительно настоящего успеха.

Секреты общения. Никита редко горячится, он любит поспорить, но едва ли станет слишком настойчиво пытаться навязать свои мысли, тем не менее многие незаметно попадают под его влияние. Чаще всего он любит заслуженные похвалы в свой адрес, но от пустых комплиментов может навсегда потерять уважение к человеку.

Астрологическая характеристика:

Знак зодиака: Стрелец. Планета: Юпитер. Цвета имени: темно-коричневый, красный. Наиболее благоприятные цвета: оранжевый, серебряный. Камень-талисман: серебро, сердолик, огненный опал.

Празднуем именины: 28 (15) сентября — Никита Константинопольский, священномученик.

17 (4) мая — Никита Новгородский, преподобный.

16 (3) апреля — Никита Мидикийский, Исповедник, преподобный.

След имени в истории. Сейчас, в период американизации всей страны, многими с ностальгией вспоминается то время, когда Никита Хрущев (1894—1971) стучал ботинком по трибуне ООН, обещая лидерам крупнейших мировых держав «показать Кузькину мать». Да, это было недипломатично, необдуманно, грубо, в конце концов,— но зато веса России заметно прибавило.

Вообще, Хрущев в своей политике часто следовал не расчету, а повинуясь неясному позыву, который одинаково часто оказывался как оправданным, так и совершенно нелепым. Великий авантюрист, идущий на поводу своих эмоций, Хрущев до смерти напугал Америку, когда в ответ на их явную угрозу тайком разместил русские ракеты на Кубе, направив их на США, и таким образом спровоцировал Карибский конфликт.

Его политику можно не одобрять, но самого Хрущева не уважать невозможно. Сын разорившегося крестьянина, от безысходности нанявшегося на одну их шахт, будущий глава государства в 15 лет сам устроился на шахту, в 22 пополнил ряды компартии, а на гражданскую войну ушел уже комиссаром. После смерти Сталина сумев занять все его посты, Никита Сергеевич сделал немало для России: амнистировал жертвы репрессий, раздал крестьянам (бывшим до этого момента практически крепостными) паспорта, обеспечил пожилых людей заслуженными пенсиями, а работающим выделил 2 выходных дня. Он же как мог пытался решить жилищную проблему, понастроив так называемые «хрущобы» и, наконец, разоблачил культ личности Сталина.

Герой множества анекдотов, разводящий кукурузу чуть ли не на Северном полюсе, не отягощенный лишними знаниями и любивший крепкое словечко, Никита Хрущев был и остается одним из самых колоритных политиков всех времен и народов, время правления которого в народе ласково называют периодом оттепели.

НИКИФОР

Значение и происхождение имени: несущий победу (греч.).

Энергетика и Карма имени: Никифор — имя уравновешенное и прямое, однако есть в нем несколько «подводных камней». Во-первых, оно предполагает сочетание силы и некоторой замкнутости, во-вторых, по своим энергетическим свойствам оно может склонять человека к довольно острой реакции на какое-либо внешнее воздействие. Сам по себе такой набор душевных качеств уже может сделать характер Никифора достаточно противоречивым, однако есть еще один важный момент — редкость и некая «простонародность» имени. Дело в том, что имя Никифор может восприниматься человеком, как устаревшая форма от более привычного имени — Никита, а, как известно, любое искажение языка способно вызывать улыбку. Примерно так же русский человек обычно реагирует на созвучный украинский язык, нередко в своей душевной простоте воспринимая его как некую пародию. На первый взгляд — мелочь, но вот самолюбие украинцев от этого страдает. Кстати говоря, все было прямо наоборот, будь украинцев больше, чем русских.

Вполне возможно, что окружающие будут вполне нормально реагировать на имя Никифор, но вот сам он может относиться к этому иначе. По крайней мере, в подобных случаях действительно отмечается несколько болезненное отношение к своему имени, а значит, и к самому себе.

Все это приводит к тому, что обычно самолюбивый Никифор держится в обществе несколько замкнуто, а иногда и настороженно. Он выдержан, рассудителен, однако не стоит пытаться задеть его за живое — реакция может быть крайне острой. Другое дело, когда Никифор находится в своем привычном окружении: здесь его чувствительность способна проявляться гораздо более благоприятно,

260

и Никифор может оказаться очень душевным, хотя и склонным к раздражению человеком.

Наиболее благоприятно, если в процессе воспитания у него будет развито чувство юмора, предполагающее добрую самоиронию. Это может избавить его практически от всех проблем и раскрыть действительно положительные стороны его характера, такие как независимость, честолюбие, упорство, целеустремленность, умение держать себя в руках и аналитический ум.

Секреты общения. Для многих бывает неожиданностью, когда уравновешенный на людях Никифор вдруг оказывается удивительно горячим и даже раздражительным в спорах. Кстати говоря, переупрямить его практически невозможно, и единственный способ избежать конфликта — это самому постараться сохранить равновесие и апеллировать не к эмоциям, а к спокойной логике.

Астрологическая характеристика:

Знак зодиака: Весы. Планета: Сатурн. Цвета имени: коричневый, фиолетовый. Наиболее благоприятные цвета: оранжевый, белый. Камень-талисман: сердолик, янтарь, опал.

Празднуем именины: 26 мая, 15 июня (13 мая, 2 июня) — Никифор Константинопольский, патриарх, исповедник.

17 (4) мая — Никифор Алфанов, Новгородский, преподобный.

26 (13) ноября — Никифор Палестинский, мученик.

След имени в истории. В свое время деятельность греческого монаха Никифора, жившего в XV столетии, привела к самым неожиданным последствиям, которые вряд ли мог прогнозировать сам Никифор, старательно переписавший некогда Евангелие от Иоанна. Дело в том, что данное Евангелие монах, посвященный в тайны Суфитов, переписал не просто так, а с некоторыми изменениями против канонизированного текста, а также снабдив его подробным комментарием, озаглавленным «Левитикон». Целью Никифора было ввести понятия ордена Суфитов в христианство, и вскоре под его началом даже образовалась секта, сделавшая «Левитикон» своей новой библией — но гонения истребили их.

В этой достаточно банальной истории не было бы ничего особенного, если бы сотни лет спустя после написания данной рукописи, ее история не нашла довольно неожиданное продолжение. Случилось так, что в 1815 году сочинение Никифора приобрел Фабре, руководитель тайного общества «Новые рыцари храма», и решил сделать «Левитикон» неотъемлемой частью своего общества, таким образом превратив его в обычную схизматическую секту. Трудно сказать, почему Фабре решился на такой ничем не обоснованный поступок, однако сочинение монаха Никифора, которое в свое время не принесло счастья ни самому автору, ни его ярым последователям, оказало тлетворное влияние и на «Новых рыцарей храма». Именно эта злосчастная рукопись и стала причиной раскола ордена, и только небольшая часть «рыцарей» решилась-таки принять новое учение. Они даже основали на основе «Левитикона» новую литургию, которую обнародовали в 1833 году, однако дебют оказался явно неудачным — вместо благоговения литургия, основанная на учении монаха Никифора, вызвала в церкви только совсем неуместный смех.

НИКОЛАЙ

Значение и происхождение имени: победитель народов (греч.).

Энергетика и Карма имени: энергия этого имени обладает удивительной подвижностью, в ней странным образом общительность порою сочетается с безапелляционностью, веселость — со строгостью, легкость — с достаточной жесткостью и напряженностью. Все это часто приводит к тому, что характер Николая как будто целиком создан из противоречий, до того трудно бывает его понять. С другой стороны, это может найти свое отражение в его разносторонности и широте взглядов. Почти наверняка в общении с ним будет трудно отыскать какую-либо область, в которой он бы не имел своего собственного мнения. Впрочем, не надо представлять Колю этаким всезнайкой, просто это свойство любого быстрого ума, подчиняющегося более интуиции, чем логике. Кстати говоря, это утверждение легко проверить: достаточно выяснить, какую игру он предпочитает — «медленные» шахматы или «быстрые» шашки? Скорее всего, он выберет второе.

Все вышеперечисленное делает Колю довольно самолюбивым и своевольным человеком, в детском возрасте он едва ли будет отличаться усидчивостью, и здесь не помогут никакие уговоры или угрозы, единственное, что может заставить его терпеливо заниматься каким-либо делом,— это его собственный интерес. Заинтересовавшись, он способен на чудеса, и потому очень важно, чтобы Николай смог найти действительно достойное дело для своего увлечения, ведь нередко детский интерес сохраняется у него на всю жизнь. Это может быть и спорт, и коллекционирование, и наука, наиболее же благоприятно, если эти увлечения найдут впоследствии свое продолжение в профессиональном плане.

Энтузиазм Николая может оказаться заразительным, он часто оказывается «заводилой» среди сверстников, а во взрослом возрасте способен даже стать хорошим организатором. Здесь ему также может посодействовать одна черта характера, связанная с энергетикой имени. Дело в том, что, наделенный значительным самолюбием и имея довольно противоречивый характер, он будет частенько наталкиваться на непонимание людей. В это же время тяга к общительности вряд ли позволит ему замкнуться в себе, так что не исключено, что Коля рано обучится искусству дипломатии, предпочитая не показывать окружающим свои истинные мысли. Исключение могут составить только близкие люди, да и то не всегда. Безусловно, скрытность — это не великое достоинство, но дипломатичность все же способна принести хорошие результаты, особенно на руководящей работе.

Еще одна черта подвижного ума — склонность к остроумию, причем у Коли остроумие может служить не только для поднятия настроения, но и в качестве оружия. Безусловно, все эти качества Николай может применить в жизни как на пользу, так и наоборот, многое зависит от направления его интересов. Ну а для того, чтобы судьба у него была более удачной, можно посоветовать ему постараться смягчить свое самолюбие, а своеволие снивелировать до самостоятельности, научившись искренно уважать и свою волю, и волю окружающих. Тогда и дипломатия может оказаться излишней.

Секреты общения. Если вы хотите узнать настоящее мнение Николая по какому-либо вопросу, попробуйте вызвать его на спор, во время которого его скрытность обычно бесследно испаряется. В разговоре он охотно может подхватить тему, касающуюся его увлечений, но смотрите, чтобы он при этом и вас не заразил своими эмоциями.

Астрологическая характеристика:

Знак зодиака: Скорпион. Планета: Марс. Цвета имени: стальной, коричневый, красный. Наиболее благоприятный цвет: зеленый. Камень-талисман: изумруд.

Празднуем именины: 22 мая, 19 декабря (9 мая, 6 декабря) — Николай Мирликийский, архиепископ, чудотворец.

10 августа (27 июля) — Николай Новгородский, Христа ради юродивый.

22 (9) марта — Николай Севастийский, мученик.

След имени в истории. Среди Николаев много людей незаурядных, ярких, активных, с хорошим чувством юмора. Живым примером тому может служить Николай Павлович Акимов (1901—1968) — известный режиссер, литератор и художник начала века. Актеры, работавшие под его началом, не могли пожаловаться на скучные репетиции, а театральные критики и режиссеры по поводку и без повода любили цитировать написанные Акимовым в шутку «Правила хорошего тона».

«Если ты ставишь скучные спектакли, — гласило одно из этих правил, — будь человеком и печатай на обороте программок кроссворды». Или еще: «Выдвигая молодую актрису на хорошую роль, постарайся выпустить премьеру до выхода этой актрисы на пенсию».

Критикам же Николай Акимов советовал следующее: «Если большую часть рецензии ты заполнил пересказом содержания пьесы, будь джентльменом и перешли свой гонорар ее автору. То обстоятельство, что у него это изложено лучше, а у тебя хуже, не лишает его авторских прав». Совсем неудивительно, что с 1955 г. именно Николай Акимов стал главным режиссером Ленинградского театра комедии, сумев реализовать свою бьющую через край энергию и заодно дать естественный выход остроумию,— под его началом было поставлено немало элегантных и ироничных спектаклей, принесших режиссеру всенародную известность.

ОЛЕГ

Значение и происхождение имени: священный (скандинав.).

Энергетика и Карма имени: это имя достаточно самолюбивого человека, вместе с тем в нем все же заметна неко-

264

торая оглядка, напоминание об осторожности. Нет, ядовитый череп коня Вещего Олега здесь, скорее всего, ни при чем, просто по своему звучанию имя как бы призывает к осмотрительности. Чаще всего это приводит к тому, что Олег редко поддается эмоциям, и потому среди носителей этого имени много людей логического склада ума. Бывает довольно интересно наблюдать, как такая аналитичность сочетается с романтизмом, к которому нередко склоняет Олега его «вещее» имя. Обычно это выражается в том, что его мечты оказываются довольно практичными: частенько стремясь в «заоблачные» высоты, он в своих мыслях совмещает их с высотами чисто материальными и прагматичными. Конечно, и здесь есть исключения, ведь в уравновешенных именах роль воспитания особенно заметна.

Олега трудно назвать чересчур честолюбивым, в большинстве случаев его самолюбие не болезненно. Хоть сам себя Олег нередко может оценивать слишком высоко, он все же не особо стремится доказать свои достоинства кому-либо, предпочитая спокойно идти к своей цели. Впрочем, если это необходимо для утверждения в коллективе или же просто не предполагает всяческих осложнений, он может и поработать на публику. Обычно здесь ему помогает хорошая уравновешенность характера и спокойное остроумие.

Среди носителей этого имени мало конфликтных и некоммуникабельных людей, иногда даже кажется, что имя Олег специально создано для того, чтобы сглаживать острые углы. В то же время оно наделяет своего владельца достаточной силой и умением в случае чего постоять за себя, просто все это происходит без надрыва и довольно легко. Скорее всего, Олег не будет лидером, но, похоже, ему этого и не надо. Бывают, правда, случаи, когда у Олегов просыпаются «командирские рефлексы», что особенно возможно после армейской службы, но это все-таки редкость или же за этим стоят меркантильные интересы. С другой стороны, он умеет ценить свою самостоятельность, и это в семейной жизни может привести к тому, что в доме не будет кого-нибудь главного, поскольку ни командовать, ни подчиняться Олег не настроен, и, таким образом, его семья либо распадется, либо она трансформируется в союз двух независимых личностей. К тому же надо заметить, что многие из Олегов неравнодушны к спиртному, позволяющему скрасить некоторую скучность аналитического ума.

В профессиональном плане он может найти себя в самых различных областях, требующих самостоятельности и логики. Интересно, что даже в творческих профессиях большинство Олегов из всех эмоций отдают предпочтение смеху.

Секреты общения. Обращаясь к Олегу за помощью, едва ли стоит эмоционально описывать ситуацию: достаточно просто последовательно ее изложить и выслушать его ответ — да или нет. Остальное, скорее всего, все равно не поможет. Расположение Олега можно получить, если вы проявите себя как самоценная личность, не лишенная к тому же чувства юмора и не лезущая в командиры.

Астрологическая характеристика:

Знак зодиака: Близнецы. Планета: Юпитер. Цвет имени: серебристо белый. Наиболее благоприятный цвет: фиолетовый. Камень-талисман: аметист, турмалин.

Празднуем именины: 3 октября (20 сентября) — Олег Романович Брянский (в иночестве Василий) — князь, преподобный.

След имени в истории. Вещий Олег — легендарный древнерусский князь-воевода, о котором сложено немало былин, песен и сказаний. Согласно «Повести временных лет» — одной из древнейших летописей Руси,— именно Олег хитростью, притворившись купцом, захватил в 882 году Киев, убив правящих там Аскольда и Дира, и посадил на престол законного князя Рюрика, таким образом, как ему казалось, восстановив справедливость.

Смелый, отважный и сильный, Вещий Олег тем не менее прославился даже не столько благодаря физическим качествам, сколько своему уму, и как следствие — хитрости и изворотливости. Согласно легендам, из каких только ситуаций он не выходил сухим из воды! Так, в походе на Царьград Олег обеспечил своим войскам победу с помощью следующего хитроумного изобретения: поставив военные корабли на колеса, он под парусами подошел под стены города, жителям которого ничего не оставалось, кроме как сдаться. Что же касается своего прозвища «Вещий», то его Олег получил, когда категорически отказался принять из рук побежденных греков еду и вино. Как выяснилось впоследствии, сделал он это не напрасно — яства оказались щедро приправлены ядом.

Согласно известной легенде, описанной в «Песни о Вещем Олеге», волхвы предсказали князю-воителю безвременную гибель, которую он примет от собственного коня. Опечаленный, Олег расстался со своим верным другом, исправно служившим ему в походах, и приказал заботиться о коне до самой его смерти. Когда же через 4 года князю доложили о смерти животного, он разгневался, что в свое время поверил глупому предсказанию и, пожелав видеть останки коня, специально поехал посмотреть на свою почившую смерть. Насмехаясь над волхвами, Олег наступил на череп животного, из которого выползла ядовитая змея, и... умер на 33-м году своего правления, приняв смерть от останков собственного коня, как это и было ранее предсказано.

ОСТАП

Значение и происхождение имени: Остап — южнорусская форма греческого имени Евстафий: устойчивый.

Энергетика и Карма имени: в энергетике имени Остап явственно ощущается уверенность в себе, самостоятельность, склонность к юмору, в чем, кстати, немалая заслуга широко известного Великого Комбинатора Остапа Бендера, и вместе с тем в имени можно уловить некоторую закрытость.

Обычно Остап является довольно независимым человеком, он рассудителен, не лишен воображения, очень самоуверен и самолюбив, а вот что касается его остроумия, то совсем не факт, что оно найдет свое отражение в поведении Остапа. Во-первых, сказывается некоторая закрытость имени, не располагающая Остапа к чрезмерной общительности, а во-вторых, большую роль играет реакция окружающих на это имя. В самом деле, если имя способно оживить в человеческой памяти столь остроумный образ О. Бендера, который стараниями своих «отцов» Ильфа и Петрова обогатил русский язык не одной сотней крылатых фраз, то люди поневоле начинают проявлять интерес к личности менее именитого Остапа, мол, а как у него обстоит дело с чувством юмора? Надо ли говорить, что подобная навязчивость окружающих ничего, кроме противодействия, вызвать не может?

Одним словом, вряд ли Остап пожелает в угоду публике острить на каждом шагу, скорее, наоборот, он будет держаться в обществе несколько закрыто, а может быть, даже настороженно. Другое дело, что от этого его склонность к остроумию не исчезнет, просто проявляться она будет только в компании наиболее близких людей.

Можно быть уверенным, что все эти качества могут обеспечить Остапу успех не только в личной жизни, но и в какой-либо карьере. Он умеет быть терпеливым и настойчивым, обладает хорошими волевыми качествами, а его независимость и самостоятельность вовсе не предполагает конфронтацию с начальством. Нет, Остап привык держать себя в руках, может подчиняться доводам логики, и при таком раскладе его независимость не вызывает ничего, кроме уважение. Быть может, единственное, чего ему не хватает для полноценного счастья, так это некоторой легкости в общении с окружающими.

Секреты общения. Хотите испортить отношения с Остапом? Тогда попросите его пошутить. В лучшем случае он в ответ попросит вас спеть или сплясать, в худшем же — посчитает за идиота. Впрочем, Остап редко идет на конфронтацию и предпочитает вместо того, чтобы спорить, просто оставаться при своем мнении. Поверьте, если уж он что решил, то непременно сделает, не очень-то обращая внимание на то, как это воспримут окружающие.

Астрологическая характеристика:

Знак зодиака: Стрелец. Планета: Плутон. Цвета имени: серебристый, иногда красный. Наиболее благоприятный цвет: оранжевый. Камень-талисман: янтарь, сердолик.

След имени в истории. «Командовать парадом буду я!» — эта фраза знаменитого литературного героя из произведения Ильфа и Петрова, самого очаровательного авантюриста всех времен и народов Остапа Бендера, по существу, является его жизненным кредо.

В действительности же сейчас трудно представить, чтобы авторы «12 стульев» и «Золотого теленка», придумав ловкого и пройдошливого сына турецко-подданного, дали бы ему какое-то другое имя,— настолько срослись между собой имя и образ. По книге, нет такой ситуации, из которой Остап Бендер не вышел бы с честью, будь то фиктивный брак, организация конторы «Рога и копыта» или самая банальная кража.

Остроумный, артистичный, обаятельный, выразительный — все эти качества если даже раньше и не были заложены в имени Остап, то теперь волей-неволей приписываются его обладателю, а потому неудивительно, что среди не таких уж частых носителей этого имени встречается и украинский юморист Остап Вишня.

ПАВЕЛ

Значение и происхождение имени: в переводе с латыни имя дословно означает «малый». Оно получило свое распространение в связи с деятельностью апостола Павла.

Энергетика и Карма имени: лучше всего энергетику этого имени можно выразить, ответив простым пожатием плеч на нервный срыв своего начальника,— примерно так в имени Павел проявляется уравновешенное спокойствие. Это, конечно, не означает, что с возрастом Павлик превратится в этакого бесстрастного и холодного человека, но все же большинству носителей этого имени на протяжение всей жизни свойственна достаточно заметная флегматичность.

В детстве, как и все дети, Павлик любит всевозможные игры, но вряд ли они будут затягивать до такой степени, что он забудет все на свете. Дома и в школе он обычно довольно покладист и общителен, хотя особой усидчивостью не отличается. Скорее, даже наоборот, спокойная энергетика имени нередко склоняет его к основательной ленности. Здесь следует отметить, что это совершенно естественное для ребенка состояние, поскольку он не испытывает страха перед будущим, которое в том возрасте кажется бесконечно далеким. Зато, если увлечь Павлика, рассказав несколько забавных или романтических историй о научных курьезах, то с интересом у него пропадет и лень. Взять, хотя бы Ломоносова, с именем которого связано великое множество всевозможных историй,— ведь это прекрасно может скрасить наукообразную скуку! Впрочем, не так уж страшно, если увлечь Павлика не удастся, поскольку уравновешенность мыслей хоть и склоняет его к ленности, но в то же время не замутняет мозг, делая его восприимчивым к информации, а значит, у Павла всегда будет шанс наверстать упущенные знания.

Во взрослом возрасте равновесие Павла может качнуться в ту или иную сторону. Он, к примеру, может стать несколько замкнутым и даже угрюмоватым, особенно в чужом кругу. Бывает, что он становится довольно строгим к близким людям или к подчиненным, что обычно происходит в тех случаях, когда и самого Павла пытались отучить от ленности строгими или даже «карательными» мерами, но чаще все же происходит иначе, и Павел вырастает спокойным и уравновешенным оптимистом. Последнее, безусловно, наиболее благоприятно, поскольку в этом случае такие черты Павла, как спокойствие и добродушие, вызовут к нему симпатии окружающих и изрядно помогут как в личной жизни, так и в карьере.

Секреты общения. Интересно, что в большинстве случаев от Павла трудно чего-либо добиться путем воздействия на его самолюбие, но это не значит, что данное чувство у него отсутствует, просто обычно оно удовлетворяется хорошим отношением окружающих и не нуждается в лишних доказательствах. Если же вы хотите завоевать внимание Павла, то хорошо бы помнить, что, как и большинство уравновешенных людей, он наверняка испытывает тягу к теме приключений и из всех эмоций предпочитает беззлобный юмор.

Астрологическая характеристика:
Знак зодиака: Весы. Планета: Плутон. Цвета имени: черный, красный, синий. Наиболее благоприятный цвет: красный. Камень-талисман: рубин.

Празднуем именины: 12 июля (29 июня) — Павел, святой первоверховный апостол.

23 (10) сентября — Павел Послушливый, Печерский, преподобный.

20 (7) марта — Павел Препростой, преподобный, ученик преподобного Антония Великого.

19 (6) ноября — Павел Константинопольский, патриарх, священномученик.

След имени в истории. Сейчас уже мало кто будет отрицать, что Пикассо — гений, однако далеко не каждый знает, что в свое время этот самый гений настолько сильно ненавидел школу, что даже как следует не научился писать. Просто будущего художника мало интересовало все, что не было связано с искусством; начиная с 11 лет он занимался только одним — рисованием.

И позже, уже став знаменитым, Пабло Пикассо не стремился расширить круг своих интересов, однако в творчестве его деятельность была весьма разнообразной — он брался за любую работу: от оформления спектаклей до изготовления керамических безделушек, от скульптуры на заказ до иллюстрирования книг.

Современники рассказывают, что и в работе, и в быту Пикассо часто был нелогичен с общепринятой точки зрения, нарушая скучные правила, впрочем, судя по всему, родители его отличались тем же. Так, говорят, что однажды отец Пабло Пикассо, художник, дал сыну закончить начатую им картину с голубями. Когда картина была готова, он посмотрел па нее, потом повернулся к сыну, протянул ему свои кисти и палитру и больше уже никогда не рисовал. Пабло Пикассо в то время было всего 13 лет.

ПАНКРАТ, ПАНКРАТИЙ

Значение и происхождение имени: всевластный, всемогущий (греч.).

Энергетика и Карма имени: Панкрат — человек взрывной и самолюбивый. По своей энергетике это имя способно наделить человека твердостью, прямолинейностью и решительностью, жаль только, что при этом оно же предполагает довольно острую реакцию на какое-либо негативное воздействие. По сути, именно это и определяет невероятное самолюбие Панкрата, а редкость и выразительность имени еще более усиливают такое качество.

Ситуация осложняется еще и тем, что деятельный Панкрат обычно испытывает мощный импульс к лидерству, однако при слишком уж обостренном самолюбии реализовать эти свои стремления ему будет крайне трудно. Увы, очень часто, вместо того чтобы уверенно делать свое дело, Панкрат начинает ввязываться во всевозможные споры и конфликты, напрасно пытаясь доказать свою правоту окружающим. Бесперспективность такого пути очевидна, поскольку лидером обычно является не тот, кто прав, а тот, кто умеет организовать людей и у кого лучше всех получается что-либо делать. Конфликтность же имеет совсем другой исход — либо Панкрат совершенно измотает себе нервы и найдет горделивое утешение в сознании своей мнимой правоты, либо, наоборот, потеряет свою уверенность, что нередко может привести к развитию у него комплекса неполноценности.

Впрочем, судьба Панкрата может сложиться гораздо более благоприятно, если он научится смягчать свой характер и сумеет воспитать в себе недостающее чувство юмора. Это обеспечит ему нормальные взаимоотношения с окружающими, а твердость характера и неплохие волевые качества могут изрядно поспособствовать в реализации своих честолюбивых устремлений. В этом случае можно быть уверенным, что Панкрат достигнет немалых высот в какой-либо карьере, требующей аналитического склада ума, выдержки и решительности.

Секреты общения. Наиболее уязвимое место Панкрата — это самолюбие, чем нередко могут могут воспользоваться его недруги или конкуренты. Панкрату следует быть очень осторожным, поскольку иной раз он теряет равновесие от малейшей критики в свой адрес, конфликт вышибает его из колеи и дела начинают валиться из рук.

Астрологическая характеристика:

Знак зодиака: Стрелец. Планета: Марс. Цвета имени: черный, красный, стальной. Наиболее благоприятные цвета: оранжевый, зеленый. Камень-талисман: сердолик, нефрит.

Празднуем именины: 22 февраля, 10 сентября (9 февраля, 28 августа) — Панкратий Печерский, затворник.

22 (9) июля — Панкратий Антиохийский, епископ, священномученик, ученик апостола Петра.

След имени в истории. Панкратий Каллисфен — сын сестры знаменитого Аристотеля — родился в 360 году до Р.Х. Так получилось, что с самого раннего детства ему посчастливилось воспитываться вместе с самим Александром Великим, и в некотором роде они даже стали друзьями, но именно эта опасная дружба, как часто и бывает в таких случаях, сыграла в судьбе Панкратия трагическую роль.

Сначала все было хорошо — Александр благоволил другу детства, тот же, в свою очередь, сопровождал царя повсюду — и во время Афинского похода, и во время похода в Индию. Однако вскоре их отношения стали напряженными, поскольку Панкратий обладал одним абсолютно недопустимым при общении с великими мира сего качеством — он не умел льстить и кривить душой. Да, ему нипочем были походные тяготы, он мог сразиться один на один с самым сильным воином, но разбавлять искренние отношения сладкой лестью было для него не под силу. Рано или поздно развязка была неизбежна, и, наконец, Александр открыто обвинил бывшего соратника в несуществующем заговоре. Панкратий был закован в цепи и вскоре скончался.

Тем не менее в историю Панкратий Каллисфен вошел не только и не столько как человек яркой и трагической судьбы, но и как незаурядный писатель, в десяти томах описавший многие исторические события, свидетелем которых ему довелось стать.

ПАНТЕЛЕЙ, ПАНТЕЛЕЙМОН

Значение и происхождение имени: всемилостивый (греч.).

Энергетика и Карма имени: имя Пантелей отличается мягкостью и подвижностью, причем подвижная энергетика как будто бы вовсе не предполагает какой-либо концентрации и упорства. Часто это проявляется в том, что Пантелей и сам не может понять, чего именно он хочет от жизни,— настолько широки и нестойки его интересы. С одной стороны, он очень любознателен и легко может зажигаться всевозможными идеями, с другой же — этих идей бывает столько, что Пантелей поневоле попадает в положение того самого придуманного мыслителем Буриданом философского осла, который не может сдвинуться с места, выбирая между двумя охапками сена. Впрочем, бывает и так, что Пантелей просто однажды махнет на все рукой и предпочтет плыть по течению, не очень-то задумываясь о своей судьбе.

Возможно, все было бы иначе, не предполагай энергетика имени повышенного самолюбия, однако поскольку имя Пантелей не только звучное, но и в настоящее время довольно устаревшее, то Пантелей может довольно критически относиться к себе и испытывать потребность в самоутверждении. Здесь-то и сказываются негативные моменты подвижной энергетики. Несомненно, что Пантелей будет далеко не чужд честолюбивых устремлений, жаль только, что при этом ему бывает крайне трудно сосредоточиться на каком-либо одном деле.

Одним словом, если Пантелей желает добиться успеха в жизни, ему очень даже не помешает приучить себя к ежедневному труду, независимо от быстроменяющихся интересов. Только в этом случае его живой и подвижный ум может изрядно помочь ему в реализации жизненных планов и обеспечить успех в какой-либо карьере. Это же касается и его семейной жизни, где также требуется определенное постоянство привязанностей и терпение в исполнении своих домашних обязанностей.

Секреты общения. Увы, с Пантелеем далеко не всегда удается плодотворно сотрудничать, зато это нередко компенсируется его умением вести беседу. Обычно люди с этим именем обладают прекрасным остроумием и незлобивостью, за что им, собственно, и прощают некоторую ленность и непостоянство.

Астрологическая характеристика:

Знак зодиака: Рыбы. Планета: Меркурий. Цвета имени: темно-серый, красный, серебристый. Наиболее благоприятные цвета: черный, коричневый. Камень-талисман: яшма, благородный черный опал.

Празднуем именины: 9 августа (27 июля) — Пантелеимон Целитель, великомученик.

След имени в истории. Библейское предание, повествующее о целителе и великомученике Пантелеймоне,— одно из самых подробных и невероятных, изобилующих всевозможными чудесами. За этими самыми чудесами даже немного теряется личность самого Пантелеимона, человека очень доброго, сострадательного и милосердного. Правда, сначала он долго мучился вопросом, принимать ли ему христианство,— однако происшедший с ним случай развеял все сомнения.

Как-то раз, повествует предание, Пантелеймон шел по улице и вдруг увидел на земле мертвого ребенка, укушенного змеей, которая еще не успела уползти. Он стал молиться Господу, решив для себя, что, если ребенок будет воскрешен, он немедленно примет крещение. И чудо действительно произошло: на глазах изумленного Пантелеймона ребенок ожил, а змея тут же погибла.

Обретя свою веру, Пантелеимон совершил еще немало добрых дел, безвозмездно исцеляя всех страждущих, и так продолжалось до тех пор, пока слава о нем не достигла ушей императора Максимиана — тот приказал казнить чудотворца. Как это был принято в те времена по отношению к особо опасным преступникам, казнь сопровождалась всевозможными мучениями, однако что только не делали с Пантелеимоном: растягивали на колесе, бросали на растерзание зверям и даже опускали в кипящее олово — он все равно оставался неуязвим. Наконец, император приказал отрубить чудотворцу голову, но как только палач ударил его своим мечом, меч стал мягким, как воск. И лишь после того, как с неба раздался Голос, призывающий великомученика в Царствие Небесное, тот уже сам приказал палачам казнить себя — но воины упали перед плахой на колени, прося прощения.

— Я прощаю вас, — с улыбкой ответил святой, — но и вы должны сделать то, что вам надлежит, иначе мы с вами больше никогда не увидимся в будущей жизни.

Со слезами воины казнили Пантелеимона, и как только его голова отделилась от тела, вместо крови из раны потекло молоко. Маслина же, к которой был привязан святой, в этот момент покрылась плодами. Это произошло в 305 г. И сейчас Пантелеимон, причисленный к лику святых, почитается как покровитель страждущих и воинов.

ПЕТР

Значение и происхождение имени: свое распространение имя получило в связи с деятельностью апостола Симона Зеведеева, которого Иисус нарек Кифой или в греческом варианте — Петром. Дословно это означает камень, скала.

Энергетика и Карма имени: есть такая поговорка — «мягко постелено, да спать жестко». Примерно это же можно сказать и об энергетике имени Петр, которое начинается очень мягко, а заканчивается со значительным напряжением. Кроме этого, на энергетике имени заметно отражается во многом противоречивая деятельность русского царя Петра Алексеевича, который и в наше время продолжает еще будоражить умы, правда, на сей раз уже в виде скандального многомиллионного памятника работы господина Церстли. Да и апостол Петр, который единственный из всех двенадцати апостолов то и дело пытался совместить христианское смирение с воинственностью и склонностью к ярости,— если уж этот его характер нашел свое отражение во всей римско-католической церкви, то что говорить о простом человеке с именем Петр? Конеч-

275

но, в той или иной степени и на нем отразятся все эти противоречия.

С детских лет у большинства Петров наблюдается значительное самолюбие, нередко болезненное. Обычно он растет довольно подвижным и добродушным ребенком, но на обиды реагирует крайне тяжело. Это тем более неприятно, что уменьшительное имя — Петя — склоняет его к проявлению доверчивости, мягкости, может быть, даже чрезмерной детской нежности, тем больнее ему бывает при столкновении с грубостью и оскорблением. В имени Петр абсолютно нет пластичности, надо сказать, что западный вариант — Питер — в этом смысле гораздо более выигрышен. Одним словом, русский Петр, плохо приспособленный к смягчению конфликтов и обид, скорее всего, будет стараться скрыть свою ранимую душу за какой-либо маской. Нередко такой маской становится цинизм, в более смягченном виде это проявляется в ироничности и насмешливости, возможно также, что Петя превратится в замкнутого нелюдимого человека, находя отдушину в книгах, музыке, творчестве или в общении с действительно близкими людьми, которых у него будет не так уж много.

Интересно, что при всей своей ранимости Петр часто считает своим достоинством способность говорить людям в глаза то, что он о них думает, не замечая, что аналогичные действия окружающих являются источником его собственных трагедий, ведь осудить легко, но если попытаться понять человека, то часто и суд никакой не нужен. Если избавиться от этой привычки и научиться понимать и принимать людей такими, каковы он есть, то в этом случае Петр освободит себя от множества мучительных переживаний и прекрасно сможет проявить действительно светлые стороны своего характера, которые обеспечат ему удачную судьбу, счастливую семью и множество настоящих друзей.

Секреты общения. Часто именно самолюбие Петра является его главным двигателем, оно заставляет его стремиться к первенству во всем, но оно же может быть и тем рычагом, с помощью которого Петром нетрудно управлять. Иной раз достаточно просто усомниться в его способностях или привести какой-либо пример, так что Пете надо быть поосторожнее, чтобы не предоставлять своим недоброжелателям такого мощного орудия воздействия. В конфликтных ситуациях следует учитывать, что в силу болезненного восприятия Петр, скорее всего, будет помнить обиду очень долго.

Астрологическая характеристика:

Знак зодиака: Дева. Планета: Сатурн. Цвета имени: черный, слегка коричневатый, иногда темно-красный. Наиболее благоприятные цвета: оранжевый, зеленый. Камень-талисман: изумруд, сердолик, янтарь.

Празднуем именины: 29 января, 12 и 13 июля (16 января, 29 и 30 июня) — Петр (до призвания Симон) — первоверховный апостол из 12-ти, священномученик.

17 (4) октября — Петр Дамаскин, пресвитер, священномучник.

8 декабря (25 ноября) — Петр, архиепископ, Александрийский, священномученик.

След имени в истории. Как-то раз академик Петр Капица (1894—1984) задал Лысенко коварный вопрос: «Вы утверждаете, что гена наследственности не существует и что все зависит от внешнего воздействия, которое и закрепляется как наследственный признак. Но почему же тогда, несмотря на тысячелетнее воздействие, евреи и мусульмане рождаются необрезанными, а женщины — девственницами?» В действительности же едкая ироничность Капицы, великого русского физика, работавшего под началом самого Резерфорда, имела под собой основу — он не терпел, когда кто-то с умным выражением лица порол чушь, хотя незнание и даже полное невежество мог легко понять и простить — за плечами ученого было отчисление из гимназии за неуспеваемость по классическим языкам. Впрочем, это самое отчисление осталось единственным темным пятном в биографии Капицы, и после гимназии его карьера начала складываться весьма удачно: сначала должность заместителя Резерфорда по магнитным исследованиям, затем работа в Кембридже в собственной лаборатории и, наконец — когда Капица стал невыездным,— собственная лаборатория в Москве.

После того как в 1978 году ученому была присуждена Нобелевская премия, его попытались привлечь к созданию атомной бомбы, но, получив решительный отказ, отстранили от научной работы, и Петр Капица продолжал работу уже неофициально, в маленькой оборудованной прямо на даче лаборатории. Как и многие его тезки, Петр

277

Капица не признавал компромиссов, предпочтя чистую совесть не только почестям и наградам, но и возможности просто нормально работать.

ПЛАТОН

Значение и происхождение имени: предположительно имя означает «широкоплечий», «мощный» (греч.).

Энергетика и Карма имени: Платон — это имя, наполненное энергией самосозерцания, оно как бы призывает своего носителя погрузиться в неизведанные и молчаливые глубины своей души, и дело здесь не только в неторопливой мелодии имени, немалую роль играет также образ великого древнегреческого философа Платона. В целом в энергетике имени можно ощутить некоторую закрытость, но, скорее, это не замкнутость, а некая самодостаточность имени — не то чтобы Платон искал уединения, просто он обычно не чувствует себя одиноким даже наедине с самим собой.

Интересно, что сам Платон ощущает свое имя совсем не так, как большинство окружающих. Практика показывает, что посторонние люди воспринимают имя Платон вполне обычно, не очень-то замечая его поразительную глубину. Мол, конечно, имя довольно редкое по сегодняшним меркам, но в остальном ничего особенного — хорошее русское имя. Сам же Платон, для которого его имя и он сам неразрывно связаны в единое целое, поневоле подпадает под влияние его гипнотизирующей энергетики. Он, несомненно, очень самолюбив, однако чаще всего настолько верит в свою исключительность, что не испытывает потребности в самоутверждении.

Платона трудно назвать чересчур общительным, к тому же он обычно не стремится никого ни в чем убедить и тем более навязать свою волю. Он просто делает свое дело, не особо задумываясь о том, как это воспримут окружающие. С другой стороны, его уравновешенность и внешнее спокойствие позволяют ему довольно легко вписываться практически в любой коллектив, в котором Платон будет терпеливо и не теряя достоинства играть отведенную ему роль, мало кого посвящая в свои истинные мысли и намерения.

Наиболее благоприятно, если Платону удастся применить свое могучее воображение в какой-либо карьере или творчестве. В противном случае некоторая раздвоенность сознания между внутренним и внешним миром лишит его интереса к работе, а фантазии рано или поздно начнут заменять ему реальность, что едва ли благоприятно отразится на его судьбе.

Секреты общения. Внешне Платон обычно производит впечатление довольно флегматичного человека, однако не забывайте, что его душа имеет еще одно потайное дно. Одному Богу известно, какие планы и мысли живут в этой скрытой от посторонних глаз части его души. Попробуйте вызвать его на откровенность, и если у вас это получится, то вполне возможно, вы будете удивлены богатством его внутреннего мира.

Астрологическая характеристика:

Знак зодиака: Близнецы. Планета: Плутон. Цвета имени: черный, серебритый. Наиболее благоприятный цвет: фиолетовый. Камень-талисман: аметист.

Празднуем именины: 1 декабря (18 ноября) — Платон Анкирский, мученик.

18 (5) апреля — Платон Студийский, игумен, исповедник.

След имени в истории. Вряд ли кто-нибудь когда-нибудь сможет подсчитать ту астрономическую сумму денег, в которую вылились поиски легендарной Атлантиды — ведь за то время, которое прошло от выхода в свет двух самых загадочных диалогов древнегреческого философа Платона «Тимей» и «Критий» и до наших дней, человечество все не может успокоиться и настойчиво продолжает снаряжать новые и новые экспедиции в неизвестность. А тем временем вопрос «была ли Атлантида?» гораздо актуальнее того, где же именно ее искать. Во всяком случае, по мнению людей, кропотливо изучавших «диалоги», Платон был человеком, любившим от души пофантазировать, подводя под свои философские основы фантастические концепции.

Ну разве не подозрительно, что перед «Тимеем» и «Критием» Платон обсуждал со своими учениками возможное устройство идеального государства и вслед за тем ярко обрисовал это самое государство, преподнеся его как красивую легенду об Атлантиде?

«Тот, кто Атлантиду выдумал, тот и отправил ее на морское дно», — уверенно заявил ученик Платона Аристотель, оговорившись при этом, что учитель действительно просто проиллюстрировал на примере этой мифической цивилизации свои взгляды на идеальное государственное устройство.

Так или иначе, но, видимо, имя Платон действительно наделяет своего носителя какими-то характерными чертами, во всяком случае, личность российского дипломата и по совместительству агента британской разведки Платона Обухова также отличается сочетанием авантюрных черт со склонностью к ярким фантазиям. Этот человек, немало времени проработавший в английском посольстве, сейчас обвиняется в шпионаже и измене Родине, и это и без того громкое дело усугубляется еще и тем, что обвиняемый — автор 11 детективных романов, 2 из которых... подшиты к его уголовному делу.

«Платон Обухов — шизофреник» — именно на этом построена линия адвокатской защиты, и некоторые врачи даже как будто готовы подтвердить такой диагноз. Однако в этом случае придется признать, что и книги обвиняемого, такие, как «Несостоявшийся шантаж», «Охота на канцлера», «Роковая женщина», и другие не менее захватывающие романы, написаны им в состоянии шизофрении — а вопрос о том, как такое возможно, интригует ничуть не меньше, чем загадка существования легендарной Атлантиды.

ПРОХОР

Значение и происхождение имени: запевала (греч.).

Энергетика и Карма имени: имя Прохор сочетает в себе замкнутость, твердость и эмоциональность, что, согласитесь, едва ли можно назвать особенно благоприятным сочетанием. Обычно уже с самого раннего детства Прохор не отличается общительностью и подвижностью, наоборот, он даже старается держаться подчеркнуто сдержанно, однако за всем этим довольно легко читается готовность взорваться в любой момент.

С другой стороны, в характере Прохора наблюдается такие полезные качества, как упорство, которое, впрочем, нередко переходит в упрямство, и значительная воля. Прохор действительно пытается держать себя в руках и управлять своими эмоциями, и пусть это далеко не всегда у него получается, но тем не менее эти старания не пропадают впустую, изрядно закаляя характер Прохора.

Конечно же, в первую очередь эмоциональность Прохора отражается на его самолюбии, что еще более усиливается заметностью и некоторой простонародностью имени. Не то, чтобы Прохор, что называется, комплексовал по поводу своего непритязательного имени, однако излишнее внимание окружающих к этому вопросу может вызывать у него раздражение. С возрастом самолюбие Прохора обычно перерастает в честолюбие. Может так случиться, что Прохор будет слишком уж падок на лесть и здесь ему не мешает быть чуточку осторожнее, чтобы этой слабостью не воспользовались недоброжелатели. Не стоит принимать слишком близко к сердцу ни хорошее, ни плохое, гораздо лучше смотреть на все с юмором.

В целом если бы не вспыльчивость Прохора, то его характер можно было бы назвать благоприятным для жизни и карьеры. Если ему удастся несколько смягчить свой прямолинейный характер и вместо того, чтобы пытаться сдержать раздражение, попробовать более легко относиться к жизни, стараясь понять и принять людей такими, каковы они есть, то это избавит Прохора от множества проблем и высвободит его энергию для плодотворной работы или для самостоятельного бизнеса.

Секреты общения. Не стоит, наверное, испытывать терпение Прохора, если, конечно, вы не ищете лишних сложностей в жизни. Быть может, Прохор и сумеет удержать себя в руках, но вот обиду вряд ли забудет. Если же, несмотря на ваши старания, избежать конфликта не удалось, то разрешить ситуацию можно, апеллируя к чувству справедливости Прохора. В этом случае он может пойти на компромисс.

Астрологическая характеристика:
Знак зодиака: Весы. Планета: Плутон. Цвета имени: черный, стальной. Наиболее благоприятный цвет: оранжевый. Камень-талисман: золото, янтарь.

Празднуем именины: 17 января, 10 августа (4 января, 28 июля) — Прохор, апостол от 70-ти, из 7 диаконов, епископ Никомидийский, священномученик, ученик апостола Иоанна Богослова.

28 (15) января — Прохор Пшинский, Сербский, преподобный.

23 (10) февраля — Прохор Печерский, Лебедник.

След имени в истории. Прохор Мошнин, известный более как преподобный Серафим Саровский (Серафим — имя, данное ему при постриге),— один из самых известных и любимых православных святых. 17-летним юношей он покинул дом и с благословения матери провел 2 года в Киево-Печерской лавре, а затем до конца жизни прожил в Саровской пустыни. Легенды гласят, что даже спал этот святой старец на коленях, все свободное время проводя за молитвой, и однажды был удостоен явления ему Божьей Матери и всех апостолов. Именно с того момента он и начал творить чудеса — говорили, что он может знать о том, что происходит за тысячи километров, свободно читая не только в мыслях людских, но и в их душах.

Так, один раз к Серафиму Саровскому пришел один из местных крестьян, причитая:

— Батюшка, лошадь у меня украли, и я теперь без нее нищий совсем...

В ответ, по словам крестьянина, святой коснулся своим лбом лба просителя, после чего сказал:

— Огради себя молчанием и поспеши в такое-то село. Когда же будешь подходить к нему, то поверни с дороги вправо и пройди задворками четыре дома. Там ты увидишь калитку — войди в нее, отвяжи свою лошадь от колоды и выведи молча.

Направившись по указанному адресу крестьянин действительно нашел свою лошадь и привел домой. Таких случаев, когда святой помогал найти украденную вещь или разоблачить неправое дело,— множество, и даже после смерти своей Серафим Саровский продолжал творить чудеса: когда старец умер, на его столе нашли несколько написанных им писем — ответы на письма больных и страждущих. Рядом с этими подробными ответами лежали и сами письма старцу — все они были в конвертах, и ни одно — не распечатано.

РЕМ

Значение и происхождение имени: это римское имя означает «весло» (лат.). Имя Рем получило распространение в России уже после октябрьской революции, когда оно было заново образовано, как аббревиатура словосочетания «революция мировая».

Энергетика и Карма имени: какой бы смысл, называя своего ребенка Ремом, ни вкладывали родители в это имя, не трудно заметить, что в его энергетике отмечается довольно странная и редкая для односложных имен неустойчивость. Такое ощущение, что в имени чего-то не хватает, все время хочется его чем-то дополнить. Кроме того, по своему звучанию оно способно наделить своего носителя значительной возбудимостью.

Впрочем, последнее вовсе не означает, что Рема можно будет легко вывести из себя. Скорее, наоборот, неуверенность, заложенная в имени, лишит Рема способности активно стоять за себя, а возбудимость найдет свое отражение в повышенной впечатлительности. Рем действительно может очень остро реагировать на внешнее воздействие, он будет очень самолюбив и обидчив, однако, скорее всего, лишенный внутренней уверенности, он предпочтет приспосабливаться к обстоятельствам, вместо того, чтобы пытаться изменить их в свою пользу. Со стороны это может вопринииматься как склонность к хитрости.

С другой стороны, несколько болезненное самолюбие Рема способно заставить его искать возможность самоутвердиться, нередко он прилагает невероятные усилия, стараясь выделиться среди окружающих и добиться общественного признания. Вообще, честолюбие — это один из главных двигателей Рема, и, надо заметить, он имеет все шансы добиться успеха в жизни. Трудолюбие, дипломатичность, умение управлять своими эмоциями и приспосабливаться к различным ситуациям способны обеспечить ему хорошую карьеру, в том числе и на руководящих должностях.

Хуже обстоит дело с личной жизнью, где его общественная маска становится ненужной и на первый план могут выйти его обидчивость и возбудимость, переходящая в раздражительность. Да и сам он едва ли будет ощущать себя счастливым человеком, для этого ему не хватает некоторой уверенности в себе, независимости от общественного мнения и вечно меняющихся обстоятельств, а также элементарной искренности в общении.

Секреты общения. Общаться с Ремом обычно не так уж сложно, гораздо труднее понять, что именно он думает о вас и как к вам относится. Вряд ли он вступит с вами в открытую конфронтацию, тем не менее берегитесь затрагивать его самолюбие — память на обиды у Рема может оказаться чересчур долгой!

Астрологическая характеристика:

Знак зодиака: Дева. Планета: Сатурн. Цвет имени: стальной. Наиболее благоприятные цвета: белый, коричневый. Камень-талисман: агат, яшма, сард.

След имени в истории. С этим именем связана красивая французская легенда повествующая о временах средневековья, когда сражения с нечистой силой были делом обычным. Согласно этому преданию, в 894 году городу Реймсу, месте коронования французских монархов угрожала опасность погибнуть от пожара, и в испуге люди попросили о помощи благочестивого архиепископа св. Рени, считающегося мастером в борьбе с нечистым. Опытный ратоборец тут же распознал проделки дьявола, крикнув огню: «Узнаю тебя, сатана!»,— после чего, взяв свой жезл, пошел на огонь.

Пламя отступало перед храбрым архиепископом, а он шел все вперед, пока полностью не освободил от огня все строения. После этого св. Реми загнал пламя в каменное подземелье, замуровал вход и строго-настрого запретил когда-нибудь эту дверь открывать. И лишь через много лет после пожара какой-то любопытный попытался было открыть эту дверь — но из подземелья на него хлынул такой поток пламени, что спалил беднягу дотла, затем огонь убрался обратно под землю, где заклятие св. Реми держит его и по сей день.

РОБЕРТ

Значение и происхождение имени: блестящая, неувядающая слава (др. герм.).

Энергетика и Карма имени: имя Роберт в силу своей звучности и редкости способно выделить своего носителя практически в любом кругу, тем не менее это несколько противоречит общей энергетике имени, поскольку в нем ощущается достаточно заметная замкнутость и уравновешенность. Обычно это выражается в том, что с детства Роберт начинает выглядеть несколько старше своих лет, сдержанно реагируя на чрезмерное внимание. Быть может, он даже будет казаться немного строгим и холодноватым, но едва ли это так на самом деле.

Это имя предполагает сосредоточенность, способность к долгой концентрации и добродушие. Обычно самолюбие Роберта ничем не ущемлено, он может довольно спокойно постоять за себя, но имя не склоняет его к долгому переживанию обид. Скорее, наоборот, по прошествии конфликта Роберт быстро вернет свое равновесие и может даже постарается понять своего неприятеля, а понять — значит и отнестись к нему по-человечески. В то же время равновесие не делает его ленивым и неповоротливым, бывает, что и безо всякого воспитания он рано узнает цену слову «надо» и старается сделать дело без суеты и очень основательно.

Конечно, и ему знакомы глубокие чувства и переживания, особенно в юношестве, но он предпочитает держать их внутри. Будь имя поострее, это могло бы привести к нервному перенапряжению или даже срыву, но лишенный излишней обидчивости Роберт часто придает своим мыслям об источниках своих проблем оправдательный характер. Он умеет прощать и понимать, причем нередко делает это так, чтобы никто не почувствовал никакого унижения, за что начинает пользоваться среди товарищей значительным уважением и даже авторитетом. Такое качество имеет еще один плюс — Роберт становится прекрасным психологом, что может изрядно помочь ему не только в личной жизни, но и на руководящей работе. В любви он, скорее всего, будет стремиться сохранить крепкое чувство к одной-единственной для него женщине, измена которой может оказаться для него страшной трагедией, но вполне вероятно, он и это сумеет простить.

Единственное, чего, пожалуй, не достает в энергетике имени,— это склонности к остроумию. Порою Роберт становится серьезным без всякой меры, и потому не исключено, что «принимать» его общение в больших дозах однажды станет невыносимо. Очень хорошо, если у Роберта получит развитие чувство юмора, иначе его «правильность», вызывая симпатии у посторонних, станет источником страданий для близких людей.

Секреты общения. Нередко люди обжигаются на том, что пытаются подкупить Роберта с целью склонить его на свою сторону. Скорее всего, Роберт просто начнет избегать встреч с такими людьми. В то же время получить его поддержку можно, просто поговорив с ним по душам и объяснив ситуацию. Интересно, что сам Роберт, будучи уравновешенным и спокойным, может до страсти любить приключенческую литературу и испытывать симпатии к людям авантюрного склада.

Астрологическая характеристика:
Знак зодиака: Скорпион. Планета: Плутон. Цвета имени: стальной, темно-коричневый. Наиболее благоприятные цвета: оранжево-красный, синий, фиолетовый. Камень-талисман: огненный опал, сердолик, авантюрин, чароит.

След имени в истории. Вряд ли Амундсен, покоряя Северный полюс, знал, что его радость — радость победителя — для кого-то обернется настоящей трагедией. Однако именно так и произошло: всего двумя днями позже к полюсу, на котором уже развевался норвежский флаг, подошла экспедиция из 5 человек, во главе с полярным исследователем Робертом Скоттом (1868—1912). Итог оказался печальным: силы людей и без того были на исходе, провизия заканчивалась, а факт, что они оказались вторыми, не способствовал укреплению духа. Экспедиция замерзла в полярных льдах, не дойдя всего несколько миль до склада с продовольствием.

Тем не менее Роберта Скотта по праву считают одним из самых выдающихся полярных исследователей — ведь именно под его руководством был построен специальный корабль для плавания и работы во льдах «Дискавери». Результатом первой экспедиции Скотта, совершенной на этом корабле, явилось открытие Земли Эдуарда VII и огромное количество бесценных для науки материалов, публикация которых едва уместилась в 12 томах, и лишь вторая экспедиция закончилась так трагически.

РОДИОН

Значение и происхождение имени: предположительно имя Родион является русской формой греческого имени Иродион, что означает «герой», «героический». По другой версии, имя произошло от греческого корня, означающего «роза».

Энергетика и Карма имени: в имени Родион явственно ощущается твердость и уравновешенное спокойствие, что

286

определяет человека самостоятельного и довольно выдержанного. Вряд ли с самого детства Родион будет отличаться чрезмерной подвижностью, он нетороплив и достаточно рассудителен, не склонен к излишней общительности, хотя и замкнутым его никак не назовешь. Следует также отметить заметное самолюбие Родиона, которое, впрочем, редко бывает болезненным или хотя бы чересчур чувствительным, просто обычно Родион знает себе цену и при случае может постоять за себя. Чаще всего это его качество с годами перерастает в честолюбие, однако в большинстве случаев честолюбивые мечты Родиона прекрасно уживаются с чисто прагматическими заботами материального плана.

Многое в жизни Родиона зависит от воспитания — его уравновешенность заметно облегчает задачи родителей, и те интересы, которые будут привиты ему в детстве, во многом определяют его дальнейшую судьбу. Тем не менее можно быть уверенным, что такие его качества, как терпение, выдержанность и умение концентрировать усилия, способны принести позитивные плоды и благотворно сказаться на карьере. Родион — человек трезвого ума, что мало располагает к творчеству, зато сослужит прекрасную службу в профессиях, связанных с техникой или точными науками. Быть может, единственное, что может помешать Родиону достичь действительно больших высот, так это отсутствие некоторой страстности. Иногда его и самого несколько смущает отсутствие у него настоящей всепоглощающей мечты.

Скорее всего, Родион не будет знать головокружительных взлетов и падений — жизнь его будет довольно стабильной. Это же касается и взаимоотношений в семье, тем более что за уравновешенностью и немногословием Родиона обычно скапливается большой запас душевного тепла, что, несомненно, будет по достоинству оценено близкими людьми и может обеспечить полноценное семейное счастье.

Секреты общения. Если вы желаете вывести из равновесия Родиона, то вам придется немало потрудиться, даже попытки воздействовать на его самолюбие Родион переносит относительно спокойно. Тем не менее если конфликт все же произошел, то разрешить его можно, просто поговорив по душам,— будьте уверены, Родион способен прийти к согласию и компромиссу.

Астрологическая характеристика:

Знак зодиака: Рыбы. Планета: Сатурн. Цвета имени: темно-коричневый, стальной. Наиболее благоприятный цвет: фиолетовый. Камень-талисман: аметист.

Празднуем именины: 17 января, 21 апреля, 23 ноября (4 января, 8 апреля, 10 ноября) — Родион, апостол от 70-ти, епископ Патрасский, священномученик.

След имени в истории. Родион Щедрин — выдающийся российский композитор (род. 1932), автор двух симфоний, концертов для фортепиано с оркестром и многих других замечательных произведений. В 22 года, будучи на последнем курсе Московской консерватории (класс композиции и фортепьяно), он удачно дебютировал Первым концертом для фортепиано с оркестром, и в дальнейшем каждое новое произведение композитора неизменно вызывало фурор: его свежая, яркая, эмоциональная музыка, вызывающая бурю чувств, не способна оставить равнодушным даже полного дилетанта.

Не раз в своем творчестве Щедрин обращается к народным мотивам — простота и гипнотизирующая притягательность русских народных напевов прослеживаются в таких его произведениях, как концерт «Озорные частушки», оперы «Не только любовь», «Мертвые души», и других. Нередко в своей музыке он достигает необыкновенной выразительности странным на первый взгляд сочетанием элементов русского фольклора с самыми новаторскими приемами современного музыкального языка — и эти эксперименты говорят о необыкновенном мастерстве композитора, равно как и о его склонности к поискам нового в искусстве.

Лауреат всех мыслимых и немыслимых наград, в числе которых и Ленинская премия, и Государственная премия, народный артист СССР, с 1973 года 7 лет Родион Щедрин являлся бессменным председателем правления Союза композиторов СССР. Его музыка признана во всем мире, что же касается личной жизни композитора, то, как это часто бывает у людей творческих, у Щедрина она является естественным продолжением его работы. Во всяком случае, композитор и не пытался скрыть тот факт, что главные партии таких своих знаменитых концертов, как «Анна Каренина», «Чайка» и «Кармен-сюита», он написал для своей не менее знаменитой жены — балерины Майи Плисецкой.

РОМАН

Значение и происхождение имени: на латыни это имя означает римлянин, на древнегреческом — крепкий, сильный.

Энергетика и Карма имени: энергетика имени Роман довольно своеобразна, что обычно проявляется в некоторой бесшабашности. К примеру, столкнувшись с какой-либо тяжелой ситуацией, Рома огорчится, но, скорее всего, быстро махнет на нее рукой, предоставив событиям идти своим чередом. Больше того, с годами у него может даже по этому поводу выработаться целая философия, в которой будет достаточно много юмора и оптимизма.

В детском возрасте, когда главная задача ребенка состоит в испытании терпения родителей и учителей, Рома может искренно хотеть быть прилежным учеником, но обычно все выходит несколько иначе. Терпеливость, как правило, не входит в число добродетелей Романа, просто подвижная энергия его имени склоняет к подвижности ума, а потому он то и дело рискует отвлекаться, переключая свое внимание с одного на другое. Нет, конечно, если его будут регулярно пороть, он может в силу безвыходности ситуации проводить все свое время за учебниками и постепенно превратиться в этакого ученого идиота, но, слава Богу, такое встретишь нечасто, к тому же оптимистический склад характера легко может научить Романа элементарно врать во избежание карательных методов воспитания. Одним словом, насилием можно многого добиться, но только не того, чего ожидаешь. С другой стороны, предоставленный самому себе Рома вряд ли останется полным неучем, поскольку быстрый ум позволяет ему многое усваивать на лету. Если же при этом у него будут развиты какие-либо интересы, тогда проблемы с учебой вообще исчезнут.

Как бы ни сложилась судьба Романа, лучше всего ему помогут такие качества, как уравновешенное самолюбие и склонность к остроумию, так что очень хорошо, если именно они получат свое развитие за время его воспитания. Едва ли Рома будет претендовать на роль лидера или браться за решение каких-либо сложнейших сверхзадач, зато он с успехом может применить свою энергию в самых разнообразных профессиях, особенно если они связаны с общением с людьми. В коллективе он редко испытывает какие-либо трудности, зато в семейной жизни, где ценится не только веселость, но и постоянство, у него могут возникнуть некоторые осложнения в виде разводов и прочих неприятностей. Если Роман желает избежать подобной участи, ему, скорее всего, не обойтись без применения своей силы воли, позволяющей противостоять возникающим интересам «на стороне».

Секреты общения. Обычно Рома любит поговорить, на что часто расходуется добрая половина его энергии. При этом оптимистичный и мало склонный к осторожности Роман способен случайно разболтать чужую тайну или просто беззлобно посплетничать. Хуже, когда перед вами «закомплексованый» Роман, тогда одному Богу известно, на что может толкнуть его подвижный ум и ущемленное самолюбие. Впрочем, гораздо чаще Рома очень коммуникабелен и легок в общении, что нередко позволяет многим раньше времени записаться к нему в настоящие друзья.

Астрологическая характеристика:

Знак зодиака: Рак. Планета: Меркурий. Цвета имени: серебристый, желтый, красный, Наиболее благоприятный цвет: для концентрации — черный. Благоприятно воздействует коричневый. Камень-талисман: морион (дымчатый кварц), яшма, гагат.

Празднуем именины: 1 декабря (18 ноября) — Роман Кесарийский, диакон, священномученик.

14 (1) октября — Роман Сладкопевец, Константинопольский, диакон, творец канонов.

10 декабря (27 ноября) — Роман Сирийский, отшельник.

След имени в истории. Мало кто не слышал про скандального режиссера Романа Виктюка (род. 1936) и его одноименный театр. И действительно, этому человеку удалось-таки добиться, чтобы о нем заговорили даже в эпоху всеобщего театрального упадка — время от времени Роман Григорьевич появляется то на радио, то на телевидении, давая интервью, объясняя суть своего творческого подхода.

В чем же секрет успеха Романа Виктюка? Как получилось, что даже те, кто ни разу не сподобился побывать в

театре, знают имя этого режиссера? Сам Роман Григорьевич так объясняет свою главную идею: прошло то время,
когда зритель валом валил на классику, разбираясь в ма-
лейших тонкостях режиссерской постановки. Сейчас, в
эпоху бизнеса, больших денег, боевиков и телевидения,
зрителя в театр можно привлечь только одним способом:
скандалом. Красочная феерия, маски, пантомима, самая
откровенная эротика — вот те способы, с помощью которых «Театр Романа Виктюка» стал чуть ли не самым мод-
ным местом в Москве.

Тем временем что мешает режиссеру, меняя форму театральной постановки, оставить ее содержание неизменной? Самое главное, чтобы театр был полон,— пусть даже
люди пришли просто поглазеть на голых артистов,— а тем
временем, глядишь, зрительское подсознание, даже против воли, впитает непреходящие ценности гармонии, добра и красоты. Не зря ведь в Америке в последнее время в
моду входит переделывание классических сюжетов на современный лад: к примеру, история о Ромео и Джульетте,
перенесенная в XX век, обеспечила авторам фильма при-
зы на многих фестивалях в 1997 году.

«Вечерний свет», «Стена», «Федра», «Служанки», «Ма-
дам Баттерфляй» — вот лишь малая часть спектаклей, поставленных в свое время Романом Виктюком; спектаклей,
каждый из которых автоматически становился событием в
театральной жизни столицы, шокируя и заводя привыкшую ко всему избалованную публику.

РОСТИСЛАВ

Значение и происхождение имени: старославянское имя,
означающее «тот, чья слава растет».

Энергетика и Карма имени: в этом имени нашли свое
отражение достаточная подвижность и даже некоторая порывистость. Обычно ребенок с таким именем растет лег-
ковозбудимым и непоседливым. Он быстро соображает,
но очень не любит долго концентрироваться на одном деле. Легко зажигаясь интересом к чему-либо, он также легко может остыть к нему, вплоть до полного равнодушия.
Однако самая яркая черта Ростислава — это удивительное
добродушие.

Конечно, для очень подвижного человека особо характерны всевозможные конфликтные ситуации, однако при этом имя совершенно не склоняет Ростика сильно и долго переживать обиду. Больше того, не умея всерьез обижаться, ему частенько бывает трудно понять, почему люди обижаются на него самого? Просто каждый человек меряет окружающих по себе, и если Ростислав не замечает оскорбительности тех или иных действий или слов, то с легким сердцем может пустить их в ход во время какого-либо спора или выяснения отношений. При этом не исключено, что в силу своей возбудимости он станет источником множества недоразумений, в то время как отходчивость и миролюбие будут заставлять его чувствовать себя виноватым. Это может стать даже причиной развития комплекса неосознанной вины. В этом случае Ростислав рискует, что на нем однажды начнут «кататься» все, кому ни лень, достаточно будет просто обидеться на него или, наоборот, дать ему возможность невольно нанести обиду, которую он, конечно же, попытается загладить.

Трудно представить, сколько неудобств может принести Ростиславу такая позиция, ведь так или иначе невозможно прожить жизнь, чтобы все остались довольными. Здесь, впрочем, есть хороший выход, достаточно вспомнить, что заповедь «не суди» относится не только к окружающим, но и к самому себе. Если Ростислав будет постоянно чувствовать себя в долгу перед кем-то, то не так уж важно, есть ли на то основания или нет, однако у него попросту не останется времени на свои собственные дела. Что же, людям часто приходится отказывать, главное — научиться это делать спокойно и по справедливости.

Впрочем, многие Ростиславы имеют прекрасное средство, позволяющее им обеспечить себе нормальную жизнь,— чувство юмора, являющееся следствием большой подвижности ума. При этом, что особенно хорошо, их ирония может быть не только внешней, но и внутренней. Особенно же благоприятно, когда в своем развитии Ростислав обретет те полезные качества, к которым имя его, увы, не склоняет, а именно — умение посвятить свое время одному какому-либо главному делу, уравновешенная твердость и способность иногда проявлять жесткость. Ростиславу с таким характером можно только по-доброму позавидовать.

Секреты общения. В случае с Ростиславом, скорее всего, не будет никаких особых секретов для нормального общения, разве что можно еще раз подчеркнуть его горячность в споре и быструю отходчивость. В остальном же для окружающих (но часто не для него самого!) его душевные качества будут очень приятны и полезны.

Астрологическая характеристика:

Знак зодиака: Лев. Планета: Меркурий. Цвета имени: темно-серебристый, салатовый, красный. Наиболее благоприятные цвета: коричневый, зеленый, для большей концентрации — черный. Камень-талисман: изумруд, яшма.

Празднуем именины: 27 (14) марта — Ростислав (в крещении Михаил) Мстиславич Киевский, Смоленский, великий князь.

След имени в истории. Современник знаменитых славянских просветителей Кирилла и Мефодия великий князь моравский Ростислав был недоволен тем, что среди чехов и моравов христианство распространяется в основном итальянскими и немецкими проповедниками — по его мнению, богослужения на непонятной никому латыни плохо помогали обретению веры. Именно поэтому он и обратился с просьбой к византийскому императору Михаилу III с просьбой прислать ему славянских учителей.

Обосновавшись в столице Ростислава Велеграде, Кирилл и Мефодий начали вводить здесь славянское богослужение сооружали храмы и продолжили перевод Священного Писания. Проповеди их были на порядок доходчивее латинских, и они крестили много народу, однако такой успех не мог не вызывать противодействия со стороны приверженцев латыни. В результате после кончины Мефодия в Моравии и Чехии начались гонения против славянских богослужений. Что же касается Ростислава, то он пал жертвой измены: схваченный собственным племянником, удельным князем Святополком, он был выдан на руки злейшему врагу, Людовику Немецкому, и умер в плену.

РУСЛАН

Значение и происхождение имени: имя уходит корнями в героический иранский эпос о Рустаме, сыне Залазара (поэма Фирдоуси «Шахнамэ»). Образ этого богатыря впоследствии был воспринят тюркскими народами, где Рустам Залазар превратился в Арслана Заль-зара (арслан означает лев), а затем в XVII веке попал в русский сказочный фольклор в образе уже русского богатыря Еруслана Залазаровича или Лазаревича.

Энергетика и Карма имени: как ни странно, имя Руслан в современном русском звучании не очень подходит для богатыря, разве что это интеллигентный богатырь с весьма тонкой душевной организацией. Конечно, это всего лишь предрасположенность, и не факт, что она отразится на самом Руслане в полной мере.

Прежде всего следует отметить такие черты энергетики имени, как легкость и некоторую оторванность от земли, что, скорее всего, найдет проявление в мечтательности и романтичности Руслана. Имя как бы увлекает своего хозяина в неведомые высоты. Еще более такое влияние усиливают сказочные образы, связанные со сказками Пушкина и знакомые каждому с детства. Впрочем, это приводит не только к мечтательности, но и заметно влияет на развитие самолюбия, которое при столкновении мечтательного Руслана с реальной жизнью может стать весьма болезненным. В самом деле, если маленькому Руслану приятно представлять себя в этом сказочном образе, то ждать подобного признания от окружающих не приходится. Больше того, не исключены насмешки, а значит, и обиды, соответствовать же характером сказочному богатырю, чтобы самоутвердиться в таком образе, очень и очень трудно. Поэтому сказка так и остается в мечтах, а Руслан, имя которого, кстати, мало склоняет к конфликтам и противоборству, в жизни выбирает иную линию поведения.

Скорее всего, мечты и переживания детства сделают Руслана достаточно скрытным и честолюбивым человеком. Внешне он будет довольно миролюбив, общителен, и даже может казаться открытым человеком, но чаще всего это оказывается лишь актерской игрой. При этом недостаток твердости в энергии имени в такой ситуации может оказаться весьма опасным, поскольку болезненное самолюбие жаждет самоутверждения, а неспособность к открытому самоутверждению способна поставить Руслана на путь тайных интриг. Избежать такого положения дел можно, но для этого необходимо либо самому воспитать в себе твердость характера, либо избавить свое самолюбие от болезненности, что гораздо сложнее.

Конечно, исключения есть всегда, но обычно Руслан достаточно активно стремится к высокому положению и жизненному статусу, хотя окружающие могут этого не замечать до тех пор, пока его мечты не осуществятся и он не получит наконец-то заветного признания общества. Жаль только, что на этом пути Руслан слишком поздно начинает понимать, что в погоне за иллюзорными самолюбивыми мечтами он теряет возможность жить простым человеческим счастьем, которое всегда можно найти в искренней любви, настоящих друзьях и даже в обычном душевном разговоре.

Секреты общения. Часто Руслан избегает открытого конфликта, тем не менее не стоит слишком сильно радоваться своей победе, Руслан способен долго помнить обиду, и кто знает, не предоставится ли ему когда-либо случай отплатить своим обидчикам? Если же вы хотите получить его расположение, то небесполезно бывает учесть, что, как и все скрытные люди, он, скорее всего, очень нуждается в человеческом тепле, и участии. Попробуйте проявить к нему чуточку этого тепла, и вполне возможно, что перед вами окажется совершенно другой человек.

Астрологическая характеристика:
Знак зодиака: Дева. Планета: Солнце. Цвета имени: стальной, салатовый. Наиболее благоприятные цвета: оранжевый, коричневый. Камень-талисман: агаты, огненный опал, яшма.

След имени в истории. Богатырь Руслан Лазаревич — герой многочисленных древних русских легенд, с именем которого предания связывают немало таких славных подвигов, как единоборство с богатырями-соперниками, битвы со сказочными чудовищами и даже целыми несметными полчищами врагов. Помимо таких непременных черт былинного богатыря, как мужество и сила, Руслан нередко становился на защиту слабых и обиженных, а в бою предпочитал действовать не только мечом, но и головой.

Легенда гласит, что как-то раз Руслан Лазаревич отправился в путь для того, чтобы сразиться с «Зеленым царем Огненным щитом». Его целью было добыть печень чудовища — единственное лекарство, с помощью которого он мог бы вернуть зрение своему ослепшему отцу и еще 12 богатырям. Уже по дороге к царю Руслан, проходя по полю боя, увидел огромную голову великана, рассказавшую ему о спрятанном под ней мече-кладенце: только с помощью этого волшебного меча, поведала ему голова, можно убить царя — да и то лишь при помощи хитрости.

Раздобыв меч, Руслан действительно пускается на хитрость и, прибыв в город, нанимается на службу к царю, поскольку иначе сразиться с ним невозможно: Огненный щит, сидя верхом на восьминогом коне, одним дыханием сжигает подобравшегося близко противника. Руслан обещает царю добыть меч-кладенец, сам же, улучив удобный момент, поражает этим самым мечом царя.

Интересна концовка этой легенды, больше похожая на быль, чем на сказку. Победив Огненный щит, Руслан женится на спасенной им царевне, но сам уезжает в солнечный город, где, позабыв жену, остается с царицей города. Тем временем сын его, Руслан Русланович, вырастает и, подъехав к стенам солнечного города, вызывает отца на бой. В долгом поединке Руслан узнает сына по кольцу, которое он когда-то оставил жене, и, устыдившись своего поведения, благополучно возвращается обратно в семью.

САВВА

Значение и происхождение имени: имя Савва по-арамейски означает старец.

Энергетика и Карма имени: энергетика имени Савва отличается независимостью, решительностью и силой. Несмотря на свою уравновешенную твердость, оно тем не менее способно наделить своего носителя достаточной импульсивностью. Неудивительно, если в характере Саввы будет некоторая эксцентричность и взрывоопасность. Внешне он может производить впечатление довольно уравновешенного и умеющего держать себя в руках человека, однако за этой спокойной маской частенько скрываются сильнейшие эмоции.

Вообще, для Саввы очень характерна колоссальная уверенность в себе, в которой нередко можно уловить оттенок сознания собственного превосходства. Он очень самолюбив, но едва ли испытывает слишком уж острую потребность в самоутверждении, по крайней мере, главной причиной его эксцентричности является не столько самолюбие, сколько страстность характера и стремление к лидерству.

В общении Савва обычно достаточно открыт и, увы, далеко не всегда пытается сдерживать свои эмоции. В некоторых случаях он может действительно держать себя в руках, но иногда готов поддаться первой же блажной идее, пришедшей в голову. Нередко это способно всерьез осложнить ему жизнь, иной раз Савва способен ни с того ни с сего вдруг нагрубить кому-либо или просто поднять человека на смех, не особо задумываясь о последствиях, однако его обычно выручает то, что он редко когда проявляет упорство в конфликте. Такое ощущение, что, выпустив свои эмоции из бутылки, он тут же теряет к ним интерес и даже готов пойти на мировую. Помогает также и его чувство юмора.

Бывает, правда, что жизнь обходится с Саввой довольно круто, и не раз, обжигаясь на своей эксцентричности, он теряет присущую ему самоуверенность и, наоборот, начинает чересчур осторожничать, однако подобное случается не так уж часто. В целом он имеет неплохие шансы добиться успеха в жизни, в том числе и в самостоятельном бизнесе и, пожалуй, единственное, что ему можно пожелать,— это быть повнимательнее к окружающим и особенно к своим близким. Чуть больше тепла и заботы не повредит ни им, ни самому Савве.

Секреты общения. В общении с Саввой желательно не забывать о его непредсказуемости, он и сам порою не знает, куда его занесет в следующий момент. Однако избежать с ним конфликта можно тем, что просто постараться проявить выдержку и самому не потерять равновесие. Обычно в людях Савва наиболее всего ценит самостоятельность, трезвость ума, точность и чувство юмора.

Астрологическая характеристика:
Знак зодиака: Водолей. Планета: Юпитер. Цвета имени: зеленовато-синий, красный. Наиболее благоприятный цвет: теплые тона желтого. Камень-талисман: золото, сердолик.

Празднуем именины: 27 (14) января — Савва Синайский, мученик.

7 апреля (25 марта) — Савва Новый, иеромонах.

14 (1) октября — Савва Новгородский, преподобный.

18 (5) декабря — Савва Освященный, игумен.

След имени в истории. Говорят, что у богатых свои причуды. Несомненно, самой поощряемой причудой богатых является меценатство, символом которого, в свою очередь, и стал в свое время главный акционер железной дороги и владелец нескольких заводов Савва Мамонтов (1841—1918).

В своем имении Абрамцево Мамонтов создал «приятный тип жизни», окружив себя лучшими художниками, которые не чувствовали себя «свадебными генералами» в гостях у привередливого барчука,— напротив, все признавали исключительную интеллигентность Мамонтова, его искренность и непоказную щедрость. В Абрамцеве художникам «было легче дышать и свободнее творить»: так, именно там Врубель написал знаменитую картину «Демон», а Васнецов почти закончил «Три богатыря».

Любознательную натуру Мамонтова привлекало все красивое и гармоничное — изобразительное искусство, музыка, литература, себе же он отводил в этом весьма скромную роль щедрого богача. Тем не менее творческое начало Мамонтова было очевидно всем, кроме него самого, недаром многие считали его своим учителем. Среди них был и Станиславский, всегда признававший, что в режиссуре он — не более чем последователь Саввы Мамонтова.

САВЕЛИЙ

Значение и происхождение имени: русский вариант от имени Савел — тяжкий труд (евр.).

Энергетика и Карма имени: сегодня это имя способно выделить своего хозяина из общего окружения. С одной стороны, здесь играет роль его достаточная редкость, с другой же — в нем есть какая-то притягательность и может быть даже странность. По своей энергетике оно довольно открыто, но удивительным образом в нем соседствуют способность принимать быстрые волевые решения и склонность к сомнениям. Нередко, если в характере Савелия преобладает своеволие и решительность или же он просто стремится к этому, он предпочитает называть себя Саввой. Савелий же — имя более мягкое, такой человек может постоять за себя, может с полной самоотдачей взяться за какое-либо дело, но уже с первых шагов в голову ему нередко начинают приходить мысли типа «а стоит ли?».

Кроме этого, заметность имени в случае с Савелием может быть не совсем желательной — в детстве Саве может казаться, что он слишком сильно привлекает к себе внимание, слишком на виду со своим немного странным именем. С возрастом это, конечно, пройдет, быть может, даже неуютные ощущения детства сменятся у него гордостью за свое имя, но в детстве, скорее всего, он будет довольно активно стремиться к самоутверждению. Интересно, что здесь может проявиться еще одна черта энергетики имени — его некоторая угрюмоватость, не исключено, что именно эту маску выберет Савелий, чтобы предупреждать излишнее внимание к своей персоне.

Едва ли это сделает его слишком замкнутым, скорее, просто в общении с людьми он несколько флегматичен и отстранен, подчеркивая свою самостоятельность. В делах его будет отличать собранность и аккуратность, поскольку имя склоняет к таким качествам, как хозяйственность и домовитость. Маловероятно, что в жизни Савелия возникнет много конфликтных ситуаций, его внутренняя энергия хоть и способна на вспышку недовольства, однако не предполагает агрессию и долгое накопление напряжения, так что чаще всего и личная жизнь, и карьера у него бывают довольно ровными, без скачков и срывов.

Единственное, что может сильно омрачить ему жизнь, — это, пожалуй, только его внутренние сомнения и недостаток чувства юмора. Безусловно, иногда не мешает оглянуться назад, но вместо того, чтобы тягостно размышлять над прошлым, гораздо лучше просто сделать из него выводы и суметь посмеяться над ним и над самим собой.

Секреты общения. Если в разговоре Савелий держится несколько холодновато, то это, скорее всего, ничего не значит. Вернее, значит все, что угодно, однако вряд ли он будет прятать свое отношение к вам, он просто выразит его не мимикой, а словами. В случае, когда Савелий предпочитает представляться Саввой, вам следует быть готовым к его возможной нетерпимости и своеволию, не исключены также вспышки агрессии. Желательно также знать меру в остроумии: Савелий нередко может принять шутку за насмешку.

Астрологическая характеристика:
Знак зодиака: Близнецы. Планета: Плутон. Для Саввы — Марс. Цвета имени: салатовый, синий. Для Саввы — гус-

то-синий, красный, салатовый. Наиболее благоприятные цвета: оранжевый, золотистый. Камень-талисман: сердолик, благородный и огненный опал.

Празднуем именины: 30 (17) июня — Савел Персиянин, Халкидонский, мученик.

3 декабря (20 ноября) — Саверий Персидский, епископ, священномученик.

След имени в истории. Совершенно неожиданным для князя Савелия Оболенского, жившего в XV веке, оказался переход от веселой безбедной жизни к скромной монастырской, однако, видимо, этот крутой поворот в его судьбе был настолько четко предопределен заранее, что кое-кому даже удалось его предугадать.

Как писал позднее сам Оболенский, эта странная история, перевернувшая всю его жизнь, началась с того, когда он, счастливый и довольный жизнью молодой денди, вдруг неожиданно влюбился в прекрасную княжну Дарью Лопуховскую, которая, благосклонно приняв его ухаживания, вскоре ответила взаимностью. Самое интересное произошло уже после венчания, в то время как гости уселись за праздничный стол и ждали начала пиршества. Именно в этот момент в доме вдруг появился известный в те времена юродивый Исидор, который, обогнув стол, подошел к жениху и протянул ему самодельную шапку, сплетенную из трав и цветов, со словами:

— Вот тебе и архиерейская шапка!

Всех присутствующих на пиру это очень позабавило, тем не менее не прошло и года, как события, предсказанные юродивым, начали сбываться: молодая княжна скончалась, с горя Савелий Оболенский действительно удалился в Ферапонтов монастырь, где вскоре и принял пострижение, чтобы позднее, в 1481 году стать архиепископом Ростовским.

САМУИЛ

Значение и происхождение имени: имя Самуил дословно означает имя Бога или Бог услышал (евр.).

Энергетика и Карма имени: энергетика имени Самуил обладает значительной подвижностью и не предполагает какой бы то ни было агрессивности. Это имя довольно добродушного и веселого человека, не чуждого, впрочем, и самолюбия. В детстве Самуил вряд ли будет отличаться усидчивостью, он любит всевозможные игры, а интересы его обычно столь широки, что ему трудно отдать предпочтение какому-либо одному делу. Не исключено, что в школе у него будут проблемы с учебой, однако его любознательность и быстрый ум позволят ему легко усваивать информацию и быстро наверстывать упущенные знания.

Крайне неблагоприятно, если родители начнут бороться с непоседливостью Самуила какими-либо карательными средствами, каковыми обычно являются ремень и стояние в углу,— в этом случае живое воображение Самуила и его подвижный ум могут рано подсказать ему способ избегать наказания посредством хитрости и обмана. Пустые уговоры и взывания к совести Самуила тоже малоэффективны, гораздо разумнее просто постараться привить ребенку правильные интересы, тогда и проблемы могут отпасть сами собой.

Вообще, если Самуилу удастся устоять перед соблазном добиваться желаемого хитростью, жизнь его может сложиться весьма удачно. Он достаточно честолюбив, чтобы рано или поздно начать прилагать значительные усилия для достижения намеченных целей, а его способность быстро, если не сказать молниеносно, соображать, сопряженная с прекрасным воображением может найти себе хорошее применение в какой-нибудь профессии, требующей творчества. Кроме того, чувство юмора, оптимизм и добродушие позволяют Самуилу быстро сходиться с людьми и обеспечивают благоприятную атмосферу в семье и в общении с близкими.

Секреты общения. С Самуилом обычно не возникает никаких проблем в общении, если, конечно, не затрагивается его самолюбие. Кроме того, Самуил умеет ценить дружбу и всегда стремится сохранить верность этому чувству. Он очень впечатлителен, и едва ли рассказ о ваших проблемах оставит его равнодушным, скорее, даже Самуил не только внимательно выслушает вас, но и сможет помочь каким-нибудь дельным советом.

Астрологическая характеристика:

Знак зодиака: Весы. Планета: Меркурий, Луна. Цвета имени: красновато-желтый, серебристый, светло-зеленый. Наиболее благоприятный цвет: коричневый. Камень-талисман: яшма.

Празднуем именины: 1 марта (16 февраля) — Самуил Египтянин, Палестинский, мученик.

2 сентября (20 августа) — Самуил пророк, судья Израильский.

След имени в истории. «О, если ты спокоен, не растерян, когда теряют головы вокруг, //И если ты себе остался верен, когда в тебя не верит лучший друг...» Этот замечательный перевод стихов Киплинга принадлежит перу Самуила Яковлевича Маршака (1887—1964), человека, чья литературная деятельность отличалась исключительным разнообразием — от детской поэзии до метких эпиграмм, направленных против фашизма.

Сын мастера на воронежском химзаводе, Маршак, начавший уже в 14 лет писать стихи и переводить, был замечен известным литературным критиком, и его судьба в один прекрасный день чудесно изменилась; писатель не только имел возможность получить блестящее образование, но и приобрел бесценный жизненный опыт — два года он прожил в семье Пешковых, жил в Петербурге, Ялте, Лондоне.

Его беспокойная, деятельная натура не позволяла Маршаку останавливаться на чем-либо одном; его привлекали разные жанры, разнообразные средства художественной выразительности. Такие разные вещи, как детская пьеса «Кошкин дом» и непревзойденные переводы Бернса или Шекспира, удавались ему с одинаковым блеском, и один только Бог знает, сколько труда — и не только творческого — стоит за этой видимой легкостью. «Редкостный труженик, человек большой и глубокой культуры», — писал о Маршаке один из его биографов, и с этим определением просто невозможно не согласиться.

СВЯТОСЛАВ

Значение и происхождение имени: славный святостью (слав.).

Энергетика и Карма имени: Святослав — имя ровное и довольно подвижное, но, пожалуй, оно слишком сильно обращает на себя внимание, да и намек на некую святость выглядит несколько претенциозно. Скорее всего, Святослав действительно начнет рано задумываться о таких вот высоких материях, и, надо заметить, подобные размышле-

302

ния в большинстве случаев делают Святослава довольно трезвым материалистом. Так сказать, срабатывает известный принцип, гласящий, что действие равно противодействию и слишком прозрачные намеки вызывают отторжение. С другой стороны, необычное имя способно внушить человеку мысли и о собственной необычности, однако подобные умонастроения Святослав предпочтет скрывать от окружающих.

Все это приводит к тому, что внешне Святослав старается выглядеть таким же, как и все, но мечты о своей исключительности наделяют его колоссальным честолюбием, которое только усиливается от того, что Святослав его скрывает. В этом, однако, нет ничего плохого — во-первых, не любящий кичиться своими достижениями Святослав получает заслуженное уважение товарищей, а, во-вторых, сознание своей необыкновенности придает ему сил для того, чтобы действительно самореализоваться в какой-нибудь профессии.

У него есть все шансы для удачной карьеры, и можно быть уверенным, что он предпочтет добиваться всего своим собственным трудом. Он обладает довольно трезвым умом, неплохими волевыми качествами и уравновешенным терпением. Достаточная твердость его энергетики часто помогает ему не только постоять за себя, но и настоять в случае необходимости на своем мнении. При этом мало шансов, что Святослав начнет горячиться и нервничать. Частенько его внутреннее равновесие и самоуверенность позволяют ему занять место лидера в коллективе.

Впрочем, и у этого имени есть свои недостатки — бывает, что Святослав слишком уж серьезно относится к достижению своих целей и за этим может не замечать чужого мнения. Это делает его довольно эгоцентричным человеком, что нередко мешает его семейному счастью. Чуть больше тепла, внимания и самостоятельности своим близким — и все будет хорошо.

Секреты общения. Чем бы ни занимался Святослав, к нему очень подойдет определение — деловой человек. Иногда складывается впечатление, что он даже к отдыху относится по-деловому, стараясь все организовать правильно и наилучшим образом. Будьте осторожны, вы можете не заметить, как поневоле попадете под его уравновешенное и спокойное руководство не только в делах, но даже и в личной жизни!

Астрологическая характеристика:
Знак зодиака: Козерог. Планета: Юпитер. Цвета имени: серебристый, синий. Наиболее благоприятный цвет: оранжевый. Камень-талисман: янтарь.

Празднуем именины: 6 июля (23 июня) — Святослав Владимирский, князь.

След имени в истории. Когда на встрече с избирателями в Кемерово те выразили сомнение, что Святослав Федоров не очень молод для того, чтобы претендовать на пост президента России, тот в ответ резонно заметил: «Приглашаю всех сомневающихся переплыть вместе со мной реку Томь». В этих словах — весь Федоров, не поощряющий пустую болтовню человек дела. Вся его жизнь настолько насыщенна событиями, что просто не верится: неужели и правда Федоров-врач, Федоров-политик и Федоров-бизнесмен — одно и то же лицо? И тем не менее это так; ему удалось не только совместить несовместимое, но и достичь во всех трех областях значительных успехов.

Надо сказать, что в любых видах своей деятельности этот человек не особенно оглядывается на авторитеты и не признает шаблоны. Так, одно время для того, чтобы оказывать людям помощь на местах, Святослав Николаевич оборудовал под клинику самолет и корабль «Петр I». Многие тогда сочли такой поступок экстравагантным, однако расчет оправдал себя.

Что касается бизнеса, то и тут Федоров предпочел отойти от стереотипов, открыв первое в Москве казино «Рояль». С 1989 года Святослав Федоров стал активно заниматься политикой, и уже через 2 года Борис Ельцин предложил ему занять пост премьер-министра России, от чего он отказался. Почему? «Наша нынешняя демократия — это ложь, — считает Федоров. — И главный грабитель — правительство». Надо заметить, что основной лозунг «Человек должен зависеть от результатов своего труда» распространяется на всех, кто работает под началом Святослава Федорова, и, кто знает, может быть, именно в этом кроется секрет успеха всех его начинаний?

СЕВАСТЬЯН

Значение и происхождение имени: русская форма греческого имени Себастиан — высокочтимый.

Энергетика и Карма имени: Севастьян — имя энергичное и прямое. Попробуйте прислушаться к его мелодии, которая начинается довольно неторопливо и постепенно набирает силу, делая решительное ударение в конце. Примерно так же можно определить и характер самого Севастьяна. Внешне это довольно уравновешенный человек, не лишенный чувства юмора, иногда он даже кажется безответственным и беспечным, однако это обманчивое впечатление — стоит только задеть Севастьяна за живое, и на первый план начинает выходить заложенная в его характере импульсивность и твердость.

Стоит также отметить значительную чувствительность Севастьяна, он очень самолюбив и обидчив, в чем, кстати, немалую роль играет редкость его имени, а стало быть, и задеть его за живое труда обычно не представляет. При таком положении вещей есть все основания полагать, что со временем импульсивность Севастьяна может перерасти в резкость и взрывоопасность, а прямота — в упрямство. Здесь следует быть поосторожнее, поскольку если подобное случится, то судьба Севастьяна может заметно осложниться и омрачиться множеством конфликтов и взаимонепониманием с окружающими. Даже присущее ему чувство юмора спасает его далеко не всегда, поскольку с учетом повышенной ранимости остроумие чаще всего начинает приобретать характер злой сатиры или насмешки, так что в этом случае от врожденного добродушия частенько со временем не остается и следа.

С другой стороны, если Севастьяну удастся преодолеть негативные стороны своей энергетики и он обретет наконец уже не показное, а подлинное душевное равновесие, то сила его характера способна изрядно помочь ему в жизни и карьере. Он трудолюбив и способен на решительные поступки, обладает неплохим творческим воображением и честолюбием, по сути, только неровность характера и склонность к упрямству мешают ему сделать хорошую карьеру и достичь согласия в кругу семьи.

Секреты общения. Спорить с Севастьяном — дело неблагодарное и неразумное. Еще неразумнее спорить с ним на языке эмоций, увы, при его чувствительности ваши эмоции могут быстро войти в резонанс, и в считанные минуты спор перерастет в непримиримый конфликт. Избежать же недоразумений в общении с Севастьяном можно с помощью собственной выдержки, логичности и доброго юмора.

Астрологическая характеристика:

Знак зодиака: Лев. Планета: Солнце. Цвета имени: серебристо-синий, густо-красный, коричневый. Наиболее благоприятные цвета: зеленый, желтый. Камень-талисман: хризолит, изумруд, золото.

Празднуем именины: 31 (18) декабря — Севастиан Римский, начальник дворцовой стражи, мученик.

11 марта, 5 июня (26 февраля, 23 мая) — Севастиан Пошехонский, проповедник.

3 апреля (20 марта) — Севастиан Римский, военачальник.

След имени в истории. Немецкий писатель Севастьян Брант (1457—1521) вошел в историю литературы в основном благодаря одному своему произведению — книге остроумных и живых стихотворных сатир под названием «Корабль дураков». Еще при жизни автора эта книга имела огромный успех, став безусловным образцом для подражания многим начинающим поэтам.

Вообще же, «Корабль дураков» нельзя назвать цельным произведением, как таковым. Отличавшийся оригинальностью писатель изобрел для своего шедевра ни на что не похожую форму — форму множества небольших сюжетов, стишков с рисунками на самые разные темы, но объединенные общей фабулой (путешествие глупцов в страну дураков). Таким образом, по сути, книга более напоминает литературную мыльную оперу, которую можно дописывать без конца.

В «Корабле дураков» Севастьян Брант вывел множество типов людей, каждый из которых олицетворяет один из человеческих пороков. Жадина и льстец, обжора и прелюбодей — все они, несомненно, существуют под знаком Глупости, иначе бы не являлись таковыми. Впрочем, автор и не собирался ставить перед собой каких-то сверхзадач. Он просто с удовольствием посмеивался над заведенным порядком, прекрасно сознавая, что перевоспитание общества — дело очень неблагодарное.

СЕМЕН

Значение и происхождение имени: Симеон — услышанный (евр.). Возможно, также означает «услышанный Богом», поскольку часто в разговорах иудеев слово «Бог» либо вообще опускалось, либо заменялось каким-либо эпитетом.

Энергетика и Карма имени: энергетика имени Семен сочетает в себе такие черты, как легкая возбудимость, подвижность, способность к основательности и упорству. Кроме этого, заметное влияние оказывают достаточная редкость имени и связанные с ним вероятные ассоциации. Вполне возможно, что в подростковом возрасте Семен будет стесняться созвучия своего имени понятию семени, однако даже если это и не так, все равно заметность и некоторая легковесность имени способны сделать Сеню объектом насмешек. При этом огромную роль играет возбудимость Семена: скучно дразнить уравновешенного флегматика, опасно это делать с тем, кто умеет защищаться, не теряя равновесия, зато уж если человек начинает нервничать от насмешек, если обида застилает ему глаза, то здесь ко всеобщему веселью цель достигнута! Конечно, родись Семен сразу же взрослым или живи он на другой планете — этого бы не произошло, однако в реальной жизни одной только боязни насмешек бывает достаточно, чтобы возбудимость Сени получила свое развитие, а самолюбие стало болезненным.

Часто самолюбие в значительной мере и определяет жизненный путь Семена. Детские обиды едва ли сделают его замкнутым, по крайней мере, имя не предоставляет такой возможности, поскольку в виду отсутствия в нем твердой опоры оно не предполагает долго аккумулировать напряжение. В связи с этим Семен, скорее всего, будет искать поддержку в друзьях или находить разрядку в юморе. И то и другое довольно благоприятно и способно хорошо помочь Сене вписаться в коллектив, где он может даже стать душой компании. Здесь, правда, частенько ему начинает мешать изрядная обидчивость, провоцирующая ссоры, разрыв со старыми друзьями и поиск новых. Такая же ситуация может сложиться и в семейной жизни, причем неумеренная обидчивость может подтолкнуть его к поиску успокоения в алкоголе. Избежать такого неприятного оборота возможно только одним способом — не ждать от людей понимания своих обид, поскольку маловероятно, что эти обиды были нанесены со злым умыслом или с целью унизить, скорее, здесь играет роль болезненное самолюбие самого Семена, а потому и лечить это лучше всего, просто посмеявшись вместе со всеми над ситуацией и над самим собой. Одним словом, если Семен начинает относиться к себе самому с известной долей юмора, то большинство проблем в его жизни отпадают сами собой.

Еще одна важная черта Семена, связанная с энергетикой его имени,— это умение быть основательным в делах. Из него может получиться прекрасный работник, а дар быстро находить друзей часто делает его хорошим организатором и руководителем, особенно если он избавится от своей обидчивости, а свое чувство юмора сумеет применять и к самому себе.

Секреты общения. Интересно, что в некоторых случаях обидчивость Семена бывает столь сильна, что его обижают даже подозрения в том, что он обиделся. Одним словом, желательно в разговоре с ним учитывать его самолюбие, но не стоит потакать, поскольку это может нанести ему огромный вред, еще более укрепив в своих обидах. Кроме того, в общении надо быть осторожным не окружающим, а прежде всего самому Семену: очень часто, зная, что для друзей Сеня готов на все, многие спешат притвориться его друзьями!

Астрологическая характеристика:
Знак зодиака: Дева. Планета: Меркурий. Цвета имени: салатовый, желтый, белый. Наиболее благоприятные цвета: коричневый, зеленый, фиолетовый. Очень не желателен красный цвет. Камень-талисман: хризопраз, яшма, аметист.

Празднуем именины: 16 (3) февраля — Симеон Богоприимец.

14 (1) сентября — Симеон Столпник Антиохийский, архимандрит.

17 (4)января — Симеон Иерусалимский, сродник Господень по плоти, апостол от 70-ти, епископ, священномученик.

След имени в истории. Семен Нарышкин (1710—1775) — один из видных политических деятелей эпохи Екатерины II, взлеты и падения которого, казалось, целиком зависели от прихоти царственных особ и от непредсказуемых поворотов судьбы. Один из самых больших щеголей своего времени, муж первой столичной красавицы, Нарышкин вызвал открытую антипатию императрицы Елизаветы Петровны, которая как-то раз прямо на балу подошла к его жене и ножницами срезала все украшения с ее платья.

Так что первые годы своей карьеры Семену Нарышкину пришлось провести как можно дальше от царских очей — то в Англии, то во Франции, но именно благодаря своим разъездам он и познакомился с никому тогда не известной принцессой Ангхальт-Цербстской, будущей Екатериной II. Он даже учил ее садиться в русские сани, поскольку такая диковинка в Европе была неизвестна... Нетрудно догадаться, что по восшествии на престол Екатерина не забыла своего друга, оказавшегося сразу одним из самых влиятельных людей в государстве и получившего возможность осуществить свои прежние задумки. Так, Семен Нарышкин организовал в Петербурге придворный театр — второй в истории России, а также собрал экзотичнейший роговой оркестр. Этот оркестр, по свидетельствам современников, состоял из множества музыкантов, каждый из которых на длинном роге играл только одну ноту, в результате же получалась великолепная, ни на что не похожая музыка.

Щеголь и дамский угодник, выдумщик и фантазер, Нарышкин сумел-таки сделать хорошую карьеру, а в 1760 году даже был награжден орденом Андрея Первозванного — высшим орденом Российского государства.

СЕРГЕЙ

Значение и происхождение имени: Сергий — высокочтимый (лат.).

Энергетика и Карма имени: самые важные качества, которые проявляются в имени Сергей,— это внутренняя жилка, уравновешенность между твердостью и мягкостью, а также его незаметность, что в первую очередь связано с чрезвычайной распространенностью имени. Интересный факт — при таком изобилии Сергеев в России это имя все же не так уж часто можно встретить среди каких-либо политических вождей или лидеров, разве что в виде отчества. Кстати говоря, именно это может служить ярким подтверждением тому, что имя все же довольно заметно влияет на судьбу, ведь, по теории вероятностей, в одной только политической элите Сергеем должен быть как минимум каждый двадцатый, однако такого не отмечается ни сейчас, ни в прошлые времена. Среди музыкантов, поэтов, писателей их сколько угодно, а вот в качестве заметной политической фигуры, в отличие от Александров и даже Егоров, всего два-три человека.

Впрочем, здесь нет ничего удивительного, просто имя действительно не склоняет его к лидерству, а в силу привычности имени и его уравновешенности, самолюбие Сергея редко бывает ущемлено. Обычно ему нет нужды мучительно самоутверждаться, разве что это связано с другими причинами, а потому и честолюбивые планы Сергея редко связаны с борьбой и противостоянием, что в психологии определяется как отсутствие импульса к власти. Иными словами, Сережа не лидер, он или на равных, или же сам по себе.

Все это делает имя Сергея максимально благоприятным для нормальной жизни. На это имя хорошо опереться в трудную минуту, что прибавляет сил при отстаивании своих интересов, в нем также достаточно чувственности и человечности, однако поскольку твердость и мягкость находятся в равновесии, то здесь очень многое зависит от воспитания. К примеру, Сережа может с возрастом стать чересчур жестким или, наоборот, уступчивым, однако с учетом того, что сегодня процесс воспитания в большинстве случаев усреднен школой, влиянием улицы и мало предполагает индивидуальный подход, то, скорее всего, Сергей так и останется достаточно уравновешенным человеком, способным и за себя постоять, и людям помочь. В целом же можно быть уверенным, что у него будет много друзей, вполне нормальные отношения с окружающими, а успех в делах будет зависеть в основном не от воли случая, а от его собственных усилий.

Секреты общения. Уравновешенность Сергея нередко делает его прекрасным дипломатом, в споре он может быть упорным, но вывести его из себя не так уж легко.При каких-либо попытках повлиять на него или в случае чрезмерных просьб, он, скорее всего, некоторое время будет терпеливо искать согласия, а потом попросту уйдет в сторону.

Астрологическая характеристика:
Знак зодиака: Весы. Планета: Венера, Юпитер. Цвет имени: серебристо-серый. Наиболее благоприятный цвет:

для большей активности красный. Камень-талисман: рубин.

Празднуем именины: 18 июля, 8 октября (5 июля, 25 сентября) — Сергий Радонежский, игумен, преподобный.

13 августа (31 июля) — Сергий Петроградский, архимандрит, священномученик.

11 июля, 24 сентября (28 июня, 11 сентября) — Сергий Валаамский, преподобный.

11 октября, 20 октября (28 сентября, 7 октября) — Сергий Печерский, Послушливый.

След имени в истории. Время все расставляет на свои места. Когда основоположник космонавтики Сергей Королев (1906—1966) предложил совершенно необычный вариант параллельного размещения двух ракетных ступеней, его назвали чудаком, и лишь с большим трудом ученому удалось доказать свою правоту. Прошло немало лет, и американские конструкторы методом проб и ошибок пришли к тому же открытию, которое, благодаря Королеву, уже давно использовалось в советской космонавтике.

На этого человека делало ставку советское правительство; именно от него зависело, победит или проиграет СССР в космической гонке... Сергея Королева справедливо называют «отцом космонавтики», ведь именно под его руководством был проделан путь от создания баллистических и геофизических ракет до пилотируемого космического аппарата. Те, кому посчастливилось работать с ним, отмечали: он умел смотреть на привычные вещи, как ребенок, под совершенно необычным углом, как будто видит их впервые. Именно такой подход и помогал ему находить пути, которых другие просто не замечали или отвергали как нереальные.

Для Королева не существовало такого понятия, как «досуг», — все его время без остатка было посвящено работе. Возможно, именно потому он и успел сделать за свою жизнь так много, открыв перед человечеством новые космические горизонты. Он мечтал еще о многом, но больше всего — о полете человека на Марс. И хотя этой мечте не суждено было сбыться, но все равно каждый год 31 декабря, космонавты, плавая в невесомости, поднимают тост, празднуя день рождения Сергея Королева — человека, благодаря которому они смогли освоить такую экзотическую профессию.

СОЛОМОН

Значение и происхождение имени: мирный (евр.).

Энергетика и Карма имени: энергетику имени Соломон выделяет редкая прямота, последовательность и уравновешенность. Обычно человек с таким именем умеет ставить перед собой цели и планомерно добиваться их достижения. Соломон терпелив, настойчив, обладает неплохими волевыми качествами и практически абсолютно не расположен к агрессии. Иногда он выглядит чересчур погруженным в свои мысли, однако с началом беседы это ощущение проходит — Соломон обычно является неплохим собеседником, не лишенным к тому же чувства юмора.

В целом энергетика имени способна склонить Соломона к логичности и трезвой рассудительности, однако эту картину заметно дополняет легендарный образ библейского царя Соломона, сочетавшего в себе, пожалуй, все мыслимые достоинства, какими только может обладать смертный человек, и при этом совершенно не выглядеть святошей. С ним связаны наиболее красивые и добрые легенды Ветхого Завета, а потому нет ничего удивительного, если именно они в наиболее значительной степени повлияют на воображение современного Соломона.

Детские мечты редко когда проходят даром, они пробуждают фантазию, придают мыслям живость, и вполне возможно, что с возрастом это найдет свое отражение в проявлении у Соломона недюжинных творческих способностей. Единственное, чего здесь, пожалуй, следует опасаться, так это чрезмерного роста самолюбия. Впрочем, едва ли Соломон сможет превратиться в законченного эгоиста, скорее всего, в этом ему помешает хорошее чувство юмора и уравновешенность. Одним словом, нет ничего плохого, если Соломон будет ревниво относиться к своим интересам, главное хоть как-то соразмерять их с интересами других людей. Кстати говоря, в этом случае его шансы на удачную судьбу удвоятся.

Секреты общения. Несмотря на удивительную уравновешенность характера Соломона, не стоит задевать его чувствительное самолюбие даже в шутку. Хоть Соломон и обладает чувством юмора, это не относится к шуткам, направленным на личность, ведь насмешка — это уже агрессия, а этого он не любит. Кроме этого, в случае возникновения каких бы то ни было недоразумений в общении с Соломоном постарайтесь решить ситуацию с помощью логики, а не эмоций. И не затягивайте с этим, ведь Соломон обычно не забывает обид, оставаясь последовательным даже в конфликтах.

Астрологическая характеристика:

Знак зодиака: Весы. Планета: Юпитер. Цвета имени: зеленовато-желтый, белый. Наиболее благоприятный цвет: оранжевый. Камень-талисман: янтарь, сердолик.

След имени в истории. Имя библейского царя Соломона уже давно стало символом человеческой мудрости, а слова «соломоново решение» означают находчивость, ум и искусство распознания истины. Великолепный психолог, знаток человеческой натуры, царь Соломон умел поворачивать ситуацию таким образом, что правда открывалась как бы сама собой. Легенда гласит, что как-то раз к нему пришли две женщины, одна из которых украла у другой ребенка; каждая пир этом уверяла, что ребенок ее. Соломон, выслушав обеих, распорядился разделить дитя на две части, отдав каждой женщине по половине.

— Ну и хорошо! — воскликнула одна. — Пусть дитя лучше не достанется никому, чем достанется воровке.

Другая же заплакала и сказала:

— Не надо! Пусть ребенок будет ее, но останется жив. Конечно же, это и была настоящая мать.

СПАРТАК

Значение и происхождение имени: житель Спарты (греч.).

Энергетика и Карма имени: Спартак — имя прямое и резкое, оно похоже на кремень, высекающий искры, и одному Богу известно, какой пожар может разгореться от этой искры. Кроме того, на сегодняшний день такое имя встречается очень редко, что в значительной мере усиливает его воздействие на психику, да и связанные с именем образы тоже играют огромную роль. Здесь и личность известнейшего римского гладиатора-бунтаря, ставшего символом восстания и борьбы за свободу, и даже наиболее популярная российская футбольная команда. Думается, многим уже набила оскомину речевка футбольных болельщиков, где лейтмотивом звучит: «Спартак — чемпион!»

Все это, конечно, не имеет непосредственного отношения к человеку с именем Спартак, однако косвенное воздействие этих образов ощущается довольно сильно. Слишком уж прямо имя указывает на эти сильные образы, и потому к ним трудно относиться без улыбки.

При этом остается только сожалеть по поводу того, что имя не очень-то склоняет Спартака к остроумию,— если в процессе воспитания у него так и не будет развито чувство юмора, то, увы, он может слишком болезненно реагировать даже на беззлобные подшучивания товарищей. Больше того, в добавок к и без того чувствительному самолюбию, энергетика Спартака обладает еще и такими опасными чертами, как взрывоопасность и импульс к лидерству, и потому очень даже вероятно, что всевозможные недоразумения в общении с окружающими будут принимать у Спартака довольно жесткие формы. Нетрудно догадаться, что здесь можно набить немало шишек, не исключено даже, что на этой почве Спартак потеряет присущую ему самоуверенность. Одним словом, у него не так уж много вариантов судьбы: либо он действительно станет лидером, либо будет мучиться сознанием своей неполноценности, либо же научится легче и веселее относиться к жизни. Что и говорить, последний вариант является наиболее благоприятным, тем более что именно такой путь может обеспечить Спартаку не только хорошую карьеру, но и нормальные взаимоотношения в семье.

Секреты общения. Наверняка в общении со Спартаком у вас возникнет множество трудных моментов, по крайней мере, заподозрить его в дипломатичности и умении держать себя в руках довольно трудно. Кроме того, едва ли разумно будет пытаться разрешить конфликт с помощью спокойной логики, за своими эмоциями он просто не услышит вас. Гораздо лучше дождаться, когда он сам начнет успокаиваться, и только после этого можно попробовать прийти к компромиссу. Впрочем, если Спартак обладает чувством юмора, то общение с ним обычно не представляет серьезных трудностей.

Астрологическая характеристика:
Знак зодиака: Стрелец. Планета: Марс. Цвета имени: темно-стальной, красный. Наиболее благоприятные цвета: оранжевый, зеленый. Камень-талисман: янтарь, хризолит.

След имени в истории. «Это был человек выдающийся и

физическими силами, и духом», — писал о Спартаке (?— 71 год до нашей эры) римский историк Саллюций. И действительно, от других гладиаторов, попавших в плен к римлянам, этот человек отличался не только могучей силой, позволявшей ему из каждого боя выходить победителем, но и незаурядным стратегическим мышлением. «Он более походил на образованного эллина, чем на человека его племени», — считал древнегреческий писатель Плутарх. А потому совершенно очевидно, что его роль в римском амфитеатре — роль «боевого гладиаторского мяса» — Спартака устроить не могла.

Вскоре Спартак организовал побег с участием более 200 гладиаторов, и это послужило началом его знаменитого восстания. Десятки, сотни рабов каждый день присоединялись к бунтарям, и этих людей, многие из которых не умели держать в руках меч, Спартак постепенно превращал в настоящую организованную армию, мало в чем уступающую регулярной. Он обучал новобранцев дисциплине и владению оружием, вынашивая далеко идущие планы. И он действительно мог надеяться на многое: в лучшие времена под его началом был сосредоточено до 60 тысяч человек!

Тем не менее конец великого восстания оказался плачевным — потерпев несколько поражений в решающей битве на реке Силариус (71 г. до нашей эры), войска Спартака были разбиты, сам же предводетель погиб в бою. Но страшнее самой битвы был вид Аппиевой дороги, преобразившейся через несколько дней после сражения. Именно вдоль нее на крестах были распяты 6000 человек, принимавших участие в восстании Спартака,— бывших рабов и гладиаторов, которые предпочли свободную смерть жизни в неволе.

СТАНИСЛАВ

Значение и происхождение имени: славный своей крепостью, станом (слав.).

Энергетика и Карма имени: энергетика имени предполагает значительную возбудимость и подвижность. Конечно, это не означает, что Стас вообще не сможет усидеть на месте, но все же подобные черты так или иначе находят свое отражение в его характере. Кроме того, в сравнении с другими именами это напоминает легкую кавалерию среди более тяжеловесных собратьев. Не в обиду будет сказано, но подобная легкость и подвижность слова привели даже к тому, что в некоторых регионах России и СНГ «стасиками» называют юрких домашних тараканов. Интересно, что самого Стаса такие качества часто заставляют держаться подчеркнуто грубовато и твердо, он как бы своим поведением стремится опровергнуть звуковую энергетику своего имени. Особенно такое положение дел характерно для подросткового «переходного» возраста и в сочетании со значительной возбудимостью Стаса может сделать его довольно хулиганистым и даже драчливым. Увы, это путь многих чувствительных людей с достаточно болезненным самолюбием.

Скорее всего, в школе у Стаса будет много проблем и с учебой, и с поведением, тем не менее его подвижный ум обычно быстро помогает наверстать упущенные знания, а развитое (иногда даже чересчур) самолюбие придает ему упорства для достижения намеченных целей. Так что едва ли стоит удивляться, если отстающий по школьной программе Стас вдруг поступит в какой-то престижный институт. Еще одна характерная черта, связанная с именем Стаса,— это его склонность к остроумию, которое в его устах может быть весьма едким, при этом сам он, в силу своей обидчивости, на чужие остроты может реагировать очень болезненно. Если же его мальчишеское самолюбие с возрастом перерастет в честолюбивые устремления, Стас способен начать собственное продвижение к славе через скандал. В самом деле, не такая уж редкость, когда люди получали известность на гребне каких-либо скандальных историй, главное, чтобы за этим действительно стояла какая-то ценность, иначе ничего, кроме неприятностей, нажить не предвидится. Впрочем, скандальный путь хоть и отличается быстротой, все же достаточно трудно не заметить его очевидные неудобства, слишком просто можно растерять на этом пути и друзей, и душевное тепло, и даже талант.

Как бы то ни было, независимо от того, какой путь выберет Стас, ему не помешает проконтролировать свою ранимость и способность обижаться, в противном случае эти качества могут завести его далеко и изрядно испортить жизнь.

Секреты общения. Часто, когда в общении со Стасом возникает конфликтная ситуация, нелишне бывает вспомнить, что причиной этого является всего-навсего его ранимость. Если за маской остроумного насмешника вы сумете разглядеть его душевные переживания и проявите к нему немного тепла, то вполне возможно, что вы обретете настоящего надежного друга.

Астрологическая характеристика:

Знак зодиака: Близнецы. Планета: Меркурий. Цвета имени: салатовый, светло-красный. Наиболее благоприятные цвета: зеленый, коричневый. Камень-талисман: хризопраз, малахит, яшма.

След имени в истории. Пожалуй, именно заложенная в энергетике имени подвижность, склонность к активности и повлияли в значительной мере на жизнь и деятельность режиссера Станислава Говорухина (род. В 1936 г.), снявшего такие знаменитые фильмы, как «Асса», «Десять негритят», «Сукины дети», «Так жить нельзя», и многие другие. Несмотря на то, что известен он больше как режиссер, сам Станислав Говорухин не считает это своим единственным призванием. Напротив, сфера его деятельности настолько широка и разнообразна, что остается только удивляться. Так, помимо режиссуры и актерских работ в кино, одно время Говорухин активно увлекся живописью, и у него даже состоялась персональная выставка. Кроме того, он является автором книги «Великая криминальная революция» и пишет статьи в газеты и журналы, однако самым любимым его занятием является политика.

Этот необычайно разносторонний, талантливый, энергичный человек наибольшие требования предъявляет в первую очередь к себе. «Я отношусь к себе как к плохому, страшному и надоедливому человеку», — объясняет он журналистам. Но вряд ли эти субъективные ощущения имеют что-либо общее с действительностью.

СТЕПАН

Значение и происхождение имени: происходит от греческого Стефан — венец.

Энергетика и Карма имени: имя Степан сегодня не в моде и, наверное, это главная его особенность. Очень вероятно, что ребенок с таким именем в детстве будет испытывать много неудобств. Во-первых, это связано с заметностью имени, которое, выпадая из ряда общеупотребимых, привлекает к себе внимание. Во-вторых, значительную роль играет его кажущаяся простонародность, что в юном возрасте может достаточно сильно смущать человека. Впрочем, едва ли дело у Степы дойдет до ущемленного самолюбия, энергетика его имени наряду с легкостью несет в себе еще и склонность к некоторой бесшабашности и веселости, что, кстати, усиливается образами таких ярких тезок, как удалой разбойник Стенька Разин и михалковский добряк Дядя Степа-великан. Здесь самолюбие Степана может найти свое удовлетворение, а все неудобства, скорее всего, сгладятся благодаря чувству юмора.

Кроме всего прочего, в энергетике имени ощущается достаточная подвижность, что, вполне вероятно, будет мешать Степану надолго сконцентрироваться на каком-либо одном предмете. Зато имя совершенно не предполагает значительное накопление напряжений, а значит, в характере Степы может проявиться такое полезное качество, как незлобивость и отходчивость. Скорее всего, встретив на своем пути значительную преграду, будь то конфликтная ситуация или строптивость женщины, он не будет слишком долго переживать, удовлетворившись формулой типа: «Ну и ладно. Уйдет Галя — придет другая краля». Возможны также проблемы с учебой, если, конечно, родители не привьют ему интерес к наукам.

С другой стороны, вряд ли стоит недооценивать самолюбие Степы. В частности, ощущая простонародность своего имени, он может исподволь стремиться к элитным компаниям и не упустит, если такая возможность ему предоставится. Нет так нет, но если он все же попадет в такие круги, то, скорее всего, будет подчеркивать свою элитарность. Дай Бог, чтобы чувство юмора его не подвело, иначе со стороны это может выглядеть глупо до идиотизма.

Конечно, многое в его судьбе будет зависеть и от воспитания, и от него самого. К примеру, родители с помощью волшебного ремня могут привить Степану показные трудолюбие и усидчивость, но гораздо лучше, если это будет достигнуто другими методами, не предполагающими развитие опасных черт характера. А вообще, поскольку уж имя не располагает к усердию и концентрации, то, в случае если Степан стремится добиться успехов в карьере или в бизнесе, ему желательно будет обратить внимание на эти качества самому.

Секреты общения. Скорее всего, Степа будет большим любителем поговорить, причем это у него может получаться гораздо лучше, чем работать. Не исключено, что для красного словца он может случайно разболтать чужую тайну. Впрочем, если благодаря чуду воспитания из него удалось сделать замкнутого и мрачного человека, подобного можно не опасаться.

Астрологическая характеристика:

Знак зодиака: Водолей. Планета: Меркурий. Цвета имени: желтовато-коричневый, серебристый. Наиболее благоприятный цвет: для большей активности красный, для концентрации — коричневый. Камень-талисман: сердолик, рубин, черный опал.

Празднуем именины: 9 января, 28 сентября, 15 августа (27 декабря, 15 сентября, 2 августа) — Стефан апостол от 70-ти, архидиакон и первомученик.

15 (2) августа — Стефан 1 Римский, папа, священномученик.

22 (9) декабря — Стефан Новосиятель, Константинопольский, преподобный.

След имени в истории. По существу, можно считать случайностью то, что Степан Разин (ок.1630—1671) вошел в историю именно как бунтарь против российского самодержавия. Во всяком случае, идейным бунтарем он никогда не был — сын зажиточного донского казака, став атаманом, он участвовал лишь в походах против турок и татар, однако жизнь, как всегда, внесла свои коррективы. После того как самодержавие стало явно угрожать вольному казачьему житью и в особенности после жестокой расправы князя Долгорукова над Иваном, старшим братом Разина, освободительный поход стал вопросом не только необходимости, но и личной мести.

Поход казаков на Волгу вылился в настоящую крестьянскую войну, охватившую многие регионы России. Сам же Степан Разин, обладавший всеми необходимыми качествами лидера — решительностью, мужеством, силой, жестокостью и умением принимать решения,— стал настоящим народным героем. Однако упоение успехом продлилось недолго — всего через четыре года после первого похода войска Разина были разбиты под Симбирском, а раненый атаман был взят в плен и казнен в Москве. До сих пор в народе ходят удивительные легенды об этом человеке, говорят даже, что он не умер, а жив до сих пор, поскольку Бог лишил его смерти. Может, это и так — во всяком случае, память о нем живет, а зарытые Стенькой Разиным сокровища до сих пор никто не может найти, поминая его недобрым словом, не одно поколение кладоискателей.

ТАРАС

Значение и происхождение имени: приводящий в смятение, беспокоящий неприятеля (греч.).

Энергетика и Карма имени: прямолинейность и упорство, граничащие с упрямством,— вот, пожалуй, наиболее важные черты, определяемые звуковой энергетикой имени. Нетрудно заметить, что имя Тарас звучит довольно жестко, можно даже сказать, вызывающе. Оно зовет своего хозяина к решительным действиям, к достижению намеченных целей, однако при этом оно же предполагает повышенную чувствительность и ранимость. Все дело в том, что жесткая энергетика имени совершенно лишена какой бы то ни было пластичности, что обычно заставляет Тараса довольно болезненно реагировать на внешнее воздействие.

Вдобавок ко всему ситуация осложняется значительным самолюбием Тараса, что в немалой степени вызвано редкостью и простонародностью имени. Хорошо еще, если с воспитанием у него будет развито чувство юмора, в противном случае Тарас рискует вырасти чересчур обидчивым и взрывным человеком, что изрядно осложнит ему жизнь и затруднит взаимоотношения с окружающими. Если же он сумеет обходить острые углы и сглаживать свое самолюбие с помощью доброй самоиронии, то здесь уже редкость и заметность имени могут сыграть довольно положительную роль и выделить Тараса из общего окружения. Впрочем, если с развитием чувства юмора и не получится, то ситуацию можно исправить, просто научившись чуть мягче относиться к людям и чуть легче — к себе.

Важность всего вышесказанного можно понять из того факта, что многие носители этого имени в силу своей болезненной чувствительности и неумения приспосабливаться к трудным ситуациям теряют уверенность в себе и постепенно превращаются в очень нерешительных людей. Или же наоборот, добившись определенных успехов, они настолько начинают ценить себя, что иной раз не задумываются пройтись по чужим головам. И то и другое трудно назвать благоприятным для жизни, ведь даже если Тарас и добьется успехов в карьере, то трудности во взаимоотношениях с окружающими и близкими не позволят ему быть по-настоящему счастливым.

Зато, изменив отношение к жизни на более легкое и сгладив свое болезненное самолюбие, Тарас может обрести наконец душевное равновесие и сумеет раскрыть действительно позитивные стороны своего характера, такие как упорство, трудолюбие и энергичность.

Секреты общения. Бывает, что Тарасу трудно на что-либо решиться, зато если уж он примет какое-нибудь решение, то его, как говорится, легче убить, чем заставить свернуть с дороги. Если же у вас вдруг разгорелся с Тарасом жаркий спор, будьте готовы к тому, что уж в этом-то споре никакая истина, кроме упрямства, не родится. В целом же в людях Тарас наиболее всего ценит верность, постоянство и честность.

Астрологическая характеристика:

Знак зодиака: Стрелец. Планета: Марс, Сатурн. Цвета имени: коричневый, красный, стальной. Наиболее благоприятные цвета: оранжевый, желтый. Камень-талисман: жадеит, янтарь, золото.

Празднуем именины: 10 марта (25 февраля) — Тарасий Константинопольский, патриарх.

22 (9) марта — Тарасий Ликаонийский.

След имени в истории. Мало кто знает, что известный украинский поэт и художник Тарас Шевченко (1814—1861) родился крепостным, и лишь в 24 года был выкуплен из неволи. Вообще, судьбу этого интересного, талантливого человека трудно называть простой. Окончив Петербургскую академию художеств, он стал членом одного из тайных обществ, за что и был впоследствии отдан в солдаты.

Десять лет провел художник и поэт на службе, не переставая писать. Его великолепные произведения — поэмы, баллады, стихи — просты и в то же время глубоко психологичны. Певучие строчки легко ложатся на музыку, вот почему многие стихи Тараса Шевченко стали народными песнями, к примеру «Завещание», «Думы мои, думы мои», «Ревет и стонет Днепр широкий» и многие другие. Излюбленные темы писателя — любовь к родному краю, героизм, мужество, идеи национально-освободительной борьбы, национальные мотивы. Стихи (сборник стихов «Кобзарь», поэмы «Тарасова ночь», «Гайдамаки», «Катерина» и др.), автобиографичные повести и, наконец, картины составляют обширное творческое наследие Тараса Шевченко.

ТЕРЕНТИЙ

Значение и происхождение имени: дословно имя означает «перетирающий», что, возможно, является выражением терпеливости (лат.). В Западной Европе имя встречается в транскрипции Ференц.

Энергетика и Карма имени: Терентий относится к тому разряду людей, к которым поговорка о том, что добро должно быть с кулаками, никак не применима, разве что речь идет об очень маленьких кулаках, которые используются отнюдь не для общения с ближними своими, а, скажем, для того, чтобы подпирать ими подбородок во время безмятежных мечтаний и размышлений. При этом мы бы не назвали Терентия слабым человеком. Наоборот, по своей энергетике он обладает достаточным запасом прочности, он может в нужный момент проявить твердость и настойчивость, однако относится это к его умению делать дело, в то время как в общении с окружающими на первый план выходит его мягкость и беззлобие.

Интересно, что в отличие от большинства других устаревших имен Терентий не отличается значительным самолюбием. Вернее будет сказать, что самолюбие ему, конечно же, присуще, но, во-первых, оно не предполагает болезненности, а, во-вторых, прекрасно сочетается с уважением к людям. Бывают, правда, и исключения, но здесь уже многое зависит от воспитания и условий, в которых прошло детство Терентия. Впрочем, подобное отмечается крайне редко, да и то маловероятно, что Терентию будет присуща излишняя жесткость.

Обычно люди с этим именем обладают хорошо развитым чувством юмора, что заметно облегчает им вхождение в коллектив и благоприятно сказывается на взаимоотношениях. Тем не менее сам Терентий редко ищет шумных компаний, ему более по душе тесный круг близких друзей или же общение в кругу семьи. Вообще, он очень домашний и хозяйственный, что делает его прекрасным мужем и отцом семейства.

Можно быть уверенным, что если Терентий не потеряет свое природное равновесие, то его судьба будет складываться достаточно благоприятно, хотя, если честно, он мог бы добиться от жизни гораздо большего,— умея проявлять недюжинную настойчивость в работе, Терентий часто остается в стороне во время финальной раздачи всяческих поощрений. Впрочем, может, оно и к лучшему: в конце концов, счастье не только в материальных благах, а потеряв в погоне за благами душевное спокойствие и радость общения, все равно нельзя найти настоящего счастья.

Секреты общения. Частенько мягкость и уступчивость Терентия создает множество любителей покататься на его шее. Здесь ему следует быть поосторожнее, и желательно научиться снимать с себя непрошеных ездоков с помощью пары-тройки удачных шуток. Если же вы хотите завести с Терентием действительно дружеские отношения, то знайте, что он обычно ценит в людях душевность, чувство юмора и искренность.

Астрологическая характеристика:
Знак зодиака: Рак. Планета: Луна. Цвета имени: коричневый, серебристо-серый. Наиболее благоприятные цвета: красный, фиолетовый. Камень-талисман: рубин, аметист.

Празднуем именины: 17 января, 23 ноября, 4 июля (4 января, 10 ноября, 21 июня) — Терентий, апостол от 70-ти, епископ Иконийский, священномученик, ученик апостола Павла.

10 ноября (28 октября) — Терентий Сирийский, мученик.

26 марта, 23 апреля (13 марта, 10 апреля) — Терентий Карфагенский, мученик.

След имени в истории. Комедиограф Теренций Афр (195—159 гг. до нашей эры) никогда не относился к людям с пренебрежением. Возможно, потому, что в Северной Африке, откуда он сам был родом, это было не принято, или, может быть, это была просто его личная позиция — результат здравого размышления и хорошего знания людей. Так или иначе, но свои комедии он писал не для какой-то абстрактной толпы, которой подавай хлеба, зрелищ, а вдобавок еще и похабщины — чем больше, тем лучше. Наоборот, он ориентировался на все хорошее в человеке, прекрасно понимая, что настоящий интеллигент может быть одет как в императорские одежды, так и в грязные лохмотья раба.

Именно потому все современники Теренция, видевшие в толпе лишь животное начало и делавшие ставку на «ширпотреб», сразу стушевались при появлении писателя-гуманиста. Те вечные как мир темы, которые поднимал писатель в своем творчестве — проблемы «отцов и детей», любви, человечности, мало кого могли оставить равнодушным, а мастерская подача и необыкновенная живость описаний резко выделяли Теренция среди всех комедиографов своего времени.

Действительно, Теренций Арф был признан лучшим еще при жизни, а его замечательные творения — комедии «Свекровь», «Формион», «Девушка с Андроса» и многие другие — на десятки веков пережили автора, став признанной мировой классикой.

ТИМОФЕЙ

Значение и происхождение имени: почитающий Бога (греч.).

Энергетика и Карма имени: в целом энергетика этого имени весьма спокойна, в нем отмечается умеренная подвижность, самостоятельность, в тоже время оно оставляет достаточный простор для эмоциональных колебаний. Конечно, здесь, точно так же, как и в случае с другими редкими именами, немалую роль сыграет заметность имени, усиливающая его воздействие на психику. Безусловно, Тимофей способен и на веселье, и на задумчивое уединение, и на проявление недовольства, однако люди с редким именем часто склонны преувеличивать степень внимания общества к своей персоне и либо стараются уйти в тень, либо, наоборот, слишком сильно начинают подчеркивать свою необычность. В случае с уравновешенным Тимофеем наиболее вероятен первый вариант — он, скорее всего, предпочтет не афишировать свое эмоциональное состояние, отчего будет производить на окружающих впечатление спокойного и, возможно, даже флегматичного и замкнутого человека. Однако это только первое впечатление: люди, узнавшие его поближе, легко обнаружат за этой несколько серьезной маской нормального человека с достаточно сильными эмоциями.

Вряд ли у него будет слишком много друзей. Даже если Тимофей для самоутверждения захочет войти в какую-то модную компанию, скорее всего, он будет играть в ней некую выбранную для себя роль, не особо заражаясь общими эмоциями и идеями. Зато в узком кругу близких людей он может дать волю чувствам, где способен и на бурное веселье, и на глубокое недовольство.

Интересно, что недовольство окружающей обстановкой редко делает Тимофея раздражительным, гораздо чаще его неудовлетворенность находит свое проявление в честолюбивых мечтах, о которых могут знать только его близкие друзья и еще любимая женщина, для остальных он обычный человек. Скорее всего, Тимофей будет терпеливо реализовывать свои жизненные планы, стремясь получить хорошее образование и сделать карьеру. Возможно, он станет искать себя в науке или в литературном творчестве, где постарается найти выход для своих внутренних переживаний, мало проявляемых во внешней жизни.

Секреты общения. Бывает, что если самолюбие Тимофея слишком сильно ущемлено воспитанием или жизненными обстоятельствами, он может долго помнить обиду, однако это очень редкий случай. Гораздо чаще в силу уравновешенности его внутренней энергии Тимофей достаточно спокойно реагирует на конфликт. Даже если он и не выльет свое недовольство сразу, он не станет долго таить зло, найдя разрядку в своем близком кругу. Обычно Тимофей в общении держится ровно со всеми, но завоевать его доверие может помочь, пожалуй, только душевный разговор один на один. Не стоит также забывать, что, если вам доведется попасть в компанию, где Тимофей чувствует себя среди своих, вы легко обнаружите в нем незаметные ранее качества.

Астрологическая характеристика:
Знак зодиака: Весы. Планета: Юпитер. Цвета имени: коричневый, фиолетово-синий. Наиболее благоприятный цвет: красный. Камень-талисман: рубин, альмандин.

Празднуем именины: 17 января, 4 февраля (4, 22 января) — Тимофей, апостол от 70-ти, епископ Ефесский, священномученик, ученик апостола Павла.

23 (10) июня — Тимофей Прусский, епископ, священномученик.

16 (3) мая — Тимофей Фиваидский, чтец, мученик.

След имени в истории. Белинский, Огарев, Герцен — эти «властители дум» демократической интеллигенции сейчас широко известны, в отличие от их не менее достойного и не менее знаменитого когда-то современника — Тимофея Грановского, историка и общественного деятеля. С 26 лет и до конца своей жизни Грановский являлся профессором всеобщей истории в Московском университете, и его зажигательные эмоциональные лекции студенты, вопреки сложившимся традициям, посещали с особенным рвением.

Блестящий оратор, Тимофей Грановский умел задеть аудиторию за живое, вызвать ответную реакцию зала, втянуть всех в обсуждение. Будучи по своим убеждениям западником, профессор исподволь приводил своих слушателей к тому же, к чему когда-то пришел и сам: развивал идею общности развития России и Западной Европы, говорил об обреченности крепостного права, в результате же под его влиянием сформировалось не одно поколение студентов. Как уважительно писал Герцен, отдавая должное своему современнику: «В лице Грановского московское общество приветствовало рвущуюся к свободе мысль Запада, мысль умственной независимости и борьбы за нее».

ТИМУР

Значение и происхождение имени: железный (тюркск.).

Энергетика и Карма имени: тем, кому сегодня больше двадцати, безусловно, знаком образ гайдаровского Тимура, ставшего вместе со своей командой символом положительных качеств юного пионера, ну а где символ, там начинается неравнодушие общества. Сейчас это уже не так заметно, а через пару десятков лет и вовсе пройдет, однако не так уж мало Тимуров успели пройти через горнило этого положительного примера. Прежде всего, начиная с 40-х годов, те русские родители, которые давали ребенку это имя, скорее всего, ожидали от него именно таких общественно-полезных качеств. Что делать, такова традиция и власть «светлых образов», жаль только, что далеко не всегда ожидания оправдываются.

Во-первых, в пионерских организациях это имя встречалось очень благожелательно, однако, делая Тимура заметным, оно требовало хоть какого-то соответствия тому самому литературному тезке. Если большинству ребят прощалось равнодушие к учебе или, скажем, к субботникам, то Тимуру любой его промах сразу же ставился на вид. Таким образом, у него было два пути: либо быть примерным активистом, либо, наоборот, в силу вечных придирок и поучений, превратиться в свою полную противоположность. Во-вторых, кроме пионерских организаций существовала еще и улица, где чаще всего слишком положительный образ был, прямо скажем, далеко не любим. Опять же у Тимура оставалось два пути: либо поведением подчеркнуть свою хулиганистость, либо искать себе друзей среди положительных и послушных пионеров. Здесь, кстати, обнажается одно из внутренних противоречий нашего общества, которое требует от ребенка быть примерным и послушным, хотя втайне симпатизирует хулиганистым детям.

Однако одними историческими образами дело не заканчивается, немалую роль играет также общая энергетика имени. По своему звучанию оно довольно напряженно, причем мало склоняет держать напряжение в себе. Таким образом, неудивительно, если Тимур будет обладать взрывным темпераментом,— само имя уже призывает его к активным, а может быть, даже поспешным действиям. Слава Богу, время активной пионерии прошло, а то в сочетании с правилами воспитания коммунистической эпохи это могло бы вызвать конфликт маленького Тимура либо с «плохими» детьми, либо со слишком «хорошими» воспитателями, и этот конфликт едва ли закончился бы в пользу Тимура, который однажды мог попросту сломаться на этой бессмысленной конфронтации. Одним словом, сегодня это имя уже не так опасно, как раньше. Тем не менее, современному Тимуру все же не мешает обратить внимание на свое «взрывное» имя, быть может, он однажды заметит, что причины, провоцирующие его раздражение или даже ярость, на самом деле не так уж весомы, как ему кажется. По крайней мере, чуточку больше уравновешенности ему не повредит ни в карьере, ни в личной жизни.

Секреты общения. Часто в разговоре на нейтральные темы Тимур держится очень спокойно и ровно, тем неожиданнее бывает его внезапная вспышка недовольства, когда кто-либо задевает, пусть даже невольно, его самолюбие. Впрочем, необязательно, что он сразу сорвется на крик, бывает, что он просто легко теряет видимое равновесие и начинает довольно взволнованно объяснять или даже оправдываться, причем не успокоится, пока с ним не согласятся.

Астрологическая характеристика:

Знак зодиака: Овен. Планета: Марс. Цвета имени: коричневый, стальной. Наиболее благоприятный цвет: зеленый. Камень-талисман: нефрит.

След имени в истории. Так получилось, что имя завоевателя Центральной Азии Тимура (1336—1405), правнука одного из министров Чингисхана, стало синонимом военной мощи, смелости, отваги и... жестокости. Точнее, в историю он вошел под другим именем — Тамерлан, что в переводе означает «Тимур хромой»: ноги у завоевателя с самого рождения были разной длины. Уже в 20 лет он начал свои кровавые походы, стремясь сперва захватить племена, жившие вокруг Самарканда. Это ему удалось, и, заняв город, Тамерлан, как большой любитель роскоши и комфорта, понастроил в нем множество прекрасных дворцов, садов и мечетей.

Война для него длилась всю жизнь: захватив Самарканд, он постепенно покорил народы Казахстана, Ирана, Индии, Хорезма и Закавказья, создав мощнейшую империю, во всем покорную ему. Тамерлан не видел ничего плохого в том, что его власть держится на страхе; напротив, он делал все для того, чтобы о его нечеловеческой жестокости ходили легенды, чтобы его именем пугали маленьких детей. Так, в Индии он приказал казнить 100 тысяч пленных воинов, а в Афганистане распорядился построить башню из 2000 живых пленников, пересыпав их битым кирпичом и глиной...

В 1395 году Тимур захватил столицу Золотой Орды, а ровно 10 лет спустя двинулся с походом на Китай, но умер в пути. Его похоронили в Самарканде, в роскошном мавзолее «Гур-Эмир», и еще сотни лет спустя из поколения в поколение передавалась легенда: кто откроет гробницу кровавого завоевателя, тот выпустит в мир смерть. Тем не менее уже в нашем веке гробница была все-таки вскрыта археологами; это произошло в июне 1941 года, за несколько дней до нападения Германии на СССР.

ТИХОН

Значение и происхождение имени: удачный (греч.).

Энергетика и Карма имени: и по звуковой энергетике, и по возникающим ассоциациям имя Тихон действительно трудно назвать громким. Оно и в самом деле тихое, уравновешенное, и его энергия более направлена на внутренний мир своего носителя, чем на его взаимоотношения с миром внешним. При этом такое воздействие на психику настолько значительно, что не срабатывает даже известный в психологии принцип «от противного», то есть если человек как-либо определяет свой характер, то в сознании сразу же начинает возникать противодействие в виде антитезы. К примеру: горячий — холодный, честный — лживый, тихий — громкий. По этому принципу, кстати, строятся наиболее примитивные шутки.

Известно немало случаев, когда люди имеют прямо противоположный своему названию характер. Особенно это касается такого качества, как верность, о которой громче всего заявляют обычно самые отъявленные изменщики. И в этом нет ничего странного, просто назвав себя как-то, в душе возникает соблазн поступить наоборот. Тем не менее с именем Тихон этого не происходит, и даже если этот соблазн сделать наоборот и возникает, то чаще всего он растворяется в неторопливой мелодии имени.

Лучше всего Тихона можно определить, сравнив с устойчивыми большегрузными весами,— слишком уж значительную энергию надо приложить, чтобы вывести его из равновесия. Он не очень общителен, скорее даже флегматичен, зато очень рассудителен и вдумчив. Негативные эмоции как бы вязнут в нем, мало нарушая его внутреннюю устойчивость. Это делает Тихона довольно беззлобным, но весьма самостоятельным человеком.

Впрочем, нельзя сказать, что ему вообще чужды какие-либо эмоции. Нет, в своей душе Тихон обычно живет довольно насыщенной чувствами жизнью. Он любит приключения, симпатизирует людям с авантюрным складом характера, другое дело, что внешне это обычно проявляется мало. Получается так, что, проживая в своем воображении великое множество интереснейших событий, в реальной жизни Тихон остается совсем другим человеком.

Скорее всего, если ничто не нарушит его равновесия, в его жизни не будет каких-либо серьезных осложнений ни в семье, ни на службе. Терпение и основательность делают его хорошим хозяином и работником, а хорошее воображение может найти себе применение в творческой профессии. Единственное, что может помешать ему в осуществлении своих планов, так это его некоторая незаметность. Словом, чуть больше активности и «громкости» ему не помешают.

Секреты общения. У Тихона бывает много знакомых, которых можно было бы назвать приятелями, но не друзьями. Обычно в число его настоящих друзей входят лишь те, с кем он может поделиться своими фантазиями. Кстати говоря, попробуйте вызвать его на откровенность, возможно, вы будете удивлены, узнав, какие «черти» водятся в «тихом омуте» его души. Вот только вряд ли эти «черти» когда-нибудь вырвутся наружу.

Астрологическая характеристика:

Знак зодиака: Рак. Планета: Луна. Цвета имени: коричневый, белесый. Наиболее благоприятные цвета: красный, оранжевый. Камень-талисман: сердолик, альмандин, пироп.

Празднуем именины: 7 апреля, 9 октября (25 марта, 26 сентября) — Тихон, патриарх Московский и всея Руси, свт.

29 (16) июня — Тихон Калужский, преподобный.

26 (13) августа — Тихон Амафунтский, епископ.

След имени в истории. Сейчас уже ни для кого не секрет, что советская власть, объявив свободу вероисповедания, тем не менее держала священников в кулаке, ставя на ключевые посты своих, работавших одновременно и на Господа, и на Органы. Таким образом, митрополит Московский и всея Руси Тихон (1865—1925), избранный на этот пост в 1917 году, стал в своем роде последним из могикан, сан которого никак не был связан с его политическими убеждениями.

В 26 лет Василий Белавин при пострижении в монахи получил новое имя — Тихон, под которым и вошел в историю Русской церкви. После окончания Петербургской духовной академии в 32 года он принял епископский сан, а еще через год архиепископом отправился в Северную Америку, где и прожил почти 9 лет. Последующие 6 лет после приезда с Американского континента Тихон был архиепископом Ростовским и Ярославским, а в год Октябрьской революции Поместный собор Русской православной церкви избрал его на должность Московского митрополита.

Будучи вне политики и руководствуясь лишь своими духовными убеждениями, митрополит был неудобен новой власти — его считали бунтарем лишь за то, что во время гражданской войны он призывал остановить кровопролитие, «агитировал» верующих помогать голодающим Поволжья, протестовал против уничтожения церквей. В 1922 году Тихон был осужден, лишен сана патриарха и заключен под домашний арест в Донском монастыре, где и скончался через три года. Впоследствии был канонизирован церковью, и теперь именем новомученика Тихона верующие родители называют мальчиков, родившихся 25 марта, 26 сентября или же в воскресенье, следующее за 25 января.

ТРОФИМ

Значение и происхождение имени: кормилец (греч.).

Энергетика и Карма имени: нетрудно заметить, что в имени Трофим решительная и твердая мелодия дает некоторый сбой на втором слоге. Увы, но этот, казалось бы, не очень значительный факт во многом определяет характер Трофима и, что тоже существенно, приводит к тому, что в наши дни имя выходит из употребления. Действительно, при достаточно волевом и упорном характере Трофима главными его недостатками обычно являются повышенная раздражительность и болезненная реакция на внешнее воздействие. При этом, к большому сожалению, энергия имени направлена не на решение ситуации, а на глухое внутреннее недовольство. Частенько задетый за живое Трофим попросту опускает руки и теряет контроль над ситуацией, предаваясь мрачному пессимизму.

Дело осложняется еще и тем, что имя не только изрядно устарело, но в добавок ко всему для него трудно подобрать удобную и адекватную уменьшительную форму. Вариантов здесь не густо — либо Троша, либо Фима, и если первый вариант не очень благозвучен, то второй попросту не соответствует энергетике имени. Все это приводит к развитию у Трофима довольно ранимого самолюбия и склоняет его к излишне серьезному отношению к жизни, особенно в тех случаях, когда Трофим предпочитает представляться полной формой своего имени. Ну а при таком положении вещей поводов для раздражения и недовольства у Трофима будет хоть отбавляй.

Избежать подобной неприятности можно, пожалуй, только одним способом — очень желательно, если в процессе воспитания Трофима его серьезность и болезненное самолюбие будут сглажены развитием у него чувства юмора или просто способности более легко относиться к жизни. В этом случае на первый план могут выйти положительные стороны энергетики, которых, кстати, тоже немало. Прежде всего это касается решительности, упорства и колоссальной работоспособности Трофима. Да и во взаимоотношениях в семье резко поубавится конфликтных ситуаций.

Секреты общения. Иногда в общении с окружающими Трофим настолько глубоко прячет свое раздражение, что догадаться об этом можно только по тому, как у него пропадает желание продолжать начатое дело. Другое дело — отношения с близкими, здесь уже его недовольство обычно выливается без промедления. Впрочем, он очень честолюбив и падок на лесть, так что иной раз бывает достаточно похвалить его, чтобы отношения снова наладились.

Астрологическая характеристика:

Знак зодиака: Скорпион. Планета: Марс. Цвета имени: стальной, коричневый, фиолетовый. Наиболее благоприятные цвета: теплые тона желтого, зеленый. Камень-талисман: золото, хризолит, нефрит.

Празднуем именины: 17 января, 28 апреля (4 января, 15 апреля) — Трофим, апостол от 70-ти, священномученик, сподвижник апостола Павла.

29 (16) марта — Трофим Лаодикийский, пресвитер, священномученик.

След имени в истории. Имя создателя так называемой мичуринской системы Трофима Лысенко (1898—1976) сейчас хорошо известно главным образом как научный курьез. Действительно, теперь уже трудно поверить, что идеи этого человека, отрицающие классическую генетику как «буржуазную» и развивающие тему перехода одного вида в другой, в свое время получили такое широкое распространение, став государственной официальной точкой зрения.

Подведя под свое учение марксистский фундамент, Лысенко довольно легко добился поддержки Сталина, вслед за чем научные школы по генетике были варварски разгромлены, ученые, проповедовавшие «буржуазную науку» всячески преследовались, в то время как сам великий агроном давал сельскому хозяйству всевозможные советы по сверхскоростному выведению новых сортов. И хотя все попытки претворить свои идеи на практике оканчивались провалом и значительным материальным ущербом, Трофим Лысенко искренне верил, что если береза, к примеру, растет рядом с сосной, то на последней от такого соседства вполне могут вырасти березовые ветки.

УСТИН, ЮСТИН, ЮСТИНИАН

Значение и происхождение имени: русская форма от имени Юстин — справедливый (лат.).

Энергетика и Карма имени: в русском звучании имя Устин обладает очень сильной подвижностью, импульсивностью (особенно если человек предпочитает называться Юстином) и, как это ни странно, неопределенностью. Главная трудность заключается в том, чтобы подобрать к этому имени удобоваримую уменьшительную форму, так что нет ничего удивительного, если в детстве и юности Устин будет немало озабочен именно тем, как лучше ему представляться и, скорее всего, остановится на полном варианте своего имени. Впрочем, и здесь есть выбор между Устином и Юстином.

По сути, в этих поисках нет ничего из ряда вон выходящего, просто именно через свое имя человек осознает сам себя, и отсутствие удобоваримых вариантов создает некоторую неопределенность в самосознании и даже чувство неуверенности в себе.

Такая ситуация может изрядно досаждать Устину, обостряя его и без того развитое самолюбие, а когда он наконец остановится на полной форме имени, то уже будет держаться за нее, не терпя никаких отклонений,— ведь иначе он опять теряет уверенность в себе самом. Интересно, что подобное отношение к себе и к своему имени обычно делают Устина человеком серьезным и пунктуальным, что вовсе не согласуется со звуковой энергетикой имени,— ему приходится учиться держать себя в руках и играть свою выбранную роль. С одной стороны, это закаляет волю и нервы Устина, с другой же — эмоциональная подвижность, спрятанная за маской сдержанности, придает его характеру внутреннюю страстность. Так, скажем, в общении с особо близкими людьми Устин может совершенно преображаться, давая выход своим скопившимся чувствам — как негативным, так и положительным. Иной раз это способно осложнить его семейную жизнь, ведь где, как не в семье, люди привыкли срывать свое раздражение?

Наиболее благоприятно, если Устин сумеет научиться совмещать свою сдержанность с чувством юмора, а заодно станет уделять больше времени не только своим личным трудностям, но и проблемам других людей. Смех — лучший выход для нервного напряжения, тем более что это поможет честолюбивому Устину высвободить свою внутреннюю энергию для достижения подлинного успеха в какой-либо карьере, в том числе требующей эмоциональности и творческого воображения.

Секреты общения. Вряд ли стоит излишне доверять спокойствию Устина — то, что он умеет держать себя в руках, еще не означает, что он забудет нанесенную ему обиду! Никогда не лишне будет помнить о его чувствительности к критике. А вот ему самому желательно быть поосторожнее со своей любовью к похвалам и падкостью на лесть.

Астрологическая характеристика:
Знак зодиака: Дева. Планета: Сатурн. Цвета имени: зеленовато-желтый, стальной, иногда коричневатый. Наиболее благоприятные цвета: коричневый, оранжевый. Камень-талисман: яшма, янтарь.

Празднуем именины: 14 (1) июня — Иустин Римский, мученик.

14 (1) июня — Иустин Философ, Великий, Римский, мученик.

След имени в истории. Святой мученик Иустин Философ (? — 166 гг.) родился в семье язычников в городе Сихеме и уже с самого раннего детства отличался большой тягой к знаниям. В конце концов, из всех наук Иустин выбрал философию, считая, что именно она приведет его к познанию совершенной Истины. Однако человек только предполагает, располагает же, как известно, Бог — в жизни Иустина не философия, а религия стала его путеводным огнем, одарив тем, что он искал так долго: смыслом жизни.

Произошло же это так. Согласно легенде, как-то раз, гуляя за городом вдали от людей, Иустин повстречался со старцем. Старец этот показался ему очень необычным: он долго рассуждал с юношей о жизни, философии и устройстве мира, не уступая в познаниях своему ученому собеседнику, хотя, судя по его бедной одежде, не имел возможности учиться. Под конец же беседы мудрец, остановив поток вопросов Иустина, сказал ему:

— Все ответы ты найдешь в Священном Писании.

И с тех пор философ, приняв крещение, все свои таланты и дар убеждения пустил на обращение в свою веру язычников. Позже он был обвинен по ложному доносу завистников, невинно осужден и принял мученическую смерть. Сейчас день Иустина Философа (еще его называют Римским или Великим) отмечается христианами 1 июня, а его именем называют родившихся в этот день детей.

ФАДДЕЙ

Значение и происхождение имени: это древнееврейское имя появилось как калька (дословный перевод) с греческого имени Теодор (Федор) и означает «дар Бога» (евр.).

Энергетика и Карма имени: имя Фаддей предполагает хорошую выдержку, твердость и вместе с тем мечтательность. Вообще, конструкция имени достаточно интересна — оно начинается с легкого беспокойства, поиска чего-то таинственного, зовущего в неведомые дали, затем призывает своего хозяина проявить необходимые твердость и силу воли, а заканчивается довольно мягко. Все это характеризует человека несколько романтического склада, мечтателя и искателя приключений, готового положить жизнь ради осуществления своей заветной мечты. Вот только не совсем ясно, какая именно мечта поведет за собой Фаддея по жизни? Если бы, скажем, имя предполагало стремление к лидерству или же заметную чувственность, то можно было бы определить общее направление судьбы, однако в случае с Фаддеем этого не наблюдается. Скорее всего, беспокойное начало его энергетики просто найдет отражение в любви к путешествиям, возможно, даже вызовет страсть к перемене мест.

Наиболее благоприятно, если в процессе воспитания Фаддею будут привиты какие-то интересы, которые и определят выбор его жизненного пути. Здесь задача родителей упрощается тем, что обычно заинтересовать любознательного Фаддея не так уж сложно. Ему главное задать направление, дать первый толчок, остальное сделает его колоссальная энергия. Он достаточно честолюбив, удивительно настойчив и изобретателен в достижении цели и при этом старается идти прямым путем. Очень хорошо, если ему удастся совместить свои детские мечты с выбранной профессией или же с творчеством, в этом случае у него есть все шансы на успешную карьеру, но даже если это и не произойдет, все равно его романтизм в большинстве случаев получает свое развитие в каком-либо увлечении или просто в тяге к путешествиям.

Секреты общения. Фаддей — человек добродушный и не умеет долго помнить обиды, однако не стоит этим злоупотреблять: у него достаточно твердости, чтобы в случае необходимости постоять за себя. Это же касается попыток подчинить Фаддея чужой воле, он человек независимый и не любит ни командовать, ни слепо повиноваться. В общении с ним наиболее благоприятно действует спокойная логика, добрый юмор и чувство справедливости. А вот в кругу близких друзей он обычно не прочь помечтать и даже пофилософствовать.

Астрологическая характеристика:
Знак зодиака: Овен. Планета: Луна. Цвета имени: фиолетово-синий, красный, коричневый. Наиболее благоприятный цвет: фиолетовый. Камень-талисман: аметист, турмалин.

Празднуем именины: 17 января, 3 сентября (4 января, 21 августа) — Фаддей, апостол от 70-ти, епископ Едесский, Бейрутский.

11 января (29 декабря) — Фаддей Студит, преподобный, исповедник.

20 (7) мая — Фаддей Степанцминдский, преподобный, один из основателей грузинского монашества.

След имени в истории. Когда небезызвестный путешественник Кук в 70-х гг. XVIII века, первым достигнув южно-полярных морей, заявил, что дальше начинается сплошной лед, а потому и проникнуть южнее невозможно, никто не стал с ним спорить или пытаться повторить эксперимент. И лишь несколько десятилетий спустя отважный русский мореплаватель Фаддей Беллинсгаузен (1778—1852) доказал ошибочность этого мнения.

Вообще же, в жизни этого человека было немало подобных предприятий немного авантюрного, приключенческого характера — он как будто испытывал себя на прочность. Так, именно Беллинсгаузен командовал фрегатом «Надежда», принимая таким образом участие в первом русском кругосветном плавании, и он же возглавил экспедицию к Южному полюсу на кораблях «Восток» и «Мирный».

На этих двух небольших судах, фактически не приспособленных для плавания в полярных широтах, в условиях постоянной борьбы за выживание, Фаддей Беллинсгаузен не только сумел, обогнув весь земной шар, вернуться обратно, но и сделал ценнейшие открытия, имевшие огромное значение для науки. Именно он выявил Южно-Антильский подводный хребет, сумел определить, что Новая Шотландия и «Земля Сандвича» — 2 архипелага, а не массивы суши, как это считалось раньше... Но самое главное, именно Беллинсгаузен был человеком, открывшим в 1820 году Антарктиду и обошедшим ее, в результате чего впервые на карту были нанесены очертания самого южного континента Земли.

ФЕДОР

Значение и происхождение имени: от греческого Теодор, Феодор — дар Божий.

Энергетика и Карма имени: имя Федор надежное и крепкое, оно не зовет своего хозяина в бой, не увлекает в заоблачные высоты, зато призывает спокойно и уверенно решать житейские задачи и преодолевать трудности. Чаще всего именно такие качества и находят свое отражение в характере Федора. При этом, поскольку имя сегодня довольно редкое, в обществе Федя становится заметным еще в детстве, что может провоцировать всевозможные попытки подразнить его, однако самолюбие его вряд ли будет сильно ущемлено. Имя предполагает отходчивость и добродушие, а потому насмешки не могут озлобить Федора и испортить его характер. С возрастом же его заметность и уравновешенность способны обеспечить ему большое количество друзей.

Обычно Федор человек земной и старается делать дело аккуратно и основательно. В школе он почти наверняка не будет лезть в число любимчиков учителей, но и подчеркивать свою бесшабашность и хулиганистость ему тоже нет особой нужды — его конек спокойная твердость. Быть может, иногда он будет казаться излишне серьезным, но при этом едва ли станет производить впечатление замкнутого человека, поскольку за его спокойствием всегда можно разглядеть добродушие и дружелюбие. Правда, если эта серьезность будет слишком глубока, друзья могут беззлобно подтрунивать над Федей, но отношения между ними от этого не испортятся.

Бывает, что и Федор в своем хорошем отношении к друзьям слегка перегибает палку, активно раздавая советы и производя впечатление этакого бывалого всезнайки, что со стороны может выглядеть довольно смешно. Конечно, это не так уж существенно, но все же очень хорошо, если у Федора получит достаточное развитие чувство юмора. Это поможет уже хотя бы в том плане, что если подтрунивания приятелей у Федора не вызывают обиды, то его женой или детьми они могут восприниматься довольно болезненно, им может казаться, что над их отцом семейства просто потешаются. Одним словом, если Федор способен с помощью своего чувства юмора из объекта для подтруниваний превратиться в полноценного участника общего веселья, то одной проблемой в семье у него станет меньше.

Обычно уравновешенное чувство собственного достоинства Федора не склоняет его чересчур активно заниматься своей карьерой, но особый случай, когда с воспитанием у него будет заметно развито честолюбие. Здесь можно быть уверенным, что Федор начнет свое продвижение по службе с достаточным упорством и спокойствием. Ему не свойственны скоропалительные решения, он предпочитает жить по формуле «семь раз отмерь», и, скорее всего, Федор все же не ошибется, отрезав этот один-единственный раз.

Секреты общения. Дружелюбие и уравновешенность Федора делает его приятным в общении, особо следует отметить также его надежность — если он подведет, то это будет скорее случайность, чем равнодушие, и он сам будет заметно переживать свой промах. Тем не менее при большом количестве друзей и товарищей стать ему настоящим другом не так уж просто. Обычно для этого требуется не один пуд соли съесть вместе с ним, чтобы он признал дружбу настоящей и на всю жизнь.

Астрологическая характеристика:

Знак зодиака: Стрелец. Планета: Юпитер. Цвета имени: синий, коричневый. Наиболее благоприятные цвета: оранжевый, красный. Камень-талисман: огненный опал.

Празднуем именины: 16 (3) декабря — Феодор Александрийский, епископ, всвященномученик.

25 (12) июля — Феодор Варяг, Киевский, первомученик Российский.

9 января (27 декабря) — Феодор Начертанный, Константинопольский, преподобный, исповедник.

След имени в истории. Вряд ли когда-нибудь в семье мелких служащих из Казани могли предположить, что их сын, подрабатывавший то переписыванием бумаг, то резьбой по дереву станет первым в России певцом, получившим мировое признание. Однако именно так и произошло, и Федор Шаляпин (1873—1938) действительно стал знаменитым на весь мир. За свою долгую и насыщенную событиями жизнь Шаляпин достиг всего, о чем не мог и мечтать,— его наперебой приглашали самые престижные театры, и каждое выступление неизменно сулило аншлаг.

Однако «медные трубы» славы оказали на певца не такое уж и большое воздействие; до последних дней он оставался человеком, который одинаково самозабвенно и с душой мог петь как для царственных особ, так и на простой сцене народного дома. Пожалуй, единственной слабостью, которую позволял себе певец, уже будучи знаменитым,— это немного покапризничать перед выходом на сцену. В актерской среде ходили анекдоты о том, на какие хитрости приходилось идти импресарио Шаляпина, чтобы убедить его спеть. Утром перед вечерним концертом певец обычно заявлял:

— Сегодня я не могу петь, у меня нет голоса.

— Конечно, конечно, — подхватывал импресарио. —

Вы не должны петь, если чувствуете, что не в форме... Гораздо лучше для вас будет заплатить несколько тысяч долларов неустойки, а я пока схожу распоряжусь, чтобы концерт отменили.

— Постойте! — останавливал Шаляпин. — Зайдите ко мне немного попозже, посмотрим...

К вечеру он уже был в зале и пел, как всегда, великолепно. А перед следующим концертом история повторялась сначала.

ФЕЛИКС

Значение и происхождение имени: счастливый (лат.).

Энергетика и Карма имени: имя Феликс сегодня довольно заметно среди других имен, что, с одной стороны, обеспечивается его редкостью, а с другой — тем, что оно предполагает некоторую интеллигентность своего носителя. В самом деле, при всем желании это имя нельзя назвать простонародным. По энергетике оно довольно спокойно, однако это спокойствие только кажущееся. Прежде всего в нем можно уловить призыв не показывать вида при столкновении с трудностями, быть спокойным или даже улыбаться, когда на душе кошки скребут, но все это до поры до времени, пока не пришло время показать когти и ощетиниться. Конечно, энергетика имени — еще не характер человека, но все же очень трудно, осознав себя именно Феликсом, не подчиниться завораживающей мелодии своего имени.

Обычно Феликс начинает выделяться среди окружающих с самого детства, он хорошо уживается в самых разных компаниях, при этом не теряется в них, оставаясь довольно спокойным и самостоятельным. Вряд ли от него следует ожидать неумеренности хоть в чем-либо, будь то учеба или детские игры,— он со всеми находит общий язык, и от этого начинает казаться немного старше и разумнее своих лет. С возрастом у него это переходит в привычку держаться так, чтобы как бы случайно подчеркивать свою интеллигентность, но не слишком навязчиво. Здесь очень многое зависит от той среды, в которую он попадет, а попасть он, скорее всего, будет стремиться в самые высокие круги. Среди простых студентов Феликс будет таким же простым, но все же чуть более подчеркнуто интеллигентным, среди эстетов и снобов он также будет эстетствовать, но опять же только «чуть более». Незаметно и исподволь, чтобы не перегнуть палку.

Впрочем, происходит это не от больного самолюбия, оно у него редко бывает ущемленным,— просто магическая сила имени заставляет его ощущать свое право на некоторую элитарность, а врожденная осторожность подсказывает не показывать виду, чтобы не вызвать противодействие людей. Феликс осторожно и расчетливо стремится дойти до своих высоких целей, он не горячится, не работает локтями и полностью соответствует сложившемуся в обществе образу интеллигентного человека. Хорошо бы при этом еще не забывать, что интеллигентность — это более внутреннее состояние, чем видимость; если с воспитанием Феликсу не будут привиты искреннее уважение к людям, понятие справедливости, подлинное благородство и честность, то в этом случае его интеллигентность будет всего лишь маской, за которой скрывается хищник, усыпляющий бдительность добычи своим спокойствием. Тогда рано или поздно эта маска слетит, и останутся только его железные когти. Быть может, это и поможет ему урвать свою добычу, но вот только вместе с этим он рискует однажды попросту остаться одиноким и никому не нужным как человек.

Одним словом, очень хорошо, если Феликс сумеет сочетать свою интеллигентность с умением не только защищаться, но и искренно прощать и понимать людей.

Секреты общения. Если вы хотите проверить искренность хорошего отношения Феликса к вашей персоне, попробуйте сделать вид, что вы собираетесь перейти ему дорогу. Искренний Феликс попытается поговорить с вами на чистоту, если же он, слегка попереживав, снова начнет относиться к вам, как будто ничего не случилось, то, скорее всего, у него какие-то планы на ваш счет, так что будьте осторожны.

Астрологическая характеристика:

Знак зодиака: Водолей. Планета: Плутон. Цвет имени: красновато-синий. Наиболее благоприятные цвета: теплокоричневый, белый. Камень-талисман: андрадит, агат.

Празднуем именины: 19 (6) июля — Филикс Афинянин, Аполлониадский (Македонский), мученик.

След имени в истории. Роль Феликса Юсупова, графа Сумаркова-Эльстона, одного из убийц Григория Распутина, до сих пор оценивается историками весьма неоднозначно. С одной стороны, убийство человека трудно оправдать даже самыми возвышенными мотивами, с другой же — власть Распутина при дворе все росла, и в народе уже начали задаваться вопросом о том, кто же все-таки стоит у власти: царь, его жена или «старец» с тяжелым взглядом?

Неудивительно, что одновременно с такими разговорами в кругах дворянской интеллигенции, обеспокоенной судьбой страны, против Распутина назревал заговор. Основным ядром заговорщиков, осуществившим замысел, были: великий князь Дмитрий Павлович, член Думы Владимир Пуришкевич и князь Феликс Юсупов. Именно они в назначенный день заманили «старца» в петербургский дворец Юсупова на Мойке. Ни о чем не подозревавший Распутин пришел в гости к «друзьям», и те начали осуществление своего плана.

Первоначально заговорщики решили отравить жертву ядом: заранее заготовленным порошком они начинили пирожные-эклеры и подали их Григорию Ефимовичу. Однако, как впоследствии писал в воспоминаниях Феликс Юсупов, Распутин хотя и съел с десяток отравленных пирожных, но не почувствовал даже легкого недомогания. Тогда наступило время решительных действий. Коль скоро яд не подействовал, заговорщики взялись за оружие и выпустили в «старца» несколько пуль. Но и на этот раз все оказалось не так просто: пули, казалось, причиняли колдуну намного меньше вреда, чем обычному человеку: раненый, он еще пытался спастись бегством и убежал довольно далеко от дома, пока заговорщики не поймали его. И лишь после того, как Распутина утопили в проруби, живучий «старец» прекратил свое существование.

Что же касается Феликса Юсупова, то он до конца жизни не мог забыть тот страшный день, похожий, скорее, на оживший ночной кошмар. В 1919 году он отправился в эмиграцию, где и написал свои воспоминания обо всем, касающемся заговора: от вынесения смертного приговора одному из самых влиятельных лиц в государстве до приведения его в исполнение.

ФИЛИПП

Значение и происхождение имени: любящий коней (греч.).

Энергетика и Карма имени: чтобы лучше понять это имя, надо, наверное, заглянуть в самые корни словообразования, когда первобытный человек, давая названия каким-либо предметам и явлениям пытался звуками передать свои чувства и ощущения, связанные с этими явлениями. Поэтому поначалу уже в самом названии можно было уловить характеристику предмета. Конечно, ощущения современного человека далеко ушли от стадии первобытности, однако в нскоторых словах, особенно в тех, которые связаны с детством, эта взаимосвязь еще сохранилась. Так уж вышло, что в русском звучании имя Филипп созвучно не только слову «всхлип», но даже и самому звуковому сопровождению этого слезоточивого процесса. Безусловно, у взрослого человека голова забита миллионами всевозможных мыслей, а вот ребенком такое созвучие может восприниматься очень остро. Вряд ли на него правильно подействует родительский крик души: «Ну, не плачь, Филипп!» — скорее, от этого ребенок разрыдается еще сильнее. Примерно так же звук текущей воды может провоцировать у ребенка желание на горшок. Одним словом, русский ребенок с таким именем может в детстве быть чересчур плаксивым. Это очень важный момент, поскольку маленький Филя может попросту привыкнуть слезами добиваться своего от родителей, превращаясь постепенно в обыкновенного балованного эгоиста.

Конечно, с возрастом плаксивость проходит, а вот обидчивость, скорее всего, может остаться. Жаль, что имя не предполагает достаточную терпеливость и твердость, однако, даже если эти качества и не были в нем развиты в процессе воспитания, жизнь все равно научит Филиппа держаться в обществе, где чрезмерная обидчивость редко когда находит понимание. Чаще всего несклонный к агрессии Филипп предпочитает прятать свои обиды от окружающих, а вот в кругу своих близких они могут проявиться в полный рост, изрядно омрачив семейные отношения. При достаточной подвижности имени очень вероятно, что в домашней обстановке настроение Филиппа может в течение одного только дня меняться от веселой игривости до смертной обиды и обратно, что, согласитесь, выдержать крайне трудно. Исключения составляют лишь те случаи, когда Фил все же преодолевает чрезмерную эмоциональность и пытается прежде оправдать человека, а уж потом только обижаться.

Но как бы там ни было, однако детские обиды с возрастом находят себе еще одно проявление — большое самолюбие Филиппа. Особенно остро это проявляется, если измученные Филиными слезами родители в детстве начинали ему потакать и приучили к тому, что он всегда был в центре внимания. В этом случае это отразится на честолюбивых планах Филиппа. Скорее всего, он будет стараться выбрать себе такую профессию, которая позволит ему быть всегда на виду и чувствовать свою важность. Это может быть и сцена, и политика, и даже, за неимением лучшего, должность тракториста в колхозе. Впрочем, в честолюбии нет ничего плохого, лишь бы только оно не шло вразрез с интересами окружающих, и особенно близких людей.

Секреты общения. Если в компании Филипп не будет находиться в центре внимания, то, скорее всего, она ему вскоре наскучит. Кроме того, часто он очень плохо переносит общество тех, кто считается выше его, не исключено, что он попытается держаться с ними на равных, а когда это не получится, способен разозлиться. При этом сам он нередко не прочь поговорить с человеком с позиции старшего брата. Как бы то ни было, однако в общении с ним постарайтесь не забывать о его сильной эмоциональности.

Астрологическая характеристика:

Знак зодиака: Водолей. Планета: Венера, Меркурий. Цвета имени: сиренево-синий, салатовый. Наиболее благоприятные цвета: зеленый, коричневый. Камень-талисман: хризолит, изумруд, яшма.

Празднуем именины: 27 ноября, 13 июля (14 ноября, 30 июня) — Филипп, апостол из 12-ти.

17 января, 24 октября (4 января, 11 октября) — Филипп, апостол от 70-ти, из 7 диаконов.

18 октября, 22 января, 24 октября (5 октября, 9 января, 11 октября) — Филипп II Московский и всея Руси митрополит.

344

След имени в истории. Можно по-разному относиться к творчеству эстрадного певца Филиппа Киркорова (род. 1967), считая его попсой или же, наоборот, классикой, однако трудно не согласиться с тем, что на сегодняшний момент он является одной из самых крупных фигур на российской эстраде. Другой вопрос — является ли эта популярность следствием таланта, или же во многом своему положению певец обязан банальной «раскрутке».

«Я хочу получить от жизни все!» — так заявил Киркоров в одном из интервью журналистам, и, похоже, эти слова действительно отражают его жизненное кредо. Будучи единственным ребенком в семье популярного болгарского певца Бедроса Киркорова, с самого детства Филипп не испытывал ни в чем недостатка: родители, души не чаявшие в сыне, баловали его как могли. Неудивительно, что и в дальнейшем подарки судьбы Филипп воспринимал как должное — впрочем, он не собирался сидеть сложа руки, ожидая манны небесной, а много и упорно работал, пытаясь выделиться из толпы певцов ярким имиджем, необычным репертуаром.

Энергичный красавчик с немного наивной внешностью, «большой ребенок», Филипп Киркоров во время своих выступлений самый большой упор делает на зрелищность происходящего: шоу должно быть запоминающимся. Необычные костюмы, подчеркивающие достоинства фигуры, всевозможные сценические эффекты, симпатичные юноши и девушки на подтанцовках — все это трудно назвать иначе как мудрой политикой; публика может не пойти на Киркорова-певца, но на такое представление придет обязательно.

В личной жизни Филиппа Киркорова тоже не обошлось без скандала, и о его браке с Аллой Пугачевой до сих пор говорит вся страна: что это — действительно ли романтическая любовь или же коммерческий расчет на публику, сродни «разводу» Игоря Николаева и Наташи Королевой?

— Я артист, а потому могу сыграть все, что угодно, — сказал как-то певец в одном из интервью. — То, каким меня видят на сцене,— это не совсем я, а всего лишь часть моего имиджа. А вообще-то, я могу сыграть все, если понадобится: от ненависти и до самой страстной любви...

ФОМА

Значение и происхождение имени: близнец (евр.).

Энергетика и Карма имени: имя Фома еще со времен Христа стало синонимом скепсиса, недоверчивости и сомнения. Что ж, остается только удивляться тому факту, что звуковая энергетика имени полностью сохранилась в русском звучании и поразительно точно передает характер евангельского апостола Фомы, прозванного впоследствии Неверующим. Не зря у средневековых гностиков образ этого апостола стал символом постижения тайного учения Христа не через слепую и безрассудную веру, а посредством собственного разума.

Прежде всего в энергетике имени Фома следует отметить уравновешенность между любознательностью, воображением и осторожностью. Кроме того, нельзя оставить в стороне и такие черты энергетики, как углубленность и стремление к самоанализу.

Обычно Фома держится в обществе довольно спокойно, он вполне самостоятельный человек, не испытывающий желания стать лидером и уж тем более поддаваться чьему-либо влиянию. Быть может, его и нельзя назвать абсолютным скептиком, тем не менее, точно так же, как и его евангельский тёзка, современный Фома редко когда торопится с выводами. «Может, так, а может, и не так. Семь раз отмерь... Торопливость же хороша только при ловле блох», — примерно по такому принципу строятся спокойные рассуждения Фомы.

Еще одна черта, присущая носителям этого имени,— это склонность к уравновешенному остроумию, что, кстати, отлично помогает избавить самолюбие Фомы от болезненности и позволяет ему нормально чувствовать себя практически в любом коллективе. Фома довольно добродушен, а его некоторая осторожность в суждении о людях только лишь придает вес этим суждениям.

В целом можно ожидать, что жизнь Фомы сложится довольно удачно и без излишних осложнений. Неконфликтность и чувство юмора обеспечат ему хорошие отношения как на работе, так и в семье, а способность к углубленным размышлениям и трудолюбие способны принести добрые плоды в какой-либо профессии, связанной с точными науками или техникой. Быть может, единственное, чего ему не будет хватать для полноценного счастья, так это душевной открытости и искренности чувств в отношениях с близкими людьми.

Секреты общения. Обычно Фома не сторонник жарких споров и философских дискуссий, он предпочитает меньше говорить и больше делать. По этому же принципу он и оценивает людей, довольно неприязненно относясь к хвастунам и краснобаям. Кстати говоря, наиболее легкий способ испортить с ним отношения — это попробовать добиться от него желаемого с помощью лести.

Астрологическая характеристика:
Знак зодиака: Весы. Планета: Сатурн. Цвета имени: синий, красновато-желтый. Наиболее благоприятный цвет: белый. Камень-талисман: агат, алмаз.

Празднуем именины: 19 октября, 13 июля (6 октября, 30 июня) — Фома Близнец, апостол от 12-ти, священномученик.

3 апреля (21 марта) — Фома Константинопольский, патриарх.

7 мая (24 апреля) — Фома Сирийский, преподобный, Христа ради юродивый.

След имени в истории. Один из 12 апостолов, Фома, «неверующий» или «неверный», получил свое прозвище за то, что, не видя воскресшего Учителя собственными глазами, отказывался поверить в чудо. «Ты поверил потому, что увидел меня, блаженны не видевшие и уверовавшие», — укоряет его Христос, и всю свою оставшуюся жизнь Фома старается исправить мучительную ошибку.

Согласно преданию, однажды Фоме во сне явился Христос с указанием отправиться к царю Индии Гондоферу, который искал зодчего для постройки дворца. Послушный Учителю, Фома создал для царя чертеж великолепного здания. От радости Гондофер, не зная как благодарить архитектора, щедро наградил его и, оставив следить за строительством, отбыл по делам в другое государство. Фома же в отсутствие царя раздал все драгоценности и деньги, предназначенные для постройки дворца нищим, сам же проповедовал слово Божье.

Вернувшись, царь в ярости бросил растратчика за решетку, однако умерший недавно брат царя Гад вдруг воскрес и рассказал невероятную историю. По его словам, он будто бы попал в рай, где увидел великолепный дворец из золота, серебра и самоцветов.

— Ты будешь владеть этим великолепием, — сказали ему ангелы, — если только возместишь брату деньги, потраченные, как ему это кажется, впустую.

Раскаявшись, Гондофер выпустил Фому из темницы и, попросив у него прощения, сам крестился, после чего никогда не жалел денег, помогая бедным и обездоленным.

ФРОЛ, ФЛОР

Значение и происхождение имени: Фрол — ставшая самостоятельной русская народная форма имени Флор (лат.).

Энергетика и Карма имени: у имени Фрол очень мощная энергетика, которая еще более усиливается в силу того, что на сегодняшний день имя встречается довольно редко, а это, как уже не раз отмечалось, обостряет его воздействие на психику.

Наиболее характерной чертой имени Фрол является сочетание твердости и чрезвычайной чувствительности. Вернее будет сказать, что чрезвычайной эта чувствительность становится именно в силу такого довольно неблагоприятного сочетания с твердостью. Обычно с самого детства Фрол отличается впечатлительностью и значительным самолюбием, он довольно остро реагирует на критику или какие-либо замечания в свой адрес, однако присущая ему твердость склоняют его к тому, чтобы скрывать свои эмоции. Иными словами, пытаясь решить свои проблемы, он начинает замыкаться в себе но, увы, эмоции от этого только углубляются и со временем могут приобретать характер страсти.

Рано или поздно накапливающиеся отрицательные эмоции становится все труднее сдерживать, а болезненное самолюбие как на зло предоставляет все больше поводов для обид. Неудивительно, если однажды это выльется в раздражительность Фрола. Впрочем, нередко даже тогда, когда вроде бы и нет никаких поводов для недовольства, Фрол не может избавиться от странного внутреннего напряжения — такое ощущение, что он находится в вечной готовности к чьей-либо агрессии и не замечает, что в силу этого сам становится несколько агрессивным.

Безусловно, все это очень затрудняет жизнь Фрола, однако разорвать этот круг все-таки можно. Самое главное — это постараться вместо того, чтобы скрывать свои негативные эмоции, просто научиться сглаживать их. Здесь немало может помочь развитие в себе чувства юмора и умение прощать и понимать людей. Добрая самоирония и более легкое отношение к жизни прекрасно избавляют самолюбие от болезненности, ну а кроме того, решив эту проблему, Фрол не только заметно улучшит свои взаимоотношения с окружающими и особенно с близкими людьми, но и найдет хорошее применение своим талантам в какой-либо профессии.

Секреты общения. Нередко окружающих отпугивает присущее Фролу внутреннее напряжение, которое со стороны часто воспринимается как агрессивность. Тем не менее не стоит забывать, что это обычно не более чем простая готовность к самозащите, и за этой напряженной маской скрывается чувствительный и ранимый человек. Попробуйте, не задевая его самолюбия, поговорить с ним по душам — и, скорее всего, вам откроется довольно мягкая натура Фрола.

Астрологическая характеристика:
Знак зодиака: Дева. Планета: Сатурн. Цвета имени: синий, стальной, салатовый. Наиболее благоприятные цвета: золотисто-зеленый, коричневый. Камень-талисман: хризолит, нефрит, яшма.

Празднуем именины: 31 (18) декабря — Флор Амийский, епископ.

31 (18) августа — Флор Иллирийский, мученик.

След имени в истории. С именем Флор связана прекрасная средневековая легенда о любви. Согласно преданию, началась вся история с того, как много лет назад король-язычник Филис, совершив набег на христианские земли, взял в плен прекрасную женщину, которая в то время ждала ребенка. Возвратясь к себе на родину, в Неаполь, король отдал пленницу своей жене, и вскоре женщины подружились. Так получилось, что и родили обе примерно в одно и то же время: королева подарила Филису наследника Флора, у пленницы же родилась дочь Бланшфлер.

Дети росли вместе и настолько сильно привязались друг к другу, что только слепой мог не предугадать дальнейшего развития их отношений. Испугавшись за то, что Флор со временем вступит в этот неравный брак, король с королевой пошли на хитрость: они продали Бланшфлер заезжим купцам, объявив сыну о смерти девушки. Родители даже построили для убедительности гробницу, солгав сыну, что там покоятся останки его возлюбленной, однако вскоре пожалели о своей предприимчивости: Флор начал подумывать о самоубийстве.

Не выдержав, король и королева открыли сыну правду, и тот отправился на поиски возлюбленной. Нашел он ее в далеком Вавилоне, куда Бланшфлер была продана в султанский гарем. Тайком проникнув в обитель 140 жен, Флор встретился, наконец, со своей невестой, но тут влюбленных ожидали новые испытания: узнав о случившемся, султан велен казнить обоих, однако перед этим решил провести собственное расследование.

Несмотря на то, что у Флора было могущественное кольцо, с помощью которого один человек мог бы спастись, ни он сам, ни Бланшфлер, не могли воспользоваться этим средством, бросив на произвол судьбы другого. Увидев такую преданность, султан помиловал влюбленных, которые после пережитых приключений наконец смогли благополучно возвратиться к себе на родину, где и вступили в законный брак.

ХАРИТОН

Значение и происхождение имени: осыпающий милостями, щедрый (греч.).

Энергетика и Карма имени: Харитон — имя человека с довольно сложным характером, и в первую очередь это связано с болезненным самолюбием. В самом деле, в детские годы у Харитона есть немало оснований быть недовольным или даже стесняться своего редкого имени. Вот, скажем, в виде фамилии — Харитонов — оно едва ли может вызвать какие-то негативные ассоциации, другое дело — имя, мало того, что оно выглядит довольно устаревшим и оттого очень заметным на фоне более привычных имен, так еще предоставляет огромный простор для мальчишеской фантазии в плане сочинительства всяческих прозвищ. Здесь, как говориться, и думать особенно нечего, ведь даже нормального уменьшительного имени для Харитона не подберешь, сразу же приходят на ум такие, прямо скажем, не очень удачные варианты, как Харя, Рита или Тоня. Самое интересное, что, возможно, никому и в голову не придет величать его такими именами, однако самому Харитону бывает обычно достаточно одной только возможности подобных насмешек, чтобы крайне болезненно относиться к своему имени.

С возрастом, конечно, имя уже перестает иметь столь важное значение, тем не менее детские переживания не проходят даром — во-первых, Харитон предпочитает даже в дружеских компаниях представляться полным именем, что придает ему несколько излишнюю серьезность и даже строгость, а, во-вторых, болезненное самолюбие остается ему присущим на многие годы.

С другой стороны, в его характере есть немало и положительных черт. Он очень основателен, трудолюбив, упорен в достижении цели и единственное, что мешает ему добиться успеха в жизни,— это его ранимость и конфликтность. Можно быть уверенным, что если ему удастся преодолеть эту сторону своего характера, то жизнь его сложится гораздо более удачно. Помочь же ему в этом может доброе чувство юмора и более мягкое отношение к окружающим. Но надо быть таким серьезным — и все будет хорошо.

Секреты общения. Чувствительное самолюбие и упрямство — вот что всерьез затрудняет общение с Харитоном. В разговоре с ним постарайтесь учитывать эти стороны его характера, избегая острых углов и споров. И еще: будьте поосторожнее со своим остроумием — далеко не каждый Харитон понимает шутки.

Астрологическая характеристика:

Знак зодиака: Дева. Планета: Сатурн. Цвета имени: коричневый, красный, стальной. Наиболее благоприятные цвета: оранжевый, синий. Камень-талисман: янтарь, лазурит, сапфир.

Празднуем именины: 11 октября (28 сентября) — Харитон Исповедник, Иконийский, епископ.

14 (1) июня — Харитон Римский, мученик.

11 октября (28 сентября) — Харитон Простой, игумен.

След имени в истории. Харитон Лаптев (1700—1763) — один из участников Великой Северной экспедиции, который вместе со своим двоюродным братом Дмитрием внес немалый вклад в изучение неизвестных до того времени северных широт. Так, если на счету Дмитрия исследование побережья между рекой Лена и мысом Б. Баранов, съемка рек Индигирка, Яна, Колыма, Хрома, сбор сведений о Колымской и Яно-Индигирской низменностях, то Харитон Прокофьевич, не отставая от брата, первым нанес на карту Хатангский залив, обследовал побережье от реки Лена до реки Хатанга и выявленный им Таймырский полуостров. Кроме того, к числу достижений исследователя принадлежит открытие двух островов, нескольких бухт, прибрежных мысов и островов. В честь отважных первооткрывателей Дмитрия и Харитона морем Лаптевых было названо одно из северных морей.

ЭДУАРД

Значение и происхождение имени: Эдвард — страж богатства (герм.).

Энергетика и Карма имени: Эдуард — имя уверенное и твердое, оно предполагает четкие цели, способность к достаточному сосредоточению и вместе с тем гибкость. Чаще всего Эдик знает, чего он хочет в жизни, а достаточная подвижность, заметная в его имени, обычно находит свое проявление в умении быстро соображать. Это, правда, не относится к мыслям вообще, скорее, просто быстрота его ума будет направлена исключительно на осуществление конкретных целей, за пределами которых Эдик будет довольно нетороплив и вряд ли захочет лишний раз напрягать свой мозг. Одним словом, ум его в большинстве случаев носит практический характер и ходячей энциклопедией его назвать трудно. Разве что только в том случае, когда именно такая цель была у него обозначена воспитанием.

В осуществлении своих планов Эдуард способен проявлять завидное упорство и постоянство, так что если родителям удается привить ему интерес к какой-либо области, они могут быть уверены: Эдик сделает все, что в его силах, хотя для достижения этой цели может пойти нетрадиционным путем, часто выбирая из всех возможных дорог наиболее легкую. Он не склонен хитрить сам с собой, и когда в его планы входит карьера, то он и будет делать именно ее, а там уж не важно, что это за область. К примеру, не исключено, что, занявшись наукой, он предпочтет продвигаться вверх по административной или хозяйственной линии, тратя на это гораздо больше сил, чем на научные изыскания.

Имя мало склоняет его к романтизму и чувственности, он практик и материалист, вполне земной человек, предпочитающий материальную выгоду честолюбивым мечтам. Особый случай представляет собой, когда в силу каких-либо причин самолюбие Эдуарда было ущемлено, в этих обстоятельствах он способен потратить немало сил для создания своего положительного имиджа, забыв на время о выгоде. Кроме того, практичность может сделать его излишне строгим и невнимательным к людям и это способно осложнить личную жизнь Эдуарда. Трудно дружить с человеком, который оживляется только когда речь заходит о делах, еще труднее смотреть на это глазами жены и детей. Не исключено, что и сам Эдик начнет уставать от своей холодности, что может привести его к бутылке. Одним словом, если имя не склоняет его к проявлению душевного тепла, то хорошо бы ему самому попробовать потеплеть душой. Сделать же это не так уж трудно, особенно если почаще ставить себя на место других людей, прикоснуться к их внутреннему миру, попробовать понять их душу с ее переживаниями и радостями. За этим занятием обычно от холодности не остается и следа, а жизнь начинает расцветать новыми красками.

Секреты общения. В обычной жизни Эдик может производить впечатление неприметного, возможно, даже замкнутого человека. Временами он выглядит несколько рассеянно, но это все до тех пор, пока речь не зайдет о конкретном деле, здесь нередко его мозг начинает работать с колоссальной скоростью, и Эдуард преображается. Если вы желаете в общении с Эдуардом добиться полного равнодушия и нагнать на него тоску, то попробуйте почитать стихи.

Астрологическая характеристика:

Знак зодиака: Козерог. Планета: Сатурн. Цвета имени: светло-серый, коричневый. Наиболее благоприятные цвета: оранжевый, фиолетовый. Камень-талисман: турмалин, сердолик.

След имени в истории. Журналист и известный телевизионный деятель Эдуард Сагалаев (род. 1946) добился в своей жизни многого: ему удалось не только завоевать сердца зрительской аудитории, став популярным телеведущим, но и сделать неплохую карьеру: к настоящему моменту он является руководителем двух престижных ТВ-каналов. Однако сам Сагалаев считает, что все дело в его предназначении: «Я верю, — говорит он, — что судьба человека во многом определяется либо до его рождения, либо в первые дни существования... Первые мои воспоминания — счастливые».

Так или иначе, но Эдуард Сагалаев действительно попал на телевидение как бы случайно: одна его знакомая, работавшая на ТВ, влюбилась в человека, который не отвечал ей взаимностью. От отчаяния женщина уехала в Сибирь, а на свое место порекомендовала Сагалаева — тогда еще молодого 30-летнего журналиста.

Так началась его карьера и продолжалась довольно стремительно: вскоре он уже был главным редактором программы «Время», а затем, захотев самостоятельности, вместе с владельцем Си-Эн-Эн, американским мультимиллионером Тэдом Тернером, создал первую в России независимую телекомпанию «ТВ-6-Москва». Спустя некоторое время Эдуард Сагалаев, несколько раз до этого отказавшись, все-таки принял должность председателя ВГТРК.

— Я капитально влип в телевидение, — говорит он, — Как и все люди, которые любят ТВ, я бываю счастлив от любой, даже самой маленькой удачи.

ЭЛЬДАР

Значение и происхождение имени: предположительно, имя является воспринятой в мусульманских странах формой греческого имени Илиодор, что означает «дар Солнца». Примерно также имя Александр на Востоке превратилось в Искандер.

Энергетика и Карма имени: Эльдар — имя радостное и светлое, однако его природное равновесие предполагает далеко не только безмятежность и положительные эмоции: попробуйте проявить по отношению к Эльдару жесткость или резкость — и вы довольно быстро сможете ощутить на себе всю его силу и твердость.

Вообще, люди с этим именем обладают довольно независимым характером, они редко испытывают стремление к лидерству и предпочитают делать свое дело так, чтобы никому ничего не навязывать, но и по отношению к себе не терпят никакого диктата. Здесь, кстати, сказывается уравновешенность Эльдара, и потому стремление к независимости и самостоятельности обычно не осложняет Эльдару жизнь — в его душе эмоции редко преобладают над логикой, и это облегчает решать трудные или конфликтные ситуации путем компромисса с окружающими. Единственное, чего он действительно не может терпеть,— это грубого нажима.

С таким характером у Эльдара есть все шансы добиться жизненного успеха и сделать неплохую карьеру, жаль только, что многим носителям этого имени не знакомо честолюбие. В большинстве случаев Эльдар растет чисто земным человеком, предпочитающим материальные блага и простые удовольствия всевозможным мечтам о славе. Больше того, в некоторых случаях Эльдар попросту превращается в удивительно ленивого, хотя и довольного жизнью человека, однако это, как говорится, последствия дурного воспитания и избалованности. Если же родители сами имеют на счет своего сына какие-либо честолюбивые планы, то им желательно воспитать в Эльдаре достаточное честолюбие или, что еще лучше, привить ему интерес к какой-нибудь профессии. В этом случае из Эльдара может получиться действительно неординарная личность.

Секреты общения. Чаще всего общение с Эльдаром не представляет особой сложности, он обладает сам и ценит в людях чувство юмора, умеет быть дипломатичным, и характер его отличается беззлобием и оптимизмом. Тем не менее если вам все-таки удалось с вступить с ним в конфликт, то исправить ситуацию можно с помощью удачной шутки и готовности прийти к справедливому компромиссу.

Астрологическая характеристика:
Знак зодиака: Весы. Планета: Юпитер. Цвета имени: серебристый, коричневый, стальной. Наиболее благоприятные цвета: красный, фиолетовый. Камень-талисман: рубин, аметист, турмалин.

След имени в истории. Вот уже на протяжение скольких лет трудно представить себе новогодний праздник без лирической комедии Эльдара Рязанова (род. 1927) «Ирония судьбы, или С легким паром». Да и другие фильмы гениального режиссера вся страна с удовольствием смотрит не только во второй, но и в третий, четвертый, десятый раз. Это и неудивительно, ведь основа фильмов Рязанова — не только и не столько сюжет. В этих фильмах — и великолепная игра актеров, раскрывающих всю глубину человеческих взаимоотношений, и та «уплотненность» времени и пространства, когда картина смотрится на одном дыхании, и за пару часов зритель успевает прожить несколько лет, несколько жизней. Одним словом, фильмы Эльдара Рязанова — это то самое оптимальное сочетание всех необходимых условий, когда из незамысловатого сюжета получается произведение искусства, а за кадром ощущается рука настоящего Мастера.

Факты творческой биографии Эльдара Рязанова — режиссера, писателя и сценариста — незамысловаты, как будто он с детства шел к четко намеченной цели. Родился в Самаре, в 23 года окончил актерский факультет ВГИКа и, 5 лет проработав на Центральной студии документальных фильмов, наконец, перешел на «Мосфильм». Вняв мудрому совету режиссера Пырьева, Эльдар Рязанов стал работать в комедийном жанре, и первый же его художественный фильм «Карнавальная ночь» стал его первым большим успехом.

Все дальнейшие картины Рязанова, такие, как «Берегись автомобиля», «Гусарская баллада», «Гараж», «О бедном гусаре замолвите слово», и многие, многие другие автоматически становились крупным событием в жизни страны, входя в классику российского кинематографа. Самое главное в этих фильмах — всепобеждающая доброта и беззлобность, а потому они вряд ли когда-нибудь устареют, разве что с окончательной утратой человечеством этих «бесполезных» в наш современный век качеств.

ЭРИК

Значение и происхождение имени: «обладающий благородством» или «благородный богач» (сканд.).

Энергетика и Карма имени: в отличие от своего древнескандинавского собрата современный русский Эрик обладает довольно интеллигентной мягкостью и добродушием, хотя и ему не чужды эмоциональные всплески, когда на первый план начинают выходить твердость и решительность. Правда, для этого нужно как следует постараться, чтобы вывести его из себя.

Обычно в детстве Эрик выделяется своим веселым нравом и беззлобием, он оптимист и редко когда предается грусти. Его уравновешенность значительно облегчает задачи родителей, ведь Эрик прекрасно поддается воспитанию.

Бывает, что в характере Эрика прослеживается некоторая стеснительность, ему не нравится привлекать к себе излишнее внимание, однако это идет вразрез с тем, что редкое и красивое имя уже выделяет его из общего окружения. Впрочем, если родителям удастся развить у него значительное самолюбие, то картина может быть прямо противоположной, и Эрик рискует превратиться в довольно эгоистичного и самовлюбленного человека, привыкшего всегда быть в центре внимания.

А вот с возрастом частенько сказывается присущая имени мягкость. В самом деле, полная форма имени уже звучит как уменьшительная, что может восприниматься как нехватка приличествующей взрослому человеку серьезности. Здесь уже все зависит от самого Эрика и от той работы, которую проделали его воспитатели. Нередко Эрик действительно соблазняется детскостью своего имени и относится к жизни соответствующим образом, играя роль «большого ребенка» или «вечного студента», предпочитающего поиск удовольствий какому-либо иному занятию. В других случаях все происходит наоборот, и, как бы пытаясь восполнить эту нехватку серьезности, он начинает носить маску этакого строгого человека. Несомненно, второй вариант куда более благоприятен для самостоятельной жизни, вот только не стоит, наверное, переигрывать. Такой подход может обеспечить ему довольно спокойную судьбу, однако если он желает добиться в жизни каких-либо значительных успехов в карьере, ему не помешает стать чуть более настойчивым и активным.

Секреты общения. Какую бы маску не носил Эрик, за ней чаще всего скрывается добродушный и мягкий человек. А вот где действительно следует быть с ним повнимательней, так это в каких-либо совместных делах — не исключено, что он легко может потерять интерес к начатому делу. По крайней мере, нелишне будет подогреть его энтузиазм.

Астрологическая характеристика:
Знак зодиака: Рыбы. Планета: Луна. Цвет имени: серебристый. Наиболее благоприятные цвета: красный, фиолетовый, коричневый. Камень-талисман: рубин, яшма, аметист.

След имени в истории. Действительно, имя Эрик склоняет своего владельца к некой воинственности, во всяком случае, факт остается фактом: из двух знаменитостей, носивших славное имя Эрик, оба отличились именно своими военными подвигами и даже буйностью нрава.

Так, первый из них, согласно греческой мифологии, сын бога морей Посейдона и богини любви и красоты Афродиты — Эрик, был правителем в одной из областей Эллады. В округе он считался непревзойденым борцом, с легкостью побеждавшим не только местных, но и заезжих силачей-знаменитостей. А потому неудивительно, что, когда через принадлежащую ему территорию проходил Геракл, возвращаясь после очередного подвига с коровами Гериона, Эрик вызвал героя на поединок. Договор же, заключенный между ними, был следующий: в случае поражения, Геракл отдает победителю коров Гериона, если же побеждает он — герою достаются все земли Эрика. По легенде, Геракл трижды одержал победу над чересчур самоуверенным царем, после чего убил его.

Вторым известным истории человеком с таким именем был не кто иной, как Эрик по прозвищу Кровавая Секира. Этот викинг, изумлявший в одинаковой степени как своей безудержной храбростью, так и холодной нечеловеческой жестокостью, действительно заслужил свое прозвище. Во всяком случае, даже то немногое, что про него известно, уже заставляет говорить о нем как о бесчувственном убийце.

В 948 году Кровавая Секира стал королем Нортумбленда в Англии, однако это не могло утолить жажду его власти, и он постепенно начал пробивать себе дорогу к Норвежскому трону. В борьбе за власть Эрик хладнокровно убил двух своих родных братьев — правда, после этого был вынужден бежать из страны. Так и прошла вся жизнь викинга в войнах, интригах и побегах: только из Англии ему приходилось бежать дважды. Последнее же возвращение в эту страну оказалось для него и вовсе не удачным, и в 945 году при попытке вернуть себе английский престол Эрик Кровавая Секира был убит.

ЭРНЕСТ

Значение и происхождение имени: по одной версии имя произошло от корня, означающего «честь, благородство»,

358

по другой — от древнегреческой богини мщения Эринии (герм.).

Энергетика и Карма имени: в русском варианте от имени Эрнест веет некой отстраненностью. В самом деле, уж больно оно холодно для русского уха, да и его явное иностранное происхождение придает ему налет некоторого снобизма. Впрочем, это совсем не означает, что Эрнест действительно будет равнодушным снобом, скорее, даже наоборот: за его холодноватой маской обычно скрываются нормальные человеческие чувства, иногда даже более глубокие, чем это можно было бы заподозрить.

В целом для Эрнеста очень характерно равновесие между эмоциональностью и логичностью, он достаточно рассудителен, и ему присуща серьезность в делах, быть может, даже несколько излишняя серьезность. По крайней мере, эмоции Эрнеста редко бывают сдобрены чувством юмора и несут на себе отпечаток легкой грусти. А жаль, ведь именно чувство юмора могло бы избавить его от многих житейских трудностей.

Несомненно, Эрнест достаточно честолюбив, что придает ему упорства в достижении цели, способен к долгой концентрации, решителен и смел — словом, он действительно мог бы многого добиться, если бы ему не мешал его собственный пессимизм. Иногда в самый ответственный момент Эрнест вдруг опускает руки, что, конечно же, изрядно мешает работе. Да и на отношениях с людьми эта его черта едва ли сможет благоприятно отразиться хотя бы уже потому, что очень трудно радоваться жизни рядом с человеком, склонным к меланхолии, а в определенные минуты и к упадничеству.

Вот и выходит, что для полноценного счастья Эрнесту не хватает всего-навсего умения веселиться и некоторой мягкости. Не стоит смотреть на жизнь так серьезно: чуть больше легкости — а там, глядишь, и дела пойдут значительно лучше, и отношения с людьми станут более теплыми и искренними.

Секреты общения. Обычно Эрнест наиболее всего ценит в людях выдержанность и точность, хотя при этом может довольно остро завидовать людям несколько авантюрного склада. Часто он бывает резок в общении, особенно, если задето его самолюбие, но не стоит пытаться разрядить атмосферу какой-нибудь шуткой — не факт, что она будет удачно, и не факт, что он ее поймет и оценит. Здесь гораздо эффективнее спокойная логика.

Астрологическая характеристика:

Знак зодиака: Дева. Планета: Сатурн. Цвета имени: стальной, коричневый. Наиболее благоприятный цвет: оранжевый. Камень-талисман: янтарь.

След имени в истории. Английский физик Эрнест Резерфорд (1871—1937) родился в Новой Зеландии, в семье колесного мастера и учительницы. И хотя существует мнение, будто в многодетных семьях самыми талантливыми оказываются старшие дети, Резерфорд, четвертый по счету ребенок из 12, счастливо избежал этой участи — уже с раннего детства он стал проявлять интерес к различным наукам, особенно к математике. Он учился настолько блестяще, что по окончании колледжа был удостоен личной стипендии и смог продолжить обучение в Англии.

Первые работы Эрнеста Резерфорда относились к изучению распространения радиоволн, затем он начал заниматься проводимостью воздуха, что и привело его к открытию электрона. Вообще, надо сказать, великий физик не относился к числу людей с инженерным типом мышления, которые из всего сразу же стараются извлечь конкретную пользу. Скорее, Резерфорд принадлежал к чистым исследователям от науки: одно за другим он совершал открытия в различных областях физики и тут же переходил к следующему исследованию, предоставляя другим подводить базу под его готовые работы.

В 1907 году Резерфорд открыл существование ядра атома и вычислил его размер, а годом спустя стал лауреатом Нобелевской премии благодаря своей теории превращения радиоактивных элементов. Обо всех научных достижениях этого человека рассказывать долго, однако одного не упомянуть нельзя: именно он сделал открытие искусственной радиоактивности, в большой степени приблизившее наступление ядерного века.

После себя физик оставил множество учеников. Несмотря на то, что работа с людьми отнимало у него массу времени, необходимого для работы, Резерфорд справедливо полагал, что помощь одаренным физикам в их исследованиях может дать даже больший результат, чем *его личные научные изыскания.* Так и получилось, и ученики Резерфорда — Уолтон, Блекетт, Капица и другие — стали, в свою очередь, крупнейшими учеными XX века.

ЮЛИЙ, ЮЛИАН

Значение и происхождение имени: Юлий происходит от имени легендарного римского героя Юла Аскания, сына Энея и Креусы. По одной версии, Юл стал царем основанной им Альба-Лонги, по другой — царем Альбы стал его незаконнорожденный сын, а сам Юл основал новый культ. От Юла вел свою родословную знаменитый римский род Юлиев.

Энергетика и Карма имени: нетрудно заметить, что в имени Юлий заключена энергия вращающегося волчка, и обычно это заметно отражается на характере самого Юлия, делая его, что называется, заводным и достаточно возбудимым человеком. Кроме того, очень большую роль играет то, что это имя сегодня принято считать женским и потому мужчина Юлий становится в обществе довольно заметным. Не исключено, что в детстве Юлику придется выдержать немало насмешек, связанных с женственностью своего имени, однако вряд ли это отразится на его психике негативно. Дело в том, что женственность в данном случае только кажущаяся, обычно имя наделяет Юлия столь сильными эмоциями, что сверстники предпочитают не задевать лишний раз его самолюбие. Иными словами, Юлик очень крепко может постоять за себя, причем его бурная реакция на оскорбление частенько даже превосходит по силе саму причину. Здесь на первый план обычно выходит едкое остроумие Юлика, способное изрядно досадить бывшему обидчику.

Чаще всего такое умение стоять за себя остается присуще Юлию на протяжении всей жизни. Несомненно, носители этого имени обладают значительным самолюбием, которое редко бывает болезненным, что находит свое отражение в честолюбивых планах Юлия. Кроме того, следует отметить также удивительную устойчивость его эмоций. Бывает, что, разозлившись, Юлик долго не может забыть нанесенную обиду, продолжая донимать уже сдавшегося обидчика насмешками и понемногу превращаясь из жертвы в преследователя. Такое качество может очень негативно отразиться на судьбе и личной жизни Юлия. В самом деле, и в семье, и в общении с друзьями всегда возникают всевозможные недоразумения и размолвки, и едва ли их можно разрешить чрезмерной эмоциональностью.

Чтобы избежать подобного, Юлию необходимо быть более внимательным к людям, пытаясь просто посмотреть на ситуацию их глазами и лучше понять их точку зрения.

С другой стороны, устойчивость эмоций способна основательно помочь Юлию в осуществлении собственных планов, открывая в его душе колоссальные резервы энергии. Особенно это хорошо может проявиться в творческих специальностях, для занятий же бизнесом или на руководящей работе ему следует быть более внимательным и к людям, и к ситуации, иначе в ослеплении своей главной эмоцией он может многого не замечать вокруг, терять друзей и совершать ошибки.

Секреты общения. Если Юлий желает чего-либо добиться, он вряд ли легко отступится от своего, его считают пробивным человеком. Однако использовать это качество на службе часто мешает его своеволие и свободолюбие. Работать под чьим-либо началом Юлию тяжело, и лучше всего, если руководитель будет, определив ему конкретные цели, пускать его в «свободный полет». Интересно, что если Юлий обладает значительным честолюбием, он предпочитает называть себя Юлианом.

Астрологическая характеристика:

Знак зодиака: Стрелец. Планета: Меркурий. Цвета имени: густой оранжевый, салатовый. Наиболее благоприятный цвет: зеленый. Камень-талисман: нефрит.

Празднуем именины: 4 июля (21 июня) — Иулий Мирмидонянин, пресвитер.

16 (3) июня — Иулиан Бельгийский, диакон, священномученик.

20 (7) октября — Иулиан Терракинский, пресвитер, священномученик.

След имени в истории. Есть легенда, что как-то раз, когда Гай Юлий Цезарь (100—44 г. до нашей эры) проезжал по пути в Испанию мимо маленького провинциального городка, его спутники засмеялись:

— Неужели и в этом захолустье люди борются за власть?

— Что касается меня, — ответил Цезарь, — то я предпочел бы быть здесь первым, чем в Риме вторым.

В этих словах — он весь: его характер, цели, устремления. Всю жизнь этот человек мечтал быть только первым, поскольку чувствовал, что рожден быть лидером. Непокорный, сильный, своевольный, бесстрашный, Юлий Цезарь, кроме того, был одним из самых образованных людей своего времени, в ораторском искусстве уступая только Цицерону, и успешно вел политические игры, постепенно прокладывая дорогу к власти. Так, не имея ни гроша собственных денег, он брал их в долг и устраивал для народа праздники с боями гладиаторов.

За свою бурную и полную самыми невероятными событиями жизнь Цезарь добился всего — славы, денег, обожания народа. Его именем был назван месяц, в который он родился — июль. Долгое время он жил в Египте с прекрасной царицей Клеопатрой, у которой от него родился сын. Однако все рано или поздно кончается. Став полноправным владыкой Рима и получив титул «отца отечества», Цезарь не сумел оградить себя от завистников. Когда-то ему нагадали, что он будет убит 15 марта, и, собираясь в этот день в Сенат в 44 г. до н.э., согласно легендe, император обратился к предсказателю:

— Вот видишь, этот день наступил...
— Наступил, но не прошел, — последовал ответ.

В этот день на заседании сената Юлий Цезарь был убит группой заговорщиков.

ЮРИЙ

Значение и происхождение имени: Юрий — русская форма греческого имени Георгий, что означает «земледелец». Еще одна форма этого имени — Егор.

Энергетика и Карма имени: имя Юрий по своей энергетике достаточно заводное, жизнерадостное и вместе с тем твердое. Чисто субъективно оно похоже на кусок гуттаперчи, из которой можно сделать как веселый, яркораскрашенный детский мяч, так и резиновую дубинку. А можно и то и другое в одном лице. Одним словом, здесь очень многое зависит от воспитания, хотя, конечно, большинство Юриев сочетают в своем характере добродушие с твердостью и умением добиваться своего.

Чаще всего энергия имени находит свое проявление в чувстве юмора Юрия или, по крайней мере, в его склонности к веселью. Причем это чувство у него далеко не всегда носит чисто увеселительный характер и нередко является довольно мощным оружием и для защиты, и для нападения. Зачастую Юра может очень болезненно высмеять своего противника и, согласитесь, найти защиту от такого оружия бывает достаточно непросто.

Здесь также сказывается значительная устойчивость его эмоций, так что частенько, если уж человек попал в число Юриных врагов, то это может остаться на всю жизнь. Жаль, неумение прощать трудно назвать большим достоинством, к тому же не исключено, что Юрия ожидают значительные трудности в семейной жизни. Если жена стремится загнать его «под каблук», ей надо быть готовой к достаточному количеству насмешек с его стороны. То же самое грозит ей в случае излишней самостоятельности. Причиной же этому является большое самолюбие Юры, которое основано не на чувстве ущемленности, а наоборот, на том, что его имя концентрирует на себе слишком много внимания своего владельца. Очень часто для того, чтобы избавить себя от неприятностей в семье и в общении с друзьями, Юрию бывает достаточно всего лишь получше прислушиваться к эмоциям и чувствам окружающих и полегче относиться к себе самому. Это же поможет сохранить в порядке свою нервную систему и здоровье.

Зато в делах твердость и умение концентрироваться на какой-либо одной цели, делают его прекрасным работником, а самолюбие, граничащее с уверенным честолюбием, позволяет Юрию добиваться больших высот в карьере. Однако для руководящей работы ему не помешает, если он постарается лучше понимать своих подчиненных прежде, чем вынесет свой окончательный вердикт.

Секреты общения. В случае каких-либо конфликтов с Юрием желательно не пускать их на самотек и попытаться все таки прийти к какому-либо сглашению. В противном случае очень мало шансов, что Юра со временем отмякнет и вернет свое хорошее расположение. В разговоре с ним постарайтесь не обижаться на его несколько ироничную манеру общения.

Астрологическая характеристика:

Знак зодиака: Водолей. Планета: Юпитер. Цвета имени: густой оранжевый, стальной, коричневый, иногда красный. Наиболее благоприятный цвет: зеленый. Камень-талисман: нефрит, хризопраз.

Празднуем именины: 13 августа (31 июля) — Юрий Петроградский, мученик.

17 (4) февраля — Юрий Всеволодович, Владимирский, великий князь.

След имени в истории. Все-таки неспроста самого знаменитого и любимого клоуна в стране звали не как-нибудь, а именно Юрий — Юрий Никулин (1921—1997). Действительно, звучание имени, его энергетика предполагает в его носителе незаурядное чувство юмора, что и проявилось в Юрии Никулине в полной мере. О его остроумии в самых различных ситуациях ходят легенды. Например, говорят, что как-то раз в гримерную клоуна вбежала служащая цирка в криком:

— Юрий Владимирович, там огонь!

На что клоун мгновенно отреагировал:

— Извините, но я ничем помочь не могу. Глотанием огня занимается другой артист.

На отсутствие чувства юмора не жаловался и знаменитый культуролог и литературовед профессор Тартуского университета Юрий Лотман. К любой, самой трудной и неприятной ситуации он всегда подходил философски, убеждая себя и окружающих, что все происходящее не только необходимо, но и забавно. Так, когда после обыска в квартире у Лотмана люди в штатском навели в его доме идеальный порядок, профессор обрадовался: «Наконец-то я смогу найти у себя любую рукопись!» На запрещение же выезжать за границу Юрий Лотман отреагировал следующим образом: десятки приглашений со всего света профессор складывал в папку, на которой поставил лаконичную подпись: «Письма русского путешественника».

ЯКОВ

Значение и происхождение имени: Иаков — последователь, следующий по пятам (евр.).

Энергетика и Карма имени: чаще всего Яша большой жизнелюб, человек заводной, но отходчивый. Имя мало склоняет его к проявлению твердости, к тому же Яков рано начинает понимать, что мягкостью и добродушным весельем от окружающих можно добиться гораздо большего. Обычно у него большое самолюбие, однако оно легко находит удовлетворение в заботе о собственном благосостоянии. Чего-чего, а своей выгоды Яша постарается не упустить, и не зря это имя стало одним из самых любимых у русских цыган.

Большинство Яковов люди чисто земные, энергия имени не зовет их к поиску неких абстрактных духовных ценностей, из которых они признают лишь свободу своих желаний. Это позволяет Яше мало привязываться к чему-либо, к примеру, теряя друзей, чего он, конечно же не желает, он тем не менее легко находит себе новых. Такая же ситуация может сложиться и в семье, к которой совместное хозяйство и удобство привязывают его куда больше всего остального. Не исключено, что Яша с легким сердцем станет искать дополнительных удовольствий на стороне, при этом, скорее всего, очень просто найдет себе оправдание в том, что все мужики так поступают, остальные же просто хреновые мужики. Однако при всей своей уверенности эти романы он все же на всякий случай сохранит от жены в тайне.

Из всех человеческих чувств Яков обычно предпочитает веселое добродушие, он легко может посмеяться и над собой, и над другими, но очень редко применяет это качество как оружие для насмешек. Иногда он становится вспыльчивым, даже может стать буйным, особенно во хмелю, тем не менее для него вряд ли составит большого труда первым пойти на примирение. Все это делает его имя чрезвычайно удобным для общения и жизни, однако женщинам едва ли стоит излишне надеяться на особую привязанность Яши к ним. Кроме того, в семье он вряд ли потерпит решающую роль жены, хотя из соображений удобства способен сыграть роль подкаблучника. Не беспокойтесь, это всего лишь роль, за которой легко можно разглядеть человека, для которого высшие приоритеты — это приоритеты его желаний.

Едва ли можно ожидать, что Якова способны увлечь честолюбивые мечты о карьере,— честолюбие здесь обычно ни при чем и оно легко уступит место заботам о благосостоянии. Таким образом, очень мало шансов, что его привлекут роли общественных лидеров или высоты творчества, зато он с успехом может реализовать себя и в бизнесе, и на хорошо оплачиваемой руководящей работе.

Секреты общения. В случае каких-либо конфликтов с Яковом не стоит, наверное, слишком сильно обижаться на его горячность, в самое ближайшее время от нее, скорее всего, не останется и следа. Больше того, нередко именно Яшу очень удобно привлекать для разрешения чужих конфликтов в роли третейского судьи, поверьте, он хорошо подойдет на роль миротворца. А вот если вы собираетесь с ним поторговаться или, не дай Бог, решать финансовые споры, то здесь следует поменьше обращать внимания на его добродушие. Чаще же всего он просто свое упорство спишет на твердость своих партнеров или даже на жену, при этом продолжая гнуть свою линию.

Астрологическая характеристика:

Знак зодиака: Телец. Планета: Меркурий. Цвета имени: малиновый, иногда стальной. Наиболее благоприятный цвет: коричневый. Камень-талисман: яшма.

Празднуем именины: 13 июля, 22 октября (30 июня, 9 октября) — Иаков Алфеев, апостол от 12-ти, брат святого евангелиста Матфея.

17 (4) января — Иаков, брат Господень по плоти, апостол от 70-ти, 1-й епископ Иерусалимский, священномученик.

13 мая, 13 июля (30 апреля, 30 июня) — Иаков Заведеев, апостол из 12-ти, брат апостола Иоанна Богослова, священномученик.

14 (1) ноября — Иаков Ревнитель, Персидский, пресвитер, священномученик.

След имени в истории. Надо сказать, что, как правило, добродушие, присущее Яковам, не оставляет в их душе место для надрыва; и даже неприятную ситуацию, задевающую самолюбие, они способны воспринять легко и с шуткой. В этом плане примечателен реальный исторический анекдот, происшедший с генералом Яковом Кульневым.

Желая приучить своих подданных к умеренности, император Павел установил число кушаний по сословиям, а у служащих — по чинам. Майорам было определено иметь за столом три кушанья, не больше и не меньше. Кульнев, тогда еще майор, был очень беден и не мог позволить себе такую роскошь. Как-то раз Павел спросил его:

— Господин майор, сколько у вас за обедам подают блюд?

— Три, ваше императорское величество.

— Позвольте узнать, какие именно?

— Курица плашмя, курица ребром и курица боком, — весело отвечал Кульнев.

367

ЯН

Значение и происхождение имени: западнославянская форма имени Иоанн — милость Божия (евр.).

Энергетика и Карма имени: имя Ян, довольно распространенное в западных регионах бывшего Союза, на территории современной России гораздо чаще встречается в своей женской форме — Яна, Янина. Однако следует заметить, что для мужчины оно все же более благоприятно, чем для женщины. В самом деле, имя предполагает независимость, огромную эмоциональность и стремление к лидерству, так что женщина с таким именем может прослыть довольно скандальной особой, в то время как мужчине эти качества могут ощутимо помочь в жизни. Чтобы убедиться в справедливости этого высказывания, можно просто-напросто вспомнить, до какой истерии доходят некоторые феминистки, которые в своей борьбе за равноправие даже не замечают, что постепенно превращаются в самых настоящих тиранов, если не сказать фурий. Нет, мужчина умеет это делать более спокойно и рассудительно, а потому и столь сильная энергетика для него менее опасна.

Кроме того, обычно эмоциональность Яна предполагает неплохое чувство юмора и оптимизм, в связи с чем у него действительно есть все шансы занять лидирующее положение в каком-либо коллективе. Да и эмоциональность отнюдь не означает вспыльчивость — чаще всего его не так уж легко, что называется, задеть за живое, зато если уж заденешь, то это надолго! Его чувства отличаются поразительной устойчивостью и глубиной.

С таким характером Ян мог бы добиться успеха в жизни, единственное, что ему частенько мешает, так это та самая независимость, он не очень-то любит, когда им командуют, а за это, в свою очередь, начальство может не любить Яна. Согласитесь, это мало способствует удачной карьере. Что же касается семейной жизни, то и здесь есть свои неудобства — любящий верховодить в семье Ян способен провоцировать домашние ссоры, а при устойчивости его чувств дело легко может закончиться разводом, тем более что оптимизм Яна облегчает принятие необдуманных решений. Чтобы избежать этих неприятных оборотов и раскрыть действительно положительные стороны своего характера, Яну не мешает быть более внимательным и терпеливым по отношению к людям.

Секреты общения. В общении с Яном лучше всего действовать по принципу «не буди лихо, пока оно тихо» и, конечно же, не задевать его самолюбие. Если же вы заметили, что он пытается взять над вами руководство, то нейтрализовать эти «поползновения» лучше всего с помощью чувства юмора. Вообще, в разговоре с ним юмор едва ли повредит.

Астрологическая характеристика:

Знак зодиака: Водолей. Планета: Марс. Цвета имени: густо-красный, светло-коричневый. Наиболее благоприятные цвета: зеленый, золотистый. Камень-талисман: хризолит, нефрит.

Празднуем именины: 4 мая (21 апреля) — Януарий, епископ, священномученик.

След имени в истории. Имя Ян — одно из самых популярных у прибалтийский народов; такое впечатление, что его носит чуть ли не каждый второй. Именно потому и справляют латыши, литовцы и эстонцы каждый год в начале лета праздник Лиго-Яно: целую ночь все жгут костры, танцуют и веселятся. А именинники — то есть, все, кто носит славное имя Ян,— вывешивают на дверях квартиры, на окнах (а водители автобусов — прямо на радиаторе) огромные венки из дубовых листьев.

Тем не менее людей с этим именем, оставивших заметный след в истории, не так уж много — во всяком случае, широкой публике они мало известны. Исключение составляют разве что мятежник Ян Гус и финский композитор Ян Сибелиус, прославившийся своими симфониями по мотивам знаменитого финского эпоса «Калевала».

Уже с 10 лет композитор начал писать музыку, а в 14 был признан у себя на родине одним из лучших скрипачей-виртуозов. Поступив было в 20 лет по каким-то непонятным причинам на юридический факультет Хельсинкского университета, Сибелиус быстро переменил свое решение, и через несколько месяцев перевелся в Музыкальный институт, который теперь, получив статус академии, носит его имя. Широкая известность пришла к Яну Сибелиусу, когда композитору не исполнилось и 28 лет, после сочинения им двух симфонических поэм «Куллерво» и «Сага», за ними последовали еще 5 симфоний, которые вместе с первыми двумя и составили основное творческое наследие композитора, став признанной всеми классикой.

ЯРОСЛАВ

Значение и происхождение имени: славный своей жизненной силой (слав.). Древнеславянское понятие «ярь», означающее плодородие, животворящую мощь, очень почиталось в языческой Руси, при этом нашими предками хорошо сознавалось, что в больших дозах эта энергия может быть губительной. Сегодня этот корень сохранился в таких словах, как яркий, яровые, ярый, Ярило-Солнце, а также в негативном своем проявлении в слове ярость.

Энергетика и Карма имени: как ни странно, энергия имени Ярослав более уравновешена и спокойна, чем у других славянских имен с окончанием «слав». В нем заметна достаточная твердость, способность к основательности и упорству, а также некоторая неторопливость. Возможно, также сыграет свою роль образ Ярослава Мудрого, и не исключено, что в детстве Ярика будут слегка поддразнивать, называя «мудрым» в случае каких-либо его промахов. Впрочем, как оскорбление это воспринять довольно трудно, тем более что у Ярослава всегда есть прекрасная возможность называть себя просто Славой. Обычно это происходит именно так, и на людях Ярослав остается просто Славой, в то же время в глубине души он, скорее всего, будет гордиться своим неординарным по сегодняшним меркам именем.

Нетрудно догадаться, что такая некоторая раздвоенность имени, может склонить Ярослава к тому, что он с детских лет начнет носить общественную маску, оставаясь самим собой лишь в глубине души. Безусловно, с возрастом подобное происходит со многими вполне нормальными людьми, однако, начав это делать слишком рано, Ярослав также рано может ощутить преимущества скрытного характера перед излишней откровенностью. Вполне вероятно, что он попросту будет человеком себе на уме. Впрочем, не факт, что это найдет свое проявление именно в дипломатичности Славика, все дело в том, что легендарные образы, связанные с данным именем, могут стимулировать у ребенка мечтательность и развитие воображения, и Ярослав может вырасти человеком, не лишенным творческой жилки, хотя, скорее всего, будет тщательно скрывать свою тягу к творчеству, возможно даже, внешне проявляя к искусству некоторое безразличие.

Такие наклонности способны сделать Ярослава весьма самолюбивым и даже честолюбивым человеком, ведь если слишком долго скрывать свое истинное лицо и мнение о себе самом от окружающих, то тем сильнее подсознание начинает желать общественного признания. Здесь очень хорошо может помочь ему достаточная твердость и способность долго концентрироваться. Скорее всего, он предпочтет идти к своей цели, не привлекая к себе излишнего внимания до тех самых пор, пока по его мнению не придет для этого срок. Тем не менее если Ярослав желает, чтобы счастье его было связано не только с отдаленными планами, но и с сегодняшним днем, то в этом случае ему можно посоветовать быть чуточку более открытым для окружающих. Быть может, это способно создать врагов на его пути, зато и настоящих верных друзей появится значительно больше.

Секреты общения. Иногда в общении с Ярославом люди принимают за чистую монету несколько ироничную манеру держаться, которая в некоторых случаях может даже позволить подозревать в нем циника. Тем не менее если вам удастся заглянуть Ярославу в душу, вы, скорее всего, найдете в нем достаточно чувствительного и доброжелательного человека. Одним словом, в общении с ним желательно не слишком доверять своим поверхностным впечатлениям.

Астрологическая характеристика:

Знак зодиака: Близнецы. Планета: Плутон. Цвет имени: малиново-красный, стальной. Наиболее благоприятный цвет: зеленый, коричневый, белый. Камень-талисман: агаты, яшма, мрамор.

Празднуем именины: 3 июня (21 мая) — Ярослав Святославич Муромский, князь.

След имени в истории. Внук императора Василия II, один из 12 сыновей византийской принцессы Анны и киевского князя Владимира I, Ярослав не зря заслужил почетное право называться Мудрым, хотя *его* история — история прекрасно образованного для своего времени человека, религиозного и думающего — во многом сложилась трагически.

Как старший сын киевского князя, Ярослав был законным наследником престола, однако после смерти отца на троне, заняв его силой, оказался Святополк, один из его братьев. В первую очередь Окаянный (как прозвали Святополка в народе) попытался убрать всех остальных претендентов на престол, и ему даже удалось убить трех собственных братьев, однако через 4 года кровопролитной войны Ярослав сумел победить братоубийцу и занял свое законное место в Киеве.

Все 35 лет правления Ярослава по праву считаются временем расцвета и подъема Руси. Так, им разгромлено было войско печенегов, совершавших опустошительные набеги,— и это послужило им хорошим уроком, поскольку никогда больше они не возвращались. Особо заботился Ярослав о просвещении, открывая новые школы, и именно при нем началось летописание, как таковое. Стремясь утвердить престиж своего государства, князь сделал из Киева настоящую европейскую столицу, построив в городе точную копию константинопольского собора Святой Софии, возвел золотые парадные ворота при въезде в город, соорудил множество церквей и несколько крупных рынков.

О заслугах Ярослава Мудрого можно говорить бесконечно: с помощью монархических браков он установил кровное родство с самыми могущественными монархами христианского мира; при нем трудились множество переводчиков, переводивших богословские и исторические книги.

Часть 3

ЖЕНСКИЕ ИМЕНА

АВГУСТА

Значение и происхождение имени: величественная, священная (лат.).

Энергетика и Карма имени: это имя, которое трудно назвать особенно распространенным, в равной степени встречается и среди мужчин, и среди женщин, однако в своей женской форме оно обладает гораздо более сильной энергетикой. Если мужчину Августа выдает склонность к некоторой задумчивости и легкой грусти, то в характере женщины с именем Августа начинают преобладать такие черты, как решительность, активность и значительная сила воли. Эти различия связаны с тем, что всего один только дополнительный гласный звук делает имя Августа открытым, и это облегчает выход внутренней энергии наружу. Кроме того, имеет немалое значение различие между женской и мужской психологией, ведь в силу исторической традиции и устоявшихся моральных принципов Августе с ее безапелляционностью и претензиями на роль лидера физическая расправа грозит гораздо реже, чем мужчине,— чаще всего конфликты не заходят дальше словесных перепалок и оскорблений. Отсутствие же такого мощного ограничителя, как страх, увы, не склоняет к сдержанности в трудных или спорных ситуациях.

Все это делает Августу довольно властной и сильной женщиной, умеющей добиваться своего. Она очень эмоциональна и устойчива в своих чувствах — если уж человек попал в число ее врагов, то это надолго, если не сказать навсегда. В добавок ко всему у нее поразительно развито самолюбие, а повышенное самомнение выдает в ней эгоцентричную натуру, не привыкшую особенно считаться с чужим мнением. Ситуация осложняется еще и тем, что Августа слишком уж серьезно относится к жизни.

Она очень честолюбива, однако неумение быть дипломатичной мешает ей добиться жизненного успеха. Это же относится и к ее семейной жизни, где ее чересчур властный характер провоцирует огромное множество конфликтов. Да и со своим честолюбием Августа может не очень-то серьезно относиться к домашним заботам. Впрочем, все может сложиться значительно лучше, ведь все, что ей нужно для нормальной жизни,— это научиться быть более внимательной к людям, допускать и уважать в них самостоятельность, а заодно смягчать свое самолюбие доброй самоиронией.

Секреты общения. В общении с Августой трудно дать какой-нибудь радикальный совет, позволяющий быстро разрешать конфликтные ситуации. Тем не менее иногда ее может успокоить похвала. А вот от грубой лести она легко может потерять остатки уважения к льстецу. В остальном же, какой бы крутой нрав ни имела Августа, ей, как и всем сильным женщинам, очень не хватает обычного человеческого тепла, от которого она может растаять.

Астрологическая характеристика:

Знак зодиака: Лев. Планета: Марс. Цвета имени: красный, синий. Наиболее благоприятные цвета: золотистый, зеленый. Камень-талисман: хризолит, нефрит, золотые украшения.

Празднуем именины: 7 декабря (24 ноября) — Августа Римская, императрица, мученица.

След имени в истории. Княжна Августа Дараган (или Тараканова) (1744—1810) известна в истории не как деятельное лицо, совершившее что-то определенное, а, скорее, как несчастливая игрушка в руках судьбы, какой она оказалась от рождения и до самой своей смерти.

Внебрачная дочь императрицы Елизаветы Петровны с ее фаворитом Разумовским, она была ребенком нежеланным и даже больше того — компрометирующем. Императрица, и без того обладавшая вздорным и непредсказуемым нравом, дочь свою даже видеть не хотела, так что Августа получила воспитание за границей среди абсолютно чужих ей людей.

Как и многие другие, не получившие в детстве родительского тепла, она выросла понимающей и сочувствующей чужим страданиям. По отзывам ее современников, Августа Дараган обладала редкой красотой, была набожна и скромна, однако это не уберегло ее от печальной участи жертвы придворных интриг, и в 1785 году, по приказу

Екатерины II, дочь Елизаветы, как возможная претендентка на престол, была насильно пострижена в монахини и доставлена в московский Ивановский монастырь, где провела остаток своих дней под именем Досифеи. Ее содержание в монастыре отличалось особой строгостью: к ней не пускали практически никого, и даже богослужения совершались для царственной узницы отдельно от других. 25 лет провела княжна в заточении, последние годы приняв обет молчания. Похоронена в Новоспасском монастыре.

АГАТА

Значение и происхождение имени: хорошая, добрая (греч.). В русской транскрипции соответствует имени Агафья.

Энергетика и Карма имени: имя Агата отличается спокойствием, достаточной твердостью и, что, пожалуй, самое главное, редкой последовательностью и логичностью. Одним словом, извечные шутки по поводу женской логики к Агате мало применимы. Исключения составляют лишь те женщины, которые предпочитают называться Агафьями — в этом случае в их характере прослеживается значительная эмоциональность, можно даже сказать страстность натуры и, стало быть, чувственность преобладает над логикой. Таким образом можно предположить, что у Агаты и Агафьи, несмотря на родственность имен, судьба будет складываться по-разному. Впрочем, все зависит от нее самой — ведь никто не мешает ей однажды воспользоваться другим звучанием своего имени.

Что касается Агаты, то ее уравновешенность и последовательность обычно делают ее жизнь довольно спокойной, без особых взлетов и падений. Она добродушна и терпелива, при этом свойственная энергетике имени активность чаще всего находит свое отражение в хорошем чувстве юмора — в большинстве случаев ей свойственны оптимизм и веселое отношение к жизни. Немалую роль также играет образ великолепной писательницы Агаты Кристи, что способно пробудить воображение у современной русской Агаты и благотворно сказаться на ее самолюбии. Впрочем, и без этого красивое имя может тешить самолюбие, жаль только, что это несколько расслабляет Агату и не дает ей достаточного стимула к самореализации в какой-либо профессии. Зато в семейной жизни ее душевные качества могут принести неплохие плоды, особенно если не пытаться воздействовать на нее силой — нормальным человеческим языком с ней всегда можно договориться.

У Агафьи же другие проблемы — стимулов для самореализации у нее хоть отбавляй, но вот повышенная эмоциональность часто мешает ей сделать карьеру. Да и в отношении с близкими людьми ее доброта, верность и обязательность нередко несколько омрачаются излишней обидчивостью и страстностью. Одним словом, неплохо бы ей позаимствовать у Агаты немножечко ее спокойствия, а вот Агате, в свою очередь, научиться у Агафьи некоторой страстности. Именно такой синтез способен максимально обеспечить успех в жизни и мир в семье.

Секреты общения. Несмотря на различия в характерах Агаты и Агафьи, их объединяет то, что обе они не любят жесткого руководства над собой,— первая предпочитает жить своим, а не чужим умом, вторая — своими чувствами. Из этого и надо исходить, желая прийти с ними к соглашению. На Агату далеко не всегда действуют необоснованные просьбы, а на Агафью, наоборот,— логичные рассуждения.

Астрологическая характеристика:

Знак зодиака: Рыбы. Планета: для Агаты — Меркурий, для Агафьи — Венера. Цвет имени: красный, черный. Наиболее благоприятный цвет: Агате может помочь фиолетовый, Агафье — зеленый. Камень-талисман: Агата — аметист, Агафья — изумруд.

Празднуем именины: 10 января (28 декабря) — Агафия Никомидийская, игумения, мученица.

18 (5) февраля — Агафия Палермская, Сицилийская, дева, мученица.

След имени в истории. Говорят, что знаменитая английская писательница Агата Кристи (1890—1976) придумывала сюжеты для своих детективных рассказов во время поедания яблок в ванной и мытья посуды, объясняя, что яблоки стимулируют у нее развитие сюжета, а мытье посуды рождает очередное убийство. Так или иначе в своей области она до сих пор считается непревзойденной, написав за долгую жизнь 19 пьес и 78 детективных романов,— и это не считая стихов, рассказов и романов на другие темы. Не зря с чисто английским юмором про нее сказал Черчилль, что эта женщина заработала на преступлениях больше, чем даже самый удачливый вор за всю историю.

С 1958 года писательница стала президентом Английского детективного клуба, однако до конца дней так и не научилась принимать свое занятие всерьез. По ее мнению, главным делом ее жизни была помощь мужу-археологу в организации раскопок, систематизация его работ — словом, все, что угодно, только не роль писателя детективов. Иначе как женской логикой такое положение дел назвать трудно, хотя Агата Кристи могла и слукавить,— давая интервью журналистам, она нередко позволяла себе немалую долю юмора. К примеру, как-то раз, отвечая на вопрос о том, как она относится к профессии своего мужа, Агата Кристи, не задумываясь, ответила:

— Я вышла замуж за археолога потому, что считаю человека этой профессии лучшим супругом: чем больше жена будет стареть, тем большей ценностью она будет для него являться.

АГНЕССА

Значение и происхождение имени: непорочная, чистая (греч.). На латыни имя имеет друге значение — агнец, ягненок.

Энергетика и Карма имени: для Агнессы очень характерны огромное самолюбие и некоторая отстраненность. Энергетика ее имени предполагает достаточную эмоциональность, однако в ней же содержится и стремление к сдержанности, к проявлению внешней холодности. Такое сочетание иногда называют «лед и пламень» — ведь за внешней холодностью эмоции обычно начинают только углубляться и даже самое незначительное чувство способно перерасти в обжигающую страсть. Увы, такой характер трудно назвать спокойным.

Наиболее опасный момент может представлять собой повышенное самолюбие Агнессы — слишком уж неординарное и заметное у нее имя, слишком оно привлекает к себе внимание и способно внушить своей хозяйке мысль о ее исключительности, а может быть, даже и о ее праве возвышаться над другими. При этом, скрываясь за маской сдержанности и бесстрастности, опасные мысли не вызывают протеста со стороны окружающих, по крайней мере до тех пор, пока Агнесса не спешит занять место лидера. Само по себе честолюбие не является чем-то негативным, просто оно должно быть уравновешено с уважением к другим людям, и привить Агнессе это уважение — задача родителей. В противном случае ее внутренняя страстность заметно осложнит ей взаимоотношения с окружающими, в том числе и с близкими людьми.

Наиболее благоприятно, если с воспитанием Агнесса научится быть более открытой и мягкой, а заодно сгладит свое самолюбие с помощью доброго чувства юмора. Это поможет раскрыться действительно положительным сторонам ее характера, таким как выдержка, терпение, глубина чувств и хорошее воображение. В этом случае ее энергичность способна обеспечить ей хорошую карьеру, да и недоразумений в семье резко поубавится.

Секреты общения. Не пытайтесь обманывать Агнессу — обмануть можно человека, живущего логикой, в то время как глубокие и сдерживаемые чувства Агнессы делают ее очень проницательной. Кроме того, в общении с ней не забывайте о ее чувствительном самолюбии — далеко не всегда она способна принять и оценить шутки в свой адрес.

Астрологическая характеристика:

Знак зодиака: Дева. Планета: Плутон. Цвета имени: красный, черный, стальной. Наиболее благоприятные цвета: оранжевый, зеленый. Камень-талисман: сердолик, нефрит.

След имени в истории. Сюжетом для многих печальных баллад и сказаний послужила история дочери простого цирюльника Агнессы Бернауэр (? — 1435), оказавшейся игрушкой в руках сильных мира сего. Легенда гласит, что как-то раз на одном из рыцарских турниров на девушку, славившуюся своей красотой, обратил внимание никто иной, как сам герцог Альбрехт, единственный сын герцога Эрнста Баварско-Мюнхенского. Пораженный, Альбрехт влюбился в нее, как ему показалось, с первого взгляда и на всю жизнь. С этого дня он постоянно искал встреч с нею, и хотя вскоре добился взаимности чувств, воспитанная в строгости Агнесса дала ему понять, что не согласна на любовь вне брака. Распаленного страстью герцога долго уговаривать не пришлось, и он тайно обвенчался с Агнессой, презрев все условности.

Как только скандальный брак стал достоянием обществ-
венности, герцог Эрнст в отсутствии сына арестовал не-
годную невестку, предъявив ей страшное обвинение в колдовстве. В 1435 году смертный приговор был приведен в
исполнение: ни в чем не повинную Агнессу Бернауэр утопили в Дунае, принц Альбрехт же вскоре помирился с отцом и женился вторично — на этот раз уже на девушке из
знатного рода.

АГНИЯ

Значение и происхождение имени: имя Агния получило
распространение в честь древнеарийского божества огня
— Агни — и дословно означает «огненная» (санскрит).

Энергетика и Карма имени: энергетику имени Агния ха-
рактеризуют такие черты, как подвижность, глубокая эмоциональность, открытость, а также твердость и пластичность. В целом подобное сочетание можно назвать достаточно благоприятным для жизни, однако очень многое в
жизни Агнии будет зависеть от воспитания и той среды, в
которой она будет расти. Связано это с непредполагающей
сдержанности эмоциональностью Агнии. Вернее будет
сказать, что в случае необходимости Агния умеет держать
себя в руках, вот только далеко не всегда может заместить
эту самую необходимость. Наоборот, присущая ей открытость часто склоняет ее к легкому проявлению своих эмоций, а в сочетании с ее заметным самолюбием подобная
откровенность может стать источником обид и недоразумений. Вообще, она очень искренний человек, а как известно, искренним и чувствительным людям частенько приходится нелегко в жизни.

Наиболее благоприятно, если с детства родители будут
поощрять добродушную веселость Агнии и научат ее быть
чуть более осмотрительной. В противном случае этому будет учить сама Жизнь и, надо заметить, довольно жесткими средствами. По крайней мере, родители могут научить
этому более мягко. Очень важно, чтобы, обжигаясь на своей открытости, Агния не стала понемногу замыкаться в себе,— от этого негативные эмоции будут только накапливаться и постепенно разъедать душу. Гораздо лучше просто смягчать неприятные моменты с помощью чувства
юмора и попробовать привести свои эмоции в равновесие.

Только в этом случае Агния перестанет быть человеком настроения и научится наперед рассчитывать свои поступки, что в сочетании с ее энергичностью поможет добиться успеха в какой-либо карьере, особенно связанной с творчеством, и обеспечит «мир да любовь» в ее семье.

Секреты общения. Агния обычно быстро привязывается к людям и тяжело переживает разрыв отношений. Она верный и искренний друг и очень чувственная жена. Тем не менее всегда учитывайте ее глубокую эмоциональность, ведь иногда даже незначительное на ваш взгляд происшествие может задеть ее за живое.

Астрологическая характеристика:

Знак зодиака: Водолей. Планета: Солнце. Цвета имени: красный, коричневато-черный. Наиболее благоприятные цвета: белый, синий. Камень-талисман: агат, бирюза, сапфир.

Празднуем именины: 3 февраля, 18 июля (21 января, 5 июля) — Агния Римская, дева, мученица.

След имени в истории. «Стихи, написанные для детей, должны быть неистощимо молоды»,— считала замечательная детская писательница Агния Барто (1906—1981), слова которой никогда не расходились с делом. Сейчас, наверное, нет ребенка, который не в состоянии был бы процитировать наизусть хотя бы несколько строчек поэтессы: созданные ею яркие, живые образы запоминаются сами собой.

Однако поэзия — только одна (хоть и самая известная) грань деятельности этой незаурядной женщины, ведь недаром говорят, что талантливый человек талантлив во всем. Так, Агния Барто много и очень успешно работала в кино; по ее сценариям сняты такие любимые и детьми и взрослыми фильмы, как «Слон и веревочка», «Подкидыш», «Десять тысяч мальчиков», и другие. Во время войны поэтесса вела бурную деятельность — выступала на радио, писала статьи и очерки в газетах, а весной 1942 года в качестве корреспондента «Комсомолки» Агния Барто, осуществив давнее свое желание, попала на фронт. После войны поэтесса начала вести передачу по радио «Найти человека», помогая людям, которых война разбросала по всему свету...

При всем этом в первую очередь Агния Барто остается все-таки писательницей, общий тираж книг которой превышает 30 миллионов экземпляров. Ее стихи были переведены на десятки языков всех крупнейших стран мира, и теперь уж трудно поверить в то, что когда-то ее чудесные произведения принимались голосованием некой «компетентной комиссии». Как вспоминает сама писательница, многие стихотворения тогда нещадно критиковались, и даже такие строки, как «Уронили Мишку на пол,\\ Оторвали Мишке лапу», критики долго не пускали в печать — по их мнению, стихотворение получилось слишком трудным для детского восприятия.

АДА

Значение и происхождение имени: нарядная, украшенная (евр.).

Энергетика и Карма имени: Ада — имя уравновешенное, твердое и не располагает к многословию. Обычно женщина с таким именем действительно держится достаточно спокойно, хотя за этим нетрудно разглядеть внутреннюю силу и глубокие эмоции. Еще одна присущая ей черта — это постоянство: все, за что Ада берется, она старается делать основательно и до конца, причем относится это не только к работе, но даже и к простому общению. Так, к примеру, высказав свое мнение, Ада будет твердо и последовательно держаться за него, что со стороны может восприниматься как упрямство. Впрочем, энергетика Ады не склоняет ее к излишней активности, и потому едва ли из нее получится слишком горячая спорщица, скорее, Ада просто будет оставаться при своем мнении, не навязывая его окружающим.

Такое же постоянство прослеживается и в ее чувствах, которые за ее внешней выдержкой нередко достигают поразительной силы и глубины. Ада — очень верный человек и не привыкла искать оправданий ни себе, ни людям. Быть может, это и создает ей определенные сложности в жизни, зато подобное качество прекрасно помогает в делах и в карьере. Многие могут позавидовать, с каким спокойным упорством Ада умеет работать. Единственное, что, пожалуй, ей мешает, так это излишняя серьезность.

К сожалению, энергетика имени не обладает заметной подвижностью, и очень часто Аде не хватает обычного чувства юмора и живого воображения. В этой ситуации ее глубокая эмоциональность и отсутствие агрессивности делают ее довольно душевным человеком, жаль только, что при этом на ее чувствах часто лежит отпечаток грусти, а может быть, и душевных страданий. Нет сомнения в том, что такой характер хорош, скажем, для стихотворчества, однако в реальной жизни грусть далеко не так прекрасна, как на книжных страницах. Если же Ада желает сделать себя действительно счастливой, то ей не мешает научиться более легко относиться к жизни и к себе самой. Веселый взгляд на мир и жизнь делает веселее.

Секреты общения. Больше всего Ада не любит ветрености, непостоянства и пустословия. Она вряд ли опоздает на назначенную встречу, но и чужое опоздание не одобрит. Если же вы ищете чьего-либо сочувствия и понимания, то попробуйте открыть свои душевные проблемы Аде — знающая цену страданиям, она, скорее всего, сумеет вас понять.

Астрологическая характеристика:
Знак зодиака: Скорпион. Планета: Плутон. Цвет имени: красный, коричневый. Наиболее благоприятный цвет: желтый, золотистый. Камень-талисман: хризолит, золото.

След имени в истории. Согласно библейскому преданию, с именем Ады — одной из жен Ламеха — связана следующая на первый взгляд незамысловатая история, которой тем не менее один из самых великих мистиков XVI века Эммануил Сведенборг придавал особое значение.

«И Ламех взял себе двух жен, — гласит Библия, — имя одной Ада, а имя другой Цилла. И Ада родила Иавала, и он был отцом живущего в шатре стада. И имя его брата Иувал, этот был отцом, играющего на арфе и на органе. И Ламех сказал супругам своим Аде и Цилле: Послушайте мой голос и примите в ваши уста мои слова: я убил человека, оттуда моя рана, и малое дитя, оттуда моя язва».

По мнению Сведенборга, считающего Библию книгой в первую очередь закодированных знаний, которые поддаются расшифровке, в данном священном отрывке Ада символизирует собой новую церковь, веру. «Прежде всего Ада означает мать небесных и духовных сущностей веры, — писал мистик в одном из своих трактатов, — это явствует по ее первенцу Иавалу, который назван отцом живущего в шатре и стада, выражение, указывающее на все небесное, потому что им означаются святость любви и добро, от святости происходящее».

382

АЛЛА

Значение и происхождение имени: возможно от древнеарабской богини дождя Аллат, женская параллель Аллаха. Слово в переводе означает «эта богиня». Возможно также, что имя это имеет протоарийские корни. Так, среди наиболее древних божеств на Кавказе сохранились названия двух богинь судьбы — Алла и Белла, чье могущество иногда ставили выше могущества верховного Бога.

Энергетика и Карма имени: энергичность и сила имени Алла сразу же бросаются в глаза, и это неудивительно, ведь именно этим словом определяют наиболее яркий цвет — алый. Просто в данном случае сила звучания слова соответствует силе яркости цвета. Несомненно, такое имя способно выделить свою владелицу и наделить ее довольно выразительными чертами характера, при этом даже достаточная распространенность имени не так уж значительно снижает степень его воздействия.

Прежде всего сила имени замечается самой Аллой, склоняя ее к проявлению таких качеств, как напористость, твердость, ощутимое самолюбие и умение постоять за себя. Конечно, в этом случае отмечается та же закономерность, что и с другими твердыми женскими именами — проявление сильных сторон в характере женщины встречает меньшее сопротивление, чем в характере мужчины. Поскольку женские конфликты редко заходят дальше колкостей и криков, то и опасные для мужчины черты характера, которые нередко приходится отстаивать с помощью физической силы, у женщины развиваются гораздо легче.

Иными словами, Алла, скорее всего, вырастет женщиной вполне уверенной в себе, достаточно властолюбивой и склонной решать свои обиды собственными силами. Здесь таится немалая опасность, поскольку уж слишком велика вероятность неумеренного развития ее волевых качеств, и если так оно и выйдет, то Алла попросту будет загонять своего мужа «под каблук». При этом возникает парадокс: если уставший от своеволия Аллы муж в самом деле примет ее первенство, то Алла первая же разочаруется в нем, а если нет, то регулярные конфронтации попросту разрушат семью. Чтобы избежать подобного, ей не помешает чуточку сгладить свое самолюбие и властность. Впрочем, нередко после каких-либо жизненных ударов Алла либо еще более ожесточается, либо, к великому удовольствию всех и прежде всего ее самой, становится более мягкой. Кстати, семейная трагедия может стать именно таким ударом, что во втором браке сделает ее гораздо счастливее.

Твердость характера часто позволяет Алле добиваться в жизни значительных успехов, и в первую очередь это касается благосостояния семьи. Она способна вкалывать за троих, заводить полезные знакомства, может надавить на кого следует, чтобы добиться своего, при этом не забывает и о домашнем хозяйстве. Неудивительно, что часто муж терпит ее взрывной характер из соображений удобства, ведь нередко она берется устраивать и его карьеру. Жаль только, что такая жизнь совершенно не предполагает душевного комфорта, а значит, и счастья. Может быть, поэтому Алла так тянется к теплым дружеским компаниям.

Секреты общения. Несмотря на свой твердый характер, Алла очень часто остро ощущает нехватку человеческого тепла и участия. Бывает достаточно искренно посочувствовать ей, проникнуться ее проблемами, как ее командирский тон исчезнет без следа.

Астрологическая характеристика:

Знак зодиака: Овен. Планета: Марс. Цвета имени: красный, салатовый. Наиболее благоприятные цвета: зеленый, оранжевый для чувства юмора. Камень-талисман: нефрит, сердолик.

Празднуем именины: 8 апреля (26 марта) — Алла Готфская, мученица.

След имени в истории. Одно время по Союзу ходил такой анекдот: «Кто такой Брежнев? — Это политический деятель эпохи Аллы Пугачевой». И действительно, эта талантливая певица стала настоящим явлением на советской эстраде. Все 20 с лишним лет пребывания на сцене ей удавалось не просто удерживать первые позиции, но оставаться непревзойденной и недосягаемой.

Про нее можно сказать одним словом: яркая. Яркая во всем: на сцене и в жизни, в дружбе и в любви. Чуточку взбалмошная, озорная, но когда надо — твердая и деловитая. В то же время мало кто мог бы предположить, что за образом сильной и очень уверенной в себе женщины (говорят, уже в 16 лет многие начали уважительно называть ее по имени и отчеству), скрывается ранимость и застенчивость. Об этом свидетельствует хотя бы такой факт: долгое время Алла Пугачева не признавалась, что сама пишет музыку к некоторым песням. Для отвода глаз она даже придумала мифического композитора Бориса Горбоноса, которому и приписывала все свои заслуги. И только после того, как ее песня победила на конкурсе «Песня года», Алла Борисовна раскрыла секрет своего псевдонима. Впрочем, в некоторых интервью певица подтверждает, что нередко — особенно в молодые годы — страдала от собственных комплексов. «Я с детства любила, но боялась петь, — признается она. — Помогала подругам ставить песни в школе на концертах, сама же пела в пустой комнате, чтобы никто не услышал. Стеснялась, что плохо это делаю». Что же, остается только порадоваться, что Алла Пугачева сумела в свое время преодолеть все преграды и вышла на сцену. Впрочем, ее сильное и волевое имя изначально склоняло к успеху, являясь плохой почвой для насаждения каких бы то ни было комплексов.

АЛЕВТИНА

Значение и происхождение имени: русская православная традиция относит происхождение имени Алевтина к искаженному латинскому имени Валентина — (сильная). Некоторые исследователи предполагают в нем греческие корни, что, впрочем, сомнительно. Один из возможных вариантов связан с потомком Геракла Алевтом (Алетом), имя которого означает «скиталец».

Энергетика и Карма имени: по своей энергетике это имя довольно мягкое и легкое, однако в нем все же чувствуется некоторая взрывоопасность. Кроме этого, мелодия имени способна пробудить в Алевтине мечтательность и чувство непохожести на других. Это еще более усиливается тем, что на сегодняшний день такое имя встречается довольно редко, что делает Алю заметной практически в любом коллективе. Причем очень вероятно, что именно эта заметность сыграет свою роль в развитии значительного самолюбия Алевтины, поскольку, с одной стороны имя довольно красиво, с другой же — в нем слышится нечто старомодное, а в юности это способно доставить массу неприятностей. Не исключено, что самолюбие Али будет весьма болезненным, и она будет чувствовать себя среди подружек несколько неуютно, хотя в душе у нее может зреть уверенность в своей неповторимости и даже в своем превосходстве. Быть может, будь имя потверже и понапряженнее, то это и не было бы так опасно, однако как раз твердости в имени и не хватает.

Все это приводит к тому, что чаще всего Алевтина не способна спокойно перенести обычный в женском коллективе обмен колкостями, ее чувствительное самолюбие и отсутствие склонности к сдержанности нередко позволяют ей завестись, что называется, с полоборота и там, где могло бы быть легкое недовольство, возникает серьезный конфликт. Надо сказать, что в такой ситуации уже трудно разобраться, где причина, где следствие, поскольку здесь получается замкнутый круг — чем больше возникает конфликтов, тем легче Алевтина начинает срываться на язвительность, что, соответственно, рождает новые конфликты. Нередко Аля вообще перестает общаться с женской половиной коллектива, предпочитая общение с мужчинами, с которыми она чувствует себя значительно лучше и гораздо увереннее.

Скорее всего, Алевтина будет долго выбирать себе мужа, причем постарается выбрать его из каких-либо высоких кругов, что связано как с ее мечтательностью и честолюбием, так и с поиском возможности самоутвердиться. Впрочем, и здесь, как и в общении с подружками, ей следует быть осторожней, ведь любая совместная жизнь, даже если муж стопроцентный ангел, таит в себе множество недоразумений и обид, так что если Алевтина не преодолеет свою взрывоопасность, частые семейные ссоры способны поставить семью на грань развода.

Секреты общения. Мужчина может не опасаться, когда случайно доверит Алевтине какую-либо тайну, связанную с женщинами,— если она и сплетничает с кем-то, то уж никак не в женском коллективе. Кроме того, в случае общения с Алевтиной нелишне будет подготовиться к ее язвительности и колкостям. Часто они достаточно болезненны.

Астрологическая характеристика:
Знак зодиака: Дева. Планета: Марс. Цвета имени: красный, синий, салатовый. Наиболее благоприятный цвет: зеленый. Камень-талисман: изумруд, нефрит.

Празднуем именины: 29 (16) июля — Алевтина Кесарийская, мученица.

След имени в истории. Так уж случилось, что истории известно совсем немного знаменитых Алевтин, что и неудивительно, если вспомнить о достаточной редкости этого имени. Однако, наверное, вовсе не обязательно обладать какими-либо особыми талантами для того, чтобы оставить по себе добрую память потомкам. Так, в православных календарях день 16 июля (по старому стилю) посвящен светлой памяти мученицы Алевтины, не отличавшейся ни особыми чудесами, ни исцелениями страждущих, ни какими-то из ряда вон выходящими деяниями. Ничего сверхъестественного, вроде бы, не случилось, просто в этот день в 308 году в Палестинской Кессарии пострадала за веру Христову простая женщина Алевтина, изумившая своих палачей тем, как мужественно она держалась и не отреклась от своей веры. Но разве этого мало?

АЛЕКСАНДРА

Значение и происхождение имени: женская форма от имени Александр — защитница людей, оберегающая (греч.).

Энергетика и Карма имени: безусловно, в первую очередь энергетику имени Александра определяет то, что оно все-таки более мужское, чем женское. Конечно, это не означает, что Александра будет выглядеть этаким мужиком в юбке, здесь точно так же, как и в женском костюме, когда одежда мужского покроя может подчеркнуть женственность девушки, а может и «омужичить» ее. Все зависит от того, как этот костюм носить.

Интересно, что это имя является мужским не только в силу традиции, но и по своей мелодии, оно способно наделить свою хозяйку такими качествами, как уверенность в себе, напористость, твердость характера. Впрочем, образы великих Александров прошлого здесь не играют особой роли и заметно не усиливают общую энергетику, зато на первый план может выйти достаточная редкость имени среди женщин, а потому его воздействие на психику будет весьма ощутимым. Скорее всего, у Александры независимо от воспитания все же получат свое развитие сильные стороны характера, другой вопрос: как именно это проявится в ее поведении.

Все дело в том, что женщинам сегодня прощается гораздо больше, чем мужчинам. К примеру, такое качество,

13*

как властность или заносчивость,— в юном возрасте мальчику с таким характером не раз придется ощутить на себе все прелести физической расправы, и потому есть большая вероятность, что называется, сломаться, в то время как женщины в большинстве случаев от этого застрахованы своей предполагаемой хрупкостью. По крайней мере, в данном случае на их стороне и закон, и общественное мнение, а значит, у Александры гораздо больше шансов закрепить в своем характере сильные стороны — как положительные, так и негативные. Здесь-то и выявляется огромная роль воспитания: если родители не привьют Саше уважение к людям, то очень возможно, что чрезмерная властность способна действительно превратить ее в этакого мужеобразного командира. Подобных случаев было достаточно много, и надо сказать, что обычно у таких женщин личная жизнь превращалась в настоящий ад.

С другой стороны, твердость характера, когда она сочетается с женственностью и уважением к людям, может обеспечить Саше прекрасную судьбу и подчеркнуть неповторимое обаяние. Если в ее душе все эти свойства будут уравновешены, то вряд ли у нее будет ощущаться нехватка поклонников. Однако будущему мужу следует быть готовым к тому, что, скорее всего, Александра не захочет ограничивать свою жизнь только хозяйственными заботами, чаще всего ее привлекает карьера и самостоятельность. Впрочем, и в семье Саша обычно находит время на то, чтобы привести хозяйство в порядок.

Секреты общения. Иногда бывает непросто за внешней холодностью или некоторой бесшабашностью Саши разглядеть ее тонкую душу, тем не менее, если вам это удастся, значит, вы найдете ключ к ее душе или даже сердцу. Нелишне обратить внимание на то, как она предпочитает себя называть. Уравновешенные женщины обычно представляются как Саша, если в характере преобладает властность — Александра, когда же она хочет скрыть свою женственность и довольно ранимую душу, тогда Александра может представиться просто Шурочкой.

Астрологическая характеристика:
Знак зодиака: Козерог. Планета: Юпитер. Цвета имени: красный, серебристый. Наиболее благоприятные цвета: зеленый, оранжевый. Камень-талисман: сердолик, хризопраз.

Празднуем именины: 2 апреля (20 марта) — Александра Амиссийская, мученица.

31 марта, 19 ноября (18 марта, 6 ноября) — Александра Коринфская, дева, мученица.

6 мая (23 апреля) — Александра Римская, императрица, мученица.

След имени в истории. Яркий образ вещей Кассандры, пришедший к нам из греческой мифологии, до сих пор поражает воображение своей удивительной правдоподобностью. Однако мало кто знает, что ее, дочь Гекубы и Приама, в ряде мест Пелопоннеса называли также Александрой, отождествляя таким образом с местным божеством.

По легенде, сам бог любви Аполлон в свое время пытался добиться благосклонности красавицы Кассандры, но, получив отказ, в отместку строптивой сделал так, что ее дар провидения стал никому не нужен: ее попросту никто не слушал. Это суровое наказание, полученное от мстительного бога, и сыграло в судьбе прорицательницы самую трагическую роль — зная о грядущих несчастьях и о том, как их предотвратить, она была бессильна что-либо сделать, ведь в ответ на ее предупреждения люди только оскорбительно смеялись.

Именно Кассандра первой опознала Париса, явившегося в Трою на состязания, и захотела погубить юношу — в ином случае, знала она, многолетняя Троянская война неизбежна. Она даже пыталась сначала решить дело полюбовно, пытаясь уговорить Париса отказаться от его брака с Еленой, а затем, уже в ходе разразившейся войны, убеждала жителей Трои не вносить в город подозрительного деревянного коня, внутри которого оказались спрятанные воины. Все тщетно, ее прорицаниям упорно не верили, и в ночь, когда, по предчувствиям Кассандры, Трое суждено было пасть, пророчица попыталась укрыться у алтаря богини Афины, но была взята в плен и досталась в качестве военного трофея царю Агамемнону. Позже полубезумная Кассандра погибла вместе с царем, пав от руки его чересчур ревнивой супруги.

АЛИСА

Значение и происхождение имени: малышка (герм.).
Энергетика и Карма имени: первое, что бросается в гла-

за, это то, что имя Алиса довольно острое. Быть может, даже чересчур. Такое свойство русского звучания имени было подмечено очень давно и не зря в сказках появился образ хитрой лисы Алисы. Впрочем, это абсолютно не означает, что Алиса непременно вырастет хитрой и пронырливой, вовсе нет, ведь это только предрасположенность, некое направление, а, как известно, у любого направления есть два прямо противоположных конца. Скорее, даже наиболее вероятен обратный исход, ведь в данном случае намек чересчур заметен, и по закону, что действие равно противодействию, Алиса может вырасти болезненно честным и принципиальным человеком.

Как бы там ни было, однако еще одно проявление энергии имени состоит в склонности к остроумию, что делает Алису веселым и компанейским человеком, а заодно помогает защититься от чьих-либо нападок. При этом обычно самолюбие Алисы развито достаточно сильно, не исключено, что честолюбивые мечты о карьере несколько отвлекут ее от личной жизни, и тогда ей довольно непросто будет выйти замуж. Кроме того, у большинства носительниц этого имени отмечается мечтательность и склонность к фантазиям, что в немалой степени связано с образом Алисы, попавшей из сказки Льюиса Кэррола прямехонько в Страну чудес. Конечно, эта сказка многим знакома с детства, но не у всех, как у Алисы, был веский повод отождествить себя с главной героиней. Впрочем, едва ли эта мечтательность способна совсем уж оторвать ее от реальной жизни, поскольку чувство юмора всегда помогает Алисе вернуться с небес на землю.

Несомненно, ее привлекает все необычное, повседневные дела и заботы обычно не вызывают у Алисы энтузиазма, так что не стоит, наверное, ожидать от нее, что она с головой уйдет в домашние заботы, а вот если ей повезет с интересной работой, то за ней она вполне может забыть про все остальное. Хотя хозяйство, как, пусть и не главную, но все же часть своей жизни, она постарается поддерживать на должном уровне.

Секреты общения. Чтобы смертельно оскорбить Алису, нередко бывает достаточно просто усомниться в ее честности, при этом на конфликт она, скорее всего, отреагирует иронией, а может, даже и насмешкой. Для того же, чтобы отношения с Алисой стали более доверительны, попробуйте вместе с ней немножечко помечтать.

Астрологическая характеристика:

Знак зодиака: Водолей. Планета: Луна. Цвета имени: светло-зеленый, красный, серебристый. Наиболее благоприятные цвета: для общения — оранжевый, для карьеры — фиолетовый. Камень-талисман: сердолик, турмалин.

След имени в истории. Среди имен знаменитых средневековых ведьм встречается имя некой Алисы Гудридж, в связи со следующей темной историей. Так, если верить протоколам расследования, 27 февраля 1596 года 14-летний подросток Томас Дарлинг, возвращаясь домой один через лес, повстречал старуху, которая обиделась на него за что-то и околдовала словами: «Иди к черту на рога, я уйду в рай, ты — в преисподнюю».

Последствия проклятья не замедлили сказаться: когда мальчик вернулся домой, у него начались припадки — он видел каких-то «зеленых ангелов и зеленого кота». И лишь после того, как Томас догадался рассказать о встрече со странной старухой, его родственники начали поиски колдуньи, и вскоре вышли на Алису Гудридж, которую не замедлили обвинить в служении дьяволу: во всяком случае, если верить показаниям свидетелей, в присутствии Алисы конвульсии у мальчика начинались с новой силой; когда же ведьму уводили, все прекращалось как по волшебству. Впоследствии Алиса даже якобы призналась, что ей помогал дьявол «в обличье маленькой пятнистой собачки бело-рыжей масти», которую она называла Минни. Тем не менее, несмотря на «чистосердечное» признание колдуньи, есть все основания предполагать, что оно, как и многие другие в то время, было вырвано у невиновной женщины. Так или иначе но, проведя 12 месяцев за решеткой, Алиса Гудридж скончалась, что же касается Томаса Дарлинга, то, будучи подвергнут повторному допросу спустя некоторое время, молодой человек признался в том, что его история со злобной колдуньей была не более чем выдумкой.

АЛЬБИНА

Значение и происхождение имени: белая (лат.).

Энергетика и Карма имени: в имени Альбина странным образом сочетается мягкость и обаяние с твердостью и способностью проявить холодность. Обычно это проявляется в характере Альбины следующим образом: в компании и с близкими людьми она мила и уравновешенна, однако стоит задеть ее самолюбие, как в ее глазах появится лед, граничащий с высокомерием. Не исключено, что Аля будет гордиться своим красивым именем, редкость которого еще более может усилить такое воздействие. Ну а где гордость, там нередко и чрезмерное самолюбие. Красивое и редкое имя способно увлечь человека, пробудить честолюбивые мечты, вызвать иллюзию собственной неповторимости. Если эти склонности получат у Альбины свое развитие, она может превратиться в чрезвычайно высокомерного человека.

Имя совершенно не склоняет Алю к конфликтам, что, с одной стороны, хорошо, а с другой — это способно укрепить ее в своем превосходстве. В самом деле, высокомерие часто провоцирует конфликтные ситуации, однако если человек активно реагирует на ссору, то здесь уже от высокомерия не остается и следа, скандал срывает маску, утомляет его или ее и, однако, все же выпускает скопившийся пар. Альбина же обычно в конфликте предпочитает просто высказать собеседнику свое презрение и равнодушно отвернуться — таким образом, негативные эмоции всегда остаются с ней, людей такое презрение разжигает еще больше, а Альбина получает возможность ощущать собственную «возвышенность» над «хамским» окружением. Боюсь, что ничего хорошего, кроме необоснованного самомнения, здесь не получится, и потому очень важно, чтобы с воспитанием самолюбие Али было урановешено уважительным отношением к людям независимо от их душевных качеств. В конце концов, большая часть «хамских» черт характера — это всего лишь иллюзия, возникающая в силу неспособности понять человека.

Безусловно, высокомерие — не лучшая черта человека, однако умение сохранять равновесие в конфликтной ситуации способно пойти Альбине на пользу в плане карьеры или бизнеса. В спорных ситуациях именно равновесие обеспечивает человеку наиболее выгодную позицию, и он становится лидером. С учетом же самолюбия Альбины есть все основания полагать, что она и в семье, и в делах постарается взять руководящую роль на себя и, скорее всего, у нее это получится. Хотя бы уже потому, что она не тратит эмоций на крик, зато своим презрением часто бьет по самому больному. Одним словом, у нее много шансов добиться успеха, однако в том случае, если она желает не успеха, а настоящего счастья, не стоит забывать, что счастье невозможно без умения сострадать и любить людей такими, каковы они есть. Без этого душе рано или поздно становится холодно.

Секреты общения. Не стоит, наверное, надрываться, пытаясь что-либо доказать Альбине или тем более оскорбить ее. На самом деле единственное, что может действительно вывести ее из себя,— это насмешка, но уж тогда — берегитесь!

Астрологическая характеристика:

Знак зодиака: Дева. Планета: Юпитер. Цвета имени: красный, коричневый, иногда салатовый. Наиболее благоприятный цвет: оранжевый. Камень-талисман: огненный опал.

След имени в истории. «Альбина» — именно так называется захватывающий роман Александра Дюма, в котором мелодрама самым естественным образом переплетается с мистикой и элементами детектива. Главная героиня книги, девушка по имени Альбина фон Швальбах, вышла замуж по любви за графа Максимилиана фон Эпштейна, человека жесткого, хитрого и расчетливого. Влюбленная Альбина, поначалу в упор не замечавшая истинную натуру своего мужа, не собиралась верить злым языкам, предсказывавшим ей несчастье в браке. Однако жестокая действительность вскоре поставила все на свои места.

Сразу после свадьбы молодые переехали в родовой замок Эпштейнов, место неуютное и мрачное, о котором к тому же в народе ходила странная легенда. Согласно этому преданию, будто бы еще в эпоху короля Карла Великого сам знаменитый волшебник Мерлин предсказал, что если когда-нибудь графиня Эпштейн умрет в своем родовом замке, и случится это в Рождественскую ночь, то будет она ни жива, ни мертва, а точнее — мертва только наполовину.

Спустя некоторое время Альбина почувствовала всю тяжесть жизни с самовлюбленным эгоистичным мужем, который к тому же ужасно ревновал ее, черпая поводы для ревности в своих больных фантазиях. Даже когда жена произвела на свет наследника, которого назвала Эверардом, Максимилиан в ярости заявил, что это не его сын, и в безумном припадке убил ни в чем не повинную Альбину — нетрудно догадаться, что произошла трагедия именно в Рождественскую ночь.

С той поры призрак убитой графини стал являться своему ребенку; Альбина утешала Эверарда, когда он плакал, а позже, когда сын подрос, она разговаривала с мальчиком, давая ему ту любовь и ласку, которых не мог ему дать жестокий отец. В то же время Максимилиан, ничуть не раскаиваясь в убийстве жены, все больше погружался во мрак безумия — его ненависть к сыну крепла день ото дня, и в конце концов он совершенно уверил себя в том, что Эверард — не его ребенок. Развязка трагедии произошла неожиданно: решив раз и навсегда избавиться от «отродья» в лице Эверарда, отец ворвался в комнату сына с намерением убить его, и тогда призрак Альбины в последний раз явился в мир как дух возмездия, кровью Максимилиана отомстив за кровь его невинных жертв.

АНАСТАСИЯ

Значение и происхождение имени: воскресение (греч.).

Энергетика и Карма имени: Анастасия — это имя-преодоление. Субъективно оно напоминает крутую лестницу, где каждый новый слог это новая ступень, более высокая, более трудная, и только в конце — ровная площадка, на которой наконец-то можно перевести дух и вздохнуть с облегчением. Впрочем, это редко проявляется с самого детства, обычно единственное, где такое качество имени находит свое отражение,— это учеба. Едва ли Ася или Настя будет схватывать знания на лету, у нее другой склад ума, которому понять означает проникнуть в самую суть, разложить все по полочкам. Зато и знания, дающиеся таким нелегким путем часто оказываются более глубокими. С возрастом это определяет логический склад мышления Анастасии, ее склонность к анализу. Безапелляционность ей чужда, и по отношению к ней шутка про женскую логику вряд ли подходит. Конечно, многое зависит от воспитания, однако чаще всего энергия имени сама находит свое отражение в характере.

Интересно, что, если Анастасия называет себя Асей, она более подвижна и жизнерадостна, чем Настя, которая в обществе обычно держится более замкнуто и тихо. С другой стороны, Настю больше любят в семье, нередко начинают баловать своим вниманием. Таким образом, Ася чаще всего вырастает более самостоятельным человеком, ее не очень-то пугают жизненные трудности, и она рано начинает привыкать полагаться прежде всего на себя, а потом уж на близких и на друзей. Настя же может предпочесть искать защиту от трудностей в энергичном муже, в чьи руки она доверит заботу о благосостоянии семьи, а себя посвятит воспитанию детей и домашним делам. При этом если Настю слишком сильно разбаловали в детстве, то к хозяйству она может относиться довольно небрежно.

Как бы там ни было, однако с возрастом энергия имени проявляется очень сильно. Анастасия плохо чувствует себя без какой-либо большой цели, будь то работа или же воспитание детей, на которых она обычно возлагает большие надежды. Ее мысли — в будущем, и чаще всего это будущее связано с детьми. Здесь в судьбе Аси может сказаться ее самостоятельность. Она наверняка будет хорошо себя чувствовать на работе, где все в основном зависит от ее собственных усилий и, полагаясь на свои силы, может сделать прекрасную карьеру. А вот в других делах у нее не все так гладко. Рано или поздно дети тоже получают самостоятельность, причем под влиянием воспитания Анастасии это частенько происходит слишком рано. Здесь уже от нее мало что зависит, и потому ее энергия находит себе выход в ее мыслях и переживаниях. Нередко Анастасия начинает мучительно размышлять о планах и трудностях своих детей, она искренно желает им помочь, и мысль ее усиленно работает, пытаясь преодолеть какие-то воображаемые преграды. Точно так же, как и в делах, она поднимается по воображаемым ступенькам, однако в мыслях очень трудно найти удовлетворение, и часто начинается все сначала. Одним словом, мысль начинает идти по кругу, зацикливается, и от того волнения трижды усиливаются. Это бывает невыносимо, и потому Анастасии желательно все же научиться побольше доверять Судьбе и своим близким, особенно там, где она сама бессильна чем-либо помочь. Иначе это сильно осложнит жизнь и даже может привести к нервным срывам и раздражительности.

Тем не менее эти переживания не проходят впустую, ее мозг исподволь привыкает к колоссальным нагрузкам, и нередко, стоит Асе успокоиться, как у нее открывается поразительная интуиция. Вплоть до того, что ее иногда считают чуть ли не колдуньей!

Секреты общения. В общении с Анастасией не следует забывать, что если она называет себя Настей, то все вышеназваные черты характера у нее заметно сглажены. И еще, когда Анастасия спокойна и уравновешена, ее интуиция способна проникнуть в самые глубины вашей души. Хотя любовь часто застилает ей глаза.

Астрологическая характеристика:

Знак зодиака: Скорпион. Планета: Марс. Цвет имени: красный, серебристый, коричневый. Наиболее благоприятный цвет: глубокий зеленый, оранжевый. Камень-талисман: изумруд, огненный опал.

Празднуем именины: 4 января (22 декабря) — Анастасия Узорешительница, Римлянуня, великомученица.

11, 12 октября (29, 30 октября) — Анастасия Солунская, мученица.

23 (10) марта — Анастасия Патрикия, Александрийская, пустынница.

След имени в истории. Дочь знаменитого певца Александра Вертинского и не менее знаменитой актрисы Лидии Вертинской Анастасия была ребенком от очень счастливого брака — а такие дети обычно рождаются талантливыми. Красивая, артистичная, с плавными, будто отточенными движениями и прирожденной грацией, Анастасия пошла по стопам родителей, став замечательной актрисой, известной своими ролями как в театре, так и в кино.

Первая же роль Анастасии в кинематографе — роль трогательной и нежной Ассоль в «Алых парусах» — заставила зрителей обратить внимание на молодую актрису, и последующие фильмы «Человек-амфибия», «Гамлет», «Война и мир» лишь закрепили этот успех. Однако если сначала режиссеры охотно брали на главные роли девушку главным образом благодаря ее выразительным внешним данным, то от фильма к фильму развивающееся мастерство актрисы уже заставило критиков говорить о ней как о творческой личности, прекрасно владеющей искусством перевоплощения и всеми тонкостями актерского мастерства. Соответственно меняется и репертуар Анастасии Вертинской как в кино, так и в театре, и от образов юных романтических особ она переходит к глубоким и сложным психологическим ролям, как, например, драматическая роль Джеммы в «Оводе».

Находясь в вечном поиске самовыражения, Анастасия Вертинская помимо съемок в кино и работы в театре немало времени посвятила работе на телевидении, результатом чего стал цикл ее передач «Золотое сечение», построенных на интервью актрисы со знаменитыми людьми всех стран мира.

Несмотря на то, что в личной жизни актрисы не все складывалось гладко — она несколько раз побывала замужем,— ее судьбу трудно назвать несложившейся: творчество, карьера, сын Сергей (от брака с Никитой Михалковым). В настоящее время Анастасия Вертинская живет за рубежом, где преподает сценическое мастерство.

АНЖЕЛИКА, АНЖЕЛА

Значение и происхождение имени: происходит от имени Ангелина — вестница (греч.).

Энергетика и Карма имени: Анжела — имя невероятно темпераментное, даже страстное. Особенно ярко это качество проявляется в подростковом возрасте, когда Анжела может прослыть скандалисткой. Безусловно, такое яркое и звучное имя привлекает к себе внимание, и в первую очередь это касается самой Анжелики. С учетом же того, что в наши дни имя связано с романтическим образом из модных романов о похождениях средневековой Анжелики, скорее всего, у Анжелы будет остро развито самолюбие, и она будет чересчур много времени будет уделять себе самой. Это может найти свое проявление в ее обидчивости, возможно, даже в значительном неравнодушии к чужим успехам, ведь само имя склоняет ее стремиться всегда быть в центре внимания и тогда, когда это место занято кем-либо другим, Анжела может испытывать приступы колоссальной ревности. К сжалению, в своем имени она не может найти опору для терпеливости и твердости, поэтому очень велик риск, что в юности Анжела действительно часто будет провоцировать конфликтные ситуации.

Впрочем, с возрастом ей обычно приходится брать себя в руки, и опять же в немалой степени это происходит благодаря острому самолюбию. Все дело в том, что излишняя эмоциональность чревата не только ссорами и скандалами (это для женщины еще полбеды), а вот когда чувства начнут отражаться на внешнем облике — здесь уже ей будет не до шуток. Конечно же, темпераментные люди сжигают в эмоциях огромное количество калорий, но этот процесс связан еще и с различными выделениями. Грубо говоря, у Анжелы, если она не научится держать себя в руках, может отмечаться слишком обильное потоотделение, приводящее к образованию угрей, а это для женщины равносильно катастрофе. Так что волей-неволей Анжеле приходится искать в своей душе равновесие, и лучше всего, если это будет сделано путем смягчения собственного самолюбия и умения искренно уважать окружающих. Это поможет Анжеле не только привести в порядок внешний облик, но и создаст необходимую для нормальной жизни атмосферу как в семье, так и на службе.

Хуже, когда она начинает прятать свое самолюбие и эмоциональность. В этом случае не исключено, что ее темперамент найдет проявление во всевозможных интригах и сплетнях, которые, однажды открывшись, напрочь испортят ей репутацию. Кроме того, скрывая свои эмоции на людях, она может давать им полную свободу в семье, что чаще всего приводит к семейным трагедиям. Впрочем, часто муж предпочитает закрывать на это глаза, поскольку энергичная Анжела обычно является прекрасной хозяйкой.

Секреты общения. Едва ли стоит излишне доверять спокойствию Анжелы в обществе, исключение составляет лишь тот случай, когда она искренно уважает вас. Желательно также быть осторожным с остроумием, вполне возможно, что она воспримет шутку как намек или насмешку, а в обиде Анжела может быть страшной.

Астрологическая характеристика:
Знак зодиака: Лев. Планета: Венера. Цвета имени: красный, черный. Наиболее благоприятный цвет: синий. Камень-талисман: бирюза, лазурит.

След имени в истории. В своей книге «Удивительные судьбы» Бернард Харвурд рассказывает совершенно фантастическую историю, тем не менее произошедшую на самом деле, с одной молодой женщиной по имени Анжела. Выйдя замуж по любви за богатого испанца-маркиза, Анжела некоторое время была счастлива со своим мужем, однако вскоре тот трагически погиб. Что же касается семьи маркиза, то титулованные родственники — будучи с самого начала против «неравного» брака — дали понять вдове, что никаких прав на наследство она не имеет и не получит ни гроша.

Так Анжела вернулась из Франции, где они жили с мужем, домой, в Англию — без мужа, без работы, без денег. Как-то раз в гостях у друзей она встретила женщину, которая, посмотрев на нее, произнесла: у вас за спиной находится человек. Выяснив, что эта женщина — медиум, Анжела узнала в описании человека у нее за спиной своего покойного мужа, и вскоре после проведенного спиритического сеанса имела на руках весточку с того света. Это непонятное послание маркиза состояло из названия парижского банка, какого-то номера, адреса и имени.

Вскоре расследование подтвердило, что все эти данные — не бред сумасшедшего: по указанному призраком адресу действительно проживал человек, который и объяснил пораженной Анжеле, что номер — это банковский код, и, открыв сейф, вдова обнаружила там крупную сумму денег, драгоценности и ценные бумаги, а также расписку из гаража. По расписке Анжеле выдали новенький автомобиль последней модели, в багажнике которого также находился сейф с деньгами и письмо от мужа.

— Я знаю, — писал маркиз, — что смертельно болен, и потому хочу оградить тебя от нападений своей жадной семейки... Если надо, я буду охранять тебя даже из могилы.

Так и получилось — став обладательницей огромного состояния, Анжела уехала в США, где, удачно вложив деньги, преуспела в бизнесе. История же, рассказанная ей автору «Удивительных судеб», была тщательно проверена, а все невероятные факты — подтверждены.

АННА

Значение и происхождение имени: благодать (евр.).

Энергетика и Карма имени: в энергетике имени Анна терпеливость и открытость соседствуют со способностью к самоотдаче и даже жертвенностью. Часто эти черты, отражаясь в характере Ани, делают ее очень мягким и добрым человеком, что привлекает к ней людей, но, увы, далеко не всегда это благоприятно для нее самой. Впрочем, как ни странно, она находит удовлетворение в сочувствии и помощи людям — просто нередко за заботами о других она невольно забывает о себе самой, что не так уж полезно для здоровья. Бывает, что ее организм, скажем так, не совсем разделяет ее терпеливость и сострадательность к окружающим и иной раз может весьма болезненно напомнить и о своих собственных проблемах. Часто это придает ее действиям некоторую надрывность, и потому очень благоприятно, если Аня научится уравновешивать заботу о близких с заботой о себе. В противном случае ее альтруизм способен вызвать негативное отношение к себе, причем чем больше она будет недолюбливать себя, тем активнее начнет проявляться ее стремление помочь окружающим и, соответственно, наоборот. Это образует замкнутый круг, благоприятный для окружающих, но часто губительный для нее самой. Близким людям необходимо учитывать это свойство Анны и по возможности напоминать ей, что не только ближний достоин ее любви, но и она сама.

Очень желательно, если Анна обратит внимание на свое чувство юмора. Дело в том, что ее имя мало склоняет к остроумию и нередко заставляет воспринимать жизнь чересчур серьезно, что, собственно, и приводит к надрыву. В некоторых случаях, особенно в юношеском возрасте, этот надрыв может проявиться в виде некоторой циничности по отношению к самой себе. Увы, это не лучший выход для негативной энергии, более того, такая самоциничность только усугубляет ситуацию. Зато если она найдет источник веселых мыслей либо в себе самой, либо в близких людях, то эта проблема может полностью отпасть, оставив место для действительно положительных сторон ее характера. Одним словом, никогда не будет лишним по-доброму посмеяться и над собой, и над окружающими.

Если Анна желает испортить себе жизнь, ей надо всего лишь выбрать себе серьезного и правильного мужа без чувства юмора. Однако, слава Богу, такое происходит достаточно редко, хотя именно «серьезные» мужчины чаще всего и предлагают ей руку и сердце. Это и неудивительно, поскольку заботливость и душевная доброта Анны делают ее прекрасной хозяйкой и женой. Однако счастье ей может подарить только жизнерадостный и веселый человек, способный внести в ее жизнь живую струю.

Секреты общения. Не стоит слишком сгущать краски, описывая Анне свои трудности, она и без этого способна вас понять и помочь, безысходность же в вашем голосе может ввергнуть ее в жестокую депрессию. Если вы хотите сделать Ане приятное, подарите ей немножечко оптимизма и легкого отношения к жизни.

Астрологическая характеристика:
Знак зодиака: Рыбы. Планета: Солнце. Цвета имени: красный, коричневый. Наиболее благоприятный цвет: оранжевый. Камень-талисман: сердолик, огненный опал.

Празднуем именины: 7 августа, 21 сентября, 21 декабря (25 июля, 9 сентября, 9 декабря) — Анна, мать Пресвятой Богородицы.

16 февраля, 10 января (3 февраля, 28 августа) — Анна Пророчица, дочь Фануилова.

22 (9) декабря — Анна Пророчица, мать пророка Самуила.

26 июня, 12 ноября (13 июня, 29 октября) — Анна Вифинская, преподобная, подвизавшаяся в мужском образе.

След имени в истории. «Мне ведомы начала и концы». И жизнь после конца, и что-то, о чем теперь не надо вспоминать...» — писала Анна Ахматова (1889—1966). И действительно, такое впечатление, что уже с детства она предчувствовала заранее свою сложную, во многом трагическую судьбу. Так, в 18 лет поэтесса, глубоко переживая неразделенную любовь, пишет своему другу: «Я кончила жить, еще не начиная»,— но тем не менее это было именно началом ее жизненного пути и далеко не самым серьезным испытанием.

Печальный образ, красота, огромные выразительные глаза делали Ахматову предметом поклонения многих передовых людей того времени, однако самую роковую роль она сыграла в жизни писателя Николая Гумилева. Множество раз он делал ей предложение, и она отвечала отказом, пока через 6 лет знакомства все-таки не вышла за него замуж. У них родился сын, но через какое-то время брак распался, хотя Гумилев и продолжал боготворить бывшую жену до конца своих дней.

Стихи Анны Ахматовой, оригинальные, глубокие и чувственные, по большей части пронизаны глубокой печалью. Это заметил даже Сталин, окрестив ее за пристрастие к темной одежде «монашкой». Но если в начале своей творческой карьеры поводов для такой грусти у Ахматовой не было совсем или было немного, то в дальнейшем оправдываются все самые мрачные ее предчувствия. В 1921 году был расстрелян Николай Гумилев, в ссылке погиб ее муж Н. Пунин, а сына трижды арестовывали, и поэтессе едва удалось спасти его от участи отца. Кроме того, начиная с 1946 года Ахматову нигде не печатают, подвергая ее творчество резкой критике. В итоге поэтессе на закате лет пришлось превратиться в переводчицу, хотя, по свидетельству современников, до самой смерти сохранила она свою гордую осанку, поразительную красоту и теперь уже понятную всем грусть. Недаром один из критиков метко назвал Ахматову «Ярославной XX века».

АНТОНИНА

Значение и происхождение имени: приобретающая взамен (греч.).

Энергетика и Карма имени: в целом энергетика этого имени обладает хорошей, уравновешенной подвижностью, добродушием и жизнерадостностью, но у него две стороны, два лица. Обычно это приводит к тому, что с детства у Тони получают развитие такие качества, как приветливость, веселость, добродушие. Она довольно быстро схватывает информацию, что в школе компенсирует ее непоседливость и склонность к игривости. Однако уже тогда в глубинах ее души начинает пробуждаться другая сторона имени — собранная, уравновешенная Нина, не чуждая некоторой властности и расчетливости. Впрочем, скорее всего, внешне это не проявится никак, просто жизнерадостность и добродушие Тони станут несколько более осмотрительны, а саму ее начнут привлекать не столько веселые игры, сколько возможность достижения конкретных, прагматичных целей.

Обычно это происходит исподволь, и даже самой Тоней, скорее всего, будет восприниматься как естественный процесс повзросления. Тем не менее очень многое в ее судьбе зависит от воспитания, а именно от того, какая сторона ее характера получит большее развитие. Веселые и беззаботные родители часто не дают полностью проявиться ее расчетливости, с другой стороны, излишне меркантильное окружение может и Антонину сделать чрезмерно прагматичной, что часто приводит к потере ее жизнерадостности. Однако чаще всего она так и остается общительной Тоней, добродушие которой сочетает в себе человеколюбие и заботу о себе самой. При этом с близкими людьми она частенько не прочь покомандовать, однако до своевольства дело не доходит, осмотрительность обычно помогает ей вовремя остановиться, а чувство юмора — перевести все в шутку. Впрочем, в неискренности ее трудно заподозрить, разве что в тех случаях, когда расчетливость все же преобладает. В этом случае у нее во внешней жизни останется все хорошо, когда как внутри она, скорее всего, будет ощущать явный недостаток тепла, пытаясь найти его в своих близких. Увы, единственный способ найти это тепло — это поискать его в себе самой.

Тем не менее большинство носительниц этого имени прекрасно сочетают любовь к ближнему с любовью к себе самой, что делает Тоню хорошей хозяйкой и заботливой женой и матерью. Ее добродушная энергия привносит в семью атмосферу веселья и благополучия, главное, чтобы излишний прагматизм не разрушил все это.

Секреты общения. Если вы хотите доверить Тоне какую-либо тайну, то сделайте это так, чтобы и она была заинтересована в ее сохранности. Не стоит также излишне надеяться на ее мягкость, вряд ли она легко отступит от своей выгоды, разве что в надежде когда-либо использовать свое доброе дело.

Астрологическая характеристика:

Знак зодиака: Близнецы. Планета: Меркурий. Цвета имени: красный, коричневый. Наиболее благоприятный цвет: фиолетовый. Камень-талисман: аметист.

Празднуем именины: 23 (10) июня — Антонина Кродамнская, дева, мученица.

14 марта, 26 июня (1 марта, 13 июня) — Антонина Никейская, мученица.

След имени в истории. Примером одной из самых расчетливых и меркантильных Антонин в истории может послужить дочь византийского циркача и жена небезызвестного Велизария. Женщина властная, хитрая и жестокая, всегда добивавшаяся своего, она начала с того, что сумела подчинить себе мужа — человека тоже достаточно сильного, хоть и несколькими годами младше ее. Впрочем, очень может быть, что муж только из соображений целесообразности носил маску подкаблучника — ведь взамен Антонина, имея немалое влияние при дворе, оказывала ему неоценимую помощь, в делах соблюдая его финансовые интересы.

И действительно, слово Антонины в государстве значило немало — став подругой жены императора Юстиниана Феодоры, она охотно помогала императрице во всех ее преступлениях, в свою очередь приобретая над ней большую власть. Однако один раз над Антониной нависла реальная угроза, исходящая от ее собственного сына: тот узнал, что мать неверна Велизарию. Приобщение к этой тайне чуть было на стало для юноши роковым: Антонина собралась было убить своего сына, спасти которого смогло только спешное пострижение в монастырь.

К старости, уже после смерти Велизария, Антонина, устав от придворных интриг и беспокойного образа жизни, решила, что ей пора позаботиться и о собственной душе. Однако так как об этом она имела довольно смутное представление, то единственное, что пришло ей в голову,— это приобрести на оставшиеся от мужа деньги монастырь, таким образом прикупив себе теплое местечко на том свете.

АНФИСА

Значение и происхождение имени: цветущая (греч.).

Энергетика и Карма имени: сегодня имя Анфиса гораздо чаще встречается на страницах романов, чем в реальной жизни, и в этом нет ничего удивительного — в последние десятилетия в России отмечалось массовое увлечение западной культурой, и потому многие из ранее широко распространенных русских имен стали выходить из моды. Сейчас, впрочем, начала обозначаться прямо противоположная тенденция, и вполне возможно, что вскоре забытые имена опять получат свое распространение.

Так это или нет, однако в наши дни это имя выглядит несколько старомодно, что, скорее всего, скажется на самолюбии Анфисы. Не исключено, что она будет испытывать потребность в самоутверждении и, надо заметить, сила, заложенная в ее энергетике, может ей изрядно помочь на этом пути. Действительно, честолюбивая и энергичная Анфиса совмещает в своем характере склонность к остроумию, подвижность, прекрасное воображение и эмоциональную глубину. Она умеет привлечь к себе внимание, а в нужный момент и постоять за себя. Вплоть до того, что может даже прослыть «язвой» и насмешницей.

У нее довольно быстрый ум, позволяющий ей схватывать все на лету, и прекрасная интуиция. Кроме того, при всей ее эмоциональной подвижности Анфиса знает и гораздо более глубокие чувства, о которых предпочитает лишний раз не распространяться. Она мечтательница, и это утраивает ее силы в стремлении осуществить свои жизненные цели, вот только желательно было бы сделать так, чтобы эти цели оказались действительно стоящими. Здесь уже многое зависит от воспитания, от тех интересов, которые ей были привиты в детстве. Тем не менее шансов добиться своего у Анфисы достаточно много.

В семейной жизни ее энергичность часто обеспечивает ей лидирующее положение. Но главное, чего следует опасаться Анфисе, это того, что за долгие совместно прожитые годы чувство любви притупляется, и здесь уже необходимо некоторое терпение и уравновешенность, чтобы ее чувственность не спровоцировала разрыв отношений.

Секреты общения. Анфису очень трудно свернуть с пути или хотя бы просто переспорить, зато она нередко бывает бессильна перед уравновешенным спокойствием и чуть насмешливой самоуверенной мужской твердостью. За таким человеком она и сама готова пойти на край света.

Астрологическая характеристика.
Знак зодиака: Стрелец. Планета: Венера. Цвета имени: красный, фиолетовый, серебристый. Наиболее благоприятный цвет: синий. Камень-талисман: лазурит.

Празднуем именины: 9 августа (27 июля) — Анфиса Мантинейская, игумения, исповедница.

9 сентября (27 августа) — Анфиса Новая, мученица.

21 (8) декабря   Анфиса Римская, мученица.

След имени в истории. Талантливый писатель никогда не выбирает имя своего героя наобум и очень часто верно угадывает присущий имени характер, очередное подтверждение этому тот факт, что в целом ряде известных литературных произведений фигурирует образ роковой Анфисы, женщины яркой и красивой, страсти вокруг которой так и кипят. Такова, например, Анфиса в повести Бориса Бедного «Девчата», в романе Шолохова «Тихий Дон», а также у Шишкова в «Угрюм-реке».

«Угрюм-река» — одно из самых знаменитых произведений автора во многом благодаря именно той интригующей атмосфере, окружающей главную героиню книги — Анфису. Эта красавица, в которую влюблены чуть ли не полдеревни, включая и женатых, в первых главах книги предстает перед читателем в образе этакой легкодоступной девушки — так вызывающе независимо она ведет себя. Однако постепенно за внешней раскованностью начинает угадываться слабость и беззащитность, «вольность в поведении» оборачивается на деле самым строгим целомудрием, и в итоге сам образ «веселой красотки» оказывается только на время надетой маской, за которой скрывается натура светлая, чистая, ожидающая своего единственного.

Полюбив Прохора, Анфиса готова отдать ему все, стать его женой, подругой, любовницей, идти хоть на край света. В упоении новым чувством она совершенно забывает об осторожности, и опасность приходит с той стороны, откуда ее и следовало ожидать. Отец Прохора, откровенно добивавшийся любви красавицы, поняв, что соперником стал его собственный сын, оскорбленный, заявляет ему, что Анфиса была его любовницей и в настоящий момент ждет от него ребенка. В припадке ревности Прохор убивает Анфису, а заодно и (по замыслу автора) свою собственную душу, превратившись всего лишь за одну кошмарную ночь из юноши с благородными порывами в жестокого эгоиста, терроризирующего ближних, женившегося по расчету и предавшего лучшего друга.

БЕЛЛА

Значение и происхождение имени: красавица (лат.).

Энергетика и Карма имени: энергетика имени Белла предполагает стремление к уравновешенности, любознательность, вдумчивость и вместе с тем очень сильную возбудимость. Не правда ли, несколько противоречивое сочетание. Впрочем, мало ли чувствительных и возбудимых людей стремятся быть спокойными и уравновешенными, другой вопрос — насколько это у них получается?

Чаще всего Белла действительно выглядит как человек, умеющий держать себя в руках, она не очень тороплива, внимательна, рассудительна, жаль только, что эта идиллическая картина частенько нарушается из-за какой-либо мелочи. Нет, она не впадает в истерику, в ее поведении еще сквозит неторопливая плавность, однако за этим уже начинает ощущаться ее нарастающее недовольство, которое в добавок ко всему отличается еще и поразительной устойчивостью. Следует также отметить значительное самолюбие Беллы, которое хоть и не отличается болезненностью, но все равно способно предоставить преогромное множество поводов для недовольства.

Однако возбудимость и чувствительность относится не только к негативным эмоциям, положительные чувства не менее характерны для Беллы. Она очень привязчива к людям, отзывчива, умеет сохранять верность своим чувствам. Больше того, именно возбудимость определяет ее углубленную любознательность и широту интересов. С учетом этого можно полагать, что у Беллы будет много друзей и столько же шансов самореализоваться в какой-либо профессии. Единственное, что ей может помешать, так это стремление к независимости и некоторое упрямство.

Наиболее же благоприятно сложится ее жизнь, если она найдет в своей душе место для чувства юмора. Дело в том, что нередко она грешит излишней серьезностью и не всегда понимает шутки, а что, если не юмор, может сделать жизнь более симпатичной и радостной?

Секреты общения. Если в разговоре с Беллой не задевать ее самолюбие и не предоставлять поводов для недовольства, то она может оказаться очень интересным, а то и душевным собеседником. В целом же она не любит развязности и предпочитает интеллигентную сдержанность во взаимоотношениях.

Астрологическая характеристика.

Знак зодиака: Козерог. Планета: Венера. Цвета имени: коричневый, салатовый, белесый. Наиболее благоприятный цвет: оранжевый. Камень-талисман: янтарь.

След имени в истории. Белла Ахмадулина (р. 1937) — одна из самых популярных отечественных поэтесс, однако несмотря на то, что родилась она в Москве, в семье служащих, русского в ней не так уж много: среди ее предков с одной стороны, обосновавшиеся в России итальянцы, с другой же (по отцовской линии) — татары. Может быть, именно такому экзотическому сочетанию кровей поэтесса и была обязана своему таланту?

Творческая биография Беллы Ахмадулиной началась уже в 17 лет — именно в этом возрасте первые ее стихи были опубликованы и заслужили противоречивые отзывы критики. Одни говорили, что стихи ее «неактуальны», поскольку говорят о вещах банальных и пошлых, таких как любовь, романтика и других пережитках капитализма. Однако несмотря на такие рецензии, начинающая поэтесса быстро завоевала популярность, и ее книги не залеживались на прилавках.

Стихи Беллы Ахмадулиной — лиричные, самобытные, помимо всего прочего, еще и глубоко психологичны. Автору удалось создать свой неповторимый сугубо женский внутренний мир, в котором каждый предмет, каждая мелочь может иметь «неоправданно» огромное значение. В ее творчестве нередко встречается тема так называемого научно технического прогресса, когда человек осмысливает появление таких странных предметов, как магнитофон или самолет, и их соотношение со старыми, привычными ценностями: стол, дом, свеча.

Наиболее известные книги Беллы Ахмадулиной — «Метель», «Струна», «Уроки музыки», а за книгу стихов «Сад» в 1989 году ей была присуждена Государственная премия СССР. Творчество поэтессы по заслугам оценено не только у нас, но и за рубежом: с 1977 года Белла Ахмадулина является почетным иностранным членом Американской Академии искусств и литературы.

БРОНИСЛАВА

Значение и происхождение имени: славная в защите (слав.).

Энергетика и Карма имени: энергетика имени Бронислава отличается хорошей подвижностью, открытостью, однако, пожалуй, оно несколько жестковато для женщины, ведь даже несмотря на разницу ударений между именем Броня и словом «броня», созвучие все равно остается достаточно заметным. Конечно, такая «железная» ассоциация мало соответствует типичному понятию женственности, ей бы, следуя логике великолепного поэта-комбинатора Остапа Бендера, подошло бы что-то более «воздушное, к поцелуям зовущее». Думается, что даже самые отъявленные феминистки и мужененавистницы не будут с этим особенно спорить, разве что только из врожденного чувства протеста, чтобы лишний раз позлить «худшую половину человечества», а вместе с ней и Мать-природу, определившую женщине быть женственной.

Одним словом, жестковатое имя может стать причиной развития у Брониславы довольно болезненного самолюбия. Примерно так же подобной причиной становятся у некоторых женщин грубоватые черты лица или угловатая фигура. Ну а болезненное самолюбие, как известно, это довольно мощный двигатель Судьбы. Вариантов здесь не так уж много — бывает, что Броня начинает своим поведением подчеркивать свою женственность, она тщательно следит за собой, контролирует свои поступки — и это выдает в ней довольно неуверенную натуру. В этом случае она обычно избегает шумных компаний, а вместо характерной для нее подвижности в ее манере держаться начинает проступать скованность. Это очень мешает ей получить признание у мужчин, что еще более может углубить комплекс неполноценности. Впрочем, стоит ей выйти замуж, как эта скованность обычно пропадает, что, конечно, более благоприятно, хотя и может стать неожиданностью для ее мужа.

Другой вариант ее поведения позволяет гораздо лучше раскрыть положительные стороны ее характера и предполагает некоторое мальчишество в ее поведении. Она подвижна, обладает неплохим чувством юмора, весьма самостоятельна и умеет постоять за себя. Тем не менее «лучше» — еще не означает «хорошо», так что определенная уравновешенность ей все же не повредит.

Секреты общения. Даже если Броня держится неуверенно и скованно, постарайтесь не забывать о ее экспансивности — стоит вам попасть в число ее близких людей, с которыми сс скованность пропадает, как в поведении Брониславы может проявиться заметная импульсивность и порывистость. Наиболее благоприятно в общении с ней действует уравновешенный мягкий юмор.

Астрологическая характеристика:

Знак зодиака: Скорпион. Планета: Меркурий. Цвета имени: коричневый, стальной, красный. Наиболее благоприятный цвет: белый. Камень-талисман: алмаз.

След имени в истории. Жена польского писателя и авантюриста Михаила Чайковского (1808—1886), Бронислава (в девичестве Замойская) прожила жизнь поистине бурную и полную приключений. Женщина по натуре довольно властная, с сильным характером, она в первое время имела на своего мужа почти неограниченное влияние и даже подбила его принять участие в польском восстании против России. Затем начались их скитания — после падения Варшавы супруги отправились в Париж, откуда Чайковский (уже в качестве тайного французского агента) вместе с женой переехал в Константинополь, на этот раз — надолго.

Но здесь, в Константинополе, коса, как говорится, нашла на камень — то ли авторитет Брониславы в глазах ее мужа начал падать, то ли он решил, несмотря ни на что, как можно тщательнее выполнить поставленную перед ним французами задачу. Так или иначе, но, к ужасу жены (убежденной католички), он неожиданно поступает на турецкую службу, принимает ислам и превращается из Михаила Чайковского в Могаммеда Сарыка-пашу. В ярости Бронислава подала на развод, и через некоторое время новоявленный паша остался ни с чем — своему бывшему благосостоянию он был обязан целиком лишь богатству Брониславы. Чтобы хоть как-то компенсировать потери, Могаммед, назло бывшей жене вновь поменял веру, на этот раз став уже православным...

Под конец жизни Чайковский, устав от приключений, поселился в Киеве, предварительно рассказав российским властям все, что ему было известно о работе французской и польской разведки. В возрасте 78 лет он скончался при весьма загадочных обстоятельствах, и долго еще ходили слухи, что якобы к его смерти какое-то отношение имеет его бывшая жена, о которой до конца дней он вспоминал со смесью ненависти и восхищения.

ВАЛЕНТИНА

Значение и происхождение имени: сильная, крепкая (лат.).

Энергетика и Карма имени: по своей энергетике имя достаточно добродушно, однако его подвижность заметно уравновешена некоторой твердостью и даже строгостью. В немалой степени это связано с тем, что не так уж редко оно встречается в мужском варианте, что накладывает на характер Вали определенный отпечаток. Интересно, что в случае с Валентином—мужчиной все происходит прямо наоборот: если у Валентины в силу такой взаимосвязи усиливается твердость, то имя Валентин по этой же причине приобретает достаточную мягкость. Впрочем, эту взаимосвязь трудно назвать чрезмерной, и потому в большинстве случаев она сказывается на характере довольно благоприятно.

Обычно влияние имени приводит к тому, что с детства Валентина растет довольно подвижным, но послушным ребенком, выделяясь среди сверстников несколько серьезным отношением к себе. Она может активно включиться в какую-либо игру, но когда речь зайдет об уроках или о помощи родителям по хозяйству, Валя довольно быстро переключается и в делах становится собраной и серьезной. При этом ее некоторая строгость как будто не распространяется на окружающих, к своим близким и друзьям она чаще всего настроена очень благожелательно. Больше того, обладая несколько критичным отношением к себе, она, как это часто бывает с такими людьми, склонна замечать в окружающих в первую очередь достоинства, а уж потом недостатки.

Валя легко проникается проблемами своих подруг и близких, ей искренно хочется помочь им, и за этим она может даже забыть о своих собственных трудностях. Все это делает ее очень добрым и отзывчивым человеком, однако не все так просто. Бывает, что в силу излишней доверчивости Валю очень легко настроить против кого-либо, иной раз достаточно всего лишь слезно описать какого-нибудь «негодяя», чтобы Валентина прониклась «праведным гневом» и выступила на защиту своих подруг. В этом случае от ее добродушия по отношению к «негоднику», скорее всего, не останется и следа. Здесь ей следует быть очень осторожной, поскольку, осуждая людей, легко окончательно запутаться, так и не поняв, кто прав, а кто не прав. В целом же ей очень бы не помешало сгладить свою серьезность с помощью доброго юмора. По крайней мере, это чувство способно избавить ее от ненужных переживаний и может предотвратить многие ошибки.

С другой стороны, серьезность и собранность делают ее хорошей хозяйкой. Скорее всего, Валентина выйдет замуж не так уж рано, вряд ли ее полезные качества найдут понимание у молодых ухажеров, которые в первую очередь ценят веселье и беззаботность, в то время как хозяйственность и преданность на первом месте стоят у людей достаточно зрелых. В юности это способно доставить Вале немало огорчений, и если она хочет избежать этого, то ей достаточно просто научиться более легкому отношению к себе и к жизни.

Секреты общения. В общении с Валентиной желательно учитывать, что нередко она плохо воспринимает шутки в свой адрес или в адрес подруг — в этом она может разглядеть злую насмешку или даже оскорбление. Так что, если и шутить с ней, то лучше всего на нейтральные темы.

Астрологическая характеристика:
Знак зодиака: Козерог. Планета: Венера. Цвета имени: синий, красный. Наиболее благоприятный цвет: оранжевый. Камень-талисман: сердолик.

Празднуем именины: 29 (16) июля — Валентина Палестинская, мученица.

23 (10) февраля — Валентина Кесарийская, дева, мученица.

След имени в истории. Пожалуй рано или поздно женщина все равно должна была полететь в космос, но в те годы подобные вопросы решались не столько из-за необходимости, сколько из соображений престижа: кто быстрее — мы или американцы. Так в июне 1963 года Валентина Терешкова оказалась на «Востоке-6» и, совершив 48 витков, благополучно вернулась на Землю. «Наша женщина-космонавт пробыла в космосе больше, чем все американские астронавты, вместе взятые, — хвастался Хрущев, — и причем без летной подготовки...»

Действительно, в космос Терешкова попала практически случайно. Работая на текстильной фабрике, она в свободное время увлекалась планерным спортом и даже 160 раз прыгнула с парашютом, однако и не предполагала, что увлекательное хобби может иметь продолжение. Тем не менее именно в таких клубах и стали искать девушек для первого «женского» полета, и Валентина Терешкова неожиданно для себя сумела пройти конкурс.

Ее подготовка к полету была недолгой — всего год, причем главное, что должен был дать ее полет,— это ответ на вопрос: может ли женщина вернуться на Землю живой и невредимой? Надо было обладать немалым мужеством, чтобы решиться на такой эксперимент. Валентина Терешкова решилась, и не проиграла: она не только вернулась на Землю, но и родила от мужа-космонавта нормального здорового ребенка. Причем именно последнее, по ее признанию, и является вершиной ее «звездной» карьеры.

ВАЛЕРИЯ

Значение и происхождение имени: бодрая, крепкая (лат.).
Энергетика и Карма имени: в энергетике этого имени

решающее значение играет тот факт, что на сегодняшний день оно гораздо чаще встречается среди мужчин, накладывая на характер Валерии отпечаток этакого мальчишества. Впрочем, в данном случае мужское звучание имени только подчеркивает женственность и придает ей некоторый шарм. При этом в женском звучании имени прослеживается та же жизнерадостность, уверенность в достижении цели, однако в данном случае его энергетика обладает гораздо большей подвижностью и даже некоторой неопределенностью. Часто это приводит к непредсказуемым поступкам Валерии, что может восприниматься окружающими как ее взбаломошность.

В самом деле, обычно с детства Валера отличается достаточной норовистостью характера. Подвижность имени делает ее веселым человеком, склоняя к проявлению заметного чувства юмора, но она же часто наделяет Валерию легкой возбудимостью и вспыльчивостью. Нельзя сказать, что она очень обидчивый человек, скорее эту черту можно определить как своенравие, иной раз Валера сама не знает, куда ее может занести недовольство чьим-либо поведением — возможно, она станет не в меру язвительной, а возможно, ее охватит гнев. Бывает, что для окружающих так и остается загадкой, что с ней произошло, однако просто причина, которая всем кажется незначительной, в глазах Валеры может неожиданно обрести большой вес.

Эта возбудимость делает Валерию очень чувствительным и вместе с тем загадочным человеком. В самом деле, иногда вызывает удивление, как при ее жизнерадостности и подвижности в ее характере остроумие может уживаться с сентиментальностью. К примеру, только вчера она смеялась над каким-либо фильмом, а сегодня он вдруг способен расстрогать ее до слез. То же самое может происходить и в общении с людьми — к ней трудно подобрать какой-либо универсальный ключ, поскольку Валерия и сама не знает, чему она будет завтра смеяться или плакать. Конечно же, такой характер для нее самой тоже довольно утомителен, и потому очень часто Валера начинает тянуться в общество уравновешенных, чисто земных мужчин, из которых обычно и выбирает себе мужа.

Чаще всего романтизм Валерии не располагает ее к хозяйственности, хотя не так уж редко у нее появляется активность в домашних делах, однако, как и у большинства импульсивных людей, такие вспышки довольно быстро проходят. Такие же тенденции могут отмечаться и в карьере. Одним словом, если Валерия желает добиться успехов по службе, а заодно избежать множество недоразумений в семье, ей не мешает приучить себя к упорядоченной работе, оставив выход для своей импульсивности в каких-либо увлечениях, хобби или в творчестве.

Секреты общения. Как правило, Валерия хорошо себя чувствует в общении с уравновешенными людьми, которые охотно откликаются на предложенные ею темы, но при этом остаются просто слушателями. Когда же человек в разговоре подхватывает тему чересчур активно, то Валерия может попросту потерять интерес к беседе.

Астрологическая характеристика:

Знак зодиака: Водолей. Планета: Венера. Цвета имени: синий, красный, иногда стальной. Наиболее благоприятные цвета: зеленый, коричневый. Камень-талисман: изумруд, яшма.

Празднуем именины: 20 (7) июня — Валерия Кесарийская, мученица.

След имени в истории. «Валерия, в чем секрет вашей красоты?» — вопрошает реклама известную певицу, и хотя согласно задумке режиссера звезда объясняет достоинства рекламируемого ею товара, журналистам она дает более откровенные интервью.

— Я считаю, — сказала Валерия в одной из телепередач, — что сексуальность — это ярко выраженная принадлежность к своему полу. Мужчины должны быть мужественными, женщины, соответственно — женственными. Все очень просто.

Действительно, на экране все выглядит простым и естественным, и только один Бог знает, сколько усилий приходится прилагать тем, кто находится всегда на виду: актрисам, певицам, манекенщицам. Существует даже мнение, что те, кому посчастливилось попасть в шоу-бизнес, должны жертвовать личной жизнью, семьей ради карьеры. Валерия не относится к числу таких особ — находясь на самом взлете, она оставила сцену для того, чтобы выйти замуж и родить ребенка, хотя, по ее же словам, на первых порах ей действительно приходилось от многого отказываться:

— У меня всегда было много поклонников, и в особенности когда я вышла на сцену, но было столько работы —

съемки, репетиции, концерты,— что на любовь времени не хватало. Хотя, может, это и хорошо, ведь зато больше сил оставалось на творчество.

— А вообще-то вы человек влюбчивый? — спросили певицу журналисты.

— Не знаю, — искренне призналась она. — У меня просто не было времени это проверить, ведь как я первый раз влюбилась, так и вышла за него замуж... и вот люблю до сих пор.

ВАНДА

Значение и происхождение имени: озорница (западнославянск.).

Энергетика и Карма имени: Ванда — женщина решительная и смелая, в ее энергетике наиболее заметны такие черты, как прямота, упорство, умение быть сдержанной и активность. Нередко с самого детства в ее характере проявляется стремление к независимости и самостоятельности, вплоть до того, что она сама ощущает себя этакой маленькой хозяйкой в доме. Иногда эта самостоятельность начинает перерастать в упрямство, так что с Вандой бывает довольно трудно совладать. С другой стороны, все, за что она берется, она старается сделать основательно и до конца. Это утверждение в равной степени относится ко всем сферам ее деятельности, начиная домашними заботами и заканчивая отношениями с окружающими, в которых редко бывает какая-то недосказанность и точки над «i» расставляются довольно быстро.

Деловитость и самостоятельность особенно становятся заметными в зрелом возрасте, не зря в Польше, где Ванду можно встретить не реже, чем у нас Катю или Машу, это имя стало символом современной эмансипированной женщины и нашло отражение в названии женского журнала — «Ванда».

Тем не менее за некоторой строгостью и сдержанностью Ванды легко можно обнаружить достаточно глубокие чувства, просто она умеет ими управлять, что делает ее очень логичной и разумной женщиной. Как правило, у нее довольно неплохой вкус, и хотя она не любит слишком много времени тратить на хозяйство и свой внешний вид, это не мешает ей создавать необходимый уют в доме и выглядеть если не безупречно, то по крайней мере, современно и элегантно.

Несомненно, Ванда может добиться успеха в жизни, однако часто ей мешает то, что ее прямота не всегда предполагает чувство юмора, а потому и в ее поведении начинает сквозить легкое недовольство. Кроме того, ее самолюбие часто вполне удовлетворяется собственной независимостью, так что Ванда редко пытается достичь слишком больших высот в карьере, и ее планы не идут дальше достижения материального достатка.

Секреты общения. Ванда обычно не терпит беспорядка, необязательности и пустословия, про нее никак не скажешь, что у нее ветер в голове. Нет, в голове у нее порядок и логика, так что в общении с ней постарайтесь и сами быть логичными и выдержанными — это поможет избежать лишних недоразумений. И еще: не пытайтесь подчинить ее своей воле, лучше дайте ей возможность быть самостоятельной — так она гораздо лучше справится с делом.

Астрологическая характеристика:

Знак зодиака: Телец. Планета: Сатурн. Цвета имени: синий, красновато-коричневый. Наиболее благоприятные цвета: оранжевый, фиолетовый. Камень-талисман: сердолик, аметист.

След имени в истории. С именем Ванды связана интереснейшая польская легенда, настолько драматичная и богатая событиями, что напоминает, скорее, современный детектив. Согласно преданию, в незапамятные времена некий человек по имени Крак построил замок на горе Вавель, ставший впоследствии началом города Краков, убил дракона и остался царствовать. Вскоре Крак женился, и у него родилось трое дочерей-волшебниц, одну из которых звали Ванда, и два сына. После смерти отца один из братьев, стремясь завладеть троном, убил другого. Это злодейство всплыло наружу, и братоубийце пришлось отправиться в заслуженное изгнание. Именно тогда народ попросил занять престол Ванду, славившуюся не только своей красотой, но и слывшую девушкой разумной и справедливой.

Некоторое время польский народ благоденствовал, все было тихо и хорошо до той поры, пока к Ванде не посватался немецкий князь по имени Ридигер. Ванда решительно отказала Ридигеру — она не хотела выходить замуж за иноземца, к тому же о князе ходили слухи как о человеке жестоком и любившем воевать. Разозлившись, Ридигер, собрав свои войска, объявил Ванде войну. Она же обратилась с молитвой к Богу, пообещав за победу отдать свою жизнь. После этого королева, безоружная, вышла навстречу войскам немецкого князя; ее фигура была окружена нестерпимо ярким белым светом, и воины бросились врассыпную. Сам же Ридигер в отчаянии лишил себя жизни, бросившись на меч.

После этого и Ванда выполнила данный Богу обет, утопившись в Висле, тело ее похоронили на берегу реки, а над ее могилой насыпали курган.

ВАРВАРА

Значение и происхождение имени: иноземка (лат.).

Энергетика и Карма имени: неудивительно, если девочка с таким именем вырастет замкнутой, слишком трудно не заметить негативные образы, связанные с этим словом. Еще более вероятно, что в связи с тем, что любая девочка видит свой идеал в красоте и некоторой возвышенности, Варя будет испытывать обиду на родителей, давших ей это несколько «варварское» имя. Конечно, с возрастом родители могут объяснить ей причины своего выбора, привести иные примеры, как, скажем, «Варвара-краса, длинная коса», но это с возрастом, в детстве же у нее будет немало переживаний.

Кроме того, такое воздействие усиливается общей энергетикой имени, склоняющей Варю к достаточной твердости, глубоким чувствам и не располагающей к словоохотливости. Иными словами, чаще всего Варвара держится на людях довольно уравновешенно, однако в глубине ее души бушует целый пожар страстей. В этом есть немалая опасность, поскольку тайные страсти часто гораздо более губительны, чем явные, к тому же, оставаясь скрытыми, они лишены контроля более опытных людей, и один только Бог знает, куда это может завести Варвару. Здесь, кстати, легко может возникнуть соблазн — слишком рано Варя может почувствовать преимущества скрытности, что сделает ее человеком себе на уме.

Внешне она, скорее всего, будет довольно дружелюбна, что обеспечит достаточное количество подруг, только вот едва ли она захочет раскрыть свою душу хотя бы одной из них. Больше того, подруги могут интуитивно чувствовать за уравновешенностью Вари ее внутреннее напряжение, которое для них будет загадкой, а как известно, любая загадка привлекает человека, разжигает его любопытство. Не исключено, что человеческая фантазия разглядит за этим какую-либо трагедию, да, в сущности, так оно и есть, поскольку внутренняя боль — это действительно трагедия, и часто подруги искренно жалеют Варвару и одновременно уважают ее за такую терпеливость. Хорошо бы еще, чтобы за этой удобной маской у Вари не скрывался холодный расчет, и потому очень важно, чтобы в ее воспитании родители не сделали Варвару эгоисткой, а научили уважать и искренно любить людей. В этом случае сила характера Вари способна действительно проявиться своей лучшей стороной, ведь по закону сохранения энергии, если в имени ощущается недостаток тепла и красоты, Варвара тем сильнее будет стремиться заполнить эту пустоту.

Одним словом, если Варя преодолеет свою замкнутость, то в этом случае, пожалуй, трудно будет отыскать более душевного человека, чем она. Безусловно, такое качество способно прекрасно помочь в ее судьбе, тем более что способность к самоуглублению часто делает Варвару прекрасным психологом, и это может пригодиться как в семейной жизни, так и в ее карьере.

Секреты общения. Обычно Варвара редко открывает душу, однако когда она все же решается, то узнать это можно по глубине ее чувств. Если вам покажется, что чувства ее довольно уравновешены, то скорее всего, она просто о чем-то недоговаривает.

Астрологическая характеристика:
Знак зодиака: Скорпион. Планета: Плутон. Цвета имени: синий, темно-стальной, красный. Наиболее благоприятные цвета: оранжевый, белый. Камень-талисман: сердолик, агат.

Празднуем именины: 18 (5) июля — Варвара Алапаевская, мученица.
17 (4) декабря — Варвара Илиопольская, мученица.

След имени в истории. «Если в детстве вы не ощущали любви окружающих, то потом вся жизнь уходит на попытки восполнить ее недостаток»,— сказала о себе знаменитая американская певица и киноактриса Барбара Стрейзанд (род. 1942). На самом деле теперь уже трудно представить, что этот символ успеха и благополучия, каким Барбара кажется теперь, она до сих пор во многом продолжает чувствовать себя неуверенно — так уж сложилась ее судьба.

Она родилась в Бруклине — одном их самых бедных районов Нью-Йорка, в еврейской семье, и мать уделяла девочке настолько мало внимания, что той захотелось перевернуть весь мир, лишь бы завоевать себе право на ее любовь. Так Барбара Стрейзанд стала петь и танцевать — сначала в ночных клубах, потом ее пригласили в театр на Бродвее, и, наконец, ее яркий талант и необычный имидж привлекли внимание кинопродюсеров. Сейчас о Барбаре можно сказать, что как творческий человек она реализовалась сполна, ведь помимо участия в фильмах, принесших ей оглушительный успех, она — не менее успешно — несколько фильмов сняла сама в качестве режиссера и даже является владельцем собственной киностудии. Больше того, в число ее поклонников и друзей входит сам американский президент Билл Клинтон.

Тем не менее в жизни актриса по-прежнему нередко теряется (к примеру, боится одна ехать в поезде), что не может ее не тревожить. Одно время, по слухам, Барбара Стрейзанд даже увлеклась спиритизмом, надеясь, что это поможет ей преодолеть свои комплексы, а потом начала посещать специальный центр в Аризоне, где и осваивает основы йоги, медитации и психоанализа.

ВАСИЛИСА

Значение и происхождение имени: царица (греч.).

Энергетика и Карма имени: как хотите, но девушке с именем Вася, а другую уменьшительную форму подобрать к этому имени трудно, вряд ли можно позавидовать. Невольно вспоминается эпизод из фильма «Джентльмены удачи», когда переодетый в женщину Савелий Крамаров, знакомясь с девицей, радостно сообщает, что его зовут Федей, а в ответ получает только короткое: «Ну и дура». В самом деле, женщина с мужским именем смотрится как минимум нелепо. Конечно, можно долго спорить и ссылаться на образ Василисы Прекрасной из русских сказок, доказывая, что это хорошее русское имя, но, во-первых, несмотря на все веские доводы, сегодня практически никто не спешит так назвать свою дочь, а, во-вторых, положа руку на сердце, скажите, неужели ни одному насмешнику не придет в голову мысль подразнить Василису Васей? И ведь от этого никуда не деться! Чем не повод для обостренного самолюбия? В практике полным полно случаев, когда гораздо менее веские причины заставляли человека чувствовать свою ущербность. Вот, к примеру, что плохого в рыжих волосах? А сколько по этому поводу дразнилок и обид?

Одним словом, смело можно утверждать, что Василиса будет обладать обостренным самолюбием, другой вопрос — как это будет отражаться на ее поведении? Наиболее благоприятно, если подвижная энергетика имени найдет свое отражение в чувстве юмора Василисы. Это, кстати говоря, очень даже вероятно и прекрасно может сгладить опасные моменты чувствительного самолюбия, ведь когда человек посмеивается над собой сам, то у других пропадает желание насмешничать. В противном случае одна только мысль о возможности насмешки, особенно во время полового созревания, может лишить Василису уверенности в себе и испортить нервную систему. Не очень-то помогает и горделивое игнорирование насмешек, поскольку это предполагает внутренний конфликт с обществом.

Одним словом, если уж родителям пришло в голову наградить свою дочь таким неординарным по сегодняшним меркам именем, то стоит приложить кое-какие усилия, научив Василису более весело и легко смотреть на вещи. Только так они могут создать ей условия для нормальной жизни и помочь раскрыться талантам, коих у Василисы немало.

Секреты общения. Чаще всего ранимость Василисы не мешает ей быть очень добрым и отзывчивым человеком, наоборот, именно собственные душевные переживания позволяют ей лучше понимать других людей. Вообще же, в общении с ней постарайтесь почаще хвалить ее, пореже критикуйте и больше украшайте беседу добрым юмором.

Астрологическая характеристика:
Знак зодиака: Дева. Планета: Меркурий. Цвета имени: синий, красный, зеленовато-серебристый. Наиболее благоприятные цвета: оранжевый, теплые тона коричневого. Камень-талисман: сард, сердолик, янтарь.

Празднуем именины: 21 (8) января — Василисса Египетская, игумения, мученица.

16 (3) сентября — Василисса Никомидийская, отроковица, мученица.

28 (15) апреля — Василисса Римская, мученица.

След имени в истории. Во многих русских народных сказках, песнях и былинах встречается героиня с этим красивым именем — Василиса. Интересно, что, как правило, именно этот персонаж наделяется наиболее полным набором всевозможных достоинств: красотой, умом, верностью, отвагой. Ее так и называют — то Василисой Прекрасной, то Премудрой, что же касается тех сказок, где девушке приходится сражаться за свою любовь, то ни в храбрости, ни в хитрости и сообразительности ей тоже нет равных — этакая русская женщина, которая и «коня на скаку остановит», и «в горящую избу войдет».

Так, согласно одной из былин, как-то раз мужа Василисы Микулишны, Ставра Годиновича, князь Владимир Красно Солнышко посадил за неумеренное хвастовство в погреб, под замок. В ответ жена, недолго думая, переоделась мужчиной и, приехав в город, посваталась к племяннице князя Владимира, Забаве Путятичне. Сперва Забаву пленили красота и обходительность юноши, и в городе уже начали говорить о скорой свадьбе, пока девушка не заподозрила об истинном поле своего жениха... Как это ни странно, Василисе с честью удалось не только целой и невредимой выйти из столь щекотливой ситуации, но и освободить из заключения своего мужа: вероятно, князь понял, что по сравнения с Василисой невинное хвастовство Ставра Годиновича — просто детский лепет.

В другом предании, точно так же, как и в предыдущем, с именем Василисы также связана не менее авантюрная, но более трагическая история, в которой присутствуют и любовь, и месть. Согласно этой легенде, в прекрасную Василису Микулишну без памяти влюбился киевский князь Владимир и, желая сделать ее своей законной супругой, послал на опасное дело ее мужа, Данилу Ловчанина. Нетрудно догадаться, что княжье задание было невыполнимо и стоило мужу красавицы головы. После смерти Данилы князь сделал официальное предложение Василисы; та, сделав вид, что не догадывается об истинных причинах своего вдовства, ответила князю согласием, но только с одним условием: перед свадьбой она хочет съездить на могилу мужа попрощаться. Владимир уступил ее просьбе и остался без красавицы-жены: придя на могилу, Василиса пронзила себя кинжалом, лишь бы не выходить замуж за убийцу мужа.

ВЕРА

Значение и происхождение имени: это православное русское имя едва ли нуждается в дополнтиельном объяснении. Кто верит, тот знает.

Энергетика и Карма имени: имя Вера обладает удивительной уравновешенностью и спокойствием, оно как будто вообще не предполагает сильных эмоций и уж тем более страстей. Недаром звезда немого кинематографа начала века взяла себе псевдоним Вера Холодная, останься она просто Верой, ей вряд ли удалось бы сыграть свою страстность, а так, подчеркнув фамилией предполагаемую холодность, она интуитивно сыграла на противоречивости человеческой психологии, стремящейся усилить именно те качества, о нехватке которых говорится слишком открыто. Впрочем, просто Вера застрахована от этого, поскольку ее равновесие обусловлено тем, что имя не склоняет ее ни к излишнему холоду, ни к излишнему теплу.

Обычно это приводит к тому, что с самого детства Вера растет очень спокойной и рассудительной девочкой. С ней довольно легко ладить как родителям и учителям, так и подругам. Впрочем, ее спокойствие вряд ли сделает число ее подружек слишком грандиозным вплоть до того, что она может даже производить впечатление несколько замкнутого человека. Однако это только впечатление — стоит только немного поговорить с Верой, как от этой иллюзии не останется и следа, настолько она благожелательна в общении с людьми, просто имя не зовет ее оказаться в центре внимания.

Такая уравновешенность накладывает свой отпечаток на всю ее жизнь и судьбу. Бывает, что предоставленная себе самой Вера превращается в страшно ленивого человека, который просто живет в непонятном ожидании чего-то неясного ей самой, но гораздо чаще в ее жизни решающее значение играет влияние родителей или подруг. Обычно Вера легко поддается воспитанию, и родители могут привить ей такие черты, как хозяйственность или же интерес к чему-либо. В таком случае Вера начнет довольно спокойно воспринимать это как свою обязанность и будет выполнять эту работу пусть и без особого энтузиазма, но весьма старательно и без лишних нервов.

Прежде всего влияние имени находит свое отражение в практичности Веры. Неподверженная значительным эмоциональным колебаниям, она обычно видит смысл жизни в чисто конкретных жизненных радостях и удобствах. Даже если она выберет себе какую-либо творческую специальность, то, скорее всего, будет расценивать ее как необходимость и возможность достижения жизненных благ. Поэтому и задумываясь о семейной жизни, Вера стремится выбрать среди своих поклонников наиболее удачный, по ее мнению, вариант, часто отдавая предпочтение людям старшего поколения. Конечно, такая позиция очень удобна для жизни, жаль только, что за своим спокойствием Вера нередко не замечает множество простых человеческих радостей. Кто знает, быть может, и ей не мешает научиться некоторой страстности или хотя бы живому остроумию?

Секреты общения. Часто мужчины склонны видеть в спокойном добродушии Веры знак ее благорасположенности к ним. Не стоит, однако, торопиться, вряд ли Вера решится связать с кем-либо свою судьбу без тщательных размышлений и взвешивания всех «за» и «против».

Астрологическая характеристика:
Знак зодиака: Рыбы. Планета: Меркурий. Цвет имени: синий, серебристый. Наиболее благоприятный цвет: красный, оранжевый. Камень-талисман: рубин, сердолик, янтарь.

Празднуем именины: 30 (17) сентября — Вера Римская, отроковица.

След имени в истории. Шедевром XX века была признана на всемирной выставке в Париже монументальная скульптура «Рабочий и колхозница» работы Веры Мухиной (1889—1953). И трудно поверить, что это произведение, ставшее визитной карточкой «Мосфильма» и символом советской идеологии, выполнено женщиной, по большому счету равнодушной к политике и вообще наполовину француженкой.

Вера Мухина родилась в Риге, в богатой купеческой семье; ее мать, француженка, умерла, когда девочке было всего три года, и интерес к искусству привил ей отец, талантливый художник-любитель. Он же увез ее сначала в Германию, потом в Феодосию, так что детство будущего скульптора было наполнено впечатлениями от сменяющихся друг за другом стран. Она получила блестящее образование, жила то в Москве, то во Франции, то в Италии, и, наконец, а начале первой мировой войны вернулась в Россию, где и начала свою карьеру скульптора.

По сути, Вера Мухина принадлежала к той породе людей, чей талант многообразен и проявляется буквально во всем. Так, она много занималась промышленным дизайном, разрабатывая эскизы украшений, тканей и даже этикеток, и проявила себя как выдающийся художник-модельер, чья коллекция одежды даже получила Гран-при на выставке 1925 года в Париже. Однако наиболее востребованным оказался ее талант скульптора, и уже в конце 20-х гг. Мухина вошла в группу художников, разрабатывающих оформление советских выставок в разных странах. Основой одной из таких выставок и явилась скульптура «Рабочий и колхозница», принесшая ее создательнице мировую известность и навсегда оставшаяся ее визитной карточкой.

ВЕРОНИКА

Значение и происхождение имени: несущая победу (греч.).

Энергетика и Карма имени: по своей энергетике имя Вероника чрезвычайно подвижно, вплоть до того, что очень трудно заподозрить его хозяйку в способности долго концентрироваться на какой-либо одной эмоции, тем более на негативной. Скорее, она похожа на ветреный весенний день, когда быстрая перемена погоды мало отражается на общем восприятии: все равно весна и все равно весело. В то же время имя не лишено романтичности, взять хотя бы созвездие Волосы Вероники, и красоты. Все это обращает на себя внимание, и в первую очередь сама Вероника может быть очарована своим же собственным именем. Это очень существенный момент, поскольку именно он определяет развитие такого важного качества, как самолюбие.

Безусловно, человек без самолюбия — это очень нехорошо, однако и при чрезмерном развитии этого чувства есть большая опасность стать эгоистом и даже вызвать неприязнь окружающих. В этом случае красота имени может вызывать у людей прямо противоположное отношение, нередко граничащее с открытой неприязнью. Таким образом, родителям и воспитателям Вероники следует быть очень осторожными и не забывать, что самолюбие должно быть уравновешено уважением к людям. Зато, если такое равновесие в характере Вероники достигнуто, она становится удивительно легким в общении человеком, что, несомненно, привлекает не только подружек, но и многочисленных ухажеров. Это способно сделать Веронику разборчивой и достаточно самоуверенной, что еще больше будет импонировать окружающим. Быть может, только ее саму будет несколько смущать отсутствие глубоких чувств, однако чаще всего она восполняет это жизнерадостным весельем.

Вообще, обычно эта легкость и непринужденность находит свое проявление во всех сферах, начиная от ведения домашнего хозяйства, до ее работы, которую она постарается выбрать как можно более престижной или и вовсе спокойно возложит эту обязанность на мужа, пустив свою энергию на обустройство семейного гнезда. Вот только мужу следует быть более внимательным, поскольку он и сам может не заметить, как легкость и самоуверенность Вероники сделают из него послушное орудие в ее руках.

Секреты общения. Чаще всего Вероника относится к разряду именно тех женщин, благодаря которым можно не тратиться на публикацию своих объявлений в газетах,— достаточно бывает о чем-либо рассказать ей по секрету, и вскоре об этой тайне узнает полгорода.

Астрологическая характеристика:

Знак зодиака: Лев. Планета: Меркурий. Цвета имени: синий, сиреневый. Наиболее благоприятные цвета: для успеха в делах ей поможет черный и фиолетовый. Камень-талисман: черный благородный опал, турмалин.

Празднуем именины: 17 (4) октября — Вероника Едесская, мученица.

След имени в истории. По свидетельствам средневековых хроник, в 1574 году в Австрии, в замке Штаремберг, некой женщиной по имени Вероника Штейнер, неожиданно овладел дьявол. Вот что пишет об этом интересном случае одержимости М.А.Орлов в книге «История сношения человека с дьяволом»: «Как только иезуит Бребантин, опытный отчитыватель одержимых, начал отчитывать Веронику, из нее вышли четыре беса, ознаменовав свой выход самыми несомненными признаками, а именно: адски неприличным запахом, от которого присутствующим сделалось дурно.

Опытный бесогон, однако, заключил, что одержимая еще не вполне очистилась, что в ней застряла еще целая куча чертей. Он дал демонам приказ, чтобы каждый из них, выходя их тела Вероники, тушил свечу, которых было зажжено множество. Внутри тела одержимой поднялся страшный шум... Демоны туго поддавались заклинаниям, выходили из одержимой по одному через большие промежутки времени, так что все заклинание длилось шесть часов подряд, и каждый демон, выходя из тела одержимой, тушил свечу, как ему было приказано.

Всех упорнее оказался последний демон — он подкидывал тело одержимой вверх на несколько футов с такой силой, что пятеро здоровых мужчин не могли удержать ее. По его выходе Вероника погрузилась в глубокий обморок, от которого потом очнулась вполне здоровой и освобожденной от своих врагов».

ВИКТОРИЯ

Значение и происхождение имени: победная (лат.).

Энергетика и Карма имени: интересно, что в случае с Викторией практически не бросается в глаза ее тесная связь с мужской формой имени — Виктор. По крайней мере, на ее характере это не отражается никак. Зато здесь на первый план выходят такие качества имени, как достаточная твердость, подвижность и способность к проявлению напористости. Безусловно, все это не помешало бы и мужчине, просто у Вики это никак не связано с мужским вариантом имени, а обусловлено самим его звучанием.

Обычно с самого детства в характере Вики начинают проявляться такие черты, как своеволие, нередко граничащее с упрямством, и большая эмоциональная и двигательная активность. Нередко дело доходит до того, что родители, устав от Викиных «выбрыков», вынуждены прибегать к крайним мерам, вплоть до рукоприкладства и других карательных методов воздействия, как-то: стояние в углу, лишение сладкого и прочие воспитательные изыски. Конечно, такая работа не проходит без следа, что заставляет некоторых исследователей подозревать у Вики нерешительность. На самом деле объяснение здесь простое — чудо воспитания. Бывает, что этот след остается у Виктории на всю жизнь, и заставляет ее часто отступать, встречая на своем пути сопротивление окружающих, однако чаще всего подобный конфликт отцов и детей в подростковом возрасте вызывает у Вики горячий протест, и она становится еще более экстравагантной на зло нетерпеливым воспитателям. Таким образом она попросту самоутверждается, удовлетворяя ущемленное самолюбие.

Наиболее благоприятно, когда родители Виктории все же не прибегали к крайним мерам. В этом случае сила ее характера может найти себе прекрасное применение без всяческих перегибов. Она может стать заводилой и инициатором всевозможных мероприятий, будь то организация праздников или же какие-либо комерческие проекты. Из нее даже может получиться хороший руководитель, однако при этом мужу бывает трудно смириться с ее главенствующей ролью в семье. Наиболее же благоприятно, когда все качества у Вики будут уравновещены, а ее активность найдет свое применение в чувстве юмора. По крайней мере, это избавит ее от множества эмоциональных срывов и конфликтов.

Секреты общения. Обычно Вике мало свойствен романтизм и излишняя поэтичность, скорее она чисто земной человек и гораздо лучше сможет вас понять, если вы будете строить свое общение с ней именно с этих позиций. Едва ли она способна разделить и одобрить ваши честолюбивые планы, если они лишены материальной подоплеки или же, если последняя отодвинута на слишком дальнюю перспективу.

Астрологическая характеристика:
Знак зодиака: Стрелец. Планета: Марс. Цвета имени: синий, коричневый, стальной. Наиболее благоприятный цвет: оранжевый. Камень-талисман: янтарь.

След имени в истории. «Золотым веком в истории Англии» называют время правления королевы Виктории — Александрины (1819—1901). И это совершенно справедли-

427

во, поскольку в характере королевы и в ее политике самым удачным образом сочетались все те качества, которые любой народ хотел бы видеть в своем правителе. Как метко заметил Уинстон Черчилль, «она стремилась царствовать, а не управлять», и надо сказать, что это ей с успехом удалось.

Нетрудно ответить на вопрос, что сделала Виктория для страны — гораздо труднее сказать, к чему она не приложила руку. Так, именно при ней Англия превратилась в одно из самых мощных государств; поднималась экономика, полным ходом шло строительство, большое внимание уделялось образованию и воспитанию подрастающего поколения. Будучи женщиной очень образованной, справедливой и вовсе не властной, королева с большой охотой доверяла профессионалам руководство в пределах их компетенции, так, чтобы каждый чувствовал себя на своем месте хозяином.

В 21 год Виктория вышла замуж — нетрудно догадаться, что это был брак не по расчету, а по очень большой любви,— и впоследствии родила мужу ни много ни мало 9 детей, органично сочетая управление государством с ролью любящей жены и матери. Королеве было всего 40 лет, когда ее муж внезапно скончался, и горе ее было настолько велико, что несколько лет она жила как затворница и до конца своих дней так и не сняла.

Ее обожал народ и уважали правители других государств. Именно при Виктории Британия стала единственной страной мира, наладившей широкое производство очень недорогих и очень качественных товаров. 64 года продолжалось это мудрое правление, вошедшее в историю под названием «викторианской эпохи».

ВЛАДИСЛАВА

Значение и происхождение имени: славная владычица или владеющая славой (слав.).

Энергетика и Карма имени: какую бы уменьшительную форму своего имени не выбрала Владислава — Влада, Лада или даже Слава — все равно в ее характере чаще всего преобладают уверенность в себе, целеустремленность и живость характера. Здесь опять же сказывается заметная разница между женским и мужским восприятием имени —

у женщины с именем Владислава сильнее, чем у мужчины, проявляется импульс к лидерству. Вернее будет сказать, что если Владиславу-мужчине во многих случаях свойственна сдерживающая его осторожность, то у женщины этот импульс обычно реализуется гораздо легче — Влада всегда стремится быть первой если и не во всем, то хотя бы в чем-то.

Вообще, она очень честолюбива и эмоциональна, как правило, обладает быстрым умом и живым воображением, а в случае необходимости умеет проявить необходимую твердость. У нее действительно много шансов добиться успеха и сделать свою жизнь довольно нормальной, тем более что ее стремление к лидерству не предполагает властности. Создается впечатление, что содержащийся в имени Владислава намек на власть уже удовлетворяет честолюбие и не нуждается в подтверждении практикой, так что Владе не нужно никого особенно подчинять своей воле, гораздо лучше просто оставаться самостоятельной и независимой среди таких же самостоятельных людей.

В большинстве случаев для Влады характерны оптимизм и веселый взгляд на жизнь. Она достаточно остроумна, а эмоциональная подвижность наделяет ее большой любознательностью. С другой стороны, это же качество нередко провоцирует конфликтные ситуации в общении с ближними, особенно если учесть ее нелюбовь к какому бы то ни было подчинению, а также желание быть первой. Чтобы избежать этого, Владе не мешает быть чуть более терпимой и сдержанной, научившись уважать не только свои, но и чужие желания и стремления. Также терпение не помешает ей и в отношении к своим домашним обязанностям, к которым она, мягко говоря, редко испытывает горячую любовь.

Секреты общения. Влада — человек настроения, правильно предсказать которое удается не чаще, чем синоптику безошибочно угадать погоду. Иногда она и на крупное событие отреагирует шуткой, но бывает и так, что какая-нибудь мелочь неожиданно выведет ее из себя. С другой стороны, с ней не соскучишься. В целом же она бывает довольно падка на похвалы, а в разговоре обычно предпочитает юмор.

Астрологическая характеристика:
Знак зодиака: Водолей. Планета: Меркурий. Цвет име-

ни: синий, серебристо-зеленоватый, коричневато-красный. Наиболее благоприятный цвет: зеленый, темно-коричневый, черный. Камень-талисман: яшма, хризолит, гагат.

След имени в истории. С именем Владиславы связана красивая легенда, родившаяся некогда на территории Украины, именно благодаря которой огромные месторождения волынского строительного гранита во времена Екатерины Великой было строго-настрого запрещено разрабатывать под предлогом того, что «зачем же изумрудами дороги мостить»,— считалось, что в граните есть богатые месторождения изумрудов.

Согласно преданию, жил на Волыни крепостной по имени Иванко, влюбленный в красавицу Владу,— тоже крепостную девушку, на которую, в свою очередь, положил глаз старик-граф. Владислава, обладавшая не только красотой, но и кротким нравом, отвечала Иванко взаимностью, да только пожениться они не могли, поскольку сами своей судьбой не распоряжались. Когда же до графа дошли слухи о том, что Влада и Иванко любят друг друга, тот, недолго думая, сослал крепостного с глаз долой, в каменоломню, принуждая красавицу выйти за него замуж. Тем временем Иванко нашел в граните огромный изумруд с кулак величиной, выточил из камня соловья, после чего предстал пред очи графа, предложив в обмен на драгоценность свободу и себе, и любимой. Жадный граф согласился на выгодный обмен, и Владислава с Иванко наконец смогли пожениться, а о каменоломнях с тех пор так и говорят как об изумрудных, хотя никто и никогда больше не находил там драгоценностей.

ГАЛИНА

Значение и происхождение имени: тихая, спокойная (греч.).

Энергетика и Карма имени: Галина — имя достаточно твердое, но вместе с тем в русском звучании в нем можно ощутить небольшой подвох — проявляя твердость характера, Галя как бы невольно начинает сомневаться, а хватит ли ей этой самой твердости? Здесь нет никакого секрета, просто имя, начинаясь очень твердо и уверенно, основной напор своего звучания оставляет на довольно мягкий звук «л». Вот и выходит, что твердость и основательность на самой середине слова как бы начинают провисать, отчего создается некоторая неустойчивость. Безусловно, это всего лишь субъективное восприятие, но именно оно и воздействует на подсознание с наибольшей силой. Впрочем, такое воздействие имени начинает играть роль только в случае возникновения каких-либо трудностей, в остальное же время оно практически не ощущается, зато в полной мере проявляются положительные качества имени.

Чаще всего в детстве Галя растет уравновешенным ребенком, в котором жизнерадостность прекрасно уживается с усидчивостью и послушностью. Правда, иногда ее подводит излишняя самоуверенность, бывает, что она попадает в компанию этаких «сорвиголов», однако в большинстве случаев после нескольких неприятных ситуаций и крепкого родительского внушения снова «берется за ум», если, конечно, в доме у нее нет острого конфликта поколений.

А вот с возрастом, когда начинают приходить настоящие трудности, особенности ее энергии дают о себе знать весьма ощутимо. Обычно это проявляется в том, что первая реакция Гали на какую-либо неприятность довольно спокойна, она не теряет уверенности в себе и не очень-то задумывается о последствиях. Дальше — хуже: частенько, когда уже дело трудно или нельзя остановить, ее вдруг подводит былая уверенность, вплоть до того, что она может и растеряться. Иногда это приводит к тому, что Галина мучительно пытается отыскать в себе резервы твердости даже тогда, когда в этом уже нет особой нужды. Это порою делает ее чересчур строгой и к себе, и к людям, она начинает производить впечатление замкнутого или просто очень серьезного человека, а жаль. Избежать этого можно, научившись с улыбкой относиться к неудачам и больше доверять Судьбе. В конце концов, задним числом все равно уже ничего не изменишь.

Зато если жизнь у Галины складывалась более благоприятно, то она так и остается жизнерадостным, общительным человеком. В остальном же, и в том и в другом случае, можно ожидать, что Галина будет достаточно заботливой хозяйкой и хорошим, надежным работником, независимо от того, какую специальность она себе выберет.

Секреты общения. Вряд ли у вас получится завязать с Галиной какой-нибудь излишне горячий спор, в хорошем настроении она просто отнесется к этому довольно весело, а в плохом вообще не будет спорить. Если же вам довелось встретить чересчур строгую Галину, то не смущайтесь, обычно за этой маской нет никаких злых мыслей и расчетов.

Астрологическая характеристика:

Знак зодиака: Весы. Планета: Солнце. Цвета имени: стальной, салатовый. Наиболее благоприятные цвета: коричневый, зеленый. Камень-талисман: яшма, нефрит.

Празднуем именины: 23 марта, 29 апреля (10 марта, 16 апреля) — Галина Коринфская, мученица.

След имени в истории. Великая балерина Галина Уланова (род. 1910) как-то раз сказала, отвечая на вопрос журналиста:

— Как из букв складываются слова, а из слов — фразы, так же и из отдельных движений артиста складываются «слова» и «фразы», раскрывающие поэтический сюжет хореографической повести. Отдельные движения сами по себе ничего не означают...

И действительно, каждый, кто хоть раз видел Уланову на сцене, поражался в первую очередь той неподражаемой грации и естественной легкости, с которыми балерина выполняла самые замысловатые па. Впрочем, в ее исполнении эти движения вовсе не казались сложными, и лишь в сравнении с другими артистами приходило истинное понимание того гигантского труда, который должен стоять за таким непринужденным «порханием» по сцене.

Великая труженица, Уланова еще в хореографическом училище отличалась той неумолимой требовательностью к себе, которая позднее и помогла ей стать одной из лучших в балете. Именно тогда, еще в училище она и поставила перед собой эту сверхзадачу: добиться эффекта максимальной простоты, когда все движения неразрывно связаны в единое целое и одно перетекает в другое. Отточенность движений, максимальная выразительность жестов, профессионализм — вот лишь некоторые из причин, по которым Галина Уланова считается некоронованной королевой российского балета. И не только российского — кажется вполне естественным, что именно ей, непревзойденной танцовщице и педагогу, воспитавшей целую плеяду блестящих артистов балета (Екатерина Максимова, Людмила Семеняка, Владимир Васильев и многие другие), в Стокгольме поставлен бронзовый памятник, на котором выгравирована лаконичная надпись: «Лучшей балерине современности».

ГЛОРИЯ

Значение и происхождение имени: слава (лат.).

Энергетика и Карма имени: имя Глория довольно звучное и энергичное, но эта энергичность чаще направлена вовнутрь, чем наружу. Иными словами, Глория уделяет гораздо больше внимания самой себе, чем окружающим ее людям и внешним обстоятельствам жизни. Здесь имеется некоторая опасность, поскольку красивое и редкое имя уже выделяет Глорию из общего окружения, и ее холодноватая манера держаться в совокупности с излишним вниманием к самой себе со стороны может восприниматься как эгоистические наклонности или даже высокомерие. Это, однако, всего лишь иллюзия, на самом деле Глория относится к себе достаточно требовательно, а ее самолюбие не предполагает низкого мнения об окружающих. По крайней мере, подобное отмечается редко.

Обычно женщина с именем Глория выделяется в обществе достаточной самоуверенностью и сдержанностью. Иногда она бывает общительна, но вот болтливой ее никак не назовешь — чаще всего в ее речи сквозит спокойная рассудительность, а не эмоциональность, что выдает в ней несколько мужской склад характера. Ей присущи целеустремленность, постоянство, а стремление сдерживать свои эмоции придает ее чувствам глубину и устойчивость. Жаль только, что относится это отнюдь не только к положительным эмоциям,— негативное напряжение точно так же может скапливаться в ее душе, что со временем способно сделать Глорию довольно раздражительной, а это, в свою очередь, осложнит ей и без того непростые отношения с окружающими.

Глория — человек самостоятельный и умеет отвечать за свои поступки. Нет сомнения, что ее выдержка и терпение могут помочь ей добиться успеха в жизни, вот только в силу своей закрытости она частенько ощущает себя одинокой на своем жизненном пути. Избежать этого можно —

если Глория сумеет научиться легче относится к жизни и прежде всего к себе самой, если в ее характере будет чуть больше доброго юмора, то и в жизни у нее не будет места ни внутреннему напряжению, ни раздражительности, ни одиночеству.

Секреты общения. Если Глория вам кажется несколько высокомерной и надменной, то попробуйте поговорить с ней по душам, скорее всего, вы отыщете за этой маской довольно доброго человека. Вот только в разговоре с ней постарайтесь руководствоваться спокойной логикой, а не эмоциями. Если же вам вздумается пошутить, то сделайте это так, чтобы не задеть ее самолюбие. Кроме того, шутка должна быть достаточно тонкой.

Астрологическая характеристика:

Знак зодиака: Козерог. Планета: Плутон. Цвета имени: черный, стальной. Наиболее благоприятные цвета: оранжевый и белый. Камень-талисман: сердолик, агат, халцедон.

След имени в истории. Звезда американского немого кино Глория Свенсон до сих пор считается одной из непревзойденных актрис времен начала кинематографа. То, что кино — ее судьба, ее жизнь, стало понятно Глории, как только она впервые столкнулась с этим чудом XX века. Однако одно дело предаваться несбыточным мечтам, другое — пытаться эти мечты осуществить, Глория же, по натуре энергичная и целеустремленная, уже в 15 лет снялась в своей первой картине. Ее первые роли заключались в незамысловатых комедийных сценках, однако даже в них девушке удалось выразить собственную индивидуальность, и после нескольких удачных съемок она переехала в Голливуд.

«Фабрика грез» сполна раскрыла незаурядный талант Глории Свенсон, определив и оформив ее неповторимый образ — образ сильной женщины, добивающейся всего: почета, денег, славы,— лишь благодаря своему собственному упорству и настойчивости. Именно такими являются героини Глории в фильмах «На радость и на горе», «Не меняйте мужа», «Зачем менять жену» и многих других. По сути, актриса играла в них саму себя.

Будучи женщиной волевой и целеустремленной, Глория Свенсон представляла собой тип «бизнесвумен» того времени; во всяком случае, она чувствовала себя способной на большее, чем просто сниматься в кино, а потому в конце 20-х годов организовала собственную кинокомпанию. И лишь приход звукового кино поколебал уверенность актрисы в собственные силы: связав свою жизнь с немым кинематографам, перестроиться на новый лад она была просто не в состоянии. Но хотя золотой век Глории Свенсон и подошел к концу, ей не суждено было стать актрисой, пережившей свою славу, ведь такие фильмы с ее участием, как «Сэди Томпсон», «Дождь», «Бульвар Сансет» и другие, навсегда вошли в классику мирового кинематографа.

ДАРЬЯ

Значение и происхождение имени: сильная, побеждающая (перс.).

Энергетика и Карма имени: Дарья — имя звонкое и жизнерадостное, но главные черты его энергетики — это достаточная твердость и импульсивность. Чаще всего активность проявляется в характере Даши с детства, нередко выделяя ее среди других детей, а иной раз даже делая заводилой и инициатором всевозможных проказ. При этом бывает очень интересно наблюдать в маленькой Даше редкую в таком возрасте уверенность в себе и значительную эмоциональную силу. Она может часами сосредоточенно заниматься своими игрушками, как вдруг, казалось бы ни с того ни с сего, резко переключит свой интерес на что-либо другое, превратившись из тихой девочки в маленького и шумного дьяволенка. Или точно так же внезапно разобидится, да так, что об этом полквартала узнает по ее слезам и крику. Одним словом, в ее характере рано начинает проявляться глубина ее чувств, создается даже впечатление, что Даша не умеет и не хочет ничего делать в полсилы, предпочитая рыдать, так рыдать, смеяться, так чтобы перепонки лопались, ну а если уж сидеть себе тихонько, то никто и не узнает, о чем она так сосредоточенно размышляет и бормочет себе под нос.

Обычно эта импульсивность остается присуща ей на протяжении всей жизни. Вряд ли она захочет сосредоточить свой интерес на каком-либо одном предмете, скорее всего, новые интересы очень быстро отвлекут ее, однако нередко глубина эмоций позволяет ей даже за короткое время успеть довольно многое. Лучше всего это проявляется в учебе, где она прекрасно будет успевать по интересным ей предметам, хотя времени на занятия будет тратить не так уж много. Это же качество может найти себе хорошее применение в каких-либо творческих специальностях. Хуже обстоит дело с другими профессиями, требующими кропотливого и, главное, долгого ежедневного труда. Таким образом, если, к примеру, Дарья решит заняться бизнесом, то, скорее всего, первое время ей будет сопутствовать удача, но очень велика опасность того, что она вскоре передоверит дело другим людям, а сама махнет на него рукой. Часто на этом ее удача и заканчивается.

Нельзя сказать, что при всем вышеперечисленном Дарья является исключительно человеком настроения, нет, она может и по хозяйству успевать, и на работу ходить довольно терпеливо, вот только окружающие часто будут слышать, насколько ей все это осточертело, и нередко испытывать на себе всю силу Дашиных «взбрыков». Иногда это довольно тяжело, однако ей многое прощается, поскольку большую часть времени ее веселость и жизнерадостность заставляют забывать о негативных эмоциях. Кроме того, очень часто ее импульсивность и эмоциональность выглядят как ребячество, и это привлекает к Даше мужчин, особенно старшего возраста. Конечно, на ее пути будет много всевозможных конфликтных ситуаций, избежать которых можно, уравновесив свои могучие эмоции, но кто знает, может, и в самом деле, лучше до конца оставаться собой и жить по правилу — гулять так гулять?

Секреты общения. Вряд ли вам придется долго ломать голову над тем, как Дарья к вам относится. Будьте спокойны, если вы ей не по душе, то прочитаете это в каждом ее жесте и движении, которые у нее могут быть понятней любого слова.

Астрологическая характеристика:
Знак зодиака: Дева. Планета: Марс. Цвета имени: коричневый, стальной, густо-красный. Наиболее благоприятные цвета: для спокойствия — зеленый, в делах поможет черный. Камень-талисман: изумруд, черный благородный опал.

Празднуем именины: 31 (19) марта — Дария Римская, мученица.

След имени в истории. Дарья Васильевна Зеркалова (1901—1982) — талантливая русская актриса, чье дарование особенно ярко проявлялось в ролях комического характера. Вообще-то, говоря про актрис, обычно отмечают их большое честолюбие: мол, без этого ценного качества на сцене просто нечего делать. Однако по отношению к Зеркаловой сказать такое было бы просто несправедливо — лишь в 32 года она перебралась из провинции в Москву, где первое время работала в Центральном театре Красной Армии, и только в 37 лет Дарья была принята в состав труппы Малого театра, которому и осталась верна до конца своей творческой карьеры.

Легкость, непосредственность, необычайная эмоциональность — все эти бесценные для актрисы качества и были козырными картами Зеркаловой на сцене. Она могла порхать и веселиться перед зрителями, настолько входя в роль, что, казалось, получала от своей игры не меньше удовольствия, чем сидящие в зале. Созданный ею имидж веселой озорной девчонки казался настолько естественным, что трудно было определить, является ли это результатом актерского мастерства или же истинным лицом актрисы, тем не менее ряд романтических и драматических образов, созданных Дарьей Зеркаловой, говорит о ней как об актрисе разного амплуа, способной сыграть не только милую простушку, но и сгорающую от любви женщину или же мать, только что потерявшую единственного сына. Это подтверждают такие блестяще сыгранные ею роли, как роль Глафиры в «Волках и овцах» Н. Островского, Элизы Дуитл в «Пигмалионе» Б. Шоу и другие.

ДИАНА

Значение и происхождение имени: дословно имя означает «божественная» (лат.).

Энергетика и Карма имени: в Диане эмоциональная подвижность сочетается с редкой глубиной чувств. В ее энергетике хорошо заметны некоторая плавность, неторопливость и вместе с тем — твердость. Надо сказать, что в русских именах сочетание двух гласных подряд не является характерным и потому звучит несколько претенциозно. Обычно такие имена в народном языке упрощаются — Иосиф становится Йосифом, Даниил — Данилой, Татиана — Татьяной, а Диана, в свою очередь, нередко произносится как Дяна, что не совсем привычно для твердого русского языка. Наверное, по этой причине имя Диана гораздо чаще встречается на юге России и на Украине, где произношение значительно мягче.

Как бы то ни было, но нас больше интересует тот факт, что это имя достаточно сильно обращает на себя внимание, оно своей некоторой необычностью уже заставляет над ним задуматься, а потому неудивительно, если Диана будет уделять самой себе чуть больше внимания, чем это необходимо. Нередко она как бы старается наблюдать себя со стороны, оценивать себя, и не исключено, что даже любоваться собой и своим красивым именем. По сути, в этом нет ничего плохого, не любить себя — это значит не любить никого, просто все должно быть в меру. С другой стороны, излишний самоконтроль частенько становится причиной некоторой скованности в общении, а это уже нехорошо для взаимоотношений с окружающими.

Именно по причине этой скованности эмоциональная подвижность Дианы становится более замедленной, а чувства приобретают глубину. Обычно за ее уравновешенным поведением легко читается страстность, а в случае если самолюбие чем-либо ущемлено, то негативное нервное напряжение. Последнее, конечно же, способно изрядно осложнить ей жизнь. Да и вообще, ей можно пожелать научиться быть чуть более легкой и открытой, ведь любая долго сдерживаемая страсть становится опасной. Зато если она сможет преодолеть такую тенденцию, то глубокие чувства сделают из нее прекрасную и заботливую жену, а умение быть твердой и держать себя в руках обеспечит успех в работе.

Секреты общения. Обычно Диана очень артистична, и одному Богу известно, когда она играет роль, а когда говорит искренно. Тем не менее всегда учитывайте присущую ей страстность — иногда вам покажется, что она спокойно отнеслась к какому-либо событию, а на самом деле это событие оставит в ее душе глубокий след.

Астрологическая характеристика:
Знак зодиака: Рак. Планета: Плутон. Цвета имени: коричневый, иногда красный. Наиболее благоприятный цвет: белый. Камень-талисман: алмаз.

След имени в истории. Образ Дианы в греческой и римской мифологии — это одновременно олицетворение силы, смелости, отваги с женственностью и мягкостью. Диана-охотница была весьма почитаема эллинами, ее превозносили как хозяйку леса, богиню растительного и животного плодородия. Легенды описывают ее как прекрасную амазонку, которая с распущенными волосами мчится по лесу, преследуя добычу.

С именем Дианы, точнее, с ее храмом на Авентине, связано одно красивое предание о какой-то необыкновенной корове. По легенде, владельцу этой волшебной коровы было сказано, что тот, кто принесет ее в жертву в храме Дианы, тот обеспечит всему городу власть над Италией, и царь Сервий Туллий, узнав об этом предсказании, похитил корову, принес ее в жертву, а рога животного укрепил при входе в храм.

С течением времени получилось так, что образ Дианы фактически влил в себя образы еще двух знаменитых богинь: богини ночи Гекаты и охотницы Артемиды. Именно потому Диана получила эпитет «тривия», и изображение ее часто помещалось на перекрестках дорог, толковавшееся так же, как знак тройной власти богини Дианы: на земле, под землей и на небе.

ДИНА

Значение и происхождение имени: в талмудической традиции происхождение имени Дина ведут от глагола «судить», таким образом это имя, скорее всего, означает «Судьба» (евр.).

Энергетика и Карма имени: имя достаточно твердое, возможно даже, в нем есть некоторая строгость, но вместе с тем оно довольно осторожно и не лишено заметной женственности и обаяния. Обычно весь этот набор качеств проявляется в уравновешенности характера Дины. Она нередко проявляет активность, может быть настойчивой, даже упрямой, иногда бывает заводной, но чаще всего она все же знает ту черту, дальше которой нельзя заходить в конфликтных ситуациях, и потому обычно умеет вовремя остановиться. Здесь очень многое зависит от ее окружения и занимаемой ею должности, а также, безусловно, от воспитания.

В детстве большинство носителей этого имени отличаются достаточной усидчивостью и старательностью, так что с учебой у них, как правило, проблем не возникает. Да и в дальнейшем, выбрав себе профессию, Дина обычно продвигается по службе без значительных скачков и срывов. Она умеет ладить с начальством, хотя с подчиненными бывает достаточно строгой и требовательной. Нередко склонность к осторожности делает ее хорошим дипломатом, однако тут могут ей помешать плоды воспитания. Очень хорошо, если родители сумели сохранить у Дины присущее ей равновесие, но бывает и так, что нервная обстановка в семье, где воспитывалась Дина, плохо отражается на ее характере. При этом чем больше в жизни Дины было скандалов, тем дальше отодвигается граница ее осторожности, нередко превращая ее в чрезмерно нервное и возбудимое существо. В этом случае ни о какой дипломатии не может быть и речи, разве что только по отношению к высокому начальству, да и то до поры до времени. Особенно же неблагоприятно это может проявиться в семейной жизни и, если уж подобная беда произошла, Дине не следует ждать понимания от окружающих, гораздо логичнее самой взять себя в руки, тогда рано или поздно вернутся и понимание, и уважение.

Впрочем, в большинстве случаев Дина так и остается довольно спокойным человеком, умеющим ладить с людьми. Быть может, в семье она попытается взять на себя роль лидера, однако если ее муж будет отличаться достаточной нервной силой, то, скорее всего, Дина уступит ему первенство. В целом же ее старательность и умение быть собранной способны сделать из нее хорошую хозяйку и заботливую мать.

Секреты общения. Если вам довелось общаться с чересчур возбудимой и нервной Диной, попробуйте проявить к ней немного человеческого тепла и участия, и она ответит вам тем же. А вот если вас незаслуженно обидела Дина-начальник, то здесь лучше не спорить, а спокойно объяснить ей ваше понимание справедливости.

Астрологическая характеристика:

Знак зодиака: Весы. Планета: Сатурн. Цвета имени: коричневый, иногда красный. Наиболее благоприятные цвета: фиолетовый, зеленый. Камень-талисман: аметист, хризопраз.

След имени в истории. Писательница Дина Рубина уже в 16 лет дебютировала в «Юности», теперь же ее имя известно всему миру — оно включено в Российскую Еврейскую и Большую Британскую энциклопедии. Являясь автором 8 нашумевших книг, переведенных на 12 языков, Дина Рубина уже несколько лет живет в Иерусалиме, на своей исторической родине, с юмором отвечая на вопросы журналистов о том, не скучает ли она по России.

— У меня всегда так, — сказала писательница в одном интервью, — когда есть деньги — нет ностальгии, нет денег — страшная ностальгия!

Что же касается работы — больного вопроса для всех эмигрантов, то, по словам Дины Рубиной, в ее жизни был такой период, «когда утром я заседала на каком-то заседании, посвященном взаимосвязи культур, а вечером мыла у кого-то квартиру». О себе Дина Рубина говорит не иначе как с легкой иронией, обличая забавные недостатки и женские слабости:

— У меня есть один недостаток: плохая память на лица. Один раз в Иерусалиме я встретила на улице своего мужа и подумала: «Где-то я уже видела этого человека...» И вообще, я — человек, который патологически забывает прошлое. Может, будучи беззубой старушкой и пуская слюни на вязаный носок, я и буду с умилением вспоминать свои молодые годы, а пока я устремлена в день завтрашний, ведь мне до сих пор кажется, что я еще молода, а значит, завтра будет все лучше и лучше...

ДОРА

Значение и происхождение имени: Дора — дарованная. Имя произошло и стало самостоятельным, как сокращение от имени Доротея, что означает «дарованная Богом» или Исидора — «дарованная Изидой» (греч.).

Энергетика и Карма имени: Дора очень самолюбива и очень ценит свою независимость. Энергетика этого имени предполагает значительную твердость, стойкость и некоторую углубленность в себя. В целом имя очень уравновешенно и обладает необходимой устойчивостью, жаль только, что в нем не хватает некоторой пластичности и подвижности, а это излишне обостряет чувствительность Доры. В этом плане гораздо более выгодны полные формы имени, в конце концов, ни один паспортный стол не может запретить Доре именовать себя Доротеей или Исидорой. Хочу оговориться, что второй вариант, на мой взгляд, более приемлем для современной России. Так вот, ощутив себя Исидорой, Дора может избавить себя от некоторых хоть и отдаленных, но весьма неприятных ассоциаций, не буду уточнять каких именно, ну а кроме того, может почувствовать чуть большую внутреннюю раскованность и эмоциональную свободу.

В ином случае внешне холодноватая Дора, скорее всего, будет очень ранимым и чувствительным человеком, пытающимся скрыть свои душевные переживания за маской безразличного спокойствия. Или же будет разыгрывать прямо противоположную роль этакой ветреной и беспечной женщины. И то и другое не сможет избавить ее самолюбие от болезненности, поскольку здесь гораздо важнее иметь подлинное душевное равновесие, а не создавать его видимость.

Наиболее благоприятно, если чувство юмора Доры будет направлено на нее саму — добрая самоирония еще никому в мире не смогла повредить, зато пользы принесла не одной сотне людей. Сгладив же от всех свою легкую ранимость и став более открытой, Дора сможет обеспечить себе действительно нормальные взаимоотношения и в семье, и на работе. Да и карьера у нее пойдет значительно быстрее, ведь, избавившись от болезненных переживаний, она высвободит свою энергию для более интересных занятий.

Секреты общения. Далеко не всегда можно угадать душевное состояние Доры и ее настоящие мысли, иногда она насмешлива, иногда холодна, порою безрассудна, но обычно это лишь способ самозащиты или самоутверждения. Никогда не забывайте, что вы имеете дело с сильной, но очень ранимой женщиной, у которой простые чувства обострены и которая точно так же, как и все, нуждается в простом человеческом тепле и участии.

Астрологическая характеристика:

Знак зодиака: Скорпион. Планета: Марс. Цвета имени: коричневый, стальной. Наиболее благоприятные цвета: оранжевый, зеленый. Камень-талисман: сердолик, янтарь, изумруд.

Празднуем именины: 19 (6) февраля — Дорофея Кесарийская, дева, мученица.

След имени в истории. Доротеей звали вторую жену прусского владыки великого курфюрста бранденбургского

Фридриха Вильгельма, и она всю жизнь (а жила она с 1635-го по 1680 годы) была тем самым «мальчиком для битья», в которой все от мала до велика — оппозиция, враги трона, королевские льстецы, даже народ — видели по каким-то совершенно непонятным причинам корень зла всех бедствий, какие бы ни случались при дворе. Тем временем такие обвинения несчастная женщина совершенно не заслужила: напротив, будучи второй супругой курфюрста, она изо всех сил пыталась наладить отношения с детьми мужа от первого брака, но те с самого начала были настроены против мачехи, околдовавшей, как они считали, их отца.

Возможно, именно они и явились первоисточником слухов о «злобной Доротее» — во всяком случае, когда один из сыновей Фридриха Вильгельма, принц Людвиг внезапно скончался, народная молва тут же безоговорочно приписала его смерть проискам мачехи. В ужасе второй сын короля, принц Фридрих, ставший наследником престола, спасся бегством в Ганновер, уверенный в том, что, не ударься он в бега, и его постигла бы несчастная участь братца. Только после долгих уговоров отца Фридрих вернулся домой, но ничто не могло заставить его изменить отношение к Доротее.

Позднее Доротее Прусской народная молва приписала и еще один грех: мол, в интересах своих детей она заставила мужа, который ни в чем не мог ей отказать, составить завещание, разделявшее Пруссию. Но и это обвинение было чистой воды напраслиной — согласно завещанию, дети королевы хоть и получали во владение ценные земли, целостность Пруссии оставалась неизменной. Впрочем, разбираться в таких мелочах Фридрих, унаследовавший престол, не пожелал — он всласть отомстил мачехе и за свой страх, и за смерть брата, разорив ее детей и лишив их какого бы то ни было права на наследство.

ЕВА

Значение и происхождение имени: имя происходит от еврейского имени Хавва, что означает «жизнь, живая». Соответствует славянской Живе, олицетворяющей жизнь.

Энергетика и Карма имени: по своей звуковой энергетике Ева — имя слегка холодноватое, но заводное и целеустремленное. Немалую роль играет также связанная с этим именем идея «первородного греха», причем в силу малого распространения этого имени в России такая связь прослеживается довольно явственно, накладывая на характер Евы определенный отпечаток. Нет, это совершенно не означает, что современная Ева будет копией легендарной праматери человечества, однако неоднозначность этого библейского образа и неохладевающий на протяжении веков интерес к этому вопросу свидетельствуют о его важности. Кроме того, эта идея хорошо резонирует с общей энергетикой имени.

В самом деле, в имени ощущается чувственная устремленность, активность, возможно, даже страстность, но вместе с тем некоторый недостаток мягкости делает имя несколько холодноватым. Не правда ли, очень похоже на библейское предание, когда страсть к «поеданию эротических яблок» обращается тревогой, а затем и холодом изгнания из счастливого рая? В добавок ко всему самой Еве эти мысли будут приходить в голову еще в раннем возрасте, а первые впечатления, как известно, отличаются наибольшей глубиной.

Конечно, в наш век прагматичного материализма подобными страшилками мало кого можно запугать, скорее, это тема для анекдотов, так что очень даже возможно, что Ева будет весьма трезво относиться к вопросам секса, другое дело, что идти у нее это будет не от сердца, а от головы. Скорее всего, в ее внешнем поведении будет сквозить некоторая холодность и деловитость, за которыми может скрываться значительная чувственность, а стало быть, и раздражительность. Нередко бывает и наоборот, когда Ева пытается подчеркивать страстность своего характера, но как бы она ни относилась к своим чувствам, нельзя забывать, что логика лишает эмоции естественности. Не надо ничего подчеркивать — ведь это может вызвать прямо противоположный эффект, и либо холодность на самом деле проникнет в душу, либо сдерживаемые страсти приобретут в глубине души какие-либо опасные формы. Гораздо лучше попробовать найти равновесие с помощью более легкого и веселого взгляда на жизнь и на себя саму. В этом случае у нее будет намного больше шансов добиться жизненного успеха. Если же она желает достичь счастья и спокойствия в личной жизни, то найти это можно только в искреннем общении с близкими людьми.

Секреты общения. Очень часто общение с Евой затрудняет ее некоторая раздражительность и непредсказуемость. Вдобавок ко всему она очень самолюбива, что также следует учитывать в разговоре с ней. Избежать же острых углов можно попробовать с помощью спокойной логики, особенно если она сочетается с легким юмором.

Астрологическая характеристика:

Знак зодиака: Овен. Планета: Сатурн. Цвета имени: серебристый, синий, красный. Наиболее благоприятные цвета: зеленый, теплые тона коричневого. Камень-талисман: сард, нефрит.

Празднуем именины: в Неделю св. отец, в Неделю св. праотец — Ева, праматерь, жена Адама.

След имени в истории. «И нарек Адам имя жене своей: Ева, ибо она стала матерью всех живущих», — говорит Библия, причем интересно, что само имя праматери человечества появляется в священной книге, только непосредственно когда речь заходит о грехопадении — до этого эпизода в основном тексте сказания женщина безымянна.

В сказаниях о сотворении человека, в том числе и в версии о сотворении женщины из ребра мужчины, имя Евы также не названо: «...но для человека не нашлось помощника, подобного ему. И навел Бог Яхве на человека крепкий сон; и когда он уснул, взял одно из ребер его и закрыл то место плотию. И создал Бог Яхве из ребра, взятого у человека, жену, и привел ее к человеку». Дальнейшая судьба первой человеческой пары подробно изложена в сказании о грехопадении: о том, как поддавшаяся искушению змея Ева, а за ней и ее податливый муж, вкусили плод с запретного дерева, за что и были навсегда изгнаны из рая. Именно в наказание за их грех, если верить преданию, до сих пор расплачивается все человечество: мужчина вынужден добывать хлеб в поте лица своего, женщина же обречена рожать в муках.

Интересно, что до сих пор тема первородного греха то и дело всплывает в качестве аргумента женоненавистников, со всей серьезностью утверждающих, что если бы не Ева, человек до сих пор жил бы в раю. С другой стороны, многие философы и богословы, напротив, чтут Еву не только как праматерь человечества, но и как совершенную Женщину, олицетворяющую все добродетели, присущие ее полу. Что же касается изгнания из рая, то об этом хорошо сказал Марк Твен, вложивший в уста Адама слова, которые он мог бы сказать на могиле Евы: «Там, где была она, был рай».

ЕВГЕНИЯ

Значение и происхождение имени: благородная (греч.).

Энергетика и Карма имени: Евгения — это одно из тех имен, которое в мужском варианте звучит несколько мягче, чем в женском. У женщины же с этим именем на первый план выходят такие качества имени, как подвижность, заметный оптимизм, уверенность, однако присущая имени жизнерадостность нивелируется достаточной твердостью. Нередко Евгению можно узнать по лицу, заметив за уравновешенной добродушной манерой держаться довольно строгое выражение глаз. Впрочем, даже если этого не наблюдается, все равно Женина твердость так или иначе найдет свое проявление в ее поведении.

Многое в жизни Евгении зависит от воспитания и от условий жизни. Обычно у нее достаточно внутренней силы, чтобы еще в подростковом возрасте иметь возможность противостоять родителям, так что если обстановка в семье, где воспитывается Женя, будет нервной, то она запросто может в знак протеста натворить не одну глупость. Однако гораздо чаще с ее воспитанием все обстоит более-менее благополучно, и твердый характер Евгении позволяет ей хорошо успевать в учебе, а затем и в какой-либо выбранной ею карьере. При этом Жене очень здорово помогает ее чувство юмора и склонность к активности.

Она очень общительна, хотя не исключено, что эта общительность с возрастом начнет носить несколько навязчивый характер. Особенно это может проявиться в семейной жизни, где ее внутренняя сила, скорее всего, будет склонять ее занять лидирующее положение, и либо Евгения действительно сумеет подчинить себе мужа, либо заводной характер обеспечит ей великое множество конфликтов и скандалов, что, скорее всего, закончится весьма плачевно. При этом Евгения вряд ли сломается, быть может, только от этого еще более возрастет ее внутренняя строгость. Наиболее же благоприятно, если Женя научится больше доверять самостоятельности своих близких. Конечно, они нередко ошибаются, но где гарантии, что сама Евгения всегда и во всем права? Одним словом, немного доверия и спокойного отношения к Судьбе ей не повредит, а ее трудолюбие и веселая энергия в этом случае способны стать залогом настоящего семейного счастья, в котором она найдет свое место в качестве заботливой матери и хозяйки.

Секреты общения. Часто, для того чтобы избежать конфликта с Евгенией, достаточно бывает незаметно перевести разговор на ее прошлые «подвиги», о которых она способна говорить часами. Происходит это не из-за склонности к хвастовству, просто в таких воспоминаниях паходит свой выход ее внутренняя энергия и активность. Кроме этого, не следует забывать о ее чувстве справедливости, нарушение которой часто расценивается Женей, как личное оскорбление.

Астрологическая характеристика:
Знак зодиака: Овен. Планета: Марс. Цвета имени: стальной, синий, белый. Наиболее благоприятный цвет: зеленый. Камень-талисман: нефрит.

Празднуем именины: 6 января (24 декабря) — Евгения Римская, дева, мученица, подвизавшаяся в мужском образе.
31 (19) июля — Евгения Сербская, княгиня.

След имени в истории. Странным образом сложилась судьбы Евгении, графини Монтихо, которой впоследствии суждено было стать французской императрицей и женой Наполеона III, причем, судя по всему, такое высокое положение было изначально запланировано свыше. Согласно семейной легенде, передававшейся в роду Монтихо из поколение в поколение, дед и бабка Евгении жили в Париже при Наполеоне Бонапарте и сделались его ярыми приверженцами. Именно тогда Мария (мать Евгении) маленькой девочкой познакомилась с сыном невестки Наполеона королевы Гортензии — Луи Наполеоном, и между детьми возникла такая нежная дружба, что в один прекрасный день мальчик принес подруге букет фиалок с надетым на него золотым кольцом. И лишь много лет спустя выяснилось, что колечко это было ничем иным, как венчальным кольцом императрицы Жозефины, в поисках которого та безуспешно перерыла весь дворец.

Что же касается Марии, то та, поняв, обладателем какой реликвии является, в свое время передала кольцо до-

447

чери, считая, что оно принесет ей счастье. Так и получилось: как-то раз, будучи в Лондоне, Евгения познакомилась с принцем Наполеоном, и тот с изумлением узнал то самое кольцо, которое много лет назад так легкомысленно подарил подруге по детским играм. После этого принц считал себя каким-то таинственным образом связанным с маленькой Евгенией, да и сама Мария изо всех сил подливала масла в огонь, делая так, чтобы дочь как можно чаще попадалась на глаза будущему монарху, причем непременно украшенная букетом фиалок. Когда же в 1851 году превратившаяся в прелестную девушку Евгения явилась на бал с фиалками в волосах и букетом фиалок на плече, Наполеон III был окончательно побежден, и спустя еще 2 года Евгения сделалась французской императрицей.

ЕВДОКИЯ

Значение и происхождение имени: имя дословно означает «благоволение» (греч.).

Энергетика и Карма имени: интересно, что в последние несколько лет имя Евдокия или, точнее говоря, Дуня, все чаще встречается на столичных дискотеках или в околобогемных кругах. При этом совсем не факт, что имена эти настоящие, в большинстве случаев девушки сами себя так называют, и на то есть причины. Действительно, на фоне вычурных иностранных имен, которые часто идут нашим девицам не более, чем песни Богдана Титомира годятся на роль государственного гимна, забытые русские имена становятся более заметными, а если их носительницы при этом обладает чувством юмора, то из устаревших они нередко превращаются в модные. Это еще раз свидетельствует о том, что не только имя влияет на человека, обратное влияние тоже имеет место быть.

Тем не менее далеко не все бывает столь благополучно, когда человек получает подобные имена при рождении, а стало быть, и без своего на то согласия. Здесь уже имя Дуня или Дуся (а Евдокиями в повседневном общении детей зовут редко) может выглядеть не так привлекательно, что, скорее всего, в той или иной степени отразится на самолюбии Евдокии, а именно — либо она будет излишне стесняться своего имени, либо, наоборот, подчеркивать его, а значит, и свою необычность. На вопрос, что хуже, а что лучше, нельзя ответить однозначно, поскольку лучше всего равновесие между тем и другим, когда чувство уверенности в себе сочетается с настойчивостью в самоутверждении.

Легче всего прийти к этому равновесию можно с помощью чувства юмора и доброй самоиронии, к чему жизнерадостное и светлое имя Евдокия очень даже располагает. Чаще всего в характере Евдокии отмечаются подвижность, добродушие, чувственность, а если вопрос самолюбия успешно разрешен, то и оптимизм. Несмотря на свою покладистость, она обладает достаточным запасом прочности и энергичностью, что может помочь ей не просто самоутвердиться, но даже и достичь успеха в какой-либо профессии. При этом вряд ли ее карьера будет идти вразрез с внутрисемейными отношениями, которые в силу ее характера обещают быть очень душевными и теплыми.

Секреты общения. Не стоит, наверное, подозревать Евдокию в излишней склонности к логике — она из тех женщин, которые больше живут своим сердцем, чем разумом. Пока это сердце любит, оно будет верить, обманув же его, вы обманете саму любовь. В целом же следует отметить присущие Евдокии искренность, добродушие, а в большинстве случаев и неплохое чувство юмора.

Астрологическая характеристика:

Знак зодиака: Рыбы. Планета: Венера. Цвета имени: серебристый, коричневый. Наиболее благоприятный цвет: золотисто-оранжевый. Камень-талисман: золото, огненный опал.

Празднуем именины: 30 мая, 20 июля (17 мая, 7 июля) — Евдокия Московская, великая княгиня.

14 (1) марта — Евдокия Илиопольская, игумения, мученица.

17 августа, 24 сентября (4 августа, 11 сентября) — Евдокия Персидская, мученица.

След имени в истории. Первая супруга Петра I — Евдокия Федоровна Лопухина (1669—1731) — не была для мужа светом в окошке. Напротив, он быстро охладел к своей воспитанной в строгих правилах жене, и на смену былой привязанности всплыло раздражение: и родня ее царю была не по нраву, и то, что к матери его она не относилась с должным уважением. Даже рождение сына Алексея не могло спасти брак, и вскоре царь нашел себе утешение

449

с красавицей Анной Монс, твердо решив от жены избавиться.

Но как? Единственным «достойным» выходом было ее пострижение в монахини, и хотя в планы самой Евдокии Лопухиной это никак не входило, спрашивать ее никто не стал. Больше того, когда архимандрит Суздальского Покровского монастыря отказался постричь Евдокию насильно, он и сам был арестован, а на его место определили человека более сговорчивого.

Вся эта череда интриг привела к тому, что в самом расцвете лет, в 27-летнем возрасте, Евдокия Лопухина оказалась в монастыре. Не желая смириться с тем, что жизнь ее уже кончена, так и не начавшись, она вскоре сошлась со Степаном Глебовым, собиравшемся было поступать в рекруты. Уже через некоторое время вокруг бывшей царской жены образовался кружок лиц, ей сочувствующих и считающих ее настоящей царицей, и когда этот «преступный заговор» открылся, все его участники понесли суровое наказание. Монахи и монахини, и даже ростовский епископ Досифей, называвший Евдокию «государыней великой», были жестоко казнены, сама же узница переведена в другой монастырь.

Еще не раз приходилось Евдокии Лопухиной менять место своего заключения; особенно строго ее содержание было при Екатерине I, как огня боявшейся своей конкурентки. И лишь в 1727 году, при Анне Иоанновне и Петре II Лопухина смогла наконец-то поселиться в Москве. Ей выделили большое содержание и окружили почестями, сама же Анна Иоанновна до конца жизни Евдокии относилась к ней с большим уважением, считая законной царицей, перенесшей в жизни много горя.

ЕКАТЕРИНА

Значение и происхождение имени: чистая всегда, непорочная (греч.).

Энергетика и Карма имени: первое, что бросается в глаза в энергетике имени,— это его необычайная широта и подвижность. При этом полная форма — Екатерина — звучит настолько широко, что часто это мешает проявиться Катиной подвижности в полной мере. Примерно как река, выходя на широкий плёс, замедляет свой бег. Кроме того, заметную роль играет образ выдающейся российской императрицы Екатерины Великой. Безусловно, столь яркая личность способна повлиять на характер своей более скромной тёзки, однако здесь сказывается большая распространенность имени. Одним словом, едва ли окружающие хоть на секунду заподозрят в Кате какие-либо величественные черты, однако сама она может переживать свое несоответствие силе имени, что способно сделать ее самолюбие довольно болезненным.

Необязательно это будет происходить осознанно, скорее, даже Катя просто будет исподволь испытывать потребность самоутвердиться, и здесь очень многое будет зависеть от ее воспитания и условий жизни. По своей внутренней энергетике имя не склоняет Екатерину к агрессии и долгому накоплению напряжения, а потому мало шансов, что в детстве ее конфликт с родителями или другими воспитателями будет слишком затяжным. Это приводит к тому, что среди Екатерин можно выделить два главных типа. Если условия воспитания Кати были чересчур жесткими, она может вырасти довольно замкнутым человеком, при этом за ее внешним спокойствием можно будет уловить признаки острого комплекса неполноценности, что выразится в застенчивости Кати, стеснительности и даже в нерешительности. С таким характером жить ей будет очень и очень сложно.

Впрочем, гораздо чаще встречается другой тип характера, когда активность и подвижность Екатерины находят свое отражение в ее стремлении самоутвердиться. Такая Катя может производить впечатление весьма уверенного в себе человека, хотя, скорее всего, это будет только маска, за которой скрывается ранимая и добрая душа. Впрочем, открыться это может только в слишком глубоком конфликте или при столкновении с очень серьезной жизненной трудностью. В остальное время Катя довольно общительный и веселый человек, умеющий держаться самостоятельно и в случае чего постоять за себя. Только самые близкие подруги будут знать о ее душевных переживаниях, да еще, пожалуй, муж, к выбору которого Катя обычно относится очень серьезно, пытаясь отыскать в нем необходимую опору. Здесь ей желательно помнить, что муж тоже живой человек и потому точно так же нуждается в определенной заботе. Если этого долго не будет, то семейное счастье Екатерины в один прекрасный момент может неожиданно рухнуть.

Вполне возможно, что ее самолюбие сможет с возрастом перерасти в честолюбивые устремления и она решительно начнет делать свою карьеру. В этом ей очень может помочь, если она, вместо того чтобы прятать свои обиды в глубине души, просто постарается избавить собственное самолюбие от болезненности. В этом случае широта души Екатерины обеспечит ей успех не только в делах, но и в личной жизни.

Секреты общения. В общении с Катей всегда следует учитывать ее самолюбие. Впрочем, чаще всего она хорошо понимает добрый юмор, да и сама не прочь пошутить. А вот если вам удастся поговорить с ней по душам, то вполне возможно, вы будете искренно удивлены, открыв в ней незаметные окружающим качества.

Астрологическая характеристика:

Знак зодиака: Стрелец. Планета: Солнце. Цвета имени: серебристый, красный. Наиболее благоприятные цвета: темно-синий, коричневый. Камень-талисман: сапфир, яшма.

Празднуем именины: 7 декабря (24 ноября) — Екатерина Александрийская, дева, великомученица.

След имени в истории. Четырнадцатилетней девочкой, почти ребенком приехала в Россию София Фридерика Ангальт-Цербстская для того, чтобы выйти замуж за наследника престола, и не помышляя о том, что когда-нибудь сама станет великой императрицей Екатериной II (1729—1796). Происходя из родовитой, но очень бедной семьи, Екатерина не была обременена знаниями и плохо ориентировалась в окружающей ее жизни, но тем не менее, попав в холодную и враждебную атмосферу дворца, в другую страну, где она, по сути, никому не была нужна и языка которой не понимала, Екатерина не растерялась. Уже скоро ей пришлось смириться с тем, что ее супруг — не сказочный принц, а злой недоразвитый ребенок с садистскими замашками, что все окружающие ждут от нее только одного — рождения наследника и что ни с одним человеком она не может поговорить по душам.

Тут и проявилась железная воля будущей императрицы, которая начала с того, что выучила русский язык, а потом взялась за самообразование. Знание психологии подсказа-

452

ло ей верную тактику: во дворце она держалась дружелюбно со всеми, вплоть до последней кухарки, большую часть денег тратила на подарки и постепенно сумела завоевать симпатии окружающих. Без этого умения очаровывать людей, проявлять заботу о них ей никогда бы не удалось совершить в 1762 году дворцовый переворот и, свергнув мужа, самой усесться на трон. Екатерина действительно добилась невозможного — она заставила забыть всех о своем нерусском происхождении.

Только став императрицей, Екатерина из послушной принцессы превратилась во властную самодержицу, однако мало кто мог упрекнуть ее в несправедливости — требовательная к другим, она самые высокие требования предъявляла к себе. Ее сон занимал 5 часов в сутки, все остальное время проходило за государственными делами, перепиской, написанием книг и статей.

Лишь будучи уже женщиной в возрасте, императрица пустилась во все тяжкие — ее любовные похождения являются основой сюжетов множества книг и романов. Тем не менее, хотя любовные приключения Екатерины и оказывали некоторое влияние на ее политику, до конца дней она оставалась сильной и властной, первой фигурой в государстве и одной из самых образованных женщин своего времени.

ЕЛЕНА

Значение и происхождение имени: факел (греч.).

Энергетика и Карма имени: пожалуй, главная особенность звучания имени Елена состоит в том, что оно начинается гораздо энергичнее, чем заканчивается. Больше того, по сути, в нем не наблюдается большого напряжения, однако контраст между «заводным» началом и спокойным окончанием способен резко усилить даже это незначительное напряжение. Примерно как горящая спичка, которую трудно заметить солнечным днем, зато в темноте ночи иной раз ее пламя видно даже за несколько километров. Обычно это приводит к тому, что в повседневном поведении Елены внимательный человек может уловить некоторую напряженность. Иногда это выражается в сдержанности Елены, быть может, даже в ее замкнутости, бывает же и наоборот, когда это не совсем понятное ей самой внутреннее возбуждение заставляет Лену держаться несколько вызывающе, как будто она только и ждет нападок со стороны окружающих.

Конечно, такая черта поведения проявляется в характере Лены далеко не сразу, в детстве она обычно растет спокойным и ласковым ребенком, да, по сути, и остается таким, вот только с подросткового возраста все это начинает маскироваться за ее внутренней борьбой. Часто окружающие даже не догадываются, что большую часть времени Ленины нервы натянуты, а вот ей самой это может доставлять немало неприятных минут. Здесь кроется большая опасность, поскольку нервное напряжение вызывает усталость и даже душевную боль, и Елена невольно может начать воспринимать людей и окружающую жизнь как источник этой боли. У нее может складываться ощущение, что ее самолюбие если и не ущемляют, то, по крайней мере, готовы к этому, между тем как главный враг находится в ней самой, и избавиться от него не так уж сложно. Просто надо не ждать от людей душевности, а попробовать начать первой, избавив свое самолюбие от болезненности.

Впрочем, это напряжение очень быстро исчезает, если Лена встречает человека, способного понять ее и полюбить,— тогда-то и проявляются ее истинные душевные качества. Да и сама она, освободившись от неясной внутренней боли, нередко испытывает огромное облегчение, что делает ее любовь поистине бескорыстной и крепкой. При этом, если живя одна, Елена была склонна к некоторой ленности, то в любви ее скрытые силы высвобождаются, что обычно делает из нее не только прекрасную хозяйку, но и дает возможность раскрыться ее талантам в какой-либо карьере. Вот только следует опасаться, чтобы неизбежные семейные конфликты снова не привели к росту напряженния в ее душе. Если это произойдет, то, увы, счастье окажется недолговечным.

Интересно, что если Елена сумеет найти источник душевного спокойствия в себе самой и избавиться от нервного напряжения без боязни проявить свое доброе отношение к людям, она, во-первых, получит страховку от многих жизненных трудностей, а во-вторых, у нее будет шанс отыскать в себе удивительные, может быть, даже сверхъестественные способности, как это произошло с Еленой Блаватской и с Еленой Рерих.

Секреты общения. В общении с Еленой никогда не следует забывать, что, какова бы ни была ее маска, за ней скрывается ранимая и тонко чувствующая душа. Проявите к ней немного тепла — и перед вами появится совершенно другой человек!

Астрологическая характеристика:

Знак зодиака: Близнецы. Планета: Плутон. Цвета имени: серебристый, салатовый. Наиболее благоприятные цвета: глубокий зеленый, оранжевый. Камень-талисман: изумруд, нефрит, янтарь.

Празднуем именины: 19 марта. 3 июня (6 марта, 21 мая) — Елена равноапостольная, Константинопольская, царица.

8 июня (26 мая) — Елена мученица, дочь апостола Алфея.

12 ноября (30 октября) — Елена Сербская, королева.

След имени в истории. «Как будто она впитала в себя красоту всех женщин мира за все тысячелетия от сотворения мира», — писал о Елене Рерих (1879—1955), основательнице учения Живой Этики, один из ее современников. Удивительно сложилась судьба этой женщины. Выросшая в богатой семье в Петербурге, она, правнучка великого полководца Кутузова и двоюродная племянница композитора Мусоргского, красавица, по которой «сохли» все столичные женихи, оказалась домоседкой, предпочитая коротать время не на светских раутах, а наедине с книгой.

Выйдя замуж за известного художника Николая Рериха, Елена Ивановна начала свой духовный путь вместе с мужем, и их приключения больше похожи на сказку: они путешествовали по Индии, Европе и Америке, поднимались на вершины Гималаев, и Елена Рерих оказалась первой женщиной-европейкой, сумевшей преодолеть 25 тысяч километров через опасные гималайские перевалы, где температура воздуха порой опускалась до —50 градусов.

Неизвестно, удалось ли путешественникам достигнуть легендарной Шамбалы — обители полулюдей-полубогов, однако смело можно утверждать одно: если это место действительно существует, то именно им и суждено его было найти. Во всяком случае, вернувшись из первого путешествия, супруги передали советскому правительству духов-

455

ное послание обитателей Шамбалы — махатм, после чего вернулись в Индию, где и прожили остаток своей жизни и где Елена Рерих привела в порядок свои записи о психической энергии.

Держательницей мира называл свою жену Николай Рерих, да и сама она считала, что настает эпоха, когда на женщину будет возложена особенно ответственная миссия. «Грядущее время должно, — писала она, — как и в лучшие времена человечества, предоставить женщине место у руля жизни, место рядом с мужчиной, ее вечным спутником и сотрудником».

ЕЛИЗАВЕТА

Значение и происхождение имени: Елисавета — почитающая Бога (евр.).

Энергетика и Карма имени: в энергетике этого имени широта и стремление к достижению цели. Одна беда — оно не предполагает отдыха и расслабления, а потому часто жизненные планы Лизы оказываются миражами, если, конечно, она не преодолеет некоторые отрицательные аспекты своего имени.

В детстве Лиза обычно растет трудолюбивым и усидчивым ребенком, хотя уже тогда может начать проявляться ее некоторый эгоцентризм и своеволие. Имя мало склоняет Лизу задумываться над мыслями и поступками окружающих, зато оно способно привлечь внимание своей хозяйки к себе самой. При этом такое воздействие имени усиливается его достаточной на сегодняшний день редкостью. Не исключено, что Лиза будет недовольна своим несколько старомодным именем, которое к тому же вызывает в памяти широко известный образ карамзинской бедной Лизы. Однако сильная энергетика имени не позволит ее самолюбию стать болезненным, скорее, Елизавета просто начнет проявлять к себе достаточно строгие требования, стараясь быть лучше, чем она есть на самом деле. Не исключено, что это толкнет ее на некоторые необдуманные поступки, но вряд ли эти попытки подчеркнуть свою экстравагантность и модность зайдут слишком далеко. Скорее всего, Лиза вовремя успеет остановиться.

Еще одно качество, которое предполагает имя Елизаветы,— это логичность и склонность к анализу. Ее трудно назвать чрезмерно чувственной женщиной, гораздо чаще эмоции Лизы подчиняются разуму. Нередко она бывает даже чересчур расчетливой и прагматичной, что, впрочем, часто сглаживается ее спокойным чувством юмора. Вряд ли ее привлекут честолюбивые мечты о карьере, если только они не связаны с материальным благополучием, зато уравновешенность и сила характера могут позволить ей занять какой-либо руководящий пост или же просто добиться значительных успехов в профессиональном плане.

В семейной жизни на первом месте у Лизы, скорее всего, тоже будут стоять не чувства, а достаток, мир и спокойствие. Она хорошая хозяйка, хотя нередко излишне строга не только к себе, но и к своим близким. Здесь все же нелишне ей помнить, что карьера и тихая семейная жизнь, конечно же, вовсе даже неплохо, однако настоящее счастье невозможно без полноты чувств и без умения отвлекаться от дел.

Секреты общения. В случае каких-либо споров или конфликтов с Елизаветой не стоит слишком активно пытаться воздействовать на ее эмоции. Гораздо лучше она сможет понять вас, если вы будете логичны и спокойны. А вот работая под ее началом, не забывайте, что вряд ли она подумает об отдыхе для своих работников. Если вы сами не позаботитесь об этом, то рискуете полностью лишиться свободного времени.

Астрологическая характеристика:

Знак зодиака: Дева. Планета: Юпитер. Цвета имени: золотсто-зеленый, серебристый. Наиболее благоприятный цвет: фиолетовый. Камень-талисман: аметист.

Празднуем именины: 18 сентября (5 сентября) — Елисавета Праведная, Палестинская, мать св. Иоанна Предтечи.

4 ноября (22 октября) — Елисавета Адрианопольская, мученица.

18 (5) июля — Елисавета Феодоровна, Алапаевская, великая княгиня, мученица.

След имени в истории. Какой бы ни была современная русская Лиза, совсем не такой предстает женщина с этим же именем за границей. Особенно в Голливуде. Элизабет Тейлор, кинозвезда, обладающая огромным драматическим талантом, в жизни никогда не разочаровывала журналистов, взахлеб писавших о многочисленных скандалах, с нею связанных. Про нее не без оснований говорят, что она всегда жила так, как хотела,— и ее 8 мужей тому красноречивый пример. Взять хотя бы последний брак с водителем грузовика, на 15 лет младше актрисы. Влюбленная Элизабет устроила свадьбу в Диснейленде, сняв сказочный город только для двоих и заплатив за это удовольствие 2 миллиона долларов... Впрочем, и на этот раз брак оказался непрочным — через 40 месяцев он распался.

У Лиз Тейлор, как и у многих очень богатых людей, немало причуд. Так, она считает обычный воздух ядовитым, и потому к ее вилле проложен специальный трубопровод, по которому к ней в дом поступает чистейший воздух с гор.

Взбалмошная, тщеславная, влюбчивая и романтичная, Лиз Тейлор тем не менее имеет полное право такой быть. «На экране люди видят меня совсем другой, — считает актриса. — Они восхищаются моей игрой, плачут и смеются. И самое главное именно это, а не то, когда и с кем я ложусь в постель».

ЖАННА

Значение и происхождение имени: французская форма имени Иоанна — милость Божья, благодать (евр.).

Энергетика и Карма имени: Жанна — имя страстное. В нем достаточно твердости, способности к долгой концентрации и даже мужества. Последнее, кстати, связано не только со звуковой энергией слова, но и с героическим образом великой француженки Жанны д'Арк. Такое ощущения, что языки того памятного костра, сгубившего отважную женщину, опалили характер и остальных носительниц этого имени.

Обычно страстность начинает выделять Жанну с самого детства. Поначалу она проявляется в играх, в частых ссорах и конфликтах с подругами. Затем это находит свое отражение в раннем интересе к мальчикам, в чьи компании Жанна нередко тянется более охотно, чем в девичьи. Не факт, что она превратится в этакую разбойницу, бывает, что ее страсть удивительным образом начинает сочетаться с активной учебой, особенно если родители привили ей интерес к наукам. Очень многие носительницы этого имени находят выход своей энергии в спорте, где порою достигают заметных успехов. Одним словом, родителям Жанны следует быть очень осторожными и не пускать ее воспитание на самотек, поскольку живой характер их дочери в юности может толкнуть ее не на одну глупость.

С возрастом страстный темперамент Жанны способен сослужить ей как добрую службу, так и прямо наоборот. Он может прекрасно проявиться в том же спорте, в сценической карьере, в занятиях каким-либо искусством, однако в семейной жизни это, скорее всего, станет источником конфликтов и раздоров. То же касается занятий бизнесом или даже обычной работы, где излишняя эмоциональность только губит все добрые начинания. Если Жанна желает создать себе и своим близким благоприятные условия жизни, то ей следует не ждать понимания от окружающих, а самой обрести не показное, а настоящее внутреннее равновесие. Сделать это можно, научившись доброй самоиронии и попробовав понять людей не чувствами, а головой. Быть может, однажды она и сама будет очень удивлена, когда на месте своих бывших заклятых врагов, то и дело омрачавших ей жизнь, увидит симпатичных и нормальных людей. Кроме того, обретя равновесие, Жанна способна обнаружить в себе уникальные способности, граничащие с экстрасенсорными.

Секреты общения. Очень часто страстность Жанны делает абсолютно невозможным любой спор с ней, а потому долгие разборки вряд ли приведут к чему-либо хорошему. Скорее всего, через некоторое время конфликт вспыхнет снова. Успокоить же это можно только добрым юмором, но ни в коем случае не насмешкой!

Астрологическая характеристика:
Знак зодиака: Овен. Планета: Марс. Цвета имени: черный, красный. Наиболее благоприятные цвета: зеленый, синий. Камень-талисман: бирюза, хризопраз, агат.

Празднуем именины: 10 июля (27 июня и в Неделю св. жен-мироносиц) — Иоанна Мироносица.

След имени в истории. С именем этой удивительной женщины — Жанны д'Арк — связано великое множество преданий и легенд, где сказка причудливым образом переплетается с былью. Кто была она, эта девушка, которой дано было вершить судьбы великих мира сего? Откуда взялась у нее непоколебимая уверенность в своих силах?

Ответы на эти вопросы не менее странны и невероятны. Если верить легенде, дочь крестьянина Жанна, когда английские завоеватели заняли уже большую часть Франции, вдруг начала видеть удивительные сны. В этих наполовину снах наполовину видениях (настолько они были реальны) ей являлись святые, с уверениями, что именно ей предначертана великая миссия.

Внимательно выслушав ее «бредни», наследник французского престола дофин Карл решил все-таки, подобно утопающему, схватиться за соломинку, и — выделил девушке небольшую армию, во главе которой Жанна разгромила англичан в Орлеанском сражении. Говорят, что она сражалась с такой отвагой, что во многом превосходила мужчин; на врагов же наводила ужас одним своим воинственным видом — настолько велика была ее внутренняя сила.

В 1431 году французы выдали Орлеанскую деву англичанам — французский король увидел в ней, спасшей всю страну, угрозу своему трону. Так Жанна д'Арк, героиня-девственница, оказалась в плену и по обвинении в колдовстве была сожжена на костре в Руане.

ЗИНАИДА

Значение и происхождение имени: божественная дочь (греч.).

Энергетика и Карма имени: по своей энергетике имя обладает значительной остротой и напористостью. Быть может, в нем и можно уловить какой-то намек на мечтательность и романтизм, однако если он и есть, то основательно заглушается звучностью слова. Можно даже сказать, что имя Зинаида звучит как победная маршевая песня, вернее, как начало ее мелодии. Безусловно, так или иначе все это должно отражаться на характере самой Зины.

Еще один аспект — это кажущаяся простота имени, его обыкновенность, в то время как многие девочки, особенно в подростковом возрасте, мечтают о красивых и загадочных именах. Не исключено, что Зина в юности будет стремиться в какие-либо полуэлитные компании, однако обычно с возрастом это проходит, и верх берет трезвый расчет, а не честолюбивые помыслы.

Обычно девочка с таким именем с самого детства знает, чего хочет, и умеет весьма настойчиво добиваться желаемого. Родителям, наверное, не мешает обратить внимание на это, поскольку такое качество с годами может развиться до эгоцентризма, вплоть до того, что Зина может быть убеждена, что все вокруг должны жить именно так, как считает нужным она. Впрочем, жизнь обычно существенно корректирует подобные представления, иногда довольно болезненно, а потому, скорее всего, Зинаида научится скрывать это свое качество от окружающих, и тогда оно в полной мере проявится на ее близких в семье и на подчиненных на работе. Если же муж Зины тоже окажется человеком с характером, то не миновать беды и семейной трагедии. Вряд ли это можно назвать нормальными взаимоотношениями, ведь даже если Зине и удастся загнать мужа «под каблук», маловероятно, что ей самой станет хоть немного легче. Разве что появится еще один повод для недовольства, на этот раз уже результатами своих собственных стараний. Если Зинаида желает жить в полноценной семье, ей следует руководствоваться не только своим умом, но также и уважать мнение окружающих. Да и ошибок так будет меньше.

Однако наиболее важные качества Зинаиды — это ее трезвый ум и пробивные способности. С возрастом она начинает прекрасно понимать, когда следует смолчать, а когда можно и накричать. Можно быть уверенным, что она сделает все, чтобы не упустить свою выгоду, и постепенно превратит дом в полную чашу. Ее энергия в работе может вызывать удивление и даже зависть, при этом обычно у нее остаются силы еще и на ведение домашнего хозяйства. Жаль только, что для счастья нужно не только изобилие, наоборот, чаще полное взаимопонимание и искренняя любовь для него гораздо важнее.

Секреты общения. Не стоит лишний раз переходить Зинаиде дорогу, однако если уж подобное случилось, то решить возникший спор можно только компромиссом. В конце концов, ущемив ее, пусть даже невольно, в одном, попробуйте уступить в чем-либо другом. И не забудьте подчеркнуть это, если вы хотите сохранить с ней отношения.

Астрологическая характеристика:

Знак зодиака: Телец. Планета: Марс. Цвета имени: светло-зеленый, коричневый, красный. Наиболее благоприятный цвет: оранжевый. Камень-талисман: сердолик, янтарь.

461

Празднуем именины: 24 (11) октября — Зинаида Тарсийская, мученица.

След имени в истории. Одной из самых прекрасных, образованных, деятельных женщин своего времени была княгиня Зинаида Волконская (1792—1862), и это признавали все, кто видел ее хоть раз. Натура страстная и увлекающаяся, ничего не умея делать наполовину, княгиня всю свою жизнь переходила от одного предмета изучения к другому, вкладывая всю душу во все, за что бы ни бралась.

Некоторое время после замужества она жила в Петербурге, но вскоре ей наскучила придворная жизнь, и, попутешествовав за границей, княгиня переехала жить в Москву, где серьезно занялась изучением русских народных песен, сказок и обычаев. Благодаря своему легкому нраву, роковой внешности и незаурядному уму, вскоре Зинаида Волконская стала центром кружка, посещаемого самыми выдающимися людьми ее времени.

Пушкин, Вяземский, Баратынский, Жуковский и многие другие с удовольствием подолгу беседовали с образованной красавицей, и немало стихотворений было навеяно ее ярким образом. Однако недолго Зинаида Волконская очаровывала цвет московской молодежи — всего через 5 лет после приезда в Москву, после пятилетних хлопот об устройстве памятников народной старины и изучения русской словесности, ей вновь становится скучно — русский колорит уже потерял прелесть новизны, и ее переменчивую натуру начинает тянуть к чему-то новому. Так, в возрасте 38 лет красавица переезжает в Рим, где и остается навсегда, сменив изучение обычаев российской глубинки на яростное отстаивание позиций католицизма.

ЗОЯ

Значение и происхождение имени: жизнь (греч.).

Энергетика и Карма имени: имя Зоя наполнено энергией мечтательности, тепла и доброго жизнелюбия. При этом оно абсолютно не располагает к проявлению какой-либо агрессии или долгому накоплению напряжения. Обычно это приводит к тому, что Зоя с детства растет очень доверчивым и добрым ребенком. Она активна, порою способна увлечь своих подружек на веселую и захватывающую игру, однако непослушной ее трудно назвать. Бывает, правда, что, увлекаясь детскими шалостями, она заходит в них слишком далеко и вызывает недовольство родителей. Здесь следует быть довольно осторожным, поскольку слишком грубое и жесткое наказание может серьезно травмировать Зоину психику. Впрочем, это касается воспитания всех доверчивых детей, у которых часто физическое наказание не вызывает ничего, кроме ужаса разочарования в чувстве любви. В случае с Зоей это может иметь особо тяжелые последствия, надломив ее характер. Такое неверие в любовь однажды может пустить ее «по рукам». Гораздо лучше, если родители привьют Зое какой-либо интерес, будь то учеба, книги или даже домашние заботы. Скорее всего, при Зоиной открытости и доверчивости сделать это будет совсем не трудно. Иной раз даже кажется, что она способна заинтересоваться всем на свете. Трудности обычно начинаются в подростковом возрасте. Увы, в это время пробуждающаяся чувственность особо нуждается в умении защищаться, а это, к сожалению, не в Зойкином характере. Бывает, что разочарование от крушения первых романтических чувств становится слишком глубоким. Очень хорошо, если родители или более опытные подруги научат Зою относиться к подобным трагедиям более легко и с улыбкой, иначе же ее страстность будет только углубляться, что может попросту отпугивать мужчин, имеющих «серьезные» намерения. Это один из парадоксов человеческой психики — если очень сильно ждешь чего-то, это, скорее всего, не сбудется или сбудется совсем не так, как ожидалось. Не исключено, что Зоя начнет искать утешения от своих неудач и душевных трагедий в религии или в служении другим идеалам. Между тем гораздо уместнее ей будет не прятаться от жизни за церковными стенами, а научиться принимать ее такой, какова она есть. В конце концов, какая еще награда может быть за любовь, кроме самой любви? Так мать любит своего ребенка независимо от того, как этот ребенок относится к ней. Немного терпения и доверия Судьбе — и жизнь Зои обязательно пойдет на лад.

Интересно, что невероятная чувствительность Зои делает ее очень проницательным человеком. Она нередко способна заглянуть в самые глубины человеческой души, жаль только, что часто это касается только предмета ее страсти, в то время как все остальное она упускает из виду. Когда же чувства будут уравновешены, Зоя может стать прекрасным психологом и применять это качество не только в профессиональном плане, но и для решения семейных неурядиц.

Секреты общения. Не стоит опасаться страстности Зои, чаще всего она совершенно безобидна. А вот ей самой следует быть поосторожней, поскольку ее доверчивостью и добродушием могут воспользоваться не совсем чистоплотные люди.

Астрологическая характеристика:
Знак зодиака: Рак. Планета: Венера. Цвета имени: кремовый, салатовый. Наиболее благоприятные цвета: зеленый, синий. Камень-талисман: лазурит, изумруд.

Празднуем именины: 15 (2) мая — Зоя Памфилийская, мученица, супруга мученика Еспера Атталийского.

31 (18) декабря — Зоя Римская, мученица.

26 (13) февраля — Зоя Вифлеемская, преподобная.

След имени в истории. Судьба дочери византийского императора Константина VIII Зои (978—1050) была полна приключениями и всякого рода неожиданными оборотами. Ее смело можно назвать игрушкой в руках мужчин, однако такое утверждение справедливо лишь по отношению ко второй половине ее жизни, поскольку до 50 лет, при жизни императора, Зое не представлялось никакой возможности проявить себя. Лишь когда Константин был уже смертельно болен, он вспомнил о своей дочери и, поскольку других наследников у него не было, выдал Зою замуж за Романа Аргира.

Взойдя на трон, Роман, напрочь забыв о своей уже не первой молодости жене, начал править государством. Зоя же, в которой заговорила оскорбленная женщина, сблизилась с красавцем Михаилом, братом придворного евнуха Иоанна, строившего свои далеко идущие планы. Вскоре медленный яд, заботливо подсыпаемый евнухом в императорскую пищу, сделал свое дело, и свободная Зоя тут же вышла замуж за своего любовника (в историю он вошел как Михаил IV).

Но и на этот раз ее семейная жизнь опять не сложилась: добравшись до трона, Михаил быстро охладел к жене. Что же касается государственной власти, то она фактически оказалась в руках умного евнуха. Когда позднее, после смерти Михаила IV, на престол взошел его племянник — Михаил V, он и вовсе невзлюбил бедную женщину, которая в 1042 году по его приказу была насильно пострижена в монахини.

Однако в этот момент в политические игры монархов неожиданно вмешалась еще одна сила: в Константинополе вспыхнул народный бунт, в результате которого Михаил был свергнут, а правителями страны объявлены Зоя и ее младшая сестра Феодора. В конце концов 64-летняя Зоя нашла свое женское счастье в замужестве с Константином Мономахом, который и скрасил последние годы ее жизни, относясь к настрадавшейся жене бережно и с любовью.

ИЗАБЕЛЛА

Значение и происхождение имени: имя Изабелла — это ставшая самостоятельной форма еврейского имени Елизавета, что означает «почитающая Бога» или «Бог — моя клятва» (испанск.).

Энергетика и Карма имени: в энергетике имени Изабелла наибольшее значение имеют такие качества, как подвижность, возбудимость и чувственность. Обычно женщина с таким именем очень темпераментна и отличается редкой глубиной чувств, что может быть как положительным, так и отрицательным фактором судьбы. Не зря ведь это имя придумали испанцы, а они, как известно, знают толк не только в темпераменте, но и в том, как с его помощью изрядно осложнить жизнь и себе, и людям. По крайней мере, именно такой стереотип представления об испанском характере получил распространение в России, ну, а поскольку мы рассматриваем имя Изабелла не в Испании, а в нашей русской стороне, именно этот стереотип и накладывает свой отпечаток. Так, европейцам в наших русских именах часто слышится что-то медвежье-таежное. Что делать, стереотип есть стереотип. Вот даже сорт самого терпкого винограда получил название «Изабелла».

Одним словом, страстность и импульсивность характерны для Изабеллы в большинстве случаев. Следует также учесть значительное самолюбие, столь характерное для обладателей и обладательниц редких имен, с учетом же красоты, можно полагать, что имя Изабелла отразится на самоуверенности своей хозяйки, если, конечно, будут отсутствовать иные поводы для ущемления самолюбия, которые здесь нет никакой возможности рассмотреть.

Такой характер, несомненно, требует осторожности. В первую очередь желательно попробовать уравновесить свое самолюбие с самолюбием окружающих, то есть совместить его с уважением к людям, в противном случае неизбежно большое число конфликтных ситуаций. Не надо уважать людей за что-то, лучше просто принимать их такими, каковы они есть. Еще лучше сгладить свою страстность и порывистость добрым чувством юмора. При таком раскладе у Изабеллы будут все шансы на хорошие отношения в семье, где ее чувственность будет оценена по достоинству, а ее импульсивная энергичность способна привести к успеху в карьере.

Секреты общения. Никогда не забывайте о темпераменте Изабеллы — даже если в силу каких-либо обстоятельств она держится в обществе неуверенно, все равно ее чувственная импульсивность начнет проявляться, когда ваши отношения станут укрепляться. Словом, помните об осторожности, играя с огнем, тогда и пожара можно избежать. Чаще всего на Изабеллу трудно воздействовать и логикой, и криком, зато она едва ли устоит перед уверенным спокойствием и ироничностью.

Астрологическая характеристика:

Знак зодиака: Телец. Планета: Венера, Марс. Цвета имени: коричневый, салатовый, красный. Наиболее благоприятные цвета: зеленый, синий. Камень-талисман: изумруд, сапфир, лазурит.

След имени в истории. Как только не называли в народе английскую королеву Изабеллу (1292—1357), дочь французского короля Филиппа IV! «Холодная женщина», «королева, не знающая любви». Да и откуда ей было ее знать, если ее отец, получивший прозвище Красивый, всегда мгновенно пресекал в своих детях малейшие проявления живых чувств. Он же выдал еще совсем молоденькую дочь за английского короля Эдуарда II, человека, чья ориентация ни у кого не вызывала сомнений: женщин он не жаловал.

А потому неудивительно, что когда Изабелла встретила Роджера Мортимера, заставившего почувствовать ее женщиной, то влюбилась в него страстно и беззаветно на всю жизнь. Поначалу их борьба за власть носила освободительный характер: любовники поставили целью избавиться от королевского любимчика лорда Спенсера, но когда цель была достигнута, остановиться уже не могли.

Честолюбивый и жестокий, Роджер Мортимер, сначала заставил отказаться от престола мужа Изабеллы короля Эдуарда, а затем, посадив на трон ее маленького сына, фактически сам начал управлять Англией. Обладая всеми задатками диктатора, он буквально залил страну кровью, начав с того, что по его приказу был зверски убит Эдуард II. Что же касается Изабеллы, то она, женщина властная, гордая и сильная, полностью попала под влияние своего господина, содействуя ему во всем.

Так чистая любовь превратилась в жестокую тиранию. И лишь когда юный король Эдуард III (сын Изабеллы) нашел в себе силы, чтобы расправиться с «опекунами», произволу был положен конец. В 1330 году ночью в сопровождении нескольких единомышленников Эдуард ворвался в спальню матери и арестовал любовников. Роджер Мортимер был казнен, а Изабелла заточена в тюрьму — впрочем, жизнь без Роджера все равно не имела для нее никакого смысла.

ИЗОЛЬДА

Значение и происхождение имени: имя означает «красавица», «та, на которую взирают» (кельтск.). В России это имя однажды вошло в моду, когда во время эпохи освоения Севера его стали давать девочкам, родившимся в трудных условиях полярных зимовок, где герои-полярники вкладывали в него новый смысл, расшифровывая имя как Изольда — «изо льда».

Энергетика и Карма имени: звонкое и решительное имя Изольда обладает очень сильной энергетикой. Прежде всего хочется отметить, что оно способно наделить свою владелицу огромной самоуверенностью, независимостью в суждениях и склонностью к крайностям во взглядах. Я сказал «способно наделить», поскольку совсем не факт, что девочка с таким именем справится со столь мощной энергетикой, вполне возможно, что при столкновении с жизненными трудностями одна крайность сменит другую и вместо самоуверенности в душе Изольды пышным цветом расцветет пресловутый «комплекс неполноценности».

Надо сказать, что и то и другое крайне нежелательно, так что родителям еще в самом раннем детстве желательно обратить внимание на значительное самолюбие своей дочери и попробовать уравновесить это чувство таким образом, чтобы достаточная уверенность в себе совмещалась с уважением к окружающим.

В своем кругу Изольда обычно смела и решительна, умеет настоять на своем, но частенько ей бывает трудно войти в новый для себя коллектив. Энергетика имени имеет некоторое стремление к замкнутости, что нередко воспринимается окружающими как высокомерие, а присущая ей категоричность еще более укрепляет людей в таком мнении об Изольде. Вдобавок ко всему за ее хладноватой, а то и попросту ледяной маской эмоции могут набирать колоссальную силу и это, в свою очередь, еще сильнее развивает категоричность, а стало быть, и осложняет отношения. Разорвать этот замкнутый круг желательно как можно раньше.

Особенно благоприятно, если еще в детстве самолюбие Изольды было несколько сглажено и в ее характере появилась открытость, тогда и категоричность не разовьется дальше обычного юношеского максимализма. В этом случае ее прямой характер и чувственность способны сделать ее неотразимой в глазах мужчин, а энергичная импульсивность может помочь в реализации честолюбивых карьерных устремлений.

Секреты общения. Ох, уж эта категоричность! Сколько из-за нее бывает всяческих недоразумений! Тем не менее какую бы маску ни носила Изольда, какой бы рассудительной и спокойной она ни казалась, всегда помните о ее горячем сердце, прямоте и независимости. Самое главное — это не пытаться хитрить с ней и ни в коем случае не пытаться подчинить себе.

Астрологическая характеристика:

Знак зодиака: Козерог. Планета: Плутон. Цвета имени: коричневый, зеленовато-серебристый, иногда красный. Наиболее благоприятные цвета: оранжевый, зеленый. Противопоказан синий цвет. Камень-талисман: янтарь, сердолик, нефрит, хризолит.

След имени в истории. Средневековая легенда о Тристане и Изольде до сих пор остается одной из самых красивых и грустных историй о любви, ничуть не уступая шекспировским «Ромео и Джульетте». Согласно преданию, как-то раз британский король Марк послал своего племянника Тристана, чтобы тот сосватал ему невесту — прекрасную Изольду Златокудрую, и тот, не теряя времени, отправился в путь. Некоторое время спустя Тристан, с честью выполнив поручение, уже возвращался к королю с красавицей-невестой, однако в пути произошло недоразумение. Мать Изольды, искренне желая счастья дочери, дала выпить ей волшебный напиток любви, чтобы она сумела полюбить старого короля. Однако судьба распорядилась иначе: по чистой случайности Тристан и Изольда выпили колдовское зелье и полюбили друг друга — страстно и навсегда.

Прибыв домой, влюбленные, в растерянности от того, что может открыться их связь, попросили служанку незаметно подменить молодую в первый раз на брачном ложе, и король Марк ничего не заметил. Оба — и Тристан, и Изольда — от души были привязаны к доброму королю Марку, который, в свою очередь, обожал молодую жену и буквально носил ее на руках, оба мучились, находясь в таком двойственном положении, но любовный напиток снова и снова бросал их в объятия друг друга. Наконец, не в силах больше выдерживать муку, Тристан решился уехать далеко, за море, где и женился без любви на женщине по имени Изольда Белорукая, хотя сердце его по-прежнему рвалось к его Изольде. Через некоторое время в бою Тристан был тяжело ранен; чувствуя, как жизнь уходит из него, он понимал, что спасти его может только присутствие любимой. Именно тогда он и попросил своего друга привезти Изольду из-за моря, уговорившись с ним заранее, что если она еще не забыла его и приедет, на корабле будут подняты белые паруса; если же Изольда ехать откажется, корабль придет под черными парусами.

Коварная жена Тристана подслушала тайный разговор, а потому, как только в море показался корабль с белыми парусами — разве могла Изольда оставить в беде своего любимого? — она сообщила Тристану, что паруса черные. Не выдержав свалившегося на него горя, Тристан, выслушав весть, умер от разрыва сердца, и поспешившая к возлюбленному Изольда нашла его уже мертвым. Ни слова не сказав и не проронив ни единой слезы, она опустилась на ложе рядом с Тристаном, и, прижавшись своими губами к его, умерла в этом последнем поцелуе.

ИНГА

Значение и происхождение имени: имя Инга возможно происходит от древнегерманского бога Инга (скандинавский Ингви-Фрейр). Этот бог был символом плодородия и считается родоначальником одного из германских племен — ингевонов.

Энергетика и Карма имени: нетрудно заметить, что в имени Инга твердость сочетается с некоторой резкостью и целеустремленностью. Оно похоже на крепость, готовую в любой момент дать залп из всех своих орудий, и за стенами этой крепости создаются прекрасные условия для роста и без того значительного самолюбия Инги.

Обычно с самого детства Инга знает, чего она хочет от жизни, и часто умеет добиться своего. Ее трудно назвать очень беспокойной девочкой, она может быть терпеливой и приветливой, вот только в общении с подругами и взрослыми у нее нередко начинает возникать ощущение, что кто-то пытается ущемить ее интересы. Тогда-то и проявляется твердый характер Инги. Она легко может затеять горячий спор, даже нагрубить. Или же просто всем своим видом выразит недовольство и готовность дать отпор. Родителям следует быть очень внимательными, поскольку за таким активным и сильным отстаиванием своих интересов можно легко превратиться в закоренелого эгоиста. Впоследствии это, скорее всего, негативно отразится на судьбе Инги, а возможно, что и на здоровье. Если же Ингино самолюбие в процессе воспитания будет уравновешено с пониманием интересов других людей и с умением смотреть на мир глазами своих близких, тогда сила ее характера сможет найти себе действительно хорошее применение и в карьере, и в личной жизни.

Интересно, что часто Инга ощущает какой-то душевный дискомфорт. Она вдруг начинает без видимых причин жаловаться на судьбу, склонна преувеличивать свои несчастья и трудности. На самом деле чаще всего причина оказывается не в ее судьбе, а в ее отношении к себе самой. В самом деле, если человек живет в постоянной готовности отстаивать свои интересы или просто уделяет им слишком много внимания, то он, конечно же, начинает уставать от этого. Кажется, удовлетвори эти интересы — и усталость пройдет, но не тут-то было. Как наркотик требует день ото дня все большей и большей дозы, так и желания человека — их нельзя удовлетворить раз и навсегда, и вместо счастья возникает бесонечная погоня за ним. Кроме того, недовольство своей судьбой мешает заметить трудности близких людей, Инга может просто не замечать их за своими, чаще всего иллюзорными, страданиями. Между тем секрет настоящего счастья прост — достаточно всего лишь попробовать посмотреть на мир глазами другого человека, попытаться проникнуть в глубины его души, и жизнь заиграет новыми красками, поскольку у человека есть лишь одно настоящее счастье — Любовь и радость общения. Остальное — это только попытки приблизиться к этому чувству.

Секреты общения. Бывает, что достаточно проявить сострадание к Инге, как она проникается к человеку симпатией. Однако ей надо быть поосторожнее, поскольку все это может оказаться всего лишь подыгрыванием. Не исключено, что в глубине души люди будут воспринимать ее страдания как надуманные.

Астрологическая характеристика:

Знак зодиака: Дева. Планета: Сатурн. Цвета имени: коричневый, черный. Наиболее благоприятный цвет: оранжевый. Камень-талисман: янтарь.

След имени в истории. Странно и непостижимо сложилась судьба королевы Инги, сестры короля Дании Кнута IV. Все современники отмечали ее удивительную красоту, бывшую отнюдь не единственным ее достоинством. Напротив, в отличии от придворных красавиц Инга как будто светилась изнутри — настолько духовной, доброй и милосердной была эта девушка.

Тем более испонятно, почему ее муж, король Франции Филипп IV Август, чуть ли не с первого дня совместной жизни возненавидел молодую супругу. Возможно, Инга с ее добродетельным образом жизни пришлась не ко двору, отказавшись участвовать в обычных дворцовых интригах, или королю, с его свободными нравами, жена показалась ханжой — так или иначе, еще не стихли поздравления новобрачным, а Филипп уже начал задумываться о том, как бы избавиться от неугодной супруги.

Королям можно все — и вот уже епископ, сославшись на родство между супругами, дает разрешение на расторжение брака, но тут перед Филиппом возникает одно непредвиденное препятствие: папа Иннокентий II, сочувствуя Инге, запрещает развод, пригрозив королю-интригану отлучением от церкви. Однако к тому времени Филипп уже успел жениться на Агнессе де Меран, таким образом оказавшись в положении двоеженца.

По недолгом размышлении французский король делает свой выбор: Инга отправляется в заточение. И лишь после смерти Агнессы, после 13-летнего заключения, несчастьям Инги приходит конец — Филипп Август, одумавшись, освободил ни в чем не повинную жену, вошедшую в историю Франции как святая королева, королева-мученица.

ИННА

Значение и происхождение имени: бурная (лат.).

Энергетика и Карма имени: это имя, как натянутая струна, кажется, тронь Инну, и она зазвучит. Вот только звучать она может по-разному, все зависит от того, как именно ее затронут. Обычно это проявляется в чрезвычайной возбудимости и эмоциональности Инны. Сила ее эмоций иногда просто колоссальна, так что если уж ей что пришло на ум, то вряд ли у кого получится легко и быстро переспорить или переупрямить Инну. Часто это склоняет ее к раннему увлечению каким-либо творчеством и, надо заметить, такой выход является наиболее благоприятным. В остальном же очень желательно попытаться несколько сгладить ее излишнюю эмоциональность.

Дело даже не в том, что слишком сильные эмоции осложняют жизнь и самой Инне, и окружающим. Бывает, что чрезвычайно сильное возбуждение вызывает в психике обратную реакцию, что даже имеет свой специальный термин: «запредельное торможение». Образно говоря, человека начинает «зашкаливать», и вместо предполагаемой активности в нем происходит все прямо наоборот. Слава Богу, подобное бывает очень редко, однако если с детства эмоциональность Инны не была хоть как-то уравновешена спокойной логикой, она может производить впечатление человека не от мира сего, теряя в критических ситуациях не только контроль над собой, но и вообще способность реагировать на трудную ситуацию. Наиболее же благоприятно, если эмоции будут уравновешены добрым чувством юмора.

Впрочем, гораздо чаще Инна так и остается, что называется, женщиной с характером, способной воспламениться от малейшей искры, да так, что потом трудно погасить это разбушевавшееся пламя. При этом чем больше споров и конфликтов будет в ее жизни, тем сильнее может разрастаться ее самолюбие, а значит, как следствие, и ее возбудимость. В обычной обстановке сила эмоций нередко делает ее заводилой и организатором всяких шумных мероприятий, но очень часто дело быстро заканчивается взаимными обидами и даже разрывом отношений. Такая же опасность может подстерегать Инну и в семейной жизни, если, конечно, она не научится примирять свое самолюбие с самолюбием окружающих. Одним словом, ей не помешает больше прислушиваться к чувствам и мнениям других людей, особенно своих близких, а эмоциональность и упорство попробовать применить не в отношениях с людьми, а в какой-либо творческой профессии.

Секреты общения. Не стоит забывать, что эмоциональность Инны может найти свой выход не только в спорах, но и, наоборот, в теплом отношении к людям. Если вам удастся нащупать в ее душе нужную струнку, то вполне возможно, вся сила ее эмоций обернется большой симпатией к вам. Вот только нелишне здесь будет проявлять необходимую твердость, чтобы эти симпатии не накрыли вас с головой.

Астрологическая характеристика.
Знак зодиака: Водолей. Планета: Солнце. Цвета имени: коричневый, красный. Наиболее благоприятные цвета: зеленый, оранжевый. Камень-талисман: нефрит, сердолик, янтарь.

След имени в истории. Небезызвестный фильм «Начало» с Инной Чуриковой (род. 1943) в главной роли помимо своих бесчисленных художественныхх достоинств интересен еще и тем, что, по существу, актриса сыграла в нем саму себя — девушку из провинции с совсем неголливудской внешностью, натуру необыкновенно цельную и сильную. По сценарию «Начала» героиню Чуриковой пригласили для съемок фильма про Жанну д'Арк на главную роль, и в какой-то момент на съемочной площадке у нее начинается «зажим». «Мне мешают руки!» — почти в истерике кричит она режиссеру, на что тот обращается к своему помощнику: «Принесите сюда пожалуйста пилу, мы ей поможем, чтобы руки не мешали...»

473

Вряд ли, конечно, начало творческой карьеры самой актрисы было таким же — напротив, создается впечатление, что та непринужденная легкость и естественность, присущая ее игре, была присуща ей всегда, настолько органично актриса воссоздает самые разнообразные образы ее героинь. Во всех своих ролях она умудряется совмещать лиричное начало с эксцентрическим, в то же время оставаясь по-женски хрупкой и обаятельной, благодаря чему Инна Чурикова по праву считается одной из самых профессиональных и психологичных актрис российского кинематографа.

ИРИНА

Значение и происхождение имени: мир (греч.).

Энергетика и Карма имени: в имени Ирина прекрасно уравновешены такие качества, как твердость, жизнерадостность, подвижность и целеустремленность. В то же время в нем наблюдается достаточная независимость, и потому все вышеперечисленные свойства мало поддаются нивелировке в процессе воспитания. Оно и к лучшему, поскольку уравновешенное сочетание таких черт характера способно сделать судьбу Ирины довольно благоприятной.

Энергетика имени предполагает у Иры аналитический склад ума, однако это не означает, что она вырастет этаким ученым сухарем. Скорее, наоборот, просто она обычно четко знает, чего хочет от жизни, а из всех эмоций предпочтение отдает чувству юмора. Скорее всего, с самого детства Ира не будет ограничивать свое общение чисто девичьими компаниями, не исключено, что ее больше будет привлекать общество мальчиков, где она может даже стать заводилой. Но все же вряд ли мальчишечьи игры слишком сильно увлекут ее и помешают учебе — обычно и в этом она знает меру, не желая лишний раз осложнять себе жизнь.

С возрастом Ирина чаще всего старается уделять достаточно времени своей карьере, что в первую очередь связано не с честолюбивыми мечтами, а с желанием еще более упрочить свою самостоятельность и независимость. При этом у нее могут быть хорошо развиты задатки толкового руководителя, поскольку внутренняя уравновешенность, рассудительность и чувство юмора позволяют ей хорошо ладить не только с начальством, но и с подчиненными. Трудно представить, что она будет повышать голос на своих работников, тем более что, обращаясь с людьми чисто по-человечески, от них можно добиться гораздо большего. Ирина неплохой дипломат и психолог, поскольку умеет чувствовать настроение собеседника и нередко пользуется этим весьма умело.

Практически исключено, чтобы Ира решилась ограничить свою жизнь лишь хозяйственными и семейными заботами, и это следует учесть ее мужу или же кандидату на должность такового. Безусловно, ее энергия позволит поддерживать хозяйство на должном уровне, однако от карьеры она вряд ли откажется. Даже если муж будет способен обеспечить Ирину и детей сверх всякой меры, все равно ее самостоятельность найдет себе какой-нибудь выход, иначе Ира просто зачахнет. Да и муж, попробовав заточить ее в четырех стенах, вскоре рискует вплотную столкнуться с независимым характером своей жены: либо Ирина вскоре устроит себе активную личную жизнь, либо же рано или поздно возьмет муженька в ежовые рукавицы. Или же произойдет и то и другое. Одним словом, это имя прекрасно подходит для современной эмансипированной женщины, что всегда следует учитывать кандидатам на ее руку и сердце.

Секреты общения. Иногда в общении с Ириной может сложиться впечатление, что у нее либо вовсе нет проблем, либо она относится к ним достаточно легко. Вряд ли это на самом деле так, просто она обычно предпочитает не показывать всю глубину своих переживаний. Вот только если вы вдруг эти переживания заметили, не следует проявлять чересчур навязчивую жалость. Гораздо лучше, когда сострадание сочетается с мягким юмором.

Астрологическая характеристика:
Знак зодиака: Стрелец. Планета: Юпитер. Цвета имени: коричневый, стальной, красный. Наиболее благоприятные цвета: любые светлые цвета. Камень-талисман: агаты, топаз, горный хрусталь.

Празднуем именины: 18 (5) мая — Ирина Македонская, великомученица.

29 (16) апреля — Ирина Аквилейская, мученица.

1 октября (18 сентября) — Ирина Египетская, мученица.

След имени в истории. «На политической кухне не обойтись без хозяек!» — такой лозунг избрала себе Ирина Хакамада в предвыборной борьбе, и именно такой образ ей более близок — образ элегантной обаятельной женщины, уверенной в себе, одновременно и хрупкой, и сильной. Неудивительно, что французская фирма «Карлос Вийялон» попросила Ирину Хакамаду представлять туалетную воду «Нежный пуазон», перед тем как выпустить ее на российский рынок. Так получилось, что для создателей «пуазона» женщина-политик, наполовину японка, стала символом современной русской женщины.

Вообще, биография Ирины Хакамады пестрит всякого рода удивительными фактами. Интересно, к примеру, что ее отец, Муцуо Хакамада — никто иной, как бывший лидер коммунистической партии Японии, эмигрировавший в СССР после второй мировой войны. Сама же Ирина, закончив экономический факультет МГУ, к 30 годам стала доцентом, успешно занималась бизнесом, возглавляла одну из крупнейших благотворительных организаций... Трудно представить, как эта женщина успевает делать все одновременно: занимаясь политикой, находит время и для аэробики, чтения, светских раутов, посещения ночных клубов, где с самозабвением танцует рэп. А ведь еще Ирина Хакамада — любящая жена (третьего по счету мужа) и заботливая мать. Одним словом, для многих она — идеал современной деловой женщины, ни от кого не зависящей и неуклонно следующей девизу: «Я всегда должна ощущать себя красивой — и внутренне, и внешне».

ИРМА

Значение и происхождение имени: имя происходит от названия древнегерманского божества Ирмина (Германа), легендарного родоначальника сакского племени гермионов. По всей видимости, речь идет об общем для всех арийских народов божестве: в Ведах Ирмину соответствует Арьяман, у южных славян — божество плодородия Герман или Яриман (Ярило). Первый слог имеет значение «благородный, истинный, жизненный».

Энергетика и Карма имени: Ирма — имя уравновешенное и твердое. На территории бывшего СССР оно встречается в основном в Прибалтике, и надо сказать, что его энергетика хорошо соответствует тому стереотипу, который сложился в России об общем характере прибалтийских народов. Обычно Ирму выделяют такие черты, как независимость, выдержка, хозяйственность и настойчивость. У нее очень сильно развито самолюбие, что еще более усиливается редкостью имени в России, однако в большинстве случаев самолюбие Ирмы хорошо уравновешено и не предполагает ни болезненности, ни высокомерия.

Тем не менее за ее холодноватой манерой держаться с малознакомыми людьми, в чем, кстати, немалая заслуга твердого звучания имени, окружающие могут подозревать в Ирме некоторую надменность, хотя при более близком знакомстве это ощущение, скорее всего, исчезнет. Она очень энергична и трудолюбива, часто бывает не лишена чувства юмора, и в целом можно ожидать, что ее судьба сложится довольно удачно. Единственное, что может осложнить ей жизнь, так это чрезмерное стремление к независимости и гордость. С таким характером ей будет очень трудно ужиться с начальством на работе, а это, естественно, изрядно помешает карьере. Это же касается и семейных отношений, где она едва ли потерпит руководство мужа, а прямолинейный и резкий характер спровоцирует семейные ссоры.

Впрочем, она и сама не стремится занять место лидера в семье, так что прийти с ней к компромиссу обычно бывает не так уж трудно. Кроме того, Ирма очень хозяйственна и домовита, а за уравновешенной манерой держаться часто скрывается довольно глубокая чувственность. Вот только если она желает реализовать какие-то честолюбивые мечты и добиться успеха в карьере, то лучше всего это сделать в каком-либо самостоятельном деле, будь то бизнес или же свободное творчество.

Секреты общения. С Ирмой наилучшим образом подойдет такое правило в общении: «Каков привет — таков и ответ». Не задевайте ее самолюбие, позвольте ей быть самостоятельной — и все будет нормально. Если же в общении она чересчур резковата, то попробуйте сгладить это с помощью спокойного юмора.

Астрологическая характеристика:
Знак зодиака: Телец. Планета: Юпитер. Цвета имени: желтовато-коричневый, стальной. Наиболее благоприят-

ные цвета: белый, оранжевый.. Камень-талисман: халцедон, агат, янтарь.

След имени в истории. Ирма (иначе — Гермиона) в мифологии древних греков предстает в образе этакой роковой красавицы, неизменно становящейся центром всевозможных событий. Интересно, что, несмотря на то, что существует несколько различных вариантов преданий об Ирме, роль ее остается практически неизменной.

Согласно легендам, еще в раннем детстве Гермиона, дочь Менелая и Елены, была обручена с Орестом. Молодые люди любили друг друга, но ряд трагических обстоятельств не позволил им быть вместе: случилось так, что Орест убил свою мать, и разгневанный Менелай расторг помолвку.

Искренне заботясь о судьбе своей дочери, Менелай, как ему казалось, устроил ее счастье, во время Троянской войны пообещав своему другу и великому герою Ахиллу выдать ее замуж за сына Ахилла, Неоптолема. Гермионе пришлось подчиниться воле отца, и только после того, как ее муж Неоптолем был убит жрецами в Дельфах, влюбленные, наконец, смогли соединиться.

Правда не все в убийстве Неоптолема было случайностью — согласно некоторым мифам, к смерти соперника был причастен Орест, безусловно, заинтересованный в таком исходе дела. Так или иначе, но этот брак, построенный на крови, вопреки всему оказался счастливым. Гермиона и Орест прожили долгую жизнь в любви и согласии, а сын их впоследствии унаследовал престол своего деда Менелая, став законным властителем Спарты.

ИЯ

Значение и происхождение имени: фиалка (греч.).

Энергетика и Карма имени: другого такого имени в России, пожалуй, не сыщешь, еще бы: мало того, что оно короче всех иных имен, так в нем еще нет ни одной согласной! На первый взгляд вроде бы мелочь, но попробуйте осознать себя через имя, лишенное хоть какой-то звуковой опоры, которое больше всего напоминает возглас, вскрик, типа «ай-ай-ай» или даже боевой клич каратиста! Так вот, для носителя имени это не просто звуки, а он сам, ни больше ни меньше. Отсюда и в характере Ии прежде всего найдет свое проявление именно колоссальная движущая энергия, которой, увы, не на что опереться. Вернее будет сказать, энергия имени склоняет Ию к проявлению сдержанности, но не предоставляет такой возможности.

Она очень самолюбива и ранима, представляя собой этакий клубок чувств и нервов, что особенно сильно проявляется в период полового созревания. Куда уж здесь до спокойных рассуждений! Иной раз она готова сорваться от любой мелочи, а иногда мучительно пытается сдержать какой-нибудь страстный порыв. Чего-чего, а сдержанности ей действительно не хватает. Хорошо хоть, что среди присущих ей чувств в большинстве случаев имеется и прекрасное чувство юмора, так что у нее есть неплохой шанс давать выход своему душевному напряжению с помощью шуток. С возрастом эта возбудимость несколько сглаживается, но не до конца, и очень часто за спокойствием Ии чувствуются кипящие страсти, изрядно осложняющие ей жизнь и взаимоотношения с окружающими.

С другой стороны, эта бесконечная борьба со своими чувствами закаляет Ию и делает ее очень волевой женщиной, что, несомненно, скажется благоприятно, стоит только Ие обрести наконец внутреннее равновесие. А ведь для этого нужно не так уж много — достаточно просто принять ситуацию такой, какова она есть. Не надо пытаться давить свои чувства, лучше попробовать повернуть их в нужном для себя направлении. В этом случае колоссальная энергия Ии может сделать настоящие чудеса и обеспечить ей успех в какой-либо карьере, особенно связанной с творчеством.

Секреты общения. В общении с Ией многих удивляют возбужденные нотки в ее голосе. Вот все вроде бы нормально, но чувствуется, что Ия почему-то на взводе. Не волнуйтесь, вы здесь, скорее всего, ни при чем, постарайтесь сами сохранить равновесие, и все будет хорошо. Только желательно быть поосторожней с шутками и всегда учитывать самолюбие Ии.

Астрологическая характеристика:

Знак зодиака: Весы. Планета: Меркурий, Венера. Цвета имени: коричневый, красный. Наиболее благоприятные цвета: зеленый, синий. Камень-талисман: изумруд, лазурит.

Празднуем именины: 17 августа, 24 сентября (4 августа, 11 сентября) — Ия Римляныня, Персидская, мученица.

След имени в истории. Ия Саввина (род. 1936) — замечательная русская актриса, сыгравшая немало запоминающихся ролей и в кино, и на сцене. Однако ее театральная карьера, начавшаяся в Студенческом театре МГУ и затем после театра имени Моссовета продолжившаяся во МХАТе, несомненно, не так известна, как те всеми любимые образы, которые актриса создала, снимаясь в кино.

Первым шагом Саввиной в кинематографе стал фильм «Дама с собачкой», выявивший незаурядный талант актрисы и определивший ее собственный стиль. После дебюта последовали «Капитанская дочка» (где она сыграла трогательную и бесстрашную Марью Ивановну), «Грешница», «Анна Каренина» и другие фильмы — и каждый раз актрисе удавалось создавать на экране образы цельные, притягательные, наделенные огромным обаянием и душевной чистотой.

С другой стороны, Ие Саввиной удалось не остаться и заложницей какого-либо определенного имиджа (вещь, которая происходит сплошь и рядом), и доказательством тому — ее острохарактерные комедийные роли: Соня в «Петербургских сновидениях», Лика («Московский хор»), Полина Андреевна («Чайка») и другие.

КАЛЕРИЯ

Значение и происхождение имени: Калерия — европейская форма древнегреческого имени Каллероя, что означает «прекраснотекущая» (греч.).

Энергетика и Карма имени: энергетика имени Калерия обладает достаточной подвижностью, в нем чувствуется энергичность, целеустремленность, и все это сочетается с несколько холодноватой твердостью. Однако наиболее важной особенностью имени является его необычность — оно очень похоже на более привычное для России имя Валерия, и это созвучие только подчеркивает его редкость, что психологически начинает восприниматься как некоторая исключительность Калерии. Примерно так же европеизированная русская фамилия Петрофф звучит в России гораздо более вызывающе и заметно, чем явные западные фамилии. Вдобавок ко всему холодноватая красота имени может изрядно подогреть ощущение этой необычности, что, несомненно, отразится на самолюбии Леры. Здесь следует быть осторожной, поскольку есть соблазн противопоставить себя окружающим, а стало быть, и испортить с ними отношения.

Нельзя также не учитывать темпераментность Калерии — ее эмоции обладают большой глубиной, и хотя Калерия обычно предпочитает скрывать их за маской сдержанности, это удается ей далеко не всегда. Иногда у нее просто на лице написано ее отношение к человеку, к тому же сколько не сдерживай свои чувства, особенно негативные, в глубине души все равно будет накапливаться опасное напряжение. Короче говоря, так недолго стать очень раздражительным человеком, а в сочетании с большим самолюбием поводов для раздражения будет предостаточно.

С другой стороны, если самолюбие уравновешено уважением к окружающим или же просто доброй самоиронией, то это не только облегчит Калерии общение, обеспечив достаточное количество друзей, но и высвободит ее мощную энергию для деятельности более интересной, чем бессмысленное раздражение и конфронтация. Словом, очень многое в ее жизни зависит от ее собственных усилий, у нее очень сильная энергетика, так что главное — это воспользоваться ею с пользой для себя и для других.

Секреты общения. Частенько импульсивный и прямолинейный характер Калерии проявляется именно в общении с близкими людьми, где ей уже не приходится сдерживаться. Радикальный совет здесь дать невозможно, но иногда, чтобы прийти к согласию и мягко убедить ее в том, что она не совсем права, бывает полезно отметить ее реальные достоинства в какой-либо другой области. Кроме того, не забывайте, что она не переносит лжи, попыток давления на себя и чужой несдержанности. При этом негативные эмоции и обиды живут в ее душе очень долго.

Астрологическая характеристика:
Знак зодиака: Овен. Планета: Марс. Цвета имени: черный, красный, салатовый. Наиболее благоприятные цвета: оранжевый, золотистый. Камень-талисман: янтарь.

Празднуем именины: 29 (7) июня — Калерия Палестинская, мученица.

След имени в истории. С этим именем, звучащим по-гречески несколько иначе — Каллироя,— связано несколько очень красивых легенд и мифов, каждый из которых обладает почти детективным сюжетом. Так, согласно одному из древних преданий, Каллироя — прекрасная нимфа рек, была женой Алкмеона. Однако недолго длилось счастье супругов: случилось так, что Алкмеон пал от руки Фегея, и разъяренная нимфа поклялась во что бы то ни стало жестоко отомстить убийце.

Вскоре представился удобный случай: благодаря своей красоте Каллироя обратила на себя внимание самого Зевса, повелителя Олимпа, и как тоьлко бог и нимфа стали любовниками, Каллироя высказала Зевсу свое заветное желание: она хотела бы, чтобы он сделал ее маленьких детей сразу взрослыми. Зевс уступил просьбе возлюбленной, и повзрослевшие в мгновение ока дети нимфы смогли отомстить убийце своего отца, вырезав в ответ всю его семью.

Вторая же легенда рассказывает о Каллирое — простой калидонийской девушке, которая осмелилась отвергнуть любовь Кореса, жреца бога Диониса. Возмущенный жрец, оскорбленный до глубины души, стал просить у бога помочь ему отомстить, и в ответ Дионис поразил всех жителей страны безумием. Испуганные жители Каледонии обратились за советом к оракулу и получили ответ: безумие будет продолжатся до тех пор, пока Каллирою, в наказание за ее строптивость, не принесут в жертву богам. Горожанам пришлось согласиться, однако когда в день жертвоприношения Корес увидел несчастную девушку, на которую сам накликал беду, страсть вспыхнула в нем с новой силой, и он пронзил кинжалом себя вместо любимой. Каллироя же в горе покончила с собой.

КАМИЛЛА

Значение и происхождение имени: Камиллами в Риме называли девушек и юношей из благородных семей, посвященных родителями на служение богам. Камиллом называли также и прислуживающего богам Меркурия. (лат.).

Энергетика и Карма имени: само по себе имя Камилла легкое и веселое, в нем ощущается подвижность, эмоциональная возбудимость, однако в русском звучании все это несколько осложняется редкостью и необычностью имени. Часто такие имена девушки придумывают себе сами, чтобы подчеркнуть свою необычность и выделиться среди себе подобных, что свидетельствует об их огромном самолюбии. Такие же мысли нередко согревают и души родителей, остановивших свой выбор на этом редком и красивом имени для своей дочери. Что ж, вполне возможно, имя действительно может выделить Камиллу на фоне «серого» окружения, только вот не окажется ли она в положении «белой вороны» со всеми вытекающими отсюда неудобствами?

Надо сказать, что Камиллу часто выручает присущая ее энергетике легкость. Она действительно очень эмоциональный и легковозбудимый человек, однако ее эмоции редко имеют большую глубину. Дело в том, что ее характер обычно совершенно не предполагает замкнутости, наоборот, чаще всего Камилла открыта для общения и не стремится сдерживать свои чувства. Как говорится, у нее что на уме, то и на языке. Конечно, это нередко провоцирует конфликтные ситуации, но с другой стороны, эмоции просто не успевают набрать достаточной силы, а потому успокаивается Камилла так же быстро, как и заводится. Вполне возможно, что у нее будет много недоброжелателей, однако многих людей прельщает ее легкость и даже некоторая ветреность. За эту легкость ей многое прощается.

У Камиллы много шансов удачно выйти замуж, ей даже не обязательно блистать чрезмерной красотой — живой подвижный характер и поразительная самоуверенность, идущая больше от бездумия, чем от чего-то еще, частенько компенсирует даже легкие физические недостатки. Особенно такой характер прельщает начинающих стареть мужчин. А вот шансов на нормальную семейную жизнь у нее гораздо меньше — капризность, взбалмошность, быстрая переменчивость эмоций и чувств — все это мало соответствует понятию семейного счастья. Это же относится и к ее карьерным устремлениям, если, конечно, таковые стоят в ее жизненных планах. Одним словом, если она желает добиться по-настоящему серьезного успеха в жизни, ей не мешает научиться некоторому постоянству и терпению.

Секреты общения. Слишком серьезно относиться к эмоциональным всплескам Камиллы означает примерно то же самое, что давать штормовое предупреждение во время грибного дождя,— немного спокойствия, и все уляжется само собой. В целом же в общении с ней постарайтесь поменьше философствовать и побольше смеяться.

Астрологическая характеристика:

Знак зодиака: Дева. Планета: Меркурий. Цвета имени: темно-серебристый, красный, желтый, салатовый. Наиболее благоприятный цвет: черный. Камень-талисман: лабрадор.

След имени в истории. Интересно, что, вообще-то, «камиллами», или иначе «касмилами», назывались мальчики и девочки из знатных семей, которых допускали прислуживать жрецам в их священнодействиях, или же те дети, чьи родители отдали их на служение богам. Согласно древнеримской мифологии, Камилла — дочь Метаба, царя Приверна, чья судьба также была предопределена еще в самом раннем детстве.

По легенде, ее отец, царь Метаб, был человеком, отличавшимся особой жестокостью по отношению к своим подданным: все неугодные ему люди мгновенно умерщвлялись, среди придворных же Метаб особо жаловал лишь лжецов, певших хвалебные гимны о его мудром правлении. Но всему рано или поздно приходит конец, и в один прекрасный день, объединившись, народ лишил Метаба власти, отправив в вечное изгнание вон из страны.

Взяв с собой маленькую Камиллу, царь покинул город и пошел куда глаза глядят. Вскоре он не заметил, как забрался глубоко в чащу леса, и почувствовал страх: кто знает, сколько опасностей таится в этом лесу? Именно тогда, повинуясь порыву, Метаб поклялся, что если ему суждено остаться живым, он посвятит дочь на служение богине Диане — и выполнил свой обет. Так решилась судьба Камиллы. Впоследствии она стала великой воительницей, амазонкой, и погибла, принимая участие в одной из междоусобных войн.

КАПИТОЛИНА

Значение и происхождение имени: имя означает «капитолийская» в честь наиболее известного холма в Риме — Капитолия(лат.).

Энергетика и Карма имени: женщин с таким именем отличает уравновешенность, основательность и целеустремленность. Не зря ведь оно созвучно слову «капитальный».

Конечно, само по себе такое созвучие еще ни к чему не обязывает, больше того, во многих случаях слишком явный намек приводит к прямо противоположным результатам, как, скажем, Мстислав редко отличается мстительностью, а Вера — пылкостью и доверчивостью, однако в случае с Капитолиной это созвучие попадает в унисон с общей энергетикой имени, а потому чаще всего в ее характере действительно отражается некоторая «капитальность». В самом деле, прислушайтесь к звучанию этого имени — оно состоит из уравновешенных слогов, такое впечатление, что кто-то шаг за шагом терпеливо собирал его по кирпичику.

Именно это, заложенное в энергетике Капитолины стремление к последовательности, и наделяет ее логическим складом ума и целеустремленностью. Она очень терпелива и обладает значительной силой воли. При этом вряд ли ее можно упрекнуть в недостатке чувственности, наоборот, за ее сдержанностью чувства становятся более глубокими. Одним словом, Капитолина — это душевный, сильный и терпеливый человек. Она, несомненно, может добиться успеха в жизни, сделать хорошую карьеру и даже стать неплохим руководителем. Вот только иногда ей мешает некоторая серьезность и излишняя прямолинейность, делающая ее несколько строже, чем хотелось бы. Вообще, серьезное отношение к жизни, да еще сопряженное с глубиной чувств часто омрачает восприятие окружающего мира и создает ощущение тяжести на душе.

Наиболее благоприятно, если Капитолина совместит свою основательность с чувством юмора, что, кстати, не противоречит ее общей энергетике. Наоборот, в уменьшительной форме — Капа — имя предполагает веселый нрав и дай Бог, чтобы это качество Капитолины не ушло с годами. Это прекрасно поможет ей смягчать свою прямолинейность в общении и поможет сохранить теплоту семейных отношений.

Секреты общения. С Капитолиной трудно спорить, зато всегда можно договориться на справедливой основе. В общении с ней постарайтесь допускать как можно меньше эмоций и не пытайтесь давить на нее. Ничего хорошего из этого не выйдет, разве что отношения с ней испортите. Зато поговорив с ней по душам, вы можете найти в ее добром сердце отклик.

Астрологическая характеристика:

Знак зодиака: Козерог. Планета: Юпитер. Цвета имени: красный, черный, коричневый. Наиболее благоприятные цвета: оранжевый, белый. Камень-талисман: сердолик, агат, янтарь.

Празднуем именины: 9 ноября (27 октября) — Капитолина Каппадокийская, мученица.

След имени в истории. Капитолина Цереллия — римлянка, известная истории исключительно из-за близких дружеских отношений, связывавших ее со знаменитым политическим деятелем, оратором и писателем древности Марком Туллием Цицероном (106-43 до нашей эры). Этот ярый республиканец, помимо того, что оставил потомкам 19 ценнейших трактатов по риторике и философии, 58 политических речей и более 800 писем, являлся также одним из создателей латинского литературного языка. Кроме того, именно благодаря трудам Цицерона мы знаем сейчас обо всех подробностях гражданской войны в Риме.

Капитолина Цереллия — женщина очень образованная для своего времени и тоже республиканка, была близка по духу мятежному оратору. Они могли часами говорить обо всем, касаясь сначала политики, потом плавно переходя на философию, в которой Капитолина ориентировалась как рыба в воде, затем обращаясь к науке... Цицерона настолько часто видели в сопровождении Капитолины, что в Риме злые языки даже пустили слух об их не совсем философском увлечении друг другом.

Впрочем, ни сам оратор, ни его образованная подруга не обращали внимание на пустые сплетни — они понимали, что действительно со стороны выглядят немного двусмысленно, даже несмотря на то, что по возрасту Капитолина годилась в матери своему предполагаемому «любовнику». Самое главное, считали друзья, что жена Цицерона Теренция тоже не обращала внимание на сплетни — она-то знала, что во время ее ссор с мужем никто не может лучше успокоить обе стороны и в конце концов привести супругов к примирению, чем мудрая Капитолина.

До самой смерти великого оратора и писателя продолжалась эта духовная связь между двумя с полуслова понимающими друг друга людьми — когда они не могли видеться, то часто общались через письма. И еще сотни лет спустя историки с подозрением рассматривали каждую строчку этих невинных посланий, в надежде найти хоть намек на любовную связь, как будто считая недопустимой саму возможность обычной дружбы между мужчиной и женщиной.

КАРИНА

Значение и происхождение имени: имя означает «управляющая кораблем», «киль корабля»(лат.). В России это имя снова появилось в годы освоения Севера, когда полярники дали его девочке, рожденной на зимовке в Карском море. Отсюда и новый смысл: Карина — рожденная на Карском море.

Энергетика и Карма имени: Карину выделяет решительность и экспансивность. Обычно женщина с этим именем уверена в себе, энергична и очень самолюбива. Можно было бы сказать, что Карина знает себе цену, если бы только ее самооценка в большинстве случаев не была бы завышенной. Что делать, звучное, красивое и редкое имя, можно даже сказать — имя романтическое, привлекает к себе внимание, углубляя самолюбие, а экспансивность делает это самолюбие слишком активным. Говоря по-русски, у Карины много шансов стать излишне эгоистичной особой.

При этом нельзя сказать, что энергетика Карины не предполагает сдержанность, нет, у этой женщины достаточно сил, чтобы уметь управлять чувствами, вот только властный характер склоняет ее управлять не своими, а чужими чувствами. Ну, а исходя из этого, она уже и свое душевное состояние старается отрегулировать соответствующим образом. Впрочем, получается это не часто, в большинстве случаев Карина слишком торопится, предпочитая достигать желаемого таким образом, чтобы недостаток терпения восполнить избытком энергии. Несомненно, это качество могло бы обеспечить успех, служи Карина в кавалерии, однако в реальной жизни, где мало что решается за один день, нужен несколько иной подход.

Кроме того, еще никого в истории не сделала счастливым идея, что можно добиться счастья, подчинив себе окружающих. Счастье — суть внутреннее понятие, и оно невозможно без взаимопонимания, а потому и властные люди в большинстве своем несчастны в виду своего внутреннего одиночества.

Наиболее благоприятно складывается судьба Карины, когда она обретает недостающее ей терпение и направляет свою энергию на работу над собой. Бог с ними, со взаимоотношениями, если делать свое дело, опираясь в первую очередь на свои силы, тогда и настоящий успех может прийти, да и отношения наладятся.

Секреты общения. Чрезмерная требовательность Карины к людям часто омрачает общение с ней. Впрочем, если выдержать ее первый натиск, то второй вряд ли будет таким же решительным. Нередко она бывает бессильна перед метким юмором, но успокоить ее может, пожалуй, только искреннее сочувствие к ней, в котором она довольно остро нуждается, хотя по внешнему виду этого и не скажешь.

Астрологическая характеристика:

Знак зодиака: Овен. Планета: Марс. Цвета имени: темная сталь, красный, коричневый. Наиболее благоприятные цвета: теплые тона коричневого, желтый. Камень-талисман: сард, золото.

След имени в истории. Среди многих известных женщин прошлого Карина, жена известного норвежского мореплавателя Флокко, — одна из самых загадочных и таинственных фигур. С одной стороны, она вполне реальное историческое лицо, с другой же — о ней неизвестно практически ничего: ни откуда она, ни как умерла. Как будто Карина появилась из небытия лишь на короткое мгновение, чтобы, в качестве жены Флокко, помочь своему мужу открыть ранее неизвестную землю.

О ней говорили, что она была ведьмой — во всяком случае, ходили слухи, что кто-то упорно разыскивает Карину, чтобы, как это и положено, предать огню. Вероятно, желая спасти супругу, Флокко и взял ее с собой в плавание, даже несмотря на то, что женщина на корабле приносит несчастье. Целью же путешествия мореплавателя была некая земля, открытая на северо-восток от Шотландии.

По совету Карины, чтобы не заблудиться, путешественник взял с собой в плавание трех воронов, веря, что они способны помочь ему найти далекую землю. Однако лишь только первый ворон был отпущен на волю, он полетел назад, к берегам Норвегии. Вторая птица и вовсе не стала никуда лететь, оставшись сидеть на мачте. И лишь третий ворон привел мореплавателей к неизвестным ранее берегам, которые Флокко назвал Исландией. Через 2 года путешественник вернулся в Норвегию, чтобы сообщить о сделанном им открытии, однако жены-ведьмы с ним уже не было. Что случилось с Кариной, не знает никто, и только легенды гласят, что именно она и была тем самым третьим вороном, который, указав Флокко путь к Исландии, улетел на юг, в теплые страны.

КАРОЛИНА

Значение и происхождение имени: Каролина дословно означает «королева», «увенчанная» (лат.).

Энергетика и Карма имени: по своей энергетике имя Каролина похоже на туманное зеркало, в которое можно смотреться бесконечно. Правда, относится это не к окружающим, на которых завораживающая энергия имени действует слабо — в конце концов, у окружающих свои заботы! — а к самой Каролине, которая рискует постепенно раствориться и утонуть в этом омуте самосозерцания и нарциссизма. Ну, может быть так далеко дело и не зайдет, тем не менее некоторая оторванность фантазий Каролины от реальности наблюдается в подавляющем большинстве случаев. У нее огромное самолюбие, лишенное какой бы то ни было активности, и в реальной жизни это лишает Каролину той уверенности в себе, каковой она обладает в своих грезах.

Нет, в наш прагматический век с ее характером обычно приходится трудно, ей бы родиться во времена романтизма, да еще в какой-нибудь обеспеченной аристократической семье, да плюс ко всему красавицей, да и к тому же... Короче говоря, этих «да еще» можно насчитать не одну сотню, однако, во-первых, это невозможно, а во-вторых, и в те времена подобные мечтания не делали человека счастливым. Для счастья всегда были нужны активность и самостоятельность, а энергия имени Каролины как на грех завораживает ее, не давая вырваться из сладкого плена мечты.

Только с очень близкими людьми Каролина способна раскрываться полностью, да и то часто лишь потому, что считает своих близких неотъемлемой частью своей жизни. Только с ними она весела и подвижна, но, пожалуй, слишком уж увлечена сама собой и своими собственными эмоциями. Увы, подобный инфантилизм мало способствует удачной судьбе — добиться успеха Каролине будет очень трудно. К тому же где гарантия, что в семейной жизни влюбленность ее мужа, с которой он готов умиляться хрупкости своей суженой, со временем не уступит место более прагматичным требованиям голодного желудка? А вот к хозяйству у Каролины руки как раз и не лежат.

Впрочем, избежать разочарований возможно: ведь все, что для этого нужно,— это просто научиться принимать окружающий мир таким, каков он есть. Разве он так уж плох? По крайней мере, мало кто желает добровольно с ним расстаться. А если Каролине удастся примирить мечту с реальностью, то и фантазии ее могут однажды найти хорошее отражение в каком-нибудь творчестве.

Секреты общения. Нерешительность и некоторая отстраненность Каролины частенько обеспечивает ей второстепенные роли в жизни. В большинстве случаев она остро нуждается в чьем-то покровительстве и может, что называется, растаять, почувствовав в ком-либо уравновешенную, уверенную в себе силу. В целом же конфликты с ней редко приобретают слишком резкий характер, и успокоить ее можно элементарным сочувствием к ней.

Астрологическая характеристика:

Знак зодиака: Дева. Планета: Луна. Цвет имени: серебристый. Наиболее благоприятный цвет: коричневый. Камень-талисман: яшма, морион.

След имени в истории. Интересно, что своей известностью писательница и поэтесса Каролина Павлова (1810— 1894) обязана даже не столько своей непосредственной литературной деятельностью, сколько романтической и немного грустной историей своей первой любви, которую не могла забыть до конца жизни.

Блестяще образованная (Каролина выросла в интеллигентной профессорской семье), она с детства начала писать глубокие, не по возрасту вдумчивые стихи, и к 20-ти годам уже стала признанной поэтессой. Неудивительно, что молодая и умная красавица недостатка в женихах не испытывала, однако настоящая любовь пришла к ней еще в 15 лет, и девушка долго оставалась ей верна.

Избранник Каролины — польский поэт Адам Мицкевич — также сразу обратил на девушку внимание; по сути, это была любовь с первого взгляда. Однако когда молодой человек попросил у родителей Каролины ее руки, те не пожелали «неравного» брака с бедным и никому не известным поэтом. В свою очередь жених не сделал никаких попыток украсть невесту или настоять на своем, и в результате влюбленные оказались разлучены навсегда, без всякой надежды быть вместе.

Через нскоторое время Каролина вышла замуж на Н.Павлова, Мицкевич тоже, в свою очередь, обзавелся семьей. Оба они с головой ушли в творчество и оставили большое литературное наследие; Каролина прославилась не только как самостоятельный поэт, но и как блестящий переводчик. Однако когда много лет спустя Каролина Павлова решилась написать сыну Мицкевича Владиславу, в ее письме были такие откровенные строки:

— До сих пор воспоминание об этой любви является счастьем для меня. Он мой, как и был моим когда-то.

КИРА

Значение и происхождение имени: госпожа, владыка (греч.).

Энергетика и Карма имени: четкость, строгость, упорство, сила — вот первое, что приходит на ум при упоминании имени Кира. Однако далеко не всегда первое впечатление бывает верным. Часто как раз те люди, которые выглядят чересчур твердыми, оказываются в душе своей людьми мягкими и сострадательными. Пожалуй, это имя слишком холодное для маленькой девочки, и потому очень вероятно, что с детства Кира будст чисто интуитивно пытаться восполнить в душе недостаток тепла. Часто она находит это в книгах, в детских мечтах или же в каком-либо творчестве, плоды которого, скорее всего, будет прятать даже от близких людей. Безусловно, имя способно наделить ее значительным самолюбием, однако вряд ли оно будет связано с желанием превосходства над кем-либо. Скорее, это будет просто желание стать лучше, чем она есть.

Странным образом такое твердое имя предполагает большую способность к состраданию. Примерно, как жесткие рельсы могут за много километров доносить звук едущего поезда, так и твердое имя Киры становится особенно отзывчивым к чужой беде. Часто это бывает очень трудно, и потому волей-неволей Кире приходится прятаться за суровостью своего имени. Она может быть достаточно строгой в общении, но за этим обычно скрывается ранимая и сочувствующая душа. Зато и помощь Киры редко ограничивается словами утешения. Если она берется помочь кому-то, то делает все, что в ее силах.

Быть может, Кира чересчур строга к себе самой, но с возрастом это обычно не проходит даром. Женщины с этим именем, как правило, хорошо образованны, умеют концентрироваться в делах и быть достаточно требовательными к себе и к сослуживцам, вот только при этом чаще всего они начисто лишены дипломатичности, что затрудняет им не только карьеру, но и может разрушить семейное счастье. Здесь следует быть очень осторожной, ведь дело не только в житейских неудачах, просто нередко прямота Киры заставляет ее говорить то, что она думает без тщательной проверки. Если бы люди никогда не ошибались, то, возможно, это и было бы оправданно, но, увы, часто именно прямота становится причиной «суда скорого и неправого». Это тем более неприятно, что сострадательность Киры впоследствии может вызвать у нее ужасные и даже разрушительные муки совести и раскаяния в своих ошибках. Одним словом, если Кира не желает превращать свою жизнь в трагический сериал по типу какой-нибудь «Дикой Розы», ей бы очень не помешало сгладить острые черты своего характера доброй самоиронией. Беззлобный юмор, обращенный к себе и к окружающим может стать для нее спасательным кругом и залогом счастливой жизни.

Секреты общения. При возникновении споров и конфликтов с Кирой бывает достаточно просто обрисовать свою ситуацию с чисто человеческих позиций. Если за вашими поступками стоит душевная боль, будьте уверены: она сможет вас понять и, вполне возможно, сменит «гнев на милость».

Астрологическая характеристика:
Знак зодиака: Стрелец. Планета: Плутон. Цвета имени: стальной, коричневый, красный. Наиболее благоприятный цвет: оранжевый. Камень-талисман: янтарь.

Празднуем именины: 13 марта (28 февраля) — Кира Берийская (Македонская), дева, затворница, преподобная.

След имени в истории. Мифы и легенды Древней Греции рассказывают о фессалийской нимфе Кирене, смелой охотнице и охранительнице стад. Дочь царя лапифов Гипсея и правнучка самого Океана, Кирена, подобно богине Артемиде, большую часть времени любила проводить в лесу. Храбрая и бесстрашная, она обладала редкой красотой, с первого взгляда сразившей бога Аполлона.

Как только Аполлон понял, что безнадежно влюблен, он обратился за советом к мудрому кентавру Хирону. Только он, верил Аполлон, может предсказать печальный или счастливый исход этой связи и даже немного заглянуть в будущее. Кентавр утешил влюбленного бога, после чего тот поспешил к Кирене, неся ей радостную весть. Вместе Аполлон и нимфа перенеслись в Ливию, где у них родился сын Аристей, и впоследствии именем Кирены был назван основанной ею город в Ливии. Все это, а также счастливую судьбу потомства бога и нимфы и предсказал в свое время мудрый кентавр Хирон.

КЛАВДИЯ

Значение и происхождение имени: хромая (лат.).

Энергетика и Карма имени: Клавдия — это имя, в котором жизнерадостность сочетается с прямолинейностью. Обычно с самого детства Клава растет довольно общительной девочкой. Она трудолюбива, но редко когда стремится попасть в разряд учительских любимчиков. В компаниях сверстников ее тоже не тянет к лидерству, однако в случае чего она запросто может постоять за себя. Нередко Клава бывает слишком резкой, но это несколько сглаживается ее чувством юмора и умением быстро прощать обиды.

Не исключено, что, поскольку имя сегодня не в моде, в юности Клавдия может испытывать потребность самоутвердиться, для чего нередко тянется к тем кругам, которые считаются элитными. Или же просто начнет подчеркивать свою современность, стараясь следить за последними веяниями моды как в плане одежды, так и в поведении. К примеру, она может рано начать курить и много времени проводить в веселых компаниях сверстников. Впрочем, чаще всего с возрастом это проходит, и на первый план начинает выходить прямота и серьезность Клавдии.

Вряд ли Клаву слишком увлекут честолюбивые мечты, скорее всего, она выберет себе профессию, позволяющую ей прочно стоять на ногах и быть независимой в материальном плане. Здесь у нее могут возникнуть некоторые препятствия, связанные с ее прямолинейностью. Очень вероятно, что довольно частые конфликтные ситуации, в которые обычно попадают такие люди, не позволят ей сделать хорошую карьеру, и, увы, далеко не всегда можно будет утешаться тем, что честность дороже карьеры. Это, конечно, так, но все же гораздо лучше, вместо того чтобы торопиться с выводами, сначала попытаться разглядеть в человеке какие-либо положительные качества. Иначе легко ошибиться в своих выводах, поторопиться с осуждением, ну, а заодно самой себе испортить нервы. Одним словом, честность и прямота хороши, когда они сочетаются с умением понимать и принимать людей.

То же самое относится и к семейной жизни Клавы. Обычно она хорошая хозяйка, заботливая и отзывчивая жена, но иногда ей не хватает мягкости в решении трудных и неоднозначных вопросов. Решив эту проблему внутри себя самой, она обеспечит прекрасную судьбу и себе, и своим близким.

Секреты общения. Самое уместное в общении с Клавой — это переводить спорные вопросы в веселое русло. Впрочем, она охотно примет ваши извинения, если вы были не правы. Зато, если вы решите поделиться с ней своими трудностями, то, скорее всего, вы легко вызовете ее сочувствие и она наверняка будет рада вам помочь.

Астрологическая характеристика:

Знак зодиака: Стрелец. Планета: Сатурн. Цвет имени: темно-серый, синий, коричневый. Наиболее благоприятный цвет: оранжевый и белый. Камень-талисман: агаты, янтарь.

Празднуем именины: 31 марта, 19 ноября (18 марта, 6 ноября) — Клавдия Коринфская, дева, мученица.

2 апреля (20 марта) — Клавдия Понтийская, мученица.

6 января (24 декабря) — Клавдия Римская, мученица.

След имени в истории. Клавдия Ивановна Шульженко (1906—1984) — эстрадная певица, народная артистка СССР. Именно с ней, как принято считать, связано становление советской эстрадной песни, как таковой.

Родилась певица в Харькове и в 17 лет поступила в

494

харьковский драматический театр, где имела возможность обучаться у известнейших мастеров сцены. Однако ее ярко выраженное артистическое дарование (Клавдия была ведущей актрисой в театре) постепенно переросло в другую страсть, уступив место всепоглощающей любви к песне. Так, начиная с 22 лет, Клавдия Шульженко начала успешно выступать в качестве певицы, исполняя песни советских композиторов — Лепина, Петербургского и других. От многих иных артистов ее резко отличала особая, ни с чем не сравнимая душевность исполнения; временами казалось, что она не поет, а говорит — доверительно, вполголоса, как очень близкому другу.

В годы Великой Отечественной войны песня стала своеобразным оружием Клавдии Шульженко. Отважная женщина, как бы ни рвалась она воевать, прекрасно понимала, что принесет гораздо больше пользы фронту с гитарой, чем с оружием в руках, а потому, начиная с 1941 года, гастролировала по всем фронтам, выступая перед солдатами, перед ранеными в госпиталях. «Давай закурим», «Возьми гитару», «Синий платочек» — все эти песни с легкой руки исполнительницы распевала вся страна, и даже до сих пор они нередко звучат по радио и на телевидении... Свыше 500 концертов дала Клавдия Шульженко на передовой, и эти выступления справедливо были приравнены к подвигу: после войны отважной певице была вручена награда, которую до нее давали только сражавшимся воинам,— орден Красной Звезды.

КЛАРА

Значение и происхождение имени: светлая, ясная (лат.).

Энергетика и Карма имени: помните известную фонетическую задачку: «Карл у Клары украл коралы»? Так уж вышло, что именно на Кларе непривыкший язык начинает спотыкаться и заплетаться. Конечно, это всего лишь шутка, но сегодня эту шутку знает практически каждый маломальски образованный человек, так что, как ни крути, а на общей энергетике имени она все же отражается. Да и без этого, представьте, как ребенок будет пытаться выговорить свое имя — Клала. В самом деле, не звучит. Одним словом, очень даже вероятно, что родители в детстве должны будут уделить достаточно много внимания дикции своей дочери. Не факт, что ее обязательно будут водить на прием к логопеду, но все же им, скорее всего, придется позаниматься с ребенком его правильным произношением, и вряд ли это пройдет даром. Прежде всего это может привести к тому, что еще в детстве Клара будет обладать хорошо поставленным голосом, вот только частые занятия ее речью могут отбить у девочки охоту к долгим разговорам. По крайней мере, в практике замечено, что носительницы имени Клара редко отличаются болтливостью, предпочитая больше слушать.

Такая неразговорчивость Клары делает ее характер довольно тихим, однако это не очень хорошо сочетается с достаточной игривостью и твердостью имени. Вот и получается, что жизнерадостность Клары не имеет себе выхода, а потому в очень сильной степени у нее может развиваться воображение, мечтательность и душевность. Обычно она вырастает очень добрым и отзывчивым человеком хотя бы уже потому, что невыносимо долго носит в себе обиды и злые мысли. Зло требует выхода, а если человек не агрессивен и не умеет излить свое зло в каких-нибудь гневных фразах или действиях, то он либо обращает эту разрушительную силу на себя самого, либо же начинает глубже понимать причины зла, а значит, и прощать людские недостатки. Последнее часто делает Клару очень душевным человеком, умеющим любить и прощать, а это уже немало.

Быть может, внешнее спокойствие и молчаливость Клары сделают ее несколько незаметной в обществе, а потому вероятно, что она начнет стремиться восполнить недостаток внимания тем, что будет делать какую-либо заметную карьеру, связанную со сценой или общественной деятельностью. Здесь, кстати, может хорошо пригодиться ее поставленный в детстве голос. В семейной жизни характер Клары вряд ли позволит ей слишком быстро выскочить замуж, однако когда это случится, то скорее всего, замужество ее будет очень удачным.

Секреты общения. Часто умение слушать делает Клару этаким громоотводом, рядом с которым очень легко изливать душу и искать сочувствия. Обычно ей приятно помогать людям, но все же не следует забывать, что и у нее самой проблем хватает. Просто она умеет принимать свою судьбу без злости.

Астрологическая характеристика:

Знак зодиака: Весы. Планета: Венера. Цвета имени: стальной, светло зеленый. Наиболее благоприятный цвет: для карьеры — фиолетовый. Камень-талисман: аметист, турмалин.

След имени в истории. Говорят, что цирковой артист — это не профессия, а состояние души. Действительно, разве так уж много получает взамен человек, кочующий из города в город, большую часть времени посвящающий изнурительным репетициям и ежедневно рискующий своей собственной жизнью? Быть может, именно потому и именно среди циркачей так распространены семейные династии: сами того не желая, родители заражают детей этой опасной болезнью — любовью к цирку.

Семья российский артистов Кох в свое время блистала на арене; мало кто не слышал о сестрах-эквилибристках Марте, Зое и Кларе и их отце Болеславе, ставившем девушкам все их головокружительные трюки. Самая младшая в семье, Клара (1923—1982), ни в чем не уступала своим более опытным сестрам. Напротив, уже с самого раннего детства она принимала участие в цирковых номерах наравне со взрослыми — сначала совсем простые, номера постепенно все усложнялись, пока, наконец, Болеслав Кох не добился желаемого эффекта: во время представления сестер зрители замирали, глядя на те смертельно опасные трюки, которые они с легкостью выполняли на специальных снарядах.

Как тяжело давалась им эта внешняя простота — об этом можно только гадать. Равно как и о том, каким упорством и силой воли надо обладать для того, чтобы, пройдя через все степени посвящения, стать настоящим цирковым артистом... Не переставая экспериментировать, отец грациозного трио придумывал все новые и новые эквилибристические конструкции, добиваясь от дочерей исключительного профессионализма, изящества и ко всему прочему — художественной выразительности исполнения. Однако за все приходится платить, и в данном случае циркачи сполна расплачивались травмами, усталостью, собственными нервами. Примечателен такой печальный факт: старшая из сестер, Марта, жива до сих пор, средняя скончалась в 1981 году в возрасте 66 лет, а младшая, Клара, пережила ее всего на год, не дотянув даже до 60 лет.

КРИСТИНА

Значение и происхождение имени: посвященная Христу (греч.).

Энергетика и Карма имени: нетрудно заметить, что имя Кристина в русском языке звучит с некоторым иностранным оттенком. Действительно, времена, когда именно этим словом — крестьяне — называли всех простых людей, давно прошли, и теперь между Кристиной и крестьянкой лежит огромная пропасть, несмотря на то, что суть названия одна и та же. Итак, вернувшись в Россию повторно, имя Кристина стало нести на себе отпечаток какого-то аристократизма и элитарности. Сейчас, в последние годы, кажется, в моду снова стали входить чисто русские имена, однако и до сих пор еще магия европейских названий не утратила окончательно своей силы, так что те родители, которые дают своей дочери имя Кристина, уже предполагают в ней непохожесть на простых девочек, подчеркивая ее некую избранность и, что называется, стильность.

Здесь сразу же следует сделать оговорку, что далеко не везде имя с отпечатком элитарности будет восприниматься благожелательно, так что если Кристина желает иметь нормальные взаимоотношения в коллективе, ей необходимо оправдать стильность своего имени. От Кристины потребуется умение держаться, постоять за себя в случае надобности, ведь не исключено, что красивое имя будет вызывать зависть, а потому и неприязнь. Бывает, что Кристине попросту не хватает духу соответствовать своему имени и она с детства превращается в робкого, закомплексованного человека. Впрочем, подобное случается редко, так как общая энергетика имени обладает достаточным зарядом прочности. Кристя может в случае чего и довольно удачно съязвить, чем нередко ставит обидчика на место.

Скорее всего, женщина с таким именем будет ощущать потребность добиться высокого положения в обществе, для чего может избрать какую-либо модную профессию или же просто будет стремиться завязать общение с людьми из высоких кругов. Даже если у нее это не получится и судьба ей отведет роль обычной домохозяйки, все равно подобные мечты не оставят Кристину. Просто в этом случае она будет считать свою жизнь неудачной и напрасной.

Увы, за такими мечтами часто не замечается простое человеческое счастье, которое, как со временем непременно выяснится, не может заменить даже самый грандиозный успех и слава.

Секреты общения. Часто Кристина весьма болезненно реагирует на замечания в свой адрес, зато от комплиментов может вконец растаять. Нелишне будет ей помнить об осторожности, иначе кто-то непременно воспользуется такой ее слабостью, скрывая за своей лестью хитрый расчет.

Астрологическая характеристика:

Знак зодиака: Дева. Планета: Сатурн. Цвет имени: стальной. Наиболее благоприятные цвета: оранжевый, коричневый. Противопоказан фиолетовый. Камень-талисман: янтарь, яшма.

Празднуем именины: 6 августа (24 июля) — Христина Тирская, мученица.

19 (6) февраля — Христина Кесарийская, мученица.

26 (13) марта — Христина Персидская, мученица.

След имени в истории. Когда впервые дочка Аллы Пугачевой и литовского барона фон Орбаха Кристина Орбакайте (род. 1968) появилась на эстраде, вряд ли кто-нибудь воспринял ее всерьез, настолько скудными казались ее вокальные данные. Однако год проходил за годом, а многочисленные пророчества о том, что вот сейчас-то Кристина не выдержит, сломается и уйдет со сцены, все не сбывались. Больше того: профессиональный уровень певицы заметно рос, и, в полной мере овладев всеми данными, заложенными ей от природы, Кристина Орбакайте сумела-таки завоевать симпатии многочисленных поклонников и как результат — свое собственное место на эстраде.

Говорят, что с самого детства Кристина отличалась необычайной ответственностью и трудолюбием: упорно по собственной воле она помимо изнурительных занятий в английской спецшколе посещала уроки музыки и танцевального мастерства, а в 11 лет проявила настоящие чудеса трудоспособности, 3 месяца снимаясь в главной роли в замечательной картине «Чучело».

В настоящее время выступление Кристины Орбакайте на сцене — это даже не столько собственно песня, сколько увлекательное шоу: имидж грациозной и сексуальной Кристины привлекает зрителей на ее концерты не менее, чем желание услышать то, что она поет. Неудивительно, что вокруг личной жизни звезды ходит столько сплетен и легенд. На самом же деле Кристина Орбакайте еще в 15 лет влюбилась в своего будущего мужа Владимира Преснякова и, сумев отбить его от целой толпы поклонниц, создала с ним семью — правда, официально этот брак зарегистрирован так и не был. И только в последнее время в жизни «звездной семейки» начались настоящие проблемы.

— Иногда нам становится безумно тяжело друг с другом, — признавалась Кристина в некоторых интервью. — И тогда мы стараемся поскорее разъехаться в разные стороны на гастроли — такая разлука очень помогает.

КСЕНИЯ, ОКСАНА

Значение и происхождение имени: гостья (греч.). Оксана — украинская форма имени, получившая широкое распространение и в России.

Энергетика и Карма имени: наверное, нелишне будет сразу же оговориться: по сути, Ксения и Оксана это вполне самостоятельные имена, тем не менее общность их энергетики позволяет рассматривать их в одном разделе. При этом следует учитывать, что все нижеперечисленные качества у Ксении будут проявляться в более острой форме, в то время, как у Оксаны многие черты характера несколько сглажены более мягким звучанием имени.

Первое, что можно заметить в этих именах,— это целеустремленность и достаточную независимость. Конечно, если Ксюшу родители будут держать в ежовых рукавицах, то она может быть довольно послушным ребенком, хотя с возрастом это, скорее всего, приведет к довольно острому конфликту «отцов и детей». Чаще же с малых лет она довольно трудно поддается влиянию, и ей гораздо логичнее будет просто объяснить необходимость тех или иных дел, чем заставлять сделать их силой. Наиболее же благоприятно — это привить девочке какие-либо интересы. Ксения — это именно тот случай, когда вся энергия может отдаваться одной главной цели, будь то игра, работа, учеба или даже конфронтация с кем-то из знакомых. Иногда это даже приобретает характер зацикленности, правда, когда ее интерес переключается на что-либо иное, она может и забыть о старых делах и проблемах, с головой погрузившись в новые.

У Ксении обычно остро развито самолюбие, часто с ней невозможно спорить, поскольку, едва только речь зайдет о ее правоте, она начинает напоминать дикую кошку, готовую в любой момент выпустить когти, хотя, конечно, в реальной жизни вместо когтей используются довольно меткие, а порой и весьма болезненные фразы и замечания. Такая постоянная готовность к самозащите нередко может изрядно испортить Ксении жизнь, поскольку подобная практика хоть и позволяет сохранить свою независимость, но, во-первых, постепенно расшатывает нервы, а во-вторых, создает благоприятную почву для роста болезненного самолюбия, что рождает замкнутый круг, разорвать который можно только более спокойным отношением к себе и к окружающим. Пока этого не произойдет, трудно ожидать, что семейная жизнь Ксении будет складываться удачно и безмятежно, если, конечно, ее муж не найдет нужных ключей, позволяющих сделать из дикой кошки домашнюю.

Зато в профессиональном плане ее способность концентрироваться на главной цели может найти себе достойное применение. Хотя и здесь не исключены всевозможные конфликты и недоразумения, так что при выборе профессии Ксении лучше подыскать себе такую, где она будет предоставлена самой себе и где ее работа будет оцениваться по конкретным результатам, а не по ежедневной дисциплине. Что делать, независимость, как и искусство, требует определенных жертв. Впрочем, избавив свое самолюбие от болезненности, этих жертв можно и избежать.

Секреты общения. В разговоре с Ксенией никогда не следует забывать о ее чувствительности к обидам и ранимости. Зато ей нравится, когда люди обращаются к ней за советом. Она может быть хорошим слушателем, если вы решите рассказать ей о своих проблемах, однако обычно свои собственные проблемы мешают ей пойти в помощи дальше сочувствия.

Астрологическая характеристика:
Знак зодиака: Водолей. Планета: Юпитер. Цвет имени: серебристый. Наиболее благоприятный цвет: зеленый. Камень-талисман: изумруд.

Празднуем именины: 6 февраля (24 января) — Ксения Миласская, диаконисса.

6 февраля (24 января) — Ксения Петербургская, Христа ради юродивая.

След имени в истории. Преподобная Ксения (V век) родилась в семье богатого и знатного римского сенатора. С детства она могла иметь все, что только желала,— родители, любя, баловали девочку и мечтали в будущем видеть ее блистающей среди светских красавиц. И действительно, все задатки Ксении: ее незаурядный ум, одухотворенная внешность, красота — позволяли родителям надеяться, что со временем дочь сделает блистящую партию, выйдя замуж за человека достойного и богатого. Однако они ошибались: больше всего на свете девочка мечтала сбежать из дома, что она и сделала, как только отец стал навязывать ей подходящую кандидатуру в женихи.

Тайно проникнув на корабль, Ксения спряталась в трюме, и, сойдя на берег, оказалась в Кесарии, в городе Миласе. Там она, будучи девушкой довольно обеспеченной, купила участок земли, построила на нем храм и основала женский монастырь. Всю свою оставшуюся жизнь святая Ксения посвятила Богу и служению людям — двери ее монастыря всегда были открыты для несчастных и обездоленных. Когда же Ксения скончалась — а произошло это во время молитвы,— жители близлежащих городов и деревень наблюдали яркое знамение: на несколько минут в небе вдруг появился светлый венец, посреди которого сверкал крест, затем это изображение неожиданно исчезло.

ЛАДА

Значение и происхождение имени: это славянское имя означает «ладная», «милая».

Энергетика и Карма имени: красивое имя — еще не значит красивый характер. Увы, хоть и не во всех, но во многих случаях все получается как раз наоборот. Так вот и с Ладой — при всех неоспоримых достоинствах ее энергетики у нее много шансов стать обладательницей весьма опасного характера. Ничего сложного и мистического здесь нет, во-первых, такие красивые и редкие имена дают обычно своему ребенку те родители, которые в нем души не чают и готовы баловать свое чадо; во-вторых, красивое и редкое имя значительно усиливает самолюбие своего носителя; и, в-третьих, если имя напрямую говорит человеку: «Ты Лада, а значит ладная, хорошая», то спрашивается — зачем стараться стать еще лучше, если я и так достаточно ладная? Таким образом, Лада уже имеет шанс стать избалованной, самолюбивой и самоуверенной женщиной.

Впрочем, все эти качества могут проявляться совершенно по-разному. Бывает так — мало ли что человек думает о себе, главное никого не трогает и никому ничего не навязывает. С Ладой же сложнее — в ее энергетике ощущается хорошая динамика (не путать с ходовыми характеристиками одноименного автомобиля!), открытость, энергичность, настойчивость и твердость. Что и говорить, прекрасные качества! Жаль только, что именно они в сочетании с колоссальным самолюбием делают характер Лады, мягко говоря, трудным.

В большинстве случаев Лада действительно становится решительной и целеустремленной женщиной, привыкшей всегда добиваться своего и не умеющей ни отступать, ни сочувствовать тем, кто стоит у нее на пути. Если бы речь шла о машине, то инспектор ГАИ, штрафуя Ладу, мог бы сделать себе состояние! Но жизнь — это не дорога, по крайней мере не асфальтовая, и Лада имеет все шансы добиться успеха. Не исключены, конечно, аварии в виде всевозможных конфликтных ситуаций, но они вряд ли остановят эту энергичную женщину, обладающую колоссальным запасом твердости и самоуверенностью.

Однако не стоит забывать, что успех и счастье — суть разные вещи, и если Лада желает обрести это самое счастье, то найти его можно только в искренних и доверительных отношениях с близкими людьми. Наиболее же благоприятно сложится ее судьба, если она сумеет совместить свои самолюбие и самоуверенность с уважением к другим людям. Тогда и друзей у нее значительно прибавится, и семейные отношения не разрушатся, когда первая влюбленность начнет понемногу остывать.

Секреты общения. Никогда не забывайте, что при всей своей твердости, Лада обладает очень глубокой чувственностью. Любовь и ненависть ей хорошо знакомы и часто определяют ее линию поведения. Будьте осторожны, оказавшись на ее пути, обида в ее душе останется надолго! А заодно не стоит расслабляться, оказавшись на пути тех, кого она любит.

Астрологическая характеристика:
Знак зодиака: Телец. Планета: Юпитер, Марс. Цвета имени: сетлозеленый, красный. Наиболее благоприятный цвет: золотисто-желтый. Камень-талисман: золото, тигровый глаз.

След имени в истории. Еще не так давно, в 80-х годах нашего века, имя Лада переживало пик популярности, чему было обязано всего-навсего одной песенке, шлягеру «Ладушка». И так было, наверное, всегда — детей называли в честь героев своего времени, богов или мифических персонажей, которым особенно благоволили, в честь святых, наконец.

Имя Лада почиталась в Древней Руси как богиня любви и красоты — что-то вроде греческой Афродиты. Молодые девушки, переживающие по поводу своей внешности, влюбленные юноши — словом, все, кто страстно желал обрести счастье в личной жизни, обращали к любвеобильной Ладе свои молитвы. А в благодарность за помощь богине и для того, чтобы заручиться ее благосклонностью и впредь, у молодоженов было принято в день венчания приносить Ладе ягоды, цветы, мед и даже живых птиц.

По свидетельствам древних летописцев, в незапамятные времена в Киеве стоял огромный храм, посвященный этой богине. Все внутри его было богато изукрашено, посередине же храма стояла огромная статуя красавицы-богини: в платье с жемчугами, в золотом венке. На руках Лада держала своего сына Леля, покровителя влюбленных.

Однако с образом богини любви связаны не только светлые моменты. Как и сама любовь, Лада бывает обманчива и иногда жестока. Она же нередко несет в мир любовь неразделенную, несчастливую. Именно поэтому наши предки говорили о человеке, женившемся не по любви: «Не с Ладой живет». Мы же говорим теперь еще проще: живет неладно.

ЛАЙМА

Значение и происхождение имени: имя означает «счастье» (прибалт.).

Энергетика и Карма имени: имя Лайма обладает довольно необычной энергетикой, в нем чувствуется хорошая подвижность, уравновешенность и целеустремленность, однако в самом центре этой энергетики создается несколько неустойчивое положение, что усиливает импульсивность Лаймы и обеспечивает некоторую непредсказуемость ее поведения. В целом женщина с таким именем держится в обществе довольно самоуверенно. Она, несомненно, очень самолюбива и эмоциональна, но прекрасно владеет своими чувствами — примерно как опытный водитель уверенно ведет свою машину по знакомой трассе. Тем неожиданней на ее пути возникает этот опасный скользкий участок, где машине не хватает сцепления с дорогой, а применительно к самой Лайме — некоторой выдержки.

В самом деле, энергетика Лаймы устроена таким образом, что в момент наибольшего напряжения в ней создается значительная неопределенность, которая еще больше осложняется возрастающей в этот момент эмоциональной импульсивностью. В силу этого в жизни Лаймы появляется некоторая опасность нервных срывов, когда одному только Богу известно, куда занесут Лайму внезапно усилившиеся эмоции. При этом нельзя сказать, что эти эмоции отличаются какой-то невероятной силой, нет, главная их опасность заключается именно во внезапности и отсутствии в момент их возникновения твердой почвы под ногами. Как будто, выйдя на скользкий участок пути, Лайма вместо того, чтобы ударить по тормозам, случайно надавила на акселератор.

Конечно, в жизни такая непредсказуемость не так опасна, как за рулем автомобиля, но и здесь она может создавать определенные сложности. Чаще всего целеустремленная и уравновешенная Лайма старается настойчиво идти к своей цели, она логична и последовательна, однако частенько проснувшаяся в ней импульсивность может толкнуть ее на необдуманные и нелогичные шаги. В эти минуты у нее могут выплескиваться все те эмоции, которыми ранее она, казалось бы, так успешно управляла. Лайма вдруг может в сердцах наговорить человеку кучу гадостей, или же неожиданно бросить начатое дело на полдороге.

Тем не менее несмотря на все сложности, это же качество иногда способно придать Лайме определенный шарм и неповторимость, ведь здесь важно то, как именно все это будет проявляться. Главное, чтобы за этим не стояла конфронтация с окружающими, тогда и непредсказуемость начинает восприниматься как импульсивная непосредственность. Если же вдобавок ко всему научиться относиться к себе с юмором, то такое качество не только не сломает судьбу, но и обогатит жизнь новыми красками.

Секреты общения. Если вам нравятся нестандартные люди, то попробуйте поближе познакомиться с Лаймой. Однако будьте осторожны, если в ее характере вы обнаружите властность или, что еще хуже, отсутствие чувства юмора,— при таком раскладе избежать конфликтов с ней будет очень сложно.

Астрологическая характеристика:

Знак зодиака: Водолей. Планета: Луна, Меркурий. Цвета имени: светло-зеленый, красный, желтовато-коричневый. Наиболее благоприятные цвета: черный, синий. Камень-талисман: лабрадор.

След имени в истории. Наверное, не зря из всех прибалтийский певцов и певиц именно Лайма Вайкуле находится на вершине славы, гастролируя не только по всей России, но и — весьма успешно — в странах дальнего зарубежья. Во всяком случае, имя данное певице при рождении, как нельзя более благотворно повлияло на ее карьеру, ведь согласно мифологии литовцев и латышей, Лайма — богиня счастья и судьбы.

В древние времена народы Прибалтики очень почитали богиню Лайму, считая ее способной не только предсказывать будущее, но и покровительствовать при родах, охранять чувства влюбленных, помогать скромным девушкам найти жениха и даже вести жениха и невесту на свадьбу. По легенде, к каждому новорожденному в первые часы его жизни являются две богини — Лайма и Гильтина (богиня смерти и несчастий), каждая из которых оделяет его своей долей счастья или страданий, причем Лайма, стремясь дать маленькому человеку как можно больше хорошего, подкладывает под него волшебный платок, что и предопределяет его благоприятную судьбу.

ЛАРИСА

Значение и происхождение имени: чайка (греч.). В греческой мифологии Лариссой звали фессалийскую (аргосскую) нимфу, внучку Посейдона и сестру Кирены. По легенде, на том месте, где во время игры в мяч она упала в реку Пеней, был воздвигнут город, названный в ее честь.

Энергетика и Карма имени: в имени Лариса хорошо заметно мощное активное начало, которое, впрочем, не имеет четкого направления. Жизнелюбие и твердость этого имени находятся в довольно неустойчивом равновесии, так что нередко подвижность Ларисы может носить несколько агрессивный характер. Особенно остро это начинает проявляться во время полового созревания, когда Лара испытывает значительное беспокойство, которое пытается спрятать от окружающих за какой-либо маской. Иногда этой маской бывает роль бесшабашной девчонки, иногда она стремится казаться уравновешенной женщиной, но внимательный взгляд всегда разглядит за этим внутреннее напряжение и недовольство окружающей обстановкой.

Эта внутренняя неуравновешенность нередко серьезно осложняет Ларисе жизнь, и очень часто она рано начинает понимать необходимость быть сдержанной на людях. Жаль только, что сдержанность не нейтрализует напряжение, а всего-навсего загоняет его вглубь, откуда оно рано или поздно все равно найдет себе выход, и чем позже это случится, тем больше будет шуму. Здесь Ларисе следует понять, что причина ее неудовлетворенности отнюдь не в людях, а в ней самой, в противном случае ее внутренняя неуравновешенность может проявиться в вечном недовольстве. И мужья ей вечно будут попадаться далеко не лучшие, и окружающие то и дело будут вести себя не так, как надо, однако все, что ей нужно на самом деле,— это нормальный выход для ее внутренней энергии.

Лариса, как и большинство других женщин, остро нуждается в мужской любви и понимании, вот только она часто не замечает, что именно ее недовольство мешает мужчине проявить эту самую любовь. Просто ей начинает казаться, что этот мужчина не совсем такой, как надо, и она стремится исправить положение, делая постоянные замечания, порою достаточно язвительные и болезненные, или даже пытается командовать им. Впрочем, если даже Ларисе удастся стать лидером в отношениях с мужчиной, вряд ли это успокоит ее, скорее, она еще больше разочаруется в нем, заметив в его поведении недостаток мужских качеств. Одним словом, угодить ей довольно трудно, и если она желает создать себе нормальную семейную жизнь, ей надо научиться принимать своих близких, да и вообще людей, такими, каковы они есть, не стремясь переделать их. Научившись принимать человеческие недостатки, она постепенно избавится и от своего недовольства.

Многие Ларисы начинают искать выход своей энергии в работе или занятиях частным бизнесом, нередко достигая на этом поприще заметных успехов. Хотя все же у них гораздо лучше получается работать там, где все зависит исключительно от них самих.

Секреты общения. Интересно, что если вы оставите без внимания колкости Ларисы и, сохранив уверенность в себе, проявите к ней сочувствие, она может резко изменить свое отношение и даже, что называется, прикипеть к вам душой.

Астрологическая характеристика:

Знак зодиака: Весы. Планета: Марс. Цвета имени: салатовый, стальной, иногда красный. Наиболее благоприятные цвета: синий, зеленый. Камень-талисман: лазурит, нефрит.

Празднуем именины: 8 апреля (26 марта) — Лариса Готфская, мученица.

След имени в истории. «Это одна из лучших певиц, которых я когда-либо слышал» — так отозвался известный французский композитор М. Легран о творчестве Ларисы Долиной (род. 1955). И действительно, ее нынешняя популярность — не следствие так называемой «раскрутки», а лишь справедливое положение дел: ее эмоциональность, прекрасные вокальные данные, обаяние и артистизм просто не могли рано или поздно не завоевать сердца широкой аудитории. Тем более что путь певицы на большую эстраду нельзя назвать коротким: еще не окончив школу, она уже накопила большой опыт, выступая в кафе и ресторанах, а в 17 лет прошла конкурсный отбор и стала солисткой одесского ансамбля «Волна». Далее последовал «кабацкий период» в жизни певицы: Лариса Долина переходила из ансамбля в ансамбль (одно время она даже пела песни на армянском языке, который ей пришлось выучить «в процессе»), выступала на самых разных площадках и перед самой разнообразной аудиторией. Неизменным оставался только ее успех: когда пела Долина, посетители ресторанов переставали жевать и танцевать, и нередко слушали певицу стоя.

На сегодняшний день Лариса Долина является обладательницей множества наград, в числе которых и «Лучшая певица России» (1991 г.), и премия «Овация» (1993 г.), и многие другие. Может быть, секрет ее успеха в том, что она не останавливается на достигнутом, предпочитая экспериментировать в творчестве, как перчатки менять стили и имидж? Ведь помимо лирических песен и романсов Долина прекрасно поет и рок, и блюз; она же принимает участие в опере «Джордано Бруно» и для разнообразия озвучила порядка 70 фильмов в кино. На сцене она не только поет и танцует, но и играет, создавая образ, соответствующий каждой конкретной песне, а потому ее успех — дань таланту, профессионализму и трудолюбию — вряд ли окажется быстрым и мимолетным.

ЛИНА, ЛИАНА

Значение и происхождение имени: Лина — это древнегреческое родовое имя и означает оно «печальная песнь». Из греческой мифологии известно имя основателя этого рода — Лин (Линос), сын Аполлона. Европейская транскрипция имени Лина — Лайна или Лиана.

Энергетика и Карма имени: Лина, Лиана, Ляна — вот три стороны одного и того же имени, и все они звучат по разному. Лина — в этом имени легкая подвижность, стремительность; Лиана — претенциозность и пластика; Ляна — чувственность и склонность к самосозерцанию. Какая из этих сторон преобладает в Лине? Или все это найдет свое отражение в ее характере в равной степени? Последнее представить себе довольно трудно. Однако именно такое разнообразие вариантов, как ни странно, и является одной из важнейших характеристик энергетики имени, ведь в силу этого еще более усиливается присущая всем вариантам подвижность. Не исключено, а скорее, даже очень вероятно, что за свою жизнь Лина примерит на себя все эти маски и, может быть, остановится на какой-либо одной, а может, предпочтет пользоваться ими поочередно в зависимости от обстоятельств.

Вот и выходит, что незначительный вроде бы факт «разноликости» имени предоставляет человеку широчайшие возможности. Прежде всего такое внимание к своему имени и к себе самой делает Лину очень самолюбивым человеком, а возможность быть разной исподволь склоняет ее к скрытности. В какой степени это проявится и как отразится на судьбе — сказать однозначно трудно. Слишком уж широки возможности. Скажем, у женщины, остановившей свой выбор на имени Лиана, будет преобладать некоторая властность, у Ляны, у которой самолюбие удовлетворено уже красивым мягким именем,— скорее всего, чувственность или расчеты на удачный брак.

Однако надо сказать, что большинство женщин останавливают свой выбор на имени Лина и в их характере отмечается склонность к логичности, целеустремленность и вместе с тем повышенная эмоциональность. Лина на первый взгляд проста в общении, однако чаще всего за этим скрывается ее ранимость, просто она старается не показывать своих обид или внутренних переживаний. Все правильно, ведь она привыкла играть какую-то роль! Она энергична, как правило, обладает чувством юмора, однако при ее скрытности этого оказывается мало, чтобы избавиться от внутреннего напряжения. Это и представляет для нее наибольшую опасность, поскольку рано или поздно Лина может стать очень раздражительной. Наиболее же благоприятно для Лины — это перестать копить нервное напряжение; лучше просто сгладить самолюбие, обернув свое чувство юмора к себе самой. Именно добрая самоирония позволит ей уменьшить количество проблем в своей жизни и высвободить внутреннюю энергию на более плодотворное занятие, чем пустые переживания.

Секреты общения. Какой бы твердой, независимой или властной ни казалась Лина, на нее обычно не так уж трудно воздействовать, главное — это подобрать нужные ключи. Попробуйте поговорить с ней по душам, вполне возможно, что она откроется вам и вы найдете в ее душе доброго и отзывчивого, но быть может чересчур ранимого человека.

Астрологическая характеристика:

Знак зодиака: Близнецы. Планета: Меркурий. Цвета имени: салатовый, светло-коричневый, красный. Наиболее благоприятные цвета: оранжевый, зеленый. Камень-талисман: янтарь, изумруд, нефрит.

След имени в истории. Очень непростой, но яркой и насыщенной оказалась жизнь физиолога Лины Штерн (1878—1968), первой в СССР женщины-академика. Родившись в Латвии, она с детства проявляла большие способности к наукам, а в 35 лет закончила Женевский университет (Швейцария), где и была оставлена при кафедре физиологии для дальнейшей научной работы. В 1925 году Штерн переехала на постоянное жительство в Советский Союз, где почти 23 года являлась профессором Второго Московского медицинского института, а в 1949 году вместе с другими деятелями Еврейского антифашистского комитета была арестована и провела 3 года в тюрьме — без суда и без следствия, затем последовала ссылка в Среднюю Азию... Казалось бы, такие испытания могли сломать кого угодно, однако, вернувшись из Джамбула, Штерн как ни в чем не бывало продолжила научную работу, возглавив отдел физиологии Института биофизики АН СССР.

Этой смелой, принципиальной, сильной женщине наука обязана целому ряду научных открытий, в числе которых — метод получения гормонально-активных препаратов; ее труды по изучению основ физиологических процессов были признаны во всем мире, однако одним из важнейших дел своей жизни она считала помощь евреям во время второй мировой войны — именно то, за что перенесла и ссылку, и тюрьму.

ЛИДИЯ

Значение и происхождение имени: происходящая родом из Лидии. Лидией называлась богатейшая область в Малой Азии (совр. Турция), где в середине первого тысячелетия до нашей эры правил легендарный царь Крез, известный по расхожему выражению «богат, как Крез».

Энергетика и Карма имени: энергетика имени отличается достаточной твердостью и значительной подвижностью. Обычно это проявляется в том, что Лида очень общительна, причем стремится общаться со всеми на равных, не очень-то обращая внимание на чины и регалии. Для нее это вполне естественно, хотя, надо заметить, далеко не всегда это находит понимание среди «сильных мира сего». С другой стороны, она редко стремится показать свое превосходство и потому обычно среди окружающих слывет человеком простым и незакомплексованным. Чаще всего это впечатление оказывается верным, поскольку самолюбие Лиды трудно назвать болезненным.

Имя наделяет Лиду довольно сильным характером, в случае чего она запросто может постоять за себя и очень редко испытывает состояние неуверенности и сомнения. Впрочем, в конфликтах она редко переходит границы необходимой обороны, имя мало склоняет ее к агрессии, а жизнерадостность позволяет не слишком глубоко поддаваться своим обидам. Больше того, Лиду хорошо привлекать в качестве третейского судьи, где она может быстро разрешить чужой спор с помощью своего чувства юмора и уравновешенности. Единственное, чего, пожалуй, не достает энергетике имени,— это четкой направленности на какую-либо цель. Часто Лида чувствует себя настолько уверенно, что ей просто нет нужды лишний раз доказывать свою самоценность и потому она может попросту разлениться.

Здесь кроется немалая опасность, и поэтому очень хорошо, если родители в детстве привьют Лиде какой-либо интерес. Тогда у Лидии будут все шансы сделать прекрасную карьеру. Она может быть хорошим руководителем, которого подчиненные будут уважать и любить за подлинную демократичность и беззлобие. Уравновешенный трезвый ум позволит ей добиться успеха и в самостоятельном бизнесе. Хуже у нее выходит работать в областях, требующих бюрократизма и чинопочитания. Впрочем, к последнему Лидия и не испытывает тяги.

Скорее всего, у Лиды не возникнет особых трудностей с лицами противоположного пола. Она не стремится к превосходству, но и не боготворит мужчину. Лидия обычно любит посидеть в хорошей компании, где часто пользуется успехом, но этот успех не кружит ей голову. В семье она тоже будет гармонично сочетать свою независимость с уважением к мужу, так что вряд ли конфликты омрачат ее семейное счастье. Вот только желательно ей быть немного осторожнее с устройством частых застолий, поскольку так недолго слишком сильно привязаться к алкоголю.

Секреты общения. Обычно уравновешенная Лида очень любит всевозможные душещипательные истории, так что, если у вас есть в запасе парочка рассказов о каких-либо приключениях, она с удовольствием вас выслушает. Правда, в разговоре нередко она говорит то, что думает, не очень-то размышляя над тем, как это воспримет собеседник. Постарайтесь не обижаться на нее, поскольку за этим обычно не стоит никакого умысла, тем более злого.

Астрологическая характеристика:

Знак зодиака: Телец. Планета: Юпитер. Цвета имени: зеленый, коричневый, иногда красный. Наиболее благоприятный цвет: фиолетовый. Камень-талисман: аметист.

Празднуем именины: 5 апреля (23 марта) — Лидия Иллирийская, мученица.

След имени в истории. «Мне ее послал Господь Бог», — не уставал повторять знаменитый певец Александр Вертинский о своей жене Лидии (род. 1923). Действительно, все: и их знакомство в сказочном городе Шанхае, и любовь (с первого взгляда, но на всю жизнь) — просто не укладывалось в рамки случайности. Как вспоминала впоследствии Лидия Вертинская об этой первой встрече:

— Его странный, говоряще-поющий голос пронзал мне душу сладкой болью... Как будто не по диску, а по самому моему сердцу водили патефонной иглой.

В 1942 году влюбленные обвенчались — 53-летний певец и девятнадцатилетняя девушка. Достаточно только представить, что пришлось перенести Лидии Вертинской от ее родителей, грузинских эмигрантов, чья горячая кровь позволяла высказывать девушке все, что они считали нужным. «Потом были эти бесконечные скандалы, — писала Вертинская о своем конфликте с родителями в тот период жизни, — и их страшные слова о нем и обо мне...» Но и это ее не остановило; Лидия считала, что имеет право на любовь, не заботясь об условностях и о мнении окружающих. И надо сказать, что твердость ее позиции оказалась оправданной. Их брак с мужем, необычайно крепкий и гармоничный, был основан на любви и взаимном уважении.

Говорят, что чем крепче любовь в семье, тем талантливее получаются дети. У Вертинских родились две дочери — Марианна и Анастасия, каждая из которых, как и отец, и мать (Лидия Вертинская успешно снималась во многих фильмах) сумела сказать свое слово в искусстве.

ЛИЛИЯ, ЛИЛИАНА

Значение и происхождение имени: имя происходит от латинского названия цветка лилиум — лилия.

513

Значение и происхождение имени: если родители дают ребенку такое красивое и хрупкое имя, как Лилия, то, скорее всего, они намерены изрядно разбаловать дочь своей неумеренной любвеобильностью. Впрочем, даже если этот прекраснодушный порыв и пройдет у них после первых горьких плодов такого воспитания, то все равно красивое имя сделает свое дело. Увы, энергетика имени Лилия способна затянуть человека в свой сладкий омут, оно завораживает и наводит мысли о тонкой душевной организации носительницы этого имени, о ее беззащитности, и вообще, обо всем том, что понимается под термином «слабый пол» и что не может разрушить никакая эмансипация. Одним словом, очень вероятно, что Лиля вырастет удивительно самовлюбленной и капризной женщиной.

Конечно, жизнь будет постепенно отучать Лилию от этого, то и дело провоцируя конфликтные ситуации, однако здесь, скорее всего, сработает еще одна черта энергетики имени — подвижность, что в первую очередь отразится на живости Лилиного ума, а значит, и на изворотливости и изобретательности. Что и говорить, живому уму можно найти более достойное применение, но это требует серьезных воспитательных усилий, чаще же Лиля, предоставленная самой себе, с самого детства начинает применять это качество для того, чтобы добиться желаемого от родителей и от окружающих. Она может умело пускать в ход слезы, может становиться ласковой и послушной, может рано научиться хитрить, и все это для достижения своей главной цели. Причем такое качество вряд ли с возрастом исчезнет, наверняка Лилия найдет способ подчинить своим желаниям и прихотям какого-нибудь очередного кандидата на ее руку и сердце.

Иногда в характере Лили слишком явно начинает проступать властность. Это, кстати, легко угадать, если она предпочитает называть себя Лилианой. В этом случае она может не ограничиться ролью чисто семейной королевы и, вполне возможно, направит свои усилия на какую-либо карьеру. Не знаю, как к подобной перспективе относятся Лилины родители, но если они хотят избежать чрезмерного эгоизма своей дочери, им желательно начать воспитание в самом раннем возрасте и постараться привить ей умение замечать чужие проблемы и уважать не только свои, но и чужие желания. Да и самой Лиле едва ли это помешает, ведь, в конце концов, молодость не вечна, желания рано или поздно начинают затухать, и увядание для нее может стать действительно глобальной катастрофой. В то же время, научившись дарить людям настоящую глубокую любовь, Лилия может найти в ней надежное убежище от грядущей пустоты, старости и одиночества.

Секреты общения. Если вы имеете представление о чисто женских хитростях и уловках, то для вас Лилин характер не будет загадкой. Однако сама она становится жертвой своей же хитрости, когда умело преподнесенный подарок и умение мужчины вовремя проявить равнодушие способны толкнуть Лилю на необдуманные шаги.

Астрологическая характеристика:

Знак зодиака: Дева. Планета: Меркурий. Цвета имени: салатовый, белый. Наиболее благоприятный цвет: для терпеливости хорош будет коричневый цвет. Камень-талисман: яшма.

След имени в истории. Древние говорили, что сломавший лилию лишает невинности девушку, и этот поэтический образ лишний раз подтверждает, что наши предки, вкладывавшие в каждый цветок свой особый смысл, прочно связывали лилию с любовью, невинностью, молодостью. В христианстве этот прекрасный цветок является атрибутом некоторых святых (как правило, девственниц), а семитские легенды гласят, что лилия произошла от слез безутешно плачущей праматери человечества Евы, навсегда изгнанной из рая.

Впрочем, о происхождении этого нежного цветка есть и еще одно, не менее красивое предание. Древние греки считали, что в то время, когда красавица Алкмена, мать легендарного героя Геркулеса, пыталась спрятать новорожденного сынишку от мести ревнивой богини Юноны, она положила его под густой кустарник. Однако одна из богинь выдала Юноне местоположение малютки и даже не поленилась привести ее к тому самому кусту. Увидев беспомощного младенца, Юнона сменила гнев на милость и, сжалившись, дала голодному мальчику пососать своего молока, однако Геркулес так сильно укусил ее за грудь, что богиня, вскрикнув от боли, оттолкнула ребенка. Молоко Юноны брызнуло во все стороны и, разлившись по небу, образовало Млечный Путь, а несколько капель, упав вниз, превратились в один из самых прекрасных цветков на земле — лилию.

ЛИЯ

Значение и происхождение имени: антилопа (евр.).

Энергетика и Карма имени: энергетика имени Лия отличается легкостью, эмоциональной возбудимостью и открытостью, что, в сущности, и отвечает типичному представлению о чисто женском характере. Несомненно также и то, что Лия будет обладать весьма развитым самолюбием — имя в достаточной степени привлекает к себе внимание и вызывает интерес. Сказывается и отсутствие в нем четкой целеустремленности, наоборот, вместо какой бы то ни было прямолинейности энергетика предполагает вращение вокруг какого-либо эмоционального центра, привлекающего в данный момент внимание Лии, а что человека в подавляющем большинстве случаев интересует больше, чем его собственная персона? Ведь даже из разговоров люди больше всего предпочитают разговоры о себе. Таким образом у Лии довольно сильно выражена склонность к эгоизму, однако нельзя забывать, что склонность — это еще не эгоизм. В конце концов, нет людей равнодушных к себе самому, просто у Лии чуть больше опасность, что называется, зациклиться на этой любви к самой себе.

Впрочем, самолюбие — это не единственный центр вращения Лииных эмоций, как пчела никогда не кружится над одним цветком, так и Лия со своей эмоциональной подвижностью всегда находит что-то интересное в жизни. Она очень любознательна, и очень жаль, что ее энергетика мало предполагает сдержанность, можно даже сказать, совершенно не предполагает, так что интерес Лии к чему-либо частенько становится навязчивым, а это, как известно, веский повод для всяческих недоразумений в общении. Зато уж если Лия научится быть сдержанной, так это будет ее личная заслуга. Как говорится, все в ее руках.

С другой стороны, неумение скрывать свои эмоции делает ее очень непосредственной и искренней женщиной, вот только чувства ее редко бываю слишком глубоки. Кто знает, какой цветок привлечет ее внимание завтра? Зато и негативные эмоции не задерживаются в ней чересчур надолго. Наиболее же благоприятно для нее, если она все-таки научится проявлять определенную выдержку по отношению к своим чувствам, иначе склонность к непостоянству не позволит ей добиться успеха в карьере, да и домашние обязанности тоже требуют достаточного терпения.

Секреты общения. Не стоит принимать слишком близко к сердцу эмоциональную переменчивость Лии, отвлечь же ее от внезапно вспыхнувшего интереса к чему-либо или кому-либо, можно просто постаравшись заинтересовать ее чем-то другим. Да хотя бы самолюбие ее задеть — скорее всего, она тут же забудет обо всем на свете, бросив все свои чувства на самозащиту! Ну, а ее незлопамятность не позволит конфликту зайти слишком глубоко.

Астрологическая характеристика:
Знак зодиака: Дева. Планета: Венера, Луна. Цвета имени: светло-зеленый, бордовый. Наиболее благоприятные цвета: черный, темно-коричневый. Камень-талисман: гагат, яшма, лабрадор.

Празднуем именины: Именины празднуют в Неделю св. праотец.

След имени в истории. Дочери режиссера и актрисы, Лие Ахеджаковой, казалось, просто на роду было написано пойти по стопам родителей, однако ее путь в театр и кинематограф оказался на редкость извилистым. Родившись в Днепропетровске, в первый раз Лия приехала покорять Москву для того, чтобы стать журналистом, однако на вступительных экзаменах в МГУ настолько растерялась, что, по ее собственным словам, не могла даже вспомнить свое имя. С горя она поступила в первый попавшийся институт — благо, золотая медаль открывала ей двери куда угодно, где не было творческого конкурса,— и неожиданно для себя оказалась студенткой Московского института цветных металлов и золота. До сих пор Лия Ахеджакова с большим недоумением вспоминает о полутора годах учебы, проведенных в стенах этого заведения. Впрочем, нет худа без добра: ведь именно там она по-настоящему приобщилась к художественной самодеятельности, выявив свое истинное призвание.

В 1962 году Ахеджакова закончила адыгейскую группу ГИТИСа и была принята в труппу Малого театра, где с успехом выступала в роли актрисы-травести. Примерно через 10 лет после театрального дебюта актриса начала с успехом сниматься в кино, и ее маленькие эпизодические роли в «Иронии судьбы, или С легким паром!» и «Служебном романе» были сразу же замечены зрителями. Действи-

тельно, характерная актриса Ахеджакова оставалась непо-
вторимой даже среди целой плеяды кинозвезд; никто другой с таким искусством не смог бы создать образ маленькой, но сильной женщины — то застенчивой, то нахаль-
ной,— внутри которой бушует целая буря эмоций. Впоследствии актриса еще немало снималась в кино, в таких
фильмах, как «Гараж», «Небеса обетованные», и других, а
в 1991 году даже получила «Нику» за лучшую женскую
роль второго плана.

В театре Лия Ахеджакова много работала с Романом
Виктюком, затем перешла в «Современник» к Галине Вол-
чек. Однако несмотря на все свои творческие успехи, актрисе так и не удалось осуществить ее заветную мечту. Режиссеры использовали данные Ахеджаковой как актрисы-
травести, комической или — гораздо реже — драматичес-
кой актрисы. Что же касается ее самой, то, оглядываясь на
свое творчество, Лия Ахеджакова грустно замечает:

— Я всегда мечтала быть Джульеттой, но об этом не
могло быть и речи.

ЛОЛА, ЛОЛЛА, ЛОЛИТА

Значение и происхождение имени: от римского родового
имени Лоллий. Имя Лола (Лолиа) — означает «полевая
трава»(лат.).

Энергетика и Карма имени: Лола — имя легкое, но чрезвычайно возбудимое. Оно как колокол, тронь его — и
один только Бог знает, когда утихнет гул. Вдобавок ко всему энергия этого имени более направлена внутрь, чем наружу, и это не дает эмоциям Лолы легкого выхода. Больше того, Лола часто все события пропускает через свое
сердце, и как колокол, который рассеивает свою энергию
в долго не стихающей музыке, так и Лола — ее напряжение может заставлять ее «гудеть» поразительно долго.

Таким образом, в случае с Лолой налицо опасность не
только повышенной возбудимости, но также и понижен-
ной способности управлять своими эмоциями. И хотя
опасность — это еще не свершившийся факт, тем не менее расслабляться и пускать все на самотек, наверное, не
стоит. Самое главное, от чего хотелось бы предостеречь
Лолу, а заодно и воспитывающих ее родителей, так это от
каких бы то ни было попыток подавления эмоций — ни

одному Шварцнегеру в мире такое не под силу, в той или иной форме эмоции все равно находят себе выход, а нередко даже в силу чересчур жесткого подавления чувства приобретают извращенную форму.

Гораздо уместнее управлять своими эмоциями не столько грубой силой воли, сколько разумом, направляя энергию в какое-либо безопасное или даже полезное русло. Так, скажем, вы услышали критику в свой адрес. Реакция на ущемленное самолюбие может произойти в виде простой обиды и желания начать выяснять отношения. Умно? Или умнее смягчить ситуацию шуткой? Юмор приводит к равновесию, и в этих условиях эмоциональный всплеск, еще недавно чреватый ссорой, способен утроить ваши силы и вызвать общий душевный подъем. Попробуйте — у веселого человека и дела получаются лучше.

Зато уж в чем Лоле не откажешь, так это в ее настойчивости. Она очень подвижна и общительна, умеет зажигать людей своим энтузиазмом и в силу этого может добиться колоссальных успехов в жизни, жаль только, что все это нередко бывает перечеркнуто ее болезненным самолюбием. Наверное, стоит все же научиться чуть легче и веселее относиться к жизни и к самой себе, если, конечно, Лолу не прельщает перспектива растратить свои душевные силы на вечные конфликты и обиды.

Секреты общения. Чаще всего вывести Лолу из себя значительно легче, чем успокоить. С другой стороны, повышенная чувствительность делает ее очень отзывчивой, а когда не затронуто ее самолюбие, то и вовсе мягкой, душевной женщиной. При этом в своей помощи людям Лола редко ограничивается полумерами и если уж берется помочь, то делает это основательно. В целом в разговоре с ней не помешает побольше юмора и легкого взгляда на мир.

Астрологическая характеристика:
Знак зодиака: Рак. Планета: Меркурий. Цвета имени: светло-зеленый, серебристый, красный. Наиболее благоприятные цвета: белый, оранжевый. Камень-талисман: агат, янтарь.

След имени в истории. В индийской мифологии Лола (иначе — Лакшми, Камала) — богиня счастья, красоты и любви, супруга бога Вишну. Относительно божественного происхождения Лолы существует несколько красивых легенд. Согласно одной из них, когда боги и асуры в самом начале творения мира пахтали (вспахивали) океан, в этот момент из него и появилась прекрасная Лола с цветком лотоса в руках, подобно Афродите, родившейся из морской пены.

Не потому ли имя богини любви изначально придает своей обладательнице долю какой-то необъяснимой чувственности? Лолита — именно так назвал Набоков героиню своего романа, неотразимую нимфетку, предмет мучительных переживаний главного героя. Что же касается реальных женщин, носивших это красивое имя, то среди них и лучшая половина кабаре-дуэта «Академия», и непревзойденная аргентинская актриса Лолита Торрес. Целеустремленная, темпераментная и талантливая, Торрес мечтала играть в кино с детства, и уже в 13 лет снялась в своей первой картине «Превратности судьбы». За свою жизнь эта замечательная актриса снялась в десятках фильмов, среди которых «Любовь с первого взгляда», «Жених для Лауры», и многие другие. По мнению критиков, Лолита великолепно умела использовать свое природное обаяние, которое в сочетании с артистизмом и врожденной грацией давало фантастический эффект. Помимо всего прочего, Лолита Торрес — великолепная певица, и ее исполнение аргентинских народных песен, мастерское и чувственное, до сих пор считается в своем роде непревзойденным.

ЛУИЗА

Значение и происхождение имени: женская форма от имени Луи (Луис, Людовик). Сравнительный анализ дает основания соотнести имя с названием древнего кельтского бога Луга (Лудж, Лью), таким образом, имя Луиза означает — «сияющая» (герм.). В России имя иногда употребимо как форма древнееврейского имени Елизавета.

Энергетика и Карма имени: это звучное и неординарное для России имя не грешит излишней прямотой. Наоборот, его энергетика предполагает огромную гибкость, если не сказать изворотливость. Прежде всего следует отметить, что в нашей стране такое имя не дается ребенку просто так, лишь бы как-то назвать,— обычно родители Луизы еще до ее рождения хотят подчеркнуть необычность своей дочери. Прислушайтесь, не Лиза, а именно Луиза. Все равно как не какой-то там Сидоров, а герр Sidoroff, которому его сермяжный однофамилец и в подметки не годится. Это же относится и к тому случаю, когда девушка сама решает превратиться из обыкновенной русской Лизы в Луизу, завернувшись в свое имя как в красивый импортный фантик. Что делать, для женщин очень характерно относиться к своему имени словно к украшению, так что и имя для Луизы может послужить веским дополнением ко всем прочим женским аксессуарам, или, переходя на современный сленг, «прибамбасам».

В первую очередь это указывает на громадное самолюбие Луизы, а исходя из этого и характер уже определяется более-менее четко. Кстати говоря, совсем не факт, что Луиза будет отличаться значительной самоуверенностью, гораздо чаще бывает, что за этим импортным именем женщина пытается скрыть свою неуверенность в себе, может быть, даже самоутвердиться с его помощью. По крайней мере, с большой вероятностью можно утверждать, что самолюбие Луизы будет очень и очень чувствительным или даже болезненным.

Немалую роль также играет заложенная в имени гибкость — Луиза чаще всего играет какую-то выбранную роль, из чего и строит свою линию поведения. У нее довольно гибкий ум, который во всем, кроме самолюбия, преобладает над чувствами. Она достаточно осторожна и, наверное, способна осуществить какие-то свои мечты, связанные с карьерой или удачным браком. Вот только для настоящего счастья ей обычно не хватает некоторой искренности и душевной открытости. Достичь же этого можно, только сгладив и уравновесив свое самолюбие.

Секреты общения. Наиболее интересный случай, когда женщина с этим именем зовет себя в зависимости от обстоятельств то Лизой, то Луизой, да еще плюс ко всему обладает чувством юмора. Такая женщина обычно обладает прекрасной интуицией и умеет повернуть ситуацию в свою пользу. Будьте осторожны, чтобы не попасться в сети этой Лизы-Луизы! Кроме того, какую бы роль ни играла Луиза, не следует экспериментировать с ее самолюбием — обиды она может помнить очень долго.

Астрологическая характеристика:
Знак зодиака: Близнецы. Планета: Меркурий. Цвет имени: желто-зеленый, красный. Наиболее благоприятные

цвета: белый, коричневый. Камень-талисман: агат, халцедон, яшма.

След имени в истории. Эта скандальная певица сделала все, для того чтобы постоянно быть на слуху; и первым шагом к оглушительной популярности был, несомненно, ее шокирующий псевдоним — Мадонна. На самом же деле родители дали девочке совсем другое имя — Луиза Вероника Чикконе (род. 1958), которое во многом и определило ее стиль и образ жизни.

Обладая целеустремленностью и огромной силой воли, Мадонна, еще в 14 лет решив стать самой знаменитой певицей, в дальнейшем ни на шаг не отходила в сторону от этого «сумасшедшего и невыполнимого» (как говорили ей друзья) плана. Будучи девочкой сообразительной, она прекрасно училась в школе, совмещая занятия с посещением танцевального кружка, и даже поступила в университет, но, не проучившись в нем и года, заявила что время покорения Америки пришло.

Первое время певица пробовала себя в различных амплуа: подрабатывала то в ночных клубах, то в актерской труппе на Бродвее, то официанткой. Немало снималась также и в порнографическом кино. Наконец, ей удалось создать свою собственную группу, которая, несмотря на экстравагантность Мадонны, постоянно придумывающей группе новые названия, все-таки не осталась незамеченной. Вскоре имя певицы с великолепным голосом и кукольной внешностью облетело весь мир — впрочем, будучи девушкой неглупой, Мадонна прекрасно поняла, что настоящая слава может быть основана только на скандалах.

В данный момент Луиза Вероника Чиконе много поет, снимается в самых различных фильмах — от мелодрам до банальных триллеров — и старательно окружает себя ореолом невероятных слухов. Журналы наперебой рассказывают ее многочисленных любовниках и любовницах, о ее не совсем здоровом образе жизни и миллионах долларов, которые певица тратит на одно лишь нижнее белье. Сама же звезда поощряет такую рекламу, время от времени собственноручно подливая масла в огонь,— к примеру, не так давно вышла ее книга «В постели с Мадонной», обильно иллюстрированная соответствующими фотографиями.

ЛЮБОВЬ

Значение и происхождение имени: это имя пришло на Русь вместе с православием и является славянским переводом аналогичного греческого имени, означающего чувство любви.

Энергетика и Карма имени: какой бы притягательный и обаятельный смысл не вкладывался в это имя, нетрудно заметить, что звучит оно довольно твердо и страстно. В нем есть порыв, сила, так что эта любовь может не столько согреть, сколько опалить и измучить человека и в первую очередь саму Любу. Что делать, реальность обычно далека от обывательских представлений. Примерно то же самое случилось со словом ангел — рождественские открытки малюют розовощеких безобидных младенцев, в то время как все святые книги говорят об ангелах как о воинах, на чью мощь невозможно смотреть без невыносимых мучений. Так же и Солнце, его хорошо созерцать только издалека, да еще сквозь дымку облаков, иначе же оно просто обжигает человеку глаза. Ну а кроме того, обывательский смысл слова любовь в силу частого употребления стирается, и на первый план выходит твердая и страстная мелодия самого имени.

Одним словом, имя способно наделить Любу весьма непростым и далеко не мягким характером. Впрочем, твердость имени делает ее терпеливой и сдержанной, она приветлива в общении, доброжелательна, однако это чувство очень далеко от умильной безмятежности. Стоит только задеть ее самолюбие, как может произойти взрыв и от благорасположенности не останется и следа. У Любы обычно очень сильная воля, чаще всего она уже с детства знает цену слову «надо» и много времени и сил отдает учебе. Нередко она может держаться в коллективе особняком. Здесь немалую роль играет достаточная замкнутость имени, но даже если Люба внешне будет общительна и жизнерадостна, внутри у нее все равно будет жить другой человек, погруженный в свои собственные мысли и обдумывающий свои собственные планы.

Лучше всего эти качества Любы проявляются в ее карьере. Она может быть очень упорной, и неудачи не выбивают ее из колеи. Не боится она и кропотливого ежедневного труда, что делает ее хорошим, хотя и достаточно упрямым работником. Особенно же благоприятно, если в карьере Люба сумеет совместить работу со своим духовным интересом. Дело в том, что в силу сочетания эмоциональности и сдержанности большинство Любиных чувств приобретают характер глубокой страсти, и потому если в детстве ей были привиты какие-либо интересы, то обычно она сохраняет их на всю жизнь.

Это же касается и любовных отношений Любы, в которых она, скорее всего, будет стараться сохранить верность одному-единственному человеку. Вот только в семье может не совсем благоприятно проявиться Любина воля и твердость, она обычно хорошая хозяйка, но очень возможно, что, пытаясь управлять своим мужем, она спровоцирует множество семейных скандалов.

Секреты общения. В общении с Любой не стоит забывать, что она способна очень долго помнить как хорошее, так и плохое. Будьте уверены, что если вам довелось попасть в число ее врагов, то это, скорее всего, навсегда, хотя внешне она может быть с вами довольно сдержанной.

Астрологическая характеристика:

Знак зодиака: Козерог. Планета: Венера. Цвет имени: слатовый, коричневый. Иногда красный и синий. Наиболее благоприятный цвет: оранжевый, зеленый. Камень-талисман: опал, изумруд.

Празднуем именины: 30 (17) сентября — Любовь Римская, отроковица, мученица.

След имени в истории. Несомненно, в ее время были актрисы не менее красивые и талантливые, однако именно Любовь Орлова (1902—1975) стала своеобразным символом 30—40-х годов, создав на экране яркий образ девушки своего поколения. Прекрасно образованная (она закончила не только Московскую консерваторию, но и хореографическое отделение театрального техникума), актриса, по словам работавших с нею режиссеров, с ходу начинала чувствовать роль и принимала самое активное участие в детальной проработке образа своей героини. Кстати сказать, это одна из причин, по которой многие режиссеры с Орловой работать просто отказывались,— они не могли потерпеть своеволия актрисы, не соглашавшейся делать все в точности по их указке.

Дебютом Орловой в кино была роль роковой Грушеньки в экранизации «Братьев Карамазовых» Достоевского,

524

вслед за этим последовали комедийные фильмы: «Цирк», где Орлова сыграла Марион Диксон, «Весна», «Волга-Волга» и другие. Она великолепно пела и танцевала, что в сочетании с природной красотой и талантом просто не могло не сделать ее кумиром миллионов.

Понятия «быт» и «обыденность» для Орловой просто не существовало; вернее, будучи человеком творческим, она и в повседневную жизнь умудрялась привносить те же элементы неожиданности, игры и фантазии, какими с успехом пользовалась и на сцене. Так, актриса лично конструировала некоторые предметы своего быта, обожала вещи «с изюминкой» (совсем не обязательно роскошные) и придумывала фасоны необычайных платьев.

Муж Орловой, режиссер Г. Александров, относился к своей знаменитой, но временами капризной, как девочка, супруге нежно и трепетно — так же, как и она к нему. Она снялась почти во всех его картинах, и именно о ней режиссер снял два своих последних фильма — «Скворец и лира» и «Любовь Орлова». Окружающие по-хорошему завидовали звездной чете, не уставая, правда, удивляться: как, прожив столько лет вместе, они умудрились сохранить отношения, при которых ни разу за всю жизнь не назвали друг друга на «ты» — только уважительное «вы».

ЛЮДМИЛА

Значение и происхождение имени: милая людям (слав.).

Энергетика и Карма имени: это имя похоже на плеск воды от упавшего камня и круги, расходящиеся по поверхности озера. Так и в имени Людмила связаны в единое целое два разнородных начала. Легко можно увидеть, что первая часть слова обладает достаточной твердостью, в то время как окончание очень и очень мягкое. Интересно, что некоторые Людмилы сознательно пользуются двойственностью имени, в зависимости от обстоятельств представляясь то Людой, то Милой. Еще имя похоже на весы, пытающиеся уравновесить одновременно и мягкость, и твердость характера.

Такой поиск равновесия обычно приводит к тому, что Людмила с детства начинает отличаться аналитическим складом ума, который в значительной мере маскирует ее чувственность, в то же время не позволяя этой чувственности перерасти в страстность. Какие бы эмоции не обуревали Люду, она все равно старается выбрать из всех вариантов поведения наилучший, по ее мнению. Иногда это получается, иногда нет, но все равно нервные срывы Людмилы редко бывают слишком сильными. Она может пошуметь, обидиться, но, скорее всего, достаточно быстро возьмет себя в руки. При этом Люда не лишена некоторого кокетства, что также является следствием ее логичности и развитого самолюбия.

Часто уже с малых лет Люда знает, что ей надо делать, что нет, а также что можно и чего нельзя. При этом ее уравновешенная рассудком чувственность, скорее всего, приведет к ранним мыслям о замужестве. Иной раз она уже с детства начинает серьезно готовить себя к семейной жизни, и неудивительно, если это приведет к раннему браку, едва только Люда получит от родителей самостоятельность. Здесь, правда, очень быстро может выясниться, что далеко не все в жизни можно спланировать, особенно если речь идет о человеческих взаимоотношениях. Часто Людмила начинает применять свои умственные способности для того, чтобы подогнать характер мужа под свои представления о том, каким должен быть ее мужчина. Неудивительно, если со стороны мужа это вызывает возражения вплоть до открытого конфликта, и здесь нелишне помнить, что счастье нельзя спланировать, поскольку счастье — всего лишь полнота чувств и доверие к Судьбе и к близким людям. Если этого нет, то как бы ни вел себя муж, она все равно останется недовольной.

Нередко Людмила пытается реализовать себя в карьере, и в этом ей могут хорошо помочь такие качества, как умение быть настойчивой и дипломатичной. Хотя, конечно, иногда гораздо уместнее больше доверять своим чувствам, чем разуму.

Секреты общения. В общении с Людой нелишне учитывать, что за ее рассудительной маской обычно скрывается значительная чувственность. Впрочем, в случае возникновения споров или конфликтов с ней все равно гораздо уместнее будет апеллировать к логике, чем к эмоциям.

Астрологическая характеристика:
Знак зодиака: Весы. Планета: Меркурий. Цвета имени: светло-зеленый, желтовато-коричневый. Наиболее благоприятный цвет: зеленый. Камень-талисман: нефрит.

526

Празднуем именины: 29 (16) сентября — Людмила Чешская, княгиня, мученица.

След имени в истории. Действительно, нелегко поверить в то, то одна из самых популярных исполнительниц русских народных песен, Герой Социалистического труда, лауреат Ленинской премии и народная артистка СССР Людмила Зыкина (род. 1929) всю свою жизнь могла бы проработать швеей и вряд ли бы получила все вышеперечисленные награды, если бы не случай. А началось все с того, что она, восемнадцатилетняя девушка со швейной фабрики, вдруг заметила на площади Маяковского объявление о конкурсном наборе в хор им. Пятницкого, и неожиданно для себя решилась. Вскоре Зыкина была уже на прослушивании, а еще через несколько часов увидела свою фамилию среди прошедших конкурс.

С этого и началась звездная карьера певицы. С тех пор ее красивый, глубокий, сильный голос звучит на концертных площадках многих стран мира — она много гастролировала, а с 1977 года стала художественным руководителем ансамбля «Россия». «Теперь, когда прошло много лет, — подводит итог певица в своей книге «На перекрестке встреч», — я могу сказать, что петь необходимо начинать с участия в хоре. Хор — школа познания песни и секретов ее исполнения». Если это действительно так, значит, Людмиле Зыкиной очень повезло, что все в ее жизни сложилось настолько удачно. Однако все-таки кажется, что, даже если бы не хор, ее талант и трудолюбие неизбежно привели бы к тому же результату — точно так же, как тем, кто не обладает необходимыми качествами, вряд ли поможет узнать «секреты исполнения» даже хор им. Пятницкого.

ЛЮЦИЯ

Значение и происхождение имени: светлая (лат.).

Энергетика и Карма имени: имя Люция (Лючия) довольно но распространено в католических странах, в России же, где его можно встретить нечасто, Люция иногда предпочитает представляться Людмилой. По крайней мере, то, как она представляется, может служить «лакмусовой бумажкой», позволяющей определить степень самолюбия Люции, а говоря точнее — активность этого самолюбия и то,

527

как оно отражается на ее поведении. Так, женщина, которая представляется Людой, предпочитает держаться довольно скромно, однако это вовсе не означает, что она недооценивает себя. Скорее, наоборот, просто свой успех она связывает не столько с общественным признанием, сколько с конкретным достижением каких-либо целей, будь то карьера или достижение материальных благ. Люция же стремится больше быть на виду, она более подвижна и не лишена некоторого артистизма.

Впрочем, и в том и в другом случае наиболее значительную роль играет целеустремленность Люции, а также ее энергичность и уравновешенность. Едва ли этих женщин можно упрекать в чрезмерной эмоциональности, чувства Люции редко бьют через край, и она умеет ими управлять. Быть может, это и мешает ей быть по-девичьи легкомысленной и непосредственной, зато чувства ее отличаются постоянством и глубиной. К тому же в ней довольно неплохо вдумчивость сочетается с решительностью — Люция человек дела и у нее есть все шансы довести это дело до логического конца. А вот то, какова будет ее жизненная цель, во многом зависит от ее родителей, ведь уравновешенная Люция довольно легко поддается воспитанию и обычно придерживается в жизни устоявшейся с детства системы ценностей.

В целом ее жизнь не обещает слишком резких поворотов и перепадов, у нее довольно неплохие взаимоотношения как на работе, так и в семье. Кроме того, энергичная Люция умеет справляться с домашними делами, не делая из них трагедию, что для семейного счастья очень даже немаловажно.

Секреты общения. Едва ли в отношениях с Люцией будет чересчур много конфликтов и тем более по ее вине. Она умеет держать себя в руках и решать спорные вопросы с юмором, так что если вы хотите покомандовать ею или настоять на своей точке зрения чересчур экспансивно, то готовьтесь стать «жертвой» ее спокойного и беззлобного остроумия. В остальном же она очень душевный и добрый человек, хотя и не кричит об этом на всех углах.

Астрологическая характеристика:

Знак зодиака: Телец. Планета: Юпитер. Цвета имени: серебристый, оранжевый, коричневый. Наиболее благоприятный цвет: фиолетовый. Камень-талисман: аметист, чароит.

След имени в истории. Сколько легенд и преданий связаны с именем Лукреции Борджиа (1478—1519)! Историки до сих пор не могут найти ответ на вопрос, какой в действительности была эта женщина — коварной интриганкой или же самим олицетворением добродетели? Да что историки, если даже современники Лукреции не имели однозначного мнения на этот счет, наперебой противореча друг другу.

Что же касается фактов, то и они достаточно противоречивы. Так, известно, что с первым мужем своим, князем Альфонсо, Лукреция жила в мире и согласии и, казалось, была к нему очень привязана. Однако семейная жизнь закончилась трагедией: Альфонсо был кем-то ранен и, заподозрив в покушении брата Лукреции, Чезаре Борджиа, в свою очередь попытался избавиться от опасного родственника. Но его ответный удар не удался, и в результате Чезаре убил-таки князя.

Вообще, так уж получилось, что сама фамилия Борджиа сейчас ассоциируется с одними убийцами и отравителями. Американский писатель Чейз даже написал роман «Перстень Борджиа», в котором сюжет строится вокруг старинного кольца, принадлежавшего этой семье,— кольца, из которого, в случае необходимости, выскакивала крошечная иголочка с ядом...

Про Лукрецию тоже говорили немало. Так, например, ходили упорные слухи о ее кровосмесительной связи с собственными отцом и братом. Подозревали даже, что она, подобно Клеопатре, ставила любовникам ужасное условие, и за одну ночь, проведенную с ней, они платили смертью на следующее утро... Однако помимо таких сплетен, не имевших под собой реальной почвы, о Лукреции Борджиа известно еще и то, что своими деньгами она помогала бедным, была женщиной сердобольной и религиозной. Несколько раз она даже закладывала фамильные драгоценности, пуская деньги на благотворительность, за что в Ферраре ее уважительно прозвали «матерью народа».

МАЙЯ

Значение и происхождение имени: происхождение этого имени следует искать в самых истоках индоевропейской (арийской) цивилизации. Корень слова «майя» тот же, что и в слове «магия», что поначалу определялось как чудесная способность Вселенной и Бога к перевоплощению и развитию. Позднее, во время упадка магизма в Индии, в слове осталось только прямой смысл — иллюзия, обман, а понятие Майя получило персонификацию, превратившись в образ матери Богов.

Энергетика и Карма имени: энергетика имени Майя обладает колоссальной эмоциональной силой и подвижностью. Достаточно просто открыть любой словарь русского языка, чтобы увидеть, какие сильные образы связаны с мелодией этого имени: маятник, маета, маяться, маяк, маячить и, наконец, блоковский «май жестокий с белыми ночами». Одним словом, беспокойное имя досталось Майе. Кроме того, достаточная редкость имени на сегодняшний день еще более усиливает и без того мощную энергетику. Все это приводит к тому, что обычно с самого детства характер Майи не отличается ровностью и покладистостью. Наоборот, во всем ее поведении чувствуется значительная норовистость. Она подвижна, общительна, часто бывает заводилой даже среди мальчиков, при этом вовсе не обязательно пытаться обидеть Майю, чтобы вызвать ее бурное недовольство. Скорее, уж она обидит любого, если человек не отвечает ее требованиям.

Вряд ли темперамент Майи позволит ей успевать по всей без исключения школьной программе: заставить ее терпеливо корпеть над домашними заданиями — дело почти немыслимое. Зато очень даже вероятно, что ее подвижная эмоциональность будет проявляться в частой смене интересов, среди которых могут быть и школьные предметы, особенно те, в которых Майю не принуждали к учению. Здесь огромная энергия часто позволяет ей быстро перейти из разряда отстающих в отличницы.

Эти же черты остаются присущи Майе и во взрослой жизни. Она, безусловно, способна на многое и могла бы сделать прекрасную карьеру, если бы только сумела всецело отдаться одному какому-то делу. Впрочем, если Майе удастся найти себе профессию, требующую большой подвижности и быстрого переключения с одного на другое, то ее бурный характер был бы здесь весьма кстати. Да и на семейной жизни это могло бы отразиться к лучшему, а так, не имея иного выхода, норовистость Майи будет в первую очередь отражаться на взаимоотношениях с мужем и детьми. Наиболее же благоприятно, если Майя сумеет уравновесить свою порывистость и подвижность каким-либо творчеством, где ее эмоции найдут себе гораздо лучшее применение, чем в конфликтах с близкими.

Секреты общения. Иногда для того, чтобы разрядить обстановку в общении с Майей, бывает уместно рассказать ей о каком-нибудь возмутительном факте из чьей-либо жизни. В этом случае вы будете иметь шанс выпустить пар и сойтись на совместном негодовании как два союзника.

Астрологическая характеристика:

Знак зодиака: Овен. Планета: Марс. Цвета имени: оранжево-желтый, коричневый, красный. Наиболее благоприятный цвет: синий. Камень-талисман: бирюза.

След имени в истории. Согласно греческой мифологии, нимфа гор Майя — старшая из семи сестер-плеяд, дочерей Атланта и Плейоны. Ее роль в легендах и мифах интересна и разнообразна. Так, к примеру, от ее имени произошло название месяца мая в календаре римлян. Причем непонятно, почему сложилась такая поговорка: «В мае жениться — весь век маяться». Ведь напротив, сама Майя почиталась в первую очередь как символ плодородия, на что указывает и перевод ее имени: «матушка», «кормилица». Интересно также, что богиня ацтеков с похожим названием — Майяуэль — также считалась богиней плодородия, а потому изображалась исключительно как женщина с 400 грудями.

Что же касается Майи, то, по преданию, молодая нимфа была так прекрасна, что даже сам повелитель Олимпа Зевс не устоял перед ее красотой. В гроте горы Киллена Зевс спустился к нимфе, и плодом их любви стал очень хитрый и сообразительный мальчик, покровитель торговли и воров, сам бог Гермес... Считается, что Майя не только живет до сих пор, но и каждый желающий может взглянуть на нее: в свое время вместе с остальными сестрами она была превращена в созвездие Плеяд, став одной из ярких звездочек на небосклоне.

МАРГАРИТА

Значение и происхождение имени: жемчужина (лат.).

Энергетика и Карма имени: Маргарита — имя прямолинейное и резкое, может быть, даже нетерпимое. Жаль только, что такие качества не очень-то сочетаются с понятием женственности, и это, кстати, может немало расстраивать саму Маргариту, особенно в более старшем возрасте. Обычно с детства Рита отличается заводным характером. Она подвижна, общительна, тянется к лидерству и любит оказывать покровительство более слабым. Нередко ее резкости побаиваются не только девочки, но и мальчишки, вплоть до того, что Рита может производить впечатление этакого хулиганистого пацана в юбке. Одним словом, трудно ожидать, что она станет паинькой.

Не исключено, что к учебе она будет относиться довольно прохладно, впрочем, все зависит от ее жизненных целей и устремлений. Если выбранный ею жизненный путь потребует хорошего образования, Рита способна довольно серьезно подойти к этому вопросу, в чем ей прекрасно поможет твердость характера. Кроме этого, энергетика имени часто заставляет Маргариту стесняться проявления своих истиных чувств, а из всех эмоций она обычно признает только юмор и гнев, по ее мнению, праведный. Все это определяет ее склонность к логическому анализу. Из нее мог бы получиться прекрасный общественный деятель или дотошный юрист, вечно ищущий справедливость, вот только в реальной жизни, в том числе и в семейной, такие качества могут оказаться, прямо скажем, не очень полезными. Как минимум, Рите не мешает научиться терпеливости и спокойствию.

Чаще всего Рита либо берет в семье главенствующую роль на себя, выбирая в мужья человека покладистого и неамбициозного, либо же все это заканчивается весьма печально, включая истерики, разводы и взаимные оскорбления. Если Маргарита желает избежать столь печального финала, то легче всего это сделать, обратив свое чувство юмора на саму себя. Быть может, она слишком серьезно относится к себе, в то время как добрая самоирония способна успокоить самолюбие гораздо лучше, чем любой поиск справедливости. В конце концов справедливость вовсе даже не предполагает главенствующую роль Маргариты, и не так уж важно, кто на самом деле прав, поскольку самое главное в общении не правота, а взаимопонимание и уважение.

Секреты общения. Очень часто логика Маргариты отличается некоторой односторонностью. Это и неудивительно, поскольку обычно ее логичность вызвана к жизни каким-либо сильным желанием или даже страстью, в силу чего и ум ее начинает работать в одном направлении. Скорее всего, Рита будет проводить свои умопостроения с главной целью доказать свою правоту, а не найти истину. В то же время, если вы сумеете пропустить ее резкость мимо ушей и попытаетесь заглянуть в ее душу, вы можете обнаружить в ней достаточно хрупкую и нежную женщину, нуждающуюся в человеческом тепле и участии. Так что, чем попусту спорить с Ритой, лучше просто поговорить с ней по человечески и — кто знает — может, этот цветок раскроется перед вами?

Астрологическая характеристика:

Знак зодиака: Овен. Планета: Марс. Цвета имени: стальной, красный, желтый. Наиболее благоприятные цвета: синий, зеленый. Камень-талисман: лазурит, нефрит.

Празднуем именины: 30 (17) июля — Маргарита (Марина) Антиохийская, великомученица.

След имени в истории. Женщина-легенда, Маргарет Тэтчер (род. 1925) сумела добиться почти невозможного: в Великобритании (пожалуй, самой консервативной стране из всех существующих) она сумела сделать головокружительную политическую карьеру, которая и не снилась многим мужчинам-политикам.

Что интресно, родилась «железная леди» в скромной семье бакалейщика, а потому справедливо будет сказать, что абсолютно всего в своей жизни, начиная с самых первых шагов, она добилась лишь благодаря своему упорству и сильному, «пробивному» характеру. Закончив Оксфордский университет и получив специальность химика, Маргарет Тэтчер справедливо решила, что это еще не вершина ее карьеры, а потому прошла курсы юриспруденции и стала заниматься адвокатской практикой. Ей было всего 34 года, когда она была избрана в парламент, и ее дальнейшая карьера развивалась со стремительностью реактивного лайнера, набирающего скорость на взлетной полосе. В 1979 году Маргарет Тэтчер стала первой в истории страны женщиной премьер-министром, после чего переизбиралась еще два раза, поставив таким образом второй рекорд: никогда до нее премьеры в Англии не переизбирались на третий срок.

Ее политика (впрочем, как и характер) не отличалась особой женственностью, и даже для мужчины ее можно было назвать слишком твердой и бескомпромиссной. Однако «железная леди» сама себя таковой не считает; ведь она не только политик (что теперь уже в прошлом), но и жена бизнесмена Денниса Тэтчера, а также мать двоих очаровательных близняшек. Просто, по ее мнению, удел женщины — это не только кухня и пеленки, и если она способна на большее, то почему бы и не реализовать свой потенциал на благо обществу? А то, что сделать это можно даже в Англии, Маргарет Тэтчер доказала всем на личном примере.

МАРИАННА

Значение и происхождение имени: по одной из версий, имя произошло от слияния двух имен — Мария и Анна, что означает «отвергнутая благодать» или «печальная грация». По другой версии, Марианна или Мариана является женской формой имени Мариан (Марьян), что в переводе с латыни означает «морской».

Энергетика и Карма имени: вся энергетика имени Марианна или Марьяна пропитана страстностью и склонностью к душевному надрыву, так что одному только Богу известно, как женщины с этим именем могут оставаться хоть сколько-то сдержанными и при этом еще стремиться руководствоваться в жизни логикой. Иначе как колоссальной силой воли этого не объяснишь. Точно так же невозможно объяснить, каким образом у господ составителей некоторых словарей имен, предположивших у Марианны легкий нрав, не распух от излишнего усердия их главный источник информации на правой руке? Правда, при этом из соседнего источника они почерпнули, что легкость характера у Марианны все-таки сочетается с трудным характером в виде своенравия, горячности и тому подобное. Это их хоть как-то извиняет в моих глазах, хоть и не очень логично, но извиняет.

Увы, даже если бы нам не пришлось общаться ни с одной реально существующей в России Марианной, и то, исходя из импульсивной, можно даже сказать «рьяной» мелодии имени, можно было бы заподозрить, что дело здесь не обошлось без чрезмерной, опаляющей душу страстности. Другое дело, что страсти не для того созданы, чтобы иметь легкий выход на поверхность, наоборот, страсть только тогда становится страстью, когда ее пытаются загнать в самую глубину души.

Так происходит и с Марианной, энергетика которой предполагает повышенное внимание к себе, самоконтроль и целеустремленность. В детстве и в кругу близких, где она еще не Марианна, а Марьянка, ее импульсивность может иметь более легкий выход, однако неизбежные шишки, связанные с острым самолюбием и очень эмоциональным характером, чаще всего заставляют ее учиться держать себя в руках. Но даже если детство проходит в тепличных условиях, где на эксцентричные выходки Марианны смотрят с умилением, во взрослой жизни конфликт все равно неизбежен. Здесь-то и кроется главная опасность, поскольку пытаться подавить эмоции — это все равно что пальцем сдерживать давление в паровом котле.

Еще хуже, когда избалованная Марианна даже не пытается сдерживать свои чувства, ведь мало шансов, что люди вокруг нее будут обладать ангельским терпением и позволят безнаказанно осложнять себе жизнь конфликтами с ней. И тот и другой вариант слишком далеки от понятия счастья, однако исправить ситуацию на самом деле не так уж сложно.

Если Марианна желает, чтобы ее жизнь сложилась удачно, ей следует задуматься, а не слишком ли серьезно она относится к самой себе, к своим чувствам и жизненным целям? Может быть, ей просто недостает искренней самоиронии? Ведь избавившись от этой своей самолюбивой серьезности, Марианна не только освободит себя от душевных мучений или конфликтов с окружающими, но и сможет направить свою колоссальную волевую энергию в более плодотворное русло, чем пустая борьба с самой собой и с окружающими.

Секреты общения. В общении с Марьяной совет простой — больше доверяйте логике и меньше чувствам. Впрочем, присущая ей страстность делает Марианну отзывчивым и умеющим сострадать человеком, правда, взявшись оказать вам помощь, она уже может и не выпустить вас из-под своей опеки.

Астрологическая характеристика:
Знак зодиака: Скорпион. Планета: Марс, Сатурн. Цвета имени: желтый, стальной, бардовый. Наиболее благоприятные цвета: глубокий зеленый, синий. Камень-талисман: изумруд, лазурит, сапфир.

Празднуем именины: 2 марта (17 февраля) — Мариамна, сестра апостола Филиппа.

След имени в истории. Дочь поистине «звездных» родителей, Александра и Лидии Вертинских, Марианна (род. 1943) была старшим ребенком в семье. Ее сестра Анастасия родилась годом позже, и мать со всем старанием и любовью стала учить девочек всему, что знала и сама, стараясь дать им как можно более всестороннее образование. Нет, она не готовила дочерей специально к театральной карьере, тем более что и отец, знаменитый певец, не уставал повторять им, что это слишком тяжелый хлеб, однако кем еще могли стать девочки — артистичные, красивые, талантливые, музыкальные, с прекрасной дикцией и знанием языков? Анастасия и Марианна посвятили свою жизнь театру.

Отличительной чертой Марианны всегда было огромное трудолюбие; она не только старалась отработать вплоть до мельчайших деталей весь рисунок роли, но и — в случаях, когда ей было что-то неясно,— перечитывала всю возможную литературу, пытаясь по-настоящему вжиться в образ героини. Удивительный взгляд, аристократическая утонченность и необыкновенная пластичность придают Марианне Вертинской тот неповторимый шарм, присущий всем членам их семьи, который, видимо, все-таки передается по наследству.

МАРИНА

Значение и происхождение имени: морская (лат.).

Энергетика и Карма имени: не зря это имя названо в честь моря, есть в нем что-то притягательное, как морской пляж. Вот только не стоит слишком далеко заплывать за буйки, а то спасатель может не успеть прийти на помощь. Это, конечно же, образное выражение, а вообще, по своей энергетике имя действительно напоминает то ли набегающую волну прибоя, то ли пружинку, готовую в любой момент разжаться и выстрелить. Ну а кроме того, звучное и красивое имя способно не только привлекать к себе внимание окружающих, но также может наделить саму Марину весьма развитым честолюбием.

Обычно с детства Марину отличает жизнерадостность и подвижность, а хорошая энергетика имени придает ей уверенности в себе. Хотя бывает и так, что в силу излишне строгого воспитания все происходит прямо наоборот и вместо обычной уверенности развивается не менее обычный комплекс неполноценности. Увы, это всего лишь обратная сторона честолюбия, вернее, его нереализовавшаяся сторона. Если человеку, неравнодушному к своим внутренним качествам и к мнению окружающих, постоянно указывать на его недостатки, да еще с высоты родительского положения, то он, вместо того чтобы по плану родителей тут же начать исправляться в лучшую сторону, попросту начнет считать себя неким выродком, а то и возненавидит себя самого. В конце концов, от любви до ненависти не так уж далеко. Впрочем, даже если подобное и произойдет, с возрастом такое положение, скорее всего, исправится и, начав самостоятельную жизнь, Марина все же убедится в своих достоинствах и способности влиять на мужчин.

Одним словом, если и не с детства, то все равно рано или поздно она проявляет силу своего довольно своенравного характера. При этом в поведении Марины чаще всего преобладает некоторая порывистость. Она бывает заводной, однако может вдруг неожиданно потерять интерес к только начатому делу. В случае каких-либо конфликтов ей ничего не стоит постоять за себя, хотя долго помнить зло и обиду не в ее характере. Но самое полезное и привлекательное качество Марины — это хорошо развитое чувство юмора, делающее ее довольно веселым и жизнерадостным человеком. Быть может, чего ей действительно не хватает, так это какого-то постоянства и умения концентрироваться на одной конкретной цели. Без этого ей будет довольно трудно сделать себе карьеру, если, конечно, эта карьера занимает в ее планах какое-то место — ведь зачастую честолюбие Марины вполне удовлетворяется элементарным уважением близких людей и окружающих. Все вышеперечисленное надо учитывать и ее мужу, который должен уделять Марине и ее независимому самолюбию достаточно много внимания и уж ни в коем случае не унижать ее ни словами, ни поведением. Это и есть те буйки, за которые, ох как опасно заплывать.

Секреты общения. Нередко в своем душевном порыве Марина способна наговорить много лишнего, но это вовсе не значит, что вы теперь враги навеки. Скорее всего, уже завтра она и не вспомнит о ссоре или же сама будет серьезно сожалеть о содеянном. Нейтрализовать же вспыхнувший конфликт лучше всего с помощью доброго юмора.

Астрологическая характеристика:

Знак зодиака: Овен. Планета: Венера. Цвета имени: желтый, красный, стальной. Наиболее благоприятные цвета: черный, темно-синий. Камень-талисман: благородный черный опал.

Празднуем именины: 30 (17) июля — Марина (Маргарита) Антиохийская, великомученица.

13 марта (28 февраля) — Марина Македонская, дева, затворница, преподобная.

След имени в истории. Как верно заметил Эльдар Рязанов в своей передаче «Парижские тайны», вся жизнь известной французской актрисы Марины Влади (род. 1938) можно разделить на три периода: до Высоцкого, с Высоцким и после его смерти. Однако надо заметить, что, при всей разнице эти три периода одинаково насыщены событиями, движением, какими-то непредсказуемыми поворотами. Об этом говорят и факты биографии актрисы. Дочь русского летчика и русской же дворянки, поженившихся в парижской эмиграции, она, таким образом, родилась француженкой — так же, как и три ее сестры. Интересно и то, что каждая из четырех со временем стала самостоятельной актрисой, и один раз они даже все вместе сыграли чеховских «Трех сестер» — причем с большим успехом.

Урожденная Полякова-Байдарова, актриса быстро поняла, что для успешной карьеры ей необходим в первую очередь удачный сценический псевдоним, и, сократив на западный манер имя отца, получила из Владимира короткое и запоминающееся — Влади. Успех пришел к ней уже после первых картин, а в предложениях не было недостатка: режиссерам нравилось работать с талантливой актрисой, обладавшей, помимо прочих качеств, хорошей хореографической подготовкой. К настоящему моменту она снялась более чем в 100 фильмах и считает, что это еще не предел. Кроме того, она играет в театре, пишет книги, поет...

Однако несмотря на блестящую карьеру, не все в жизни получилось так, как ей бы хотелось. К примеру, Марина Влади, по ее словам, всегда хотела иметь как минимум шестерых детей, а выполнила только половину «плана».

Она, мечтавшая о романтической любви на всю жизнь, побывала 4 раза замужем, и, обретя эту долгожданную любовь с третьим мужем, Владимиром Высоцким, через 12 лет счастья осталась вдовой.

О своей жизни с Высоцким Марина Влади любит вспоминать следующее: поскольку они часто жили отдельно — он в Москве, а она во Франции,— то постоянно перезванивались и, не в силах остановиться, часами говорили по телефону. Однако астрономических сумм за переговоры платить не приходилось: телефонистки, узнавая их голоса, соединяли влюбленных бесплатно...

МАРИЯ

Значение и происхождение имени: имя происходит от древнееврейского имени Мариам, что по одной версии идет от корня, означающего «отвергнутая», по другой — от слова «печальная». Православная традиция переводит имя как «госпожа».

Энергетика и Карма имени: в имени Мария странным образом строгость сочетается с сердечностью, а страстность с некоторой отстраненностью. Иногда это приводит к развитию у нее весьма противоречивого характера, однако гораздо чаще какая-то одна из этих сторон получает значительный перевес в силу воспитания и условий жизни. Немалую роль могут сыграть в становлении Машиного характера такие образы, как христианская Дева Мария и даже не менее известная на Руси веселая и общительная девочка Маша из русских сказок. И действительно, Маша обычно отличается заметной подвижностью, не лишена чувства юмора, но при этом в глубине ее души может постепенно вызревать значительная страстность, которую она, скорее всего, будет стараться скрыть от окружающих. Впрочем, чем больше она будет прятать свои глубокие чувства, тем сильнее они будут разрастаться. С годами это может сделать Марию довольно строгой и внешне серьезной женщиной, хотя в кругу близких людей она может преображаться. Часто ее чувственность находит свое отражение в любви, особенно к своим детям. При этом, если учесть, что нередко ее чувства принимают характер страсти, то не исключено, что эта ее любовь окажется чрезмерной, вплоть до того, что она вообще может не замечать интересы других людей за интересами своего ребенка. Особенно если этот ребенок единственный.

Очень часто глубинная душевность Марии заставляет ее выбирать гуманные профессии, такие как педагогика или медицина. Здесь действительно сочетание душевного тепла и строгости может оказаться очень благоприятным. Впрочем, какая бы ни была ее тяга к своей профессии, она не может отвлечь Марию от забот о своей собственной семье. Она прекрасная хозяйка и всю свою жизнь старается посвятить детям. С этих же принципов она строит и свои отношения с мужем, будучи всегда готовой поступиться его интересами ради святых для нее интересов ребенка.

По иному складывается Машина жизнь, если в силу воспитания или по каким-либо другим причинам она научилась не скрывать свою страстную натуру от окружающих. В этом случае судьба у нее может получиться достаточно бурной, но интересной. Особенно когда ее чувственность прорвется наружу не сразу, а после достаточно, но не чересчур долгого периода скрытности. Это будет похоже на открытие бутылки с шампанским, веселой, но, увы, недолговечной. Одним словом, и в том и в другом случае не следует забывать, что все хорошо, когда в меру. Перебор же, он и есть перебор.

Секреты общения. Едва ли стоит придавать большое значение внешнему облику Марии, ведь и за строгостью, и за бесшабашной веселостью чаще всего скрывается ее доброта и душевность. Безусловно, ее сердечности хватит и на вас, только не трогайте того, что для нее свято.

Астрологическая характеристика:
Знак зодиака: Скорпион. Планета: Солнце. Цвета имени: оранжевый, стальной. Наиболее благоприятный цвет: спокойный коричневый. Камень-талисман: яшма.

Празднуем именины: 4 августа (22 июля) — Мария Магдалина, равноапостольная, мироносица.

31 января, 11 октября (18 января, 28 сентября) — Мария Радонежская, схимонахиня, мать преподобного Сергия Радонежского.

В Неделю св. жен-мироносиц — Мария Вифанская, сестра Лазаря Четверодневного.

25 (12) февраля — Мария Вифинская, преподобная, подвизавшаяся в мужском образе.

След имени в истории. Дочь суфлера Малого театра, Мария Ермолова (1853—1928) уже с детства приобщилась к

540

театральной среде и всегда мечтала стать актрисой, однако вряд ли хотя бы во сне ей могло привидиться, каких высот она достигнет на сцене. Судьба благоволила ей: уже в 17 лет, будучи на последнем курсе театрального училища, она появилась на подмостках Малого театра — необходимо было срочно заменить заболевшую актрису. Дебютантку заметили, и потому сразу же после окончания учебы без проволочек приняли в труппу.

Ее игра завораживала всех, кто видел Ермолову на сцене. По словам современников, ей удавалось создавать глубокие, противоречивые, сложные образы, которые вместе с тем были реальны, как сама жизнь. Однако такого эффекта актриса достигала не только благодаря своему таланту, но и огромной работоспособности, а также педантичности. Так, чтобы в характере ее героинь для нее не оставалось «белых пятен», перед разучиванием какой-нибудь исторической роли актриса долго рылась в книгах и бумагах того времени, воссоздавая для себя всю картину целиком,— и в результате ее игра была практически документальной. Перед спектаклем она приходила в театр на несколько часов раньше, чтобы настроиться, вжиться в образ; именно потому режиссер К. Станиславский считал Марию Ермолову идеальной актрисой, искусство которой, по его словам, «заключается в совершенной простоте».

Про великую актрису до сих пор ходит немало театральных анекдотов, в основе которых — ее поразительная способность не теряться в любых обстоятельствах. Так, однажды на сцене Малого театра играла Ермолова. За кулисами послышался выстрел — это застрелился муж героини. На сцену вбежал актер. Ермолова в страшном волнении: «Кто отроллл?»

Актер, не переводя дыхания, вместо «Ваш муж!» выпалил: «Вах мух!». Ермолова повторила в ужасе: «Мох мух?» — и упала без чувств.

МАРТА, МАРФА

Значение и происхождение имени: госпожа (арамейск.). В русской транскрипции имя встречается как Марфа.

Энергетика и Карма имени: Марта — это имя трезвой, деловой женщины, энергетика которой обладает уравновешенностью, прямолинейностью и твердостью. Обычно женщина с таким именем очень энергична, целеустремленна и, конечно же, знает себе цену. У нее довольно сильно развито самолюбие, и немалую роль здесь играет то, что само имя Марта звучит в России с некоторым иностранным акцентом, а ранее широко распространенный в нашей стране вариант — Марфа — давно уже устарел. Были случаи, когда имя Мария заменялось детьми на Марфу и давалось в качестве прозвища нелюбимым учителям. Действительно, имя Марфа предполагает острую реакцию на внешнее воздействие, недовольство и даже конфликтность, в чем дети обладают гораздо лучшим чутьем, чем взрослые.

Впрочем, в подавляющем большинстве случаев у уравновешенной Марты самолюбие не гипертрофировано и обычно женщина с этим именем удовлетворяется тем, что умеет постоять за себя и четко знает свои интересы в жизни. Марта довольно прагматична и не подвержена излишним эмоциям. Быть может, она даже слегка холодновата, ведь за ее сдержанностью чувства почти никогда не превращаются в страсть, поскольку находят себе выход в ее целеустремленности. Марта попросту ставит перед собой цель и на ее реализацию направляет все свои силы. При этом в ее планах чаще всего материальная сторона дела преобладает над честолюбивыми помыслами.

Впрочем, целеустремленность Марты не мешает ей быть общительной, наоборот, ее энергетика отличается открытостью, а логичный и последовательный ум если и не наделяет ее значительным остроумием, то по крайней мере не мешает развитию у нее чувства юмора. При этом можно было бы посоветовать Марте побольше обращать юмор к самой себе, поскольку присущие ей твердость и прямота могут стать источником ее некоторой обидчивости. Зато с помощью чувства юмора она имеет шанс сглаживать острые углы в общении, что может заметно облегчить ей как продвижение в карьере, так и внутрисемейные отношения.

Секреты общения. Немного юмора и поменьше других эмоций — вот что может наиболее благоприятно сказаться на взаимоотношениях с Мартой. Кроме того, не стоит забывать о присущей ей гордости и стремлении к независимости. Не стоит пытаться давить на нее, лучше договориться на компромиссных условиях. В случае же конфликтов с ней не затягивайте с выяснением отношений — у Марты долгая память, которая, впрочем, редко когда предполагает коварство или хитрость.

Астрологическая характеристика:

Знак зодиака: Овен. Планета: Сатурн. Цвета имени: красновато-желтый, стальной, коричневый. Наиболее благоприятный цвет: оранжевый. Камень-талисман: янтарь.

Празднуем именины: 19 (6) июля — Марфа Персиянка, Римская, мученица. В Неделю св. жен-мироносиц — Марфа Вифанская, сестра Лазаря Четверодневного.

19 (6) февраля — Марфа Азийская, дева, мученица.

След имени в истории. Вся жизнь и деятельность Марфы Посадницы, этой незаурядной, сильной и властной женщины, далеко неоднозначна. С одной стороны, все ее энергичные действия были направлены на сохранение особого положения Новгорода, его независимости. С другой же — переговоры Марфы с королем польским и литовским Казимиром трудно назвать патриотичными.

Как известно, довольно долгое время Новгород находился фактически на положении города-государства. И хотя столица официально была в Москве, новгородцы не подчинялись иногороднему князю, а все свои дела предпочитали решать сами, на народном вече. Марфа Посадница, возглавившая в Новгороде литовское движение, всеми силами проводила политику как можно большего политического отдаления от Москвы. Для того чтобы закрепить свою независимость, она даже предложила выбрать правителем города польского короля Казимира, но лишь узнав про это, Иоанн III, князь московский, пошел на Новгород с войной. Казимир же обещанную помощь из Польши не прислал, и в результате войска бунтарей были разбиты. С этого началось падение свободного города.

Еще некоторое время после поражения Марфа пыталась, несмотря ни на что, осуществить задуманное. Ее пылкие речи, произносимые на вече, буквально зажигали народ. Помимо ораторского искусства она обладала также даром убеждения и к тому же сама от души верила, что правление Казимира способно решить все проблемы новгородцев. Тем не менее все старания ее оказались тщетными, и 2 февраля 1497 года войска Иоанна снова вступили в город. Все имущество Марфы Посадницы было конфисковано, саму же ее увезли в Нижний Новгород, где мятежницу заточили в монастырь, предоставив возможность до конца жизни отстаивать свободу своих убеждений перед лицом невозмутимых монахинь.

МИРРА

Значение и происхождение имени: миртовая ветвь (греч.). В Советской России имя получило еще одно значение, как сокращение выражения «мировая революция».

Энергетика и Карма имени: интересно, как одна только удвоенная согласная в имени, которую на слух даже определить трудно, воздействует на энергетику Мирры — именно она придает имени не просто твердость, а твердость подчеркнутую, на которой специально сделан акцент. Нет сомнения в том, что как только Мирра начнет учиться писать, она всенепременно столкнется с этой странной особенностью своего имени, когда ухо слышит одно, а мама требует писать по другому. Впрочем, может быть, это произойдет еще раньше, однако девочка все же когда-то осознает, что она не Мира, а именно Мир-р-р-р-а, причем Мирра — это не просто слово, Мирра — это она сама, ее сущность, часть ее души. Так в самосознание ребенка войдет, что от нее требуется повышенная твердость и какое-то упорство, а как известно, детские впечатления самые сильные.

Интересно, что если бы от нее просто требовали твердости, то из этого ничего бы не вышло, а так Мирра как бы открывает в самой себе новое качество и воспринимает его как должное. К тому же детям нравятся «рычащие» звуки, которые так трудно давались в детстве, а потому их произношение свидетельствует о повзрослении, что в том возрасте очень приятно. Таким образом, у Мирры довольно рано начнет проявляться характер, в котором упорство будет сочетаться с серьезностью и склонностью к уравновешенности. Еще бы, ведь она вместе с именем осознала свою какую-то ответственность и «взрослость»! Вместе с тем Мирра добра и отзывчива.

Сложнее становится, когда в ее жизнь начинают приходить первые настоящие чувства. Именно тогда ее стремление к уравновешенной твердости будет склонять ее сдерживать свои душевные порывы, держать себя в руках. Неизвестно, насколько результативны будут эти старания, однако именно сдержанность позволяет не расплескать эмоции, хотя, с другой стороны, чувства начинают превращаться в страсти, а это уже опасно.

Все это делает Мирру очень глубоким человеком, благо что в ее характере нет склонности к какой бы то ни было агрессии. Тем не менее не стоит, наверное, чересчур долго давить свои чувства, ведь в случае успеха Мирра с возрастом станет очень раздражительной. Гораздо лучше, если Мирра направит их в какое-нибудь созидательное русло — да хотя бы стихи будет писать, а еще лучше, если научится снимать внутреннее напряжение с помощью чувства юмора.

В целом при настойчивости Мирры, у нее много шансов добиться успеха в жизни — она трудолюбива, отзывчива, в доме — хорошая хозяйка, вот только иногда все это омрачается его серьезностью. Чуть больше юмора и легкости — и ей повезет!

Секреты общения. Если Мирра обещает, то вряд ли она сможет подвести человека — скорее всего, разобьется, но выполнит обещание. Но и к чужой необязательности она относится очень неодобрительно. Когда же вас начинает смущать ее серьезность и некоторая строгость, то знайте, что за этим фасадом находится добрый и отзывчивый человек.

Астрологическая характеристика:
Знак зодиака: Скорпион. Планета: Сатурн. Цвет имени: коричневато-желтый, стальной. Наиболее благоприятный цвет: оранжевый, белый. Камень-талисман: янтарь, сердолик, агат.

След имени в истории. Поэтесса XIX века Мирра Лохвицкая сумела заинтересовать своим творчеством не только современников, но и далеких потомков, однако меньше всего она обязана этому непосредственно своему таланту. Наиболее привлекательны стихи Мирры для тех, кто интересуется демонологией, колдовством и прочей чертовщиной, а в особенности же историей любви чертей к земным женщинам. «В балладах Лохвицкой, воспевающей тайны шабашей и дьявольских поцелуев, дышит энергия такой правдивой страсти, что невольно соглашаешься с известным утверждением Авксентия Поприщина, будто женщина сама влюблена в черта», — пишет Амфитеатров в книге «Дьявол».

Инкубы и суккубы, принимающие человеческий облик и по ночам посещающие своих любовников, страсть земной женщины, которая, познав ласки дьявола, с презрением отвергает ухаживания обычных мужчин, мечта стать оборотнем — все это темы экзотических поэм Мирры Лохвицкой, благодаря которым поэтесса обрела немалую популярность и которые, судя по всему, немало ее волновали:

«Хочу я быть свободную волчицей//...Пугать мужчин, и женщин, и детей,// Вонзать клыки в трепещущее тело//И забавляться ужасом людей».

НАДЕЖДА

Значение и происхождение имени: это имя пришло на Русь с православием и в отличие от большинства других имен получило распространение в дословном переводе. «Все будет хорошо» — вот его конечный смысл.

Энергетика и Карма имени: в имени Надежда огромный заряд терпения и ожидания чего-то хорошего. По своей звуковой энергетике оно обладает достаточной твердостью и основательностью, что в значительной степени сохраняется даже в уменьшительных формах имени — Надя, Наденька, Надюша и так далее. А какие притягательные образы связаны с ним? К примеру, Надежда Зима, мой дорогой соавтор, за свою жизнь не менее сотни раз успела выслушать от игривых мужчин строчку из песни «Надежда — мой компас земной» и неудивительно, что с некоторых пор эта роль чьего-либо компаса успела ей осточертеть. Так что и здесь есть свои издержки.

Вообще же, твердость и основательность чаще всего начинают проявляться в Надином характере с детства. Она достаточно усидчива, терпелива, иногда излишне серьезна и упряма, но энергетика имени наделяет ее значительным оптимизмом, а потому и жизнерадостностью. Надя очень эмоциональный человек, хотя нередко окружающим это и не заметно, поскольку чувства обычно живут глубоко внутри ее души и вырываются наружу лишь тогда, когда начинают приобретать характер страсти. Иной раз она и сама не замечает эту эмоциональность за своей терпеливой сдержанностью. Большинство ее мыслей связано с будущим, которое чаще всего в ее воображении окрашено в светлые, оптимистичные тона, и это будущее Надежда упорно старается приблизить своим собственным трудом. Все это делает ее очень добрым и отзывчивым человеком, ведь ее будущее, а значит, и ее планы не предполагают зла.

Тем не менее здесь таится немалая опасность. Очень часто глубинные чувства и переживания, не имея себе выхода, постепенно перерастают в страсть. Не исключено, что в юности Надежда будет часто влюбляться, что называется, без памяти, частенько совершая необдуманные шаги, а трагедии юношеской любви доставят ей невыразимые мучения. Бывает, что сила этих переживаний становится разрушительной, нередко страдания способны сделать Надю циничной или же привести к серьезной депрессии. Избежать этого можно, только сделав свой характер немножечко более открытым, и не таить чувства внутри. Кроме того, вряд ли разумно связывать свою жизнерадостность исключительно с будущим, ведь надежда на лучшее будущее часто предполагает, что настоящее не так уж хорошо. Это может подчеркивать Надину неудовлетворенность сегодняшним днем, вплоть до полного недовольства как окружением, так и самой собой. Тут недолго и до развития комплекса неполноценности. Одним словом, ей не мешает побольше замечать сегодняшнее счастье, иначе оно пройдет незамеченным, а свое недовольство можно сгладить доброй самоиронией.

Обычно вся жизнь Надежды — это упорное продвижение к какой-либо цели, будь то карьера или обустройство дома. И в том и в другом случае она вряд ли начнет разменивать на мелочи, все свои силы посвятив главному. Это следует учитывать кандидату в ее супруги, ведь если Надя выберет себе карьеру, то, вполне возможно, что на хозяйство у нее останется не так уж много времени.

Секреты общения. Часто Надина терпеливость и доброта делают ее характер очень удобным для общения и совместной жизни. Ее практически невозможно заставить что-либо сделать, но против доброй просьбы она нередко бессильна. Тем не менее если, уступая просьбам, она будет слишком долго поступаться своими интересами, то рано или поздно неизбежен грандиозный взрыв.

Астрологическая характеристика:
Знак зодиака: Козерог. Планета: Сатурн. Цвета имени:

коричневый, стальной. Наиболее благоприятные цвета: белый, оранжевый. Камень-талисман: опал, янтарь, агаты.

Празднуем именины: 30 (17) сентября — Надежда Римская, отроковица, мученица.

След имени в истории. «Седло было моей первой колыбелью, а лошадь, оружие и полковая музыка — первыми забавами», — писала о своем детстве кавалерист-девица Надежда Дурова (1783—1866). И действительно, судьба распорядилась так, что родилась Надежда в семье гусарского ротмистра, ведущего кочевую жизнь. К тому же мать ее, всегда мечтавшая о мальчике, так и не смогла простить дочери ее принадлежности к противоположному полу, а потому с ранних лет девочка, смутно ощущая эту свою вину, старалась во всем вести себя по-мужски.

Это и предопределило во многом ее жизнь, не менее яркую и удивительную, чем ее детские годы. Хотя в 18 лет Надежда была отдана замуж и даже родила сына, в душе она оставалась лихим гусаром, совсем не склонным заниматься домашним хозяйством, а потому в 23 года Надежда сбежала из дома и, переодевшись в казацкое платье, поступила в конно-польский уланский полк. Она отважно сражалась во многих битвах, была награждена солдатским Георгием и произведена в офицеры — и никто даже не заподозрил о ее маленькой тайне. Но даже когда секрет раскрылся, сам государь разрешил ей называться так, как она и хотела — Александром, и не имел ничего против, если она и дальше останется на службе. Военная жизнь Надежды Дуровой продолжалась до 33 лет — за это время она была ранена при Бородине, отличилась при блокаде крепости Модлина и принимала участие еще в десятках рискованных операций, пока наконец не вышла в отставку в чине штаб-ротмистра.

Даже на гражданке кавалерист-девица осталась верна себе: ходила в мужском костюме и требовала, чтобы с ней обращались как с мужчиной. В 1836 году состоялся ее первый литературный дебют — в свет вышли «Записки» Дуровой в двух частях под заглавием «Кавалерист-девица». Нетрудно догадаться, что эти экзотичные автобиографические заметки вызвали живейший интерес публики, что и послужило началом творческой карьеры Надежды Дуровой.

НАТАЛЬЯ

Значение и происхождение имени: родная (лат.).

Энергетика и Карма имени: за внешним спокойствием имени Наталья скрывается значительный темперамент. Вполне возможно, все было бы иначе, не будь имя столь распространенным, как это отмечается в наши дни. А так его тихое начало и излишняя привычность делают имя малозаметным и потому так резко проявляется контраст со звучным и энергичным последним слогом. В результате имя Наталья — это тот самый омут, в тишине которого может вызреть не одна дюжина чертей как в плохом, так и в хорошем смысле этого слова.

Нельзя сказать, что Наталья отличается какой-то сверхактивностью, скорее, даже наоборот. Нередко, предоставленная самой себе, она превращается в замкнутого человека, предпочитающего скрывать свои эмоции. Другое дело, что энергетика имени предполагает довольно острую реакцию на какие-либо раздражители. Так, скажем, в детстве похвалами и поощрениями Наташу можно заставить носиться, словно метеор, влезать во все дела и проявлять безудержную активность. В то же время замечания, не говоря уже об оскорблениях, могут поднимать в ее душе волну горячей обиды. Очень жаль, если такое качество будет оставлено без внимания. Увы, в детском, да и во взрослом возрасте активность вряд ли обойдется без конфликтов. Стало быть, самолюбие Наташи раз за разом будет подвергаться новым испытаниям и с годами может стать довольно болезненным. Вот только если с возрастом человека хвалят все реже и реже, то критики и замечаний почему-то не убывает.

Чаще всего, какую бы маску не носила Наталья, за ней все равно скрывается если и не болезненное, то весьма значительное самолюбие и чувствительность. Нередко она стремится найти удовлетворение этого чувства в веселых компаниях, где будет стараться обратить на себя внимание. Бывает и так, что она просто пытается держаться независимо, хотя и не упустит случая сказать колкость в чей-либо адрес. Однако в любом случае ее реакция на критику и замечания выдает напряжение излишне самолюбивого человека. О таких людях говорят, что им палец в рот не клади, хотя, если честно, я бы тоже не стал умиляться, если бы кому-то пришло в голову совать пальцы в мой рот.

Надо ли говорить о том, насколько сильно может омрачить человеку жизнь такая ранимость? Безусловно, у Наташи будет достаточно много трудностей и на работе, и в семейной жизни. Да, в сущности, именно эти трудности и заставляют ее носить какую-либо общественную маску, будь то роль бесшабашной девчонки или же образ уравновешенной спокойной женщины. Жаль только, что маска, увы, мало успокаивает душевные раны. Больше того, именно за этой маской обиды часто не могут найти себе выхода и, постепенно накапливаясь, разъедают душу и изматывают нервы. Помочь же здесь может отнюдь не более приемлемое для Наташи поведение людей, а всего-навсего добрая самоирония, избавляющая самолюбие от болезненности. Заодно и плохих людей в глазах Наташи резко поубавится.

Секреты общения. Никто так не нуждается в человеческом тепле и участии, как люди с чувствительным самолюбием. Вот только их иной раз безумно трудно убедить в искренности своих намерений, так что вряд ли стоит лишний раз пытаться залезть в душу к Наталье, лучше просто спокойнее относиться к ней. А вот ей самой не мешает быть чуточку поосторожней, ведь похвалами, лестью или даже душевностью и сочувствием от нее нередко можно добиться многого.

Астрологическая характеристика:

Знак зодиака: Дева. Планета: Марс. Цвет имени: коричневый, красный, салатовый. Наиболее благоприятный цвет: синий. Камень-талисман: бирюза, сапфир.

Празднуем именины: 8 сентября (26 августа) — Наталия Никомидийская, супруга мученика Адриана Никомидийского.

След имени в истории. История Натальи Нарышкиной, матери Петра I и супруги царя Алексея Михайловича, очень напоминает историю про Золушку, но рассказанную на российский лад. После смерти первой жены царь первое время и слушать не хотел о женитьбе, однако время шло, без царицы дворец казался пустым, и в конце концов бояре уговорили Алексея Михайловича выбрать себе новую супругу. О браке по любви здесь не могло быть и речи: царь поручил выбрать ему жену здоровую, красивую и добродетельную, способную родить достойного наследника, и бояре взялись за дело.

В первую очередь по всему государству было объявлено о поисках невесты, и сотни красивых девушек всех сословий приезжали на смотрины, устроенные специальной комиссией. Самые-самые из них отбирались и проходили также медицинский осмотр, после чего происходил очередной отсев. Когда же этот своеобразный конкурс красоты был закончен, нескольким десяткам «финалисток» предстоял последний тур — именно из них царь должен был выбрать себе невесту.

В числе прошедших этот отбор была и Наталья Нарышкина, воспитанница боярина Матвеева, девушка скромная и трудолюбивая, считавшаяся в округе первой красавицей... Каждую ночь царь со свечой совершал свой обход: по очереди он заходил в комнаты к нескольким отобранным девушкам, которые должны были притворяться спящими. В течение нескольких минут Алексей Михайлович рассматривал невесту, лежащую перед ним в одной ночной рубашке, после чего шел к следующей. Рассказывают, что, когда очередь дошла до Натальи Кирилловны, она от страха и смущения так растерялась, что, вместо того, чтобы лежать смирно, попыталась стыдливо прикрыться, в результате чего царь, напротив, увидел намного больше положенного.

Так выбор Алексея Михайловича был сделан, и вскоре Наталья Нарышкина стала женой государя, который от души ее полюбил и в выборе своем никогда не раскаивался.

НЕЛЛИ

Значение и происхождение имени: по наиболее правдоподобной версии, имя происходит как вариант греческого имени Неонилла, что означает молодая. Ср. Неонилла — простонар. Неолина, Неллина — Нелли. Возможно также, имя означает новый свет, новое солнце.

Энергетика и Карма имени: в энергетике имени Нелли легко заметить достаточную возбудимость и склонность к изысканности, поэтому нет ничего удивительного, если с самого детства Неля будет испытывать тягу к какому-либо искусству, а в ее глазах духовные ценности будут иметь гораздо больший вес, чем чисто материальные. Впрочем, очень многое здесь зависит от воспитания и от условий жизни. Как бы то ни было, но красивое и довольно необычное звучание имени способно пробудить у Нелли мечтательность и воображение, возможно даже, что в детстве она будет остро ощущать свою особенность и непохожесть на сверстниц, что иногда способно спровоцировать множество конфликтных ситуаций. Здесь, кстати, немалую роль может сыграть повышенная возбудимость энергетики имени, которая накладывает на характер Нелли отпечаток повышенной эмоциональности и делает ее довольно чувствительной к замечаниям и похвалам. Словом, скорее всего Неля вырастет довольно импульсивным и порывистым человеком.

Чаще всего, если родители дают своей дочери такое имя, они собираются уделить достаточно внимания ее воспитанию, в первую очередь стараясь развить у ребенка чувство вкуса. Обычно это получается, особенно если при этом им удалось не перегнуть палку и не превратить Нелю в обыкновенного сноба. Однако здесь есть один нюанс. Дело в том, что воспитание, как правило, предполагает сдержанность, что при повышенной эмоциональности Нелли, может оказаться довольно взрывоопасным. Примерно так же можно требовать сдержанности от стоящего на плите чайника, не давая выхода для скапливающегося под крышкой пара. Гораздо уместнее просто направить Нелины эмоции в подходящее русло. В то же время некоторая разумная сдержанность не помешает, чтобы эти эмоции не расплескались впустую.

Маловероятно, что Нелли пожелает ограничить свою жизнь заботами о доме, разве что решит превратить свою квартиру в светский салон, оставив мужу проблемы материального обеспечения семьи. Чаще же она стремится реализовать свои духовные запросы вне семьи, для чего старается выбрать себе интересную работу и завести не менее интересные знакомства. Единственное, чего ей следует опасаться, так это непостоянства своих эмоций и собственной вспыльчивости.

Секреты общения. Чаще всего конфликты с Нелей решаются сами собой, если, конечно, вы сами сможете быстро забыть об инциденте. Она редко бывает злопамятна, наоборот, скорее всего, уже в самое ближайшее время она начнет сильно сожалеть о своей несдержанности и потере лица. В разговорах Нелли обычно предпочитает темы, связанные с модой, искусством или светской жизнью, хотя нередко не прочь послушать о каких-либо приключениях и авантюрах.

Астрологическая характеристика:

Знак зодиака: Дева. Планета: Солнце. Цвета имени: салатовый, серебристый. Наиболее благоприятные цвета: зеленый, для большей концентрации — черный. Камень-талисман: изумруд, черный благородный опал.

След имени в истории. Дочь английского полковника Чедлея, Нелли — Елизавета Кингстон сумела добиться в своей жизни немалого, причем львиная этих побед была связана с ее активными действиями на любовном фронте. Кокетливая, обаятельная и жизнерадостная, Нелли была одной из самых симпатичных фрейлин при дворе английской королевы, выгодно выделяясь среди окружения естественным поведением и легким нравом.

Довольно рано она познала запретный плод любви, вступив в тайную связь с капитаном Гервеем и также тайно молодые люди обвенчались, продолжая в интересах карьеры прятать свои отношения от окружающих. Однако вскоре молодой жене, которой не так уж часто удавалось видеться со своим благоверным, становится скучно, и — частично из-за скуки, частично из соображений выгоды — она становится любовницей сказочно богатого герцога Кингстона, годящегося ей то ли в отцы, то ли в деды.

Дальнейшая история любовного треугольника развивается совсем уж в авантюрном ключе. Нелли—Елизавета, чувствуя, что ее возлюбленный близок к завершению своего жизненного пути, решает сочетаться с ним законным браком. Но что делать с первым мужем? Недолго думая, Нелли пробирается в церковь, где когда-то венчалась, и вырывает из книги акт о своем браке — после чего со спокойной душой выходит замуж за герцога Кингстона.

И хотя после смерти герцога правда о его вдове всплыла-таки наружу (о чем позаботились другие его родственники в расчете на наследство), деньги все равно достались Нелли—Елизавете. Совсем не мучаясь угрызениями совести, она спокойно дожила свой век, осчастливив еще многих высоких особ, так и не сумев понять — чего же все-таки плохого в двоемужестве?

НИКА

Значение и происхождение имени: победа (греч.).

Энергетика и Карма имени: Ника — имя подвижное и

легкое, однако особое значение в нем имеет, пожалуй, сочетание открытости, краткости и некоторой жесткости.
Обычно это приводит к тому, что Ника довольно остро реагирует на внешние воздействия, однако, как правило, ее
эмоции не достигают слишком большой силы и не оставляют в душе глубокого следа. Зато Ника очень восприим-
чива не к событиям вообще, а именно к текущему моменту. Жизнь как бы проходит через нее, как река через узкую горловину, и хоть следов почти не остается, но это
позволяет постоянно ощущать ее течение. Даже хорошо,
что эмоции не глубоки, может, это и говорит о некоторой
поверхностности Ники, однако, с другой стороны, не замутняет рассудок, наделяя ее логическим складом ума и
достаточным спокойствием. Больше того, при определенных обстоятельствах, когда Ника полностью уравновешена, она даже может чувствовать малейшие перемены в те-
чении жизни и если будет развивать в себе эту способность, то и предугадывать какие-либо события.

Впрочем, в этом нет ничего сверхъестественного, такими способностями могло бы обладать большинство людей
на свете, однако обычно человеку мешают обуревающие
его чувства, повседневные заботы, тревоги о будущем или
болезненные воспоминания. Куда уж здесь за этим шумом
разглядеть общую картину, ведь для этого нужно оторвать-
ся от собственных мыслей и посмотреть на все в целом!
Конечно, и у Ники подобные «прозрения» чрезвычайно
редки, частенько ей попросту мешают какие-то сиюми-
нутные обиды, но все же именно в силу такой вот энергетики имени у нее есть неплохой шанс как минимум развить свою интуицию, а как максимум — экстрасенсорные
способности!

В остальном же Ника мало чем выделяется из общего
окружения, разве что красивым именем. Она самолюбива,
хотя обычно ее самолюбие неболезненно, в обществе держится довольно спокойно и уверенно. Одним словом —
самая обыкновенная женщина с обыкновенной судьбой,
но с редкой способностью в редкие минуты видеть то, что
не может увидеть простой смертный.

Секреты общения. Если сегодня вы поссорились с Ни-
кой — это еще не значит, что завтра она все еще будет помнить, так что и вам не стоит излишне переживать, лучше
просто подойти да предложить мировую. Вообще, если не

задевать ее самолюбие, с ней довольно легко общаться, особенно тому, кто обладает чувством юмора.

Астрологическая характеристика:

Знак зодиака: Водолей. Планета: Луна. Цвета имени: коричневый, черное серебро. Наиболее благоприятный цвет: синий. Камень-талисман: сапфир.

Празднуем именины: 29 (16) апреля — Ника, священномученица.

След имени в истории. В мифологии древних греков Ника — богиня победы, а точнее, ее олицетворение. Дочь Океаниды, внучка Титана, сестра Мощи, Силы и Зависти, Ника, таким образом, оказалась весьма одаренной от природы, поскольку от каждого из своих родичей взяла все лучшее, что может способствовать победе. Неудивительно, что сами верховные боги в какой-то степени зависели от Ники, спеша заручиться ее благоволением: так, в храме Зевса в Олимпии Зевс, по удачному замыслу скульптора, держал в руке золотую статуэтку крылатой богини победы: на каждой ножке трона царя богов также были ее стилизованные изображения.

Даже сейчас, в наши дни, изображения богини Ники весьма популярны — их можно встретить в самой разнообразной символике, от флагов и вымпелов до товарных знаков, а в древние времена в честь победоносной богини был выстроен храм на Афинском акрополе, ведь Ника — это еще и один из эпитетов Афины (богини-воительницы), одной из верховных богинь греческого пантеона.

НИНА

Значение и происхождение имени. Госпожа, царица (шумер.).

Энергетика и Карма имени: имя Нина крепкое и вполне земное. Оно не зовет создавать воздушные замки, Нина привыкла строить замки из более надежного материала. Интересно, что энергия имени призывает Нину прежде всего полагаться на себя и на свои силы. Это же наделяет ее значительным самолюбием и гордостью. Уже в детстве начинает проявляться Нинино трудолюбие и ревность к чужим успехам, она очень старательна и энергична, особенно если у ее подружек что-то получается лучше, чем у нее. И чаще всего эти качества остаются присущими Нине всю жизнь.

По сути, у нее нет, как таковых, задатков лидера, но уверенность в себе и самостоятельность частенько позволяют ей брать лидирующую роль на себя. Или же Нина начинает держаться в компании особняком, проявляя достаточно общительности и умея в случае чего дать кому-либо решительный отпор. Нередко в силу ее независимости у Нины возникают определенные трудности с родителями и учителями, но проблемы с учебой для нее исключение.

С возрастом Нина старается выбрать себе такую профессию, которая позволит ей прочно стоять на ногах и не очень-то зависеть от мужа. Наоборот, иногда именно она является кормилицей семьи, успешно совмещая эту роль с завидной хозяйственностью и домовитостью. При этом, правда, ее мужу трудно позавидовать, поскольку в этом случае и без того крутой нрав Нины получит веский повод для полного подчинения муженька, а неуважение к недостатку у него мужских качеств, скорее всего, приведет к разводу. Действительно, среди Нин очень много разведенных матерей-одиночек. Если же Нина желает избежать подобной участи, ей не мешает несколько смягчить свой твердый характер. В конце концов, не все в жизни можно измерить материальным достатком, чаще взаимопонимание и теплота между близкими людьми оказываются гораздо важнее. А этого трудно достичь, особенно если недостаток чувства юмора заменять излишней требовательностью к себе и к близким.

Секреты общения. С Ниной бывает опасно шутить, тем более касаться ее личных качеств. Зато она может растаять от задушевного разговора, ведь ее героический характер часто вызывает чувство огромной усталости, и потому она бывает рада открыть душу человеку, который проявит к ней хоть немного сострадания.

Астрологическая характеристика:
Знак зодиака: Телец. Планета: Марс. Цвета имени: коричневый, красный. Наиболее благоприятные цвета: оранжевый, синий. Камень-талисман: сапфир, сердолик.

Празднуем именины: 27 (14) января — Нина равноапостольная, преподобная, просветительница Грузии.

След имени в истории. Необычно сложилась судьба дочери грузинского князя Ильи Чавчавадзе — Нины. Эта девушка получила воспитание, достойное княгини, и пре-

556

красное образование сочеталось у нее с такими природными качествами, как красота, естественность, остроумие. У отца Нины было много друзей, в число которых входил и русский поэт и дипломат Александр Грибоедов, автор хрестоматийной комедии «Горе от ума». Зная дочку своего друга еще ребенком, Грибоедов нередко любовался девочкой, ему было с ней легко и хорошо. Но лишь когда он приехал в гости к Чавчавадзе после долгого перерыва и вместо ребенка увидел прекрасную принцессу, поэт понял, что влюблен.

Его предложение руки и сердца прозвучало для всех неожиданно, чуть ли не во время семейного обеда, и Нина, сама давно тайком любившая Грибоедова, ответила ему согласием. Их недолгая семейная жизнь была яркой, радостной и счастливой. Сам поэт, по его словам, никогда за всю свою жизнь не испытывал ничего подобного; жену свою он боготворил, считая самой лучшей и прекраснейшей женщиной на свете.

Однако любовь Нины Чавчавадзе не принесла ей счастья. По долгу службы Грибоедов должен был отправиться с дипломатической миссией в Персию, и надо же было случиться, что произошло это как раз в тот момент, когда фанатики ислама, подняв бунт в Тегеране, принялись за поголовное истребление всех русских. В числе жертв оказался и Александр Грибоедов — его изуродованное тело было найдено в куче трупов.

Так русская литература потеряла одного из великих поэтов, а молодая жена — горячо любимого мужа. «Жизнь и дела твои бессмертны в памяти русских, но для чего пережила тебя любовь моя?» — написала безутешная Нина Чавчавадзе на могиле Александра Грибоедова.

НИНЕЛЬ

Значение и происхождение имени: имя Нинель появилось в коммунистическую эпоху и представляет собой обратное прочтение фамилии Ленин.

Энергетика и Карма имени: имя Нинель обладает очень чувствительной энергетикой, причем его конструкция довольно интересна — первый закрытый слог создает некий жесткий каркас, и на этой опоре еще звонче выделяется окончание слова — смягченное «ль». Это можно сравнить с камертоном, который благодаря своей жесткости может звучать очень долго. При этом не стоит забывать еще об одном свойстве имени — мало того, что оно достаточно редкое, так еще имеет второе дно или, точнее говоря, изнанку — перевернутую фамилию небезызвестного Ильича. Здесь опять же сказывается разница между психологией ребенка и восприятием взрослого человека. Взрослый может пройти мимо этого факта довольно равнодушно, повседневные заботы лишили его возможности принимать всякую мелочь близко к сердцу. А теперь попробуйте представить, каково будет ребенку, когда он осознает эту тайну своего имени, а значит, свою собственную тайну? Да ведь это прозвучит для него как откровение! Как неизвестная часть самого себя! Все равно как шел по лесу и вдруг на тебе — сам себя встретил. Как минимум это заставит задуматься и заинтересоваться своим внутренним миром.

Одним словом, девочка с именем Нинель может с малых лет испытывать склонность к самоуглублению, и одному только Богу известно, чем это все закончится с учетом ее колоссальной возбудимости. Быть может, она откроет в себе уникальные способности или таланты, быть может, наоборот, запутается в каких-либо комплексах, ведь не только «чужая душа — потемки», в своей тоже черт ногу сломит, просто мало кто туда заглядывает слишком глубоко, разве что в снах.

Впрочем, опасностей можно избежать, если вовремя обратить внимание на эту возбудимость Нинель и постараться уравновесить это качество хотя бы чувством юмора — с таким багажом она по крайней мере не заблудится сама в себе и застрахуется от возможных депрессий.

Секреты общения. Вряд ли общение с Нинель можно назвать легким — иной раз такие фантазии бередят ей душу, что другому и во сне не привидится. С уверенностью можно сказать только одно — при всем ее самолюбии она не склонна к агрессии. Скорее уж, просто уйдет в себя от конфликта. В целом же люди с этим именем добры и отзывчивы, вот только излишняя чувствительность нередко способна обострить ситуацию.

Астрологическая характеристика:

Знак зодиака: Близнецы. Планета: Луна. Цвета имени: коричневый, матово-серебристый, бледно-зеленый. Наиболее благоприятные цвета: оранжевый, синий. Камень-талисман: сердолик, лазурит.

След имени в истории. Нинель Кулагина — одна из самых сильных экстрасенсов XX столетия, чьи способности были признаны даже во времена застоя советскими учеными. Неоднократно женщину пытались «вывести на чистую воду», ставя сложнейшие эксперименты с использованием всех видов современного оборудования, но результаты оставались неизменно ошеломляющими.

Интересно, что сама Нинель, дожив до преклонных лет, способности экстрасенса в себе так и не открыла, и только случай помог ей обратить внимание на такие свойства своего организма, которые она всегда считала само собой разумеющимися. Как-то раз, лежа в больнице после сердечного приступа, Нинель Кулагина от скуки взялась за вязание — спицы так и мелькали в ее руках, а рядом стояла корзинка, в которой лежали клубки шерсти разных цветов. Именно тогда одна из медсестер с изумлением заметила, что женщина выбирает нитки на ощупь, каждый раз безошибочно вытаскивая нужный ей цвет.

Вот тогда за дело и взялись ученые, открывая в этой простоватой, добродушной, деревенской на вид женщине все новые и новые способности. В результате путем опытов удалось установить: Нинель Сергеевна может «читать затылком», угадывать мысли, влиять на положение стрелки компаса, изменять химические свойства воды и даже... передвигать взглядом небольшие предметы.

«После того как установили в комнате фотоэлектронный умножитель (ФЭУ) и цифровой индикатор, Кулагина приложила руку к объективу ФЭУ, я своей рукой фиксировал ее сверху... Я чувствовал, что она напрягается все сильнее и сильнее. Наконец, на индикаторе появилось число и стало расти. Доросло до 9, перескочило на следующий разряд... Мы не успели опомниться, как на индикаторе бежали цифры уже третьего разряда. Тысячекратное превышение темнового тока!» — так описывает один из экспериментов Нинель Кулагиной журналист А. Перевозчиков.

НОННА

Значение и происхождение имени: Нонна дословно означает «девятая» (лат.).

Энергетика и Карма имени: Нонна — имя довольно интересное. Вот, вроде бы, оно конкретно говорит: «Нонна — девятая», а Нонна и не девятая, и не первая, а сама по себе. Вот так, в пику своему имени! Действительно, имя Нонна довольно твердое, при этом его энергетика несет предрасположенность к некоторой закрытости, хотя до замкнутости у Нонны дело не доходит практически никогда. Все дело в огромной возбудимости Нонны, которая не дает ей закрыться и держать в себе негативное напряжение слишком долго. Наоборот, эта ее возбудимость предполагает импульсивность поведения. Прислушайтесь к этому имени — оно как натянутая струна, только тронь, и Нонна зазвенит.

Вдобавок ко всему, женщина с таким именем обладает огромным самолюбием. Здесь, как говорится, все признаки налицо: склонность к закрытости и независимости — это раз, резкая реакция на внешнее воздействие — это два, есть еще и три — редкое имя уже само по себе выделяет Нонну из общего окружения и подчеркивает ее необычность, что никак не может не сказаться на самолюбии. Другое дело, что вовсе не обязательно бравировать этой своей необычностью, достаточно просто сознавать ее. Как правило, все эти вышеуказанные качества взаимоусиливают друг друга, и как результат — из Нонны вырастает женщина самоуверенная, независимая и с характером таким, что палец в рот не клади — не успеешь и до подбородка донести свой палец!

Что и говорить, при таком характере, да еще с энергичностью Нонны, она может проложить себе «дорогу жизни» и добиться реализации своих честолюбивых устремлений. Тем не менее за этой, можно сказать, грозной маской чересчур сильной женщины обычно скрываются обычные человеческие чувства, да и конфликтность не очень-то способствует счастливой жизни, даже невзирая на какие-либо успехи в карьере. Зато если в характере Нонны появится доброе чувство юмора, позволяющее сгладить острые углы своего самолюбия, то жизнь ее складывается гораздо более удачно.

Секреты общения. В общении с Нонной очень желательно сначала повнимательнее присмотреться к ней и проверить ее реакцию на какую-нибудь безобидную шутку. Если реакция будет хорошей, значит, в общении с ней вам зеленый свет, ну а нет, то на всякий случай лучше больше не шутить. Впрочем, в душевном разговоре Нонна может быть и совершенно другой, только берегитесь как бы она не пожалела, что однажды раскрыла вам душу. В этом случае обида у нее останется на всю жизнь!

Астрологическая характеристика:

Знак зодиака: Лев. Планета: Солнце. Цвета имени: темно-коричневый, серебристо-белесый. Наиболее благоприятные цвета: оранжевый, теплые тона коричневого. Камень-талисман: сард, сердолик.

Празднуем именины: (18 августа 5 августа) — Нонна Назианская, диакониса.

След имени в истории. Нонна Мордюкова (род. 1925) — талантливая и всенародно любимая советская актриса кино. Те образы женщин, которые она создавала на экране, являлись своеобразными символами того времени, это были натуры незаурядные, яркие, не признающие компромиссов. И в то же время творчеству актрисы свойствен глубокий внутренний психологизм, то самое «второе дно», когда за видимой бесшабашностью кроется неуверенность, за смехом — слезы...

В 1948 году, еще учась во ВГИКе, Нонна Мордюкова впервые снялась в кино в фильме «Молодая гвардия», сыграв героическую Ульяну Громову. Ее дальнейшие роли в таких фильмах, как «Комиссар», «Журавушка», «Русское поле», и многих других раскрыли талант актрисы в полной мере, обеспечив ей огромный успех,— настолько реалистичны и узнаваемы оказались созданные ею экранные образы.

В тоже время Нонна Мордюкова не является заложницей какого-то одного сложившегося имиджа. Напротив, с одинаковым блеском она может играть как серьезные психологические, так и комедийные, острохарактерные роли, — и эта грань ее творчества нашла свое отражение в таких всем известных фильмах, как «Бриллиантовая рука», «Родня», «Женитьба Бальзаминова».

НОРА

Значение и происхождение имени: предположительно имя восходит к древнескандинавским божествам — Норнам. По легенде, Норны определяли судьбу человека при рождении.

Энергетика и Карма имени: Нора — имя спокойное, жесткое и холодное. Кроме того, его энергетика предполагает внутреннюю закрытость, и хотя внешне Нора может выглядеть довольно экспансивной женщиной, это не мешает ей оставаться со своими скрытыми в глубине души чувствами совсем другим человеком. Одним словом, энергетика имени склоняет ее держать себя в руках, а то, что у нее на душе,— это мало кого касается. Все это выдает женщину горделивую и чрезвычайно самолюбивую. Можно даже сказать, что у Норы есть все шансы превратиться в законченную эгоистку, мало что замечающую в жизни, кроме своих собственных интересов.

Впрочем, она не избалована — родитель, который выбрал это резкое имя, едва ли был мягкотелым добряком, скорее, он старался учить Нору добиваться всего не капризами, а силой воли или даже подчинением себе людей. По крайней мере это имя нравится людям, имеющим задатки к властности (но не тем, кто реализовал свою властность! Такой человек чаще предпочитает простые или сентиментальные имена.).

Есть все основания полагать, что решительная и властная Нора может добиться успеха в жизни. Она не особенно конфликтна, поскольку не предрасположена к эмоциональным срывам и умеет спрятать свои чувства тогда, когда они могут повредить ей. Да и сдерживаемые ею эмоции обычно не перерастают в чрезмерную страсть, поскольку находят себе выход в целеустремленности Норы. Она все стремится подчинить своей главной цели. Гораздо хуже, когда этой цели нет или когда она достигнута,— в этом случае внутреннее напряжение остается невостребованным и может превратить Нору в ужасно раздражительную и недовольную всем и вся женщину. Кроме этого, с возрастом приходит опасность испытать душевное одиночество, мысли о котором в юности кажутся смешными.

Более благоприятно складывается ее судьба, если ее эгоистические наклонности будут уравновешены уважением к окружающим, а самолюбие сглажено хоть каким-то душевным теплом, а еще лучше — жизнерадостным юмором. В этом случае может быть она добъется в жизни чуть меньше, чем могла бы, зато имеет шанс испытать подлинное счастье.

Секреты общения. Спорить с Норой на языке эмоций — это то же самое, что говорить с ветром, она гораздо лучше сможет вас понять, если вы будете логичны. Еще лучше вместо доводов приводить конкретные выгоды ваших предложений. Если же Нора лишена чувства юмора, то вызвать ее на откровенность может, пожалуй, только тот, кого она однажды полюбит, остальным и пытаться нечего.

Астрологическая характеристика:

Знак зодиака: Стрелец. Планета: Сатурн. Цвета имени: коричневый, стальной. Наиболее благоприятные цвета: оранжевый, золотисто-желтый. Камень-талисман: сердолик, золото.

След имени в истории.«Нора» — именно так Генрих Ибсен, прославленный норвежский драматург, назвал одну из своих пьес. Подобно многим другим произведениям Ибсена, «Нора» также глубоко психологична; автор пытается найти ответ на мучающий его вопрос: возможно ли человеку жить по правде, по совести, не играя навязанные ему кем-то социальные роли? А если и возможно — то относится ли это к женщине?

Нора, героиня пьесы, — женщина самоценная, умная и самостоятельная. Она не стремится быть феминисткой в современном понимании этого слова. Нет, она просто хочет любить и быть любимой — но любимой не как вещь или красивая кукла, которую можно с гордостью показывать друзьям, а как человек со своими мыслями, мечтами, внутренним миром.

Выйдя замуж, Нора через некоторое время понимает, что произошло именно то, чего она всеми силами старалась избежать. Муж — человек незлой и неглупый — воспринимал ее в зависимости от обстоятельств как любовницу, хозяйку, мать его детей, но не больше. В конце концов, терзаясь внутренними противоречиями, Нора оказывается поставленной перед выбором: либо, закрыв свою душу, принять навязанные правила игры, либо отказаться от них, бежав из дома и бросив все, что у нее есть. Она выбирает второе, поскольку внутренняя свобода для нее оказывается дороже. Оставив любимых детей и мужа, героиня Ибсена остается совсем одна. И в этом драматург выражает свою четкую позицию — ведь настоящая личность, по его мнению, должна поставить себя вне государства, дома и даже вне семьи.

ОЛЬГА

Значение и происхождение имени: от скандинавского имени Хельга — священная. В мужском варианте читается как Олег.

Энергетика и Карма имени: Ольга — имя несколько осторожное, при этом в нем довольно интересно сочетается достаточная замкнутость с внешней активностью. Энергия имени склоняет Ольгу уделять много внимания себе самой и своим внутренним переживаниям, не очень-то стремясь показать их окружающим. Часто это заставляет считать Ольгу, что называется, себе на уме. Так это или нет, однако сочетание таких противоположных качеств в ее характере, как активность в общении и замкнутость, действительно делают Олю весьма дипломатичным и даже расчетливым человеком. Она как бы постоянно контролирует себя — что и с кем можно, а чего не стоит делать.

Обычно эта черта начинает проявляться в ее характере еще в детстве, и если внимательно присмотреться к Олиному поведению, то за ее благорасположением к окружающим можно заметить некоторую напряженность. Особенно это заметно при первом знакомстве, когда Оля невольно стремится обходить и сглаживать острые углы, что трудно назвать характерным для детского возраста. Впоследствии же, когда отношения в коллективе в основном определятся, Оля становится более открытой, хотя и здесь большинство чувств предпочитает прятать от окружающих, что может быть воспринято как терпеливость и сдержаность. Безусловно, долго держать свои эмоции в глубине души — занятие довольно трудное, однако Ольга обычно находит для них достаточно безопасный выход. Иногда это проявляется в подшучивании над окружающими, что, пожалуй, можно назвать наиболее приемлемым, поскольку в противном случае Олина твердость может толкнуть ее на то, чтобы «выпускать пар» в общении с близкими. Впрочем, нередко ее чувство юмора начинает приобретать характер колкости.

Энергия имени не располагает Олю к открытой конфронтации с кем-либо, и все же в ее жизни не исключено большое количество недоразумений и трудностей в общении. Здесь дело в самолюбии Ольги, которое в силу ее скрытности может иногда вырастать до внушительных размеров и даже становиться болезненным, а также — в ее умении быть жесткой, особенно с близкими людьми. Освободившись от этого и обернув чувство юмора против своего самолюбия, Оля может избежать множества ошибок, а ее терпение и способность к упорному труду, позволят ей не только стать прекрасной женой и хозяйкой, но и добиться значительных успехов в карьере, в том числе и на руководящих должностях. Последнее, кстати, для большинства женщин с этим именем является немаловажным.

Секреты общения. Ольгу нельзя отнести к категории людей, о которых можно безошибочно судить по первому взгляду. Часто при знакомстве она производит впечатление податливого и исполнительного человека, но со временем может понемногу начать проявлять командирские наклонности. Вообще же, в общении с ней не забывайте о том, что логика и расчет у нее практически всегда преобладают над эмоциями.

Астрологическая характеристика:
Знак зодиака: Козерог. Планета: Юпитер. Цвета имени: стальной, светло-зеленый. Наиболее благоприятные цвета: теплые оттенки желтого, иногда может помочь фиолетовый. Камень-талисман: золото, турмалин.

Празднуем именины: 24 (11) июля — Ольга равноапостольная, великая княгиня.

След имени в истории. Удивительно сложилась судьба актрисы Ольги Книппер-Чеховой (1868—1959), всю свою жизнь посвятившую двум вещам: Художественному театру и горячо любимому мужу. Актрисы, чей сценический путь Станиславский назвал «примером и своего рода подвигом».

В 20 лет после окончания Музыкально-драматического училища Ольга, как одна из самых талантливых и подающих надежды учеников Немировича-Данченко, была принята в группу Художественного театра, где вскоре и дебютировала в спектакле «Царь Федор Иоаннович». Следующей ее ролью была роль Аркадиной в чеховской «Чайке», и вряд ли тогда Ольга могла подумать о том, что не пройдет и трех лет, как она станет законной женой автора этой пьесы, самого Антона Павловича Чехова.

Тем не менее в 1901 году, не пожелав расстаться с девичьей фамилией, Ольга Леонардовна добавила к ней фамилию своего великого мужа и, начиная с этого времени, играла уже во всех первых постановках пьес писателя, воплощая на сцене сложные и противоречивые образы его героинь.

60 лет творческой жизни отдала Ольга Книппер-Чехова родному Художественному театру, проиграв в нем весь возможный репертуар. Она исполняла главные роли и в пьесах Толстого, Тургенева, Горького, поражая зрителей разнообразием своего репертуара, ярким талантом, нестандартным подходом в раскрытии образа. В день своего 90-го юбилея актриса торжественно отмечала 60-летие пребывания на сцене; в этот день она сидела в богато убранной ложе, в то время как на сцене шли чеховские «Три сестры». Это было ее последним появлением в театре — не прошло и года после того, как Ольга Книппер-Чехова покинула сцену, и мир узнал о кончине талантливой актрисы.

ПОЛИНА

Значение и происхождение имени: самостоятельная форма греческого имени Аполлинария, что означает — принадлежащая Аполлону.

Энергетика и Карма имени: в энергетике имени Полина прежде всего бросается в глаза его уравновешенность и ровность. Возможно, именно поэтому несмотря на то, что имя это встретишь сегодня нечасто, оно не кажется непривычным и старомодным, в то же время оносительная редкость делает его достаточно заметным.

Интересно, что в первую очередь равновесие Полины колеблется от некоторой серьезности и даже строгости до веселой жизнерадостности. То же касается и связанной с именем ассоциации — поле, которое может быть и полем боя, и полем для игры,— все зависит от обстоятельств, а применительно к характеру Полины — от воспитания. Иными словами, в силу уравновешенности энергетики имя Полина представляет собой то самое поле, на котором может вырасти все, что угодно, как плохое, так и хорошее. Чаще же всего на протяжении всей жизни Поле так и остается присущая ей уравновешенность, сочетающая серьезность и добродушное веселье.

Энергия имени не предполагает в Полине способности долго накапливать и скрывать напряжение, а потому едва ли ее самолюбие станет болезненным, хотя несомненно, что некоторая гордость будет ей не чужда, и дай Бог, чтобы это качество не получило чрезмерного развития в процессе воспитания. Иначе в сочетании с ее спокойствием оно может производить впечатление надменности и высокомерия. Не исключено, что в юности Полина будет стремиться хоть и не гнаться за модой, но все равно выглядеть современной и в одежде, и в поведении. Тем не менее и здесь, скорее всего, скажется ее чувство умеренности. Она не будет чураться больших шумных компаний, хотя их веселье не сможет ее слишком сильно увлечь. Гораздо чаще ее привлекает теплота и душевность истино дружеского общения.

Все это делает характер Полины довольно благоприятным и для личной жизни, и для карьеры. Мало шансов, что она будет бросаться в хозяйственные заботы, как на вражеский дот, зато спокойно и не торопясь вложит в это дело душу. При этом ее неконфликтность способна превратить семейные отношения в оазис, жаль только, что в этом оазисе у мужа может возникнуть иллюзия полной вседозволенности. То же касается и карьеры, где трудолюбие и терпение способны принести свои плоды, хотя иной раз не мешает и заявить о себе в полный голос или же просто напомнить начальству о своих потребностях.

Секреты общения. Нередко Полина бывает излишне прямой в общении и говорит то, что думает, хотя и спокойно, но все же забывая чем-либо смягчить свои слова. Впрочем, за этим не скрывается злой умысел или плохое отношение к человеку, скорее, это просто констатация факта. Больше того, в задушевном разговоре она обычно всегда готова помочь вам не только словами, но и делом.

Астрологическая характеристика:

Знак зодиака: Рак. Планета: Луна. Цвета имени: белый, черный, светло-зеленый. Наиболее благоприятный цвет: для большей активности — красный. Камень-талисман: рубин.

Празднуем именины: 18 (5) января — Аполлинария преподобная, подвизавшаяся в мужском образе.

След имени в истории. Сестра Наполеона Бонапарта Полина не отличалась излишней скромностью поведения, и даже горячо любящий ее брат был вынужден признать этот печальный факт. Действительно, обладая яркой красотой, веселым нравом и остроумием, способным очаровать любого собеседника, Полина наслаждалась всеми прелестями светских утех под девизом: «Жизнь дается человеку только раз».

На многое закрывал глаза Наполеон, пока наконец не приказал сестре — для ее же блага — выйти замуж за генерала Леклерка. Однако первый брак Полины завершился весьма трагически: уехав вместе с мужем на остров Сент-Доминго, она вскоре стала свидетельницей его медленной и мучительной кончины от лихорадки. И хотя Полина всегда считала мужа скорее обузой, мешающей ее развлечениям, его смерть — а вслед за тем и смерть их ребенка — явилась для нее значительным потрясением.

Второй брак Полины окончился разводом (мало какой мужчина способен терпеть репутацию отпетого рогоносца), в народе же начали ходить упорные слухи о кровосмесительной связи брата и сестры. Возможно, в этом и была какая-то доля истины, во всяком случае, Полина настолько открыто проявляла свою ревность по отношению к жене Наполеона Марии-Луизе, что была удалена на некоторое время от двора. До самой смерти Наполеона Полина была верна своему образу жизни беззаботной бабочки, порхающей с цветка на цветок, и лишь после кончины брата вернулась к бывшему мужу, каким-то образом вымолив у него прощение.

Яркий образ Полины, ее красота и энергия, бьющая через край, вдохновили многих художников и скульпторов того времени, однако самым знаменитым ее изображением, действительно передавшим состояние души этой женщины, является статуя работы итальянского скульптора Канове, которой автор дал лаконичное название: «Венера-победительница».

ПРАСКОВЬЯ

Значение и происхождение имени: Прасковья дословно означает «пятница» (греч.).

Энергетика и Карма имени: легкость, подвижность и какой-то искренний порыв ощущаются в энергетике этого старого русского имени. Почему именно искренний? Просто такова мелодия имени. Помнится, меня в детстве хотели научить «видеть» музыку, мол, надо слушать и представлять себе какие-то картинки. Поставили мне пластинку «Петя и волк» и вот я слушал-слушал, но как ни странно ни Петю, ни, тем более, волка почему-то не увидел. Это уже потом, когда с возрастом я перестал ерундой маяться и насиловать свою фантазию, то образы сами стали приходить. Так вот, в мелодии имени Прасковья создается впечатление какой-то искренней и порывистой радости, как будто Прасковья босиком на порог выбежала вас встречать. Согласитесь, что радость босиком — это искренно. А впрочем, дело не в этом.

Главное, что искренность все же очень характерна для Прасковьи. Обычно женщина с таким именем обладает довольно веселым нравом, она очень подвижна и жизнерадостна, однако искренняя эмоциональность делает ее чересчур подверженной внешним воздействиям. Так, если вам вдруг почему-то придет в голову расстроить Прасковью, то это вряд ли будет слишком сложно, так себе, задачка для первоклассника. Впрочем, это же может относиться и к тому, чтобы развеселить ее, если вы, конечно, обладаете чувством юмора.

Надо сказать, что при всей своей непосредственности характер Прасковьи не грешит чрезмерными удобствами для жизни. Паша очень душевный человек, у нее много друзей и подруг, которые любят и ценят ее, вот только сама она может изрядно страдать от собственной чувствительности. В наши дни ситуация осложняется еще и тем, что это довольно редкое по сегодняшним меркам имя выглядит несколько старомодно, что может сказаться на самолюбии Прасковьи, скажем так, не в лучшую сторону. То есть самолюбие будет еще одним поводом для ее негативных эмоций.

Единственное, что, пожалуй, может помочь Паше сгладить некоторые неприятные моменты в своей жизни,— это научиться больше доверять судьбе, какой бы она ни была. В конце концов, расстройствами, пусть даже искренними, дело все равно не поправишь.

Секреты общения. Если вы не желаете портить отношения с Прасковьей, то никогда не забывайте о ее искренности и прямоте. Она сама вряд ли будет хитрить, но и чужая хитрость оскорбит ее до глубины души. В целом же она очень мягкая и добрая женщина, что делает общение с ней очень приятным.

Астрологическая характеристика:

Знак зодиака: Рак. Планета: Венера. Цвета имени: черный, красный, синевато-серебристый. Наиболее благоприятные цвета: оранжевый, коричневый. Камень-талисман: сард, сердолик, янтарь.

Празднуем именины: 10 ноября (28 октября) — Параскева Пятница, великомученица.

8 августа (26 июля) — Параскева Римская, мученица.

2 апреля (20 марта) — Параскева Римская, мученица.

След имени в истории. Эта история любви крепостной актрисы Прасковьи Жемчуговой (1768—1803) и изысканного аристократа графа Шереметьева более всего напоминает сказку про Золушку, переделанную на российский лад,— только это не сказка, а быль. Маленькой девочкой хорошенькая и подвижная дочь кузнеца попала в графский дом вместе с кучей таких же крепостных ребятишек, определенных к театру. Шереметьев, заядлый театрал, справедливо полагал, что настоящих актеров надо готовить с раннего детства, обучая всем тонкостям мастерства. Так Параша, схватывавшая все на лету, научилась петь, танцевать, выучила несколько иностранных языков и в полной мере постигла непростое искусство держаться на сцене.

Ее поразительная красота, талант и выразительность не остались незамеченными — Жемчугова вскоре стала ведущей актрисой шереметьевского театра и возлюбленной самого графа. Однако в отличие от многих подобных романов знати со своими крепостными, Шереметьева и Прасковью связывало действительно подлинное чувство, основанное на общности интересов, любви и взаимном уважении.

В 1801 году они наконец зарегистрировали свой брак — вопреки общественному мнению и преодолев массу предрассудков. Впрочем, уже будучи законной женой графа, Прасковья Жемчугова стала даже своеобразным предметом зависти со стороны его знакомых. Однако семейное счастье продлилось всего 2 года; после тяжелых мучительных родов Прасковья умерла. Граф пережил ее ненадолго.

РАИСА

Значение и происхождение имени: предположительно имя произошло от древнегреческого слова, означающего «легкая».

Энергетика и Карма имени: с именем Раиса трудно долго сидеть на одном месте, оно как рейсовый автобус зовет свою хозяйку к каким-либо переменам, но одновременно требует точности в расписании. Обычно именно такое сочетание подвижности и обязательности присутствует в характере Раисы и в детстве, и во взрослом возрасте.

Нетрудно заметить, что имя обладает достаточной твердостью, причем эта твердость довольно активна, что часто заставляет Раису проявлять неравнодушие к поведению окружающих, и особенно близких людей. Иными словами, она может пытаться оказывать на людей влияние и взять на себя руководящую роль. Впрочем, та же энергия имени одновременно напоминает ей об осторожности, так что неудивительно, если, столкнувшись с сопротивлением, Рая несколько сбавит свои обороты и попытается влиять на людей не прямо, а каким-либо косвенным способом. При этом подвижность и точность ее ума, скорее всего, позволят ей найти наиболее эффективный и безопасный путь, а склонность к анализу поможет избежать эмоционального взрыва и ликвидировать конфликт еще в зародыше. Однако если уж она все таки взорвется, то сила этого взрыва может быть колоссальной.

Присущая Раисе точность делает ее довольно строгой не только к окружающим, но и к себе. Она очень трудолюбива и настойчива, хотя эти качества обычно не бросаются в глаза, поскольку все, что Раиса делает, происходит у нее без надрыва и лишнего шума. Наоборот, часто ее твердость сочетается с жизнерадостным весельем или хотя бы с уравновешенным добродушием. Иногда кажется, что она довольна всем на свете, но за этой кажущейся удовлетворенностью Рая обычно продолжает гнуть свою линию в надежде добиться от людей нужного поведения. В юности это может выражаться в том, что она будет пробовать увлечь людей своим примером, зажечь каким-либо энтузиазмом, и нередко у нее это получается. Впоследствии же, особенно с началом семейной жизни, Раиса начинает искать иные способы воздействия, и часто муж даже не замечает, как становится орудием в ее руках. Жаль только, что к старости ее стремление влиять на людей частенько превращается в ворчливость и брюзжание.

Обычно женщина с таким именем не желает ограничивать свою жизнь чем-либо одним, тем более домашним хозяйством. Рая любит путешествовать или просто отдыхать на природе. Ее деятельная натура заставляет уделять много времени карьере и профессиональному росту, да и характер Раисы помогает ей добиться в этом больших успехов. Если судьба все же ограничит Раису в возможностях, то, скорее всего, ее жажда деятельности найдет свой выход в чисто семейных делах, хотя от этого жизнерадостность Раи может понемногу угаснуть. Избежать этого можно, научившись более спокойно принимать превратности Судьбы и направив свое чувство юмора на отношение к своим успехам и неудачам.

Секреты общения. Постороннему человеку общение с Раисой вряд ли доставит какие-либо хлопоты, обычно она сама берет на себя инициативу в беседе и ведет себя весьма доброжелательно и дипломатично. Тем не менее склонить ее на свою сторону довольно трудно.

Астрологическая характеристика:

Знак зодиака: Лев. Планета: Сатурн. Цвет имени: стальной, красный, коричневый. Наиболее благоприятный цвет: оранжевый, белый. Камень-талисман: агаты, янтарь.

Празднуем именины: 18 сентября, 6 октября (5, 23 сентября) — Раиса Александрийская, дева, мученица.

След имени в истории. Прошло совсем немного лет с тех пор, как имя Раиса автоматически ассоциировалось с именем первой леди государства — Раисой Максимовной Горбачевой. И действительно, можно сказать, что Раиса Максимовна была первой во всех смыслах этого слова, впервые за долгие десятилетия показав всему миру, что у советского главы государства есть жена, с которой не стыдно показаться ни на дипломатическом приеме, ни даже на встрече с лидерами других государств.

До жены первого и последнего Президента СССР никто из супруг партийных боссов не решался взвалить на себя этот тяжелый крест, и лишь Раиса Горбачева нашла в себе силы на глазах у всех делить с мужем удачи и невзгоды большой политики, всегда находясь рядом — подтянутая, энергичная, улыбающаяся. И несмотря на то, что благодаря Раисе Максимовне в народе сложилось немало анекдотов о неразлучной парочке, на самом деле мало какая любящая женщина не мечтала бы точно так же помогать мужу в его работе — другое дело, что не у всех есть для этого необходимые качества.

РЕГИНА, РИНА

Значение и происхождение имени: Регина — «царица» (лат.).

Энергетика и Карма имени: имя Регина отличается очень сильной энергетикой, и немалую роль в этом играют его красота, звучность и редкость. Оно предполагает у своей хозяйки такие качества, как самолюбие, самоуверенность, независимость, подвижность и решительность, — словом, это действительно «царское» имя, и оно как раз представляет собой тот редкий случай, когда энергетика имени совпадает с конкретным значением слова.

Надо заметить, что такой набор качеств является довольно благоприятным для жизни, тем более что «царственность» Регины совершенно не предполагает холодность и отстраненность. Напротив, она очень активна и энергична, не любит сидеть на одном месте, она лидер, причем ее самоуверенность изрядно помогает ей в этом. В самом деле, уверенность избавляет человека от стремления к самоутверждению и, значит, наделяет Регину необходимым спокойствием. Вдобавок ко всему энергетика имени предполагает еще и чувство юмора.

Впрочем, до сих пор речь шла только лишь о предпосылках, а этого, как известно, еще недостаточно для того, чтобы все эти черты реализовались в характере Регины. Больше того, в ее жизни очень многое зависит от воспитания и условий, в которых пройдет ее детство. Как говорится, если даже из диких собак человек умудрился вырастить такое чудо природы, как мопс или, скажем, пудель, то мало ли что может сделать с Региной талантливый воспитатель? Кроме того, сильный характер обычно встречает на своем жизненном пути такое же сильное сопротивление и противодействие, а стало быть, есть опасность, что при столкновении с реальными трудностями самоуверенность Регины может смениться прямо противоположной стороной. В этом случае вместо силы ее будет отличать неуверенность и слабость.

Наиболее благоприятно складывается судьба Регины, если сильные стороны ее энергетики будут сочетаться с развитым чувством юмора и уважением к людям. Это избавит ее от многих недоразумений во взаимоотношениях с окружающими и позволит направить силу характера в какое-либо полезное русло. При этом ее жизнерадостная подвижность может найти свое проявление как в работе, так и просто в любви к путешествиям. Вот только частенько уверенность в себе обращается своей другой стороной — ей, вроде бы, и ни к чему самоутверждаться, и потому для успеха в карьере Регине не хватает некоторого честолюбия.

Секреты общения. Обычно Регина умеет держать себя в обществе, у нее подвижный ум, хорошая фантазия и в сочетании с ее уравновешенным юмором это придает ей определенный шарм. Вот только берегитесь, как бы она исподволь не обворожила вас, ведь Регина умеет использовать свое обаяние для того, чтобы воздействовать на людей и склонять их к какому-либо решению. В целом в общении с ней будут полезны спокойствие и юмор.

Астрологическая характеристика:

Знак зодиака: Лев. Планета: Юпитер. Цвета имени: стальной, белый, иногда коричневый. Наиболее благоприятный цвет: фиолетовый. Камень-талисман: аметист, чароит.

Празднуем именины: 7 марта (22 февраля) — Регина, священномученица.

След имени в истории. Регин-Лейв — именно так звучит имя одной из кровожадных валькирий, воинственных дев скандинавской мифологии. Согласно многочисленным легендам, повествующим об этих странных существах, самих по себе валькирий довольно много, и римляне даже сумели расшифровать часть их имен: Потрясающая, Туманная, Шум битвы и другие, однако Регин-Лейв расшифровке не поддалась, и римские трактаты часто упоминают о ней просто как о Регине.

Народная молва приписывает валькириям множество всяких забот, к примеру, именно они в битвах участвуют в распределении побед и смертей, таким образом выполняя функции судьбы, а также уносят павших в бою храбрых воинов в волшебную страну, где прислуживают им, поят и кормят. По одному из древних преданий, как-то раз один из главных богов рассердился на валькирию за то, что по ошибке она дала победу в битве не тому, кому следовало, за что подверг ее страшному наказанию: запретил впредь воевать и приказал выйти замуж. В одной из исландских саг сохранилась так называемая «Песня валькирий», рисующая мирную картину быта этих милых существ, находящихся при исполнении служебных обязанностей. Во время битвы между ирландцами и скандинавами, повествует сага, двенадцать валькирий ткали ткань из человеческих кишок и пели эту песнь.

РЕНАТА

Значение и происхождение имени: возродившаяся (лат.).

Энергетика и Карма имени: Рената — имя подвижное и сильное, однако его энергетика подвержена довольно резким перепадам. Прислушайтесь — ударение имени падает как раз на наиболее легкий по звучанию слог, что создает иллюзию какого-то провисания, как будто ступенька лестницы вдруг ушла из-под ноги, когда вы уже перенесли на эту ногу свою тяжесть. Безусловно, это всего лишь иллюзия, да и то, если специально не вслушиваться, этой неустойчивости и не заметишь, однако опасность именно тогда становится опасностью, когда приходит неожиданно. Недаром говорится: знал бы, где упадешь,— соломки бы подстелил, так вот, у Ренаты есть возможность подстелить эту самую «соломку» и застраховаться от неожиданных нервных срывов. Больше того, при разумном подходе ее энергетика способна обеспечить ей успех в жизни.

Самое главное для Ренаты — это постараться не забывать, что заложенная в ее энергетике импульсивность не имеет под собой достаточно твердой опоры, и ей следует быть поосторожнее со своими душевными порывами. Рената очень чувствительна и самолюбива, а присущая ей твердость склоняет ее достаточно активно реагировать на внешнее воздействие. Здесь-то и может сказаться отсутствие «тормозов». Нередко, поддавшись первой негативной эмоции, она срывается, и Бог знает куда это может ее занести. Не всегда помогает даже то, что с годами Рената становится более сдержанной. Так, скажем, научившись держать себя в руках на людях, Рената может давать выход негативной энергии в семейном кругу, что изрядно осложнит ей личную жизнь.

Гораздо более благоприятно, если вместо сдержанности Рената попробует сгладить свое самолюбие, ведь это один из главнейших источников ее срывов! Кроме того, эмоции эмоциями, однако с их помощью еще никто ничего и никому не доказал, так что уместнее перевести инцидент в шутку, чем давать выход своему раздражению. Таким образом, чувство юмора способно помочь Ренате обрести подлинное душевное равновесие, избавить ее от множества ошибок и направить ее значительную душевную энергию в какое-либо созидательное русло, будь то карьера или же решение домашних проблем.

Секреты общения. Нередко чувствительность делает Ренату отзывчивой и понимающей женщиной, с ней бывает приятно поговорить по душам. Избежать же острых углов в разговоре наиболее всего помогают спокойная логика и добрый юмор. Однако будьте осторожны с ее самолюбием — шутки не должны быть направлены на ее личные качества!

Астрологическая характеристика:

Знак зодиака: Весы. Планета: Марс. Цвета имени: стальной, коричневый. Наиболее благоприятные цвета: оранжевый, зеленый. Камень-талисман: янтарь, нефрит, изумруд.

След имени в истории. Одна из самых знаменитых ведьм XVIII столетия, сестра Рената, помощница настоятельницы монастыря в Унтерцелле, была одной из последних жертв колдовского безумия, охватившего многие области Европы. Почти 50 лет посвятила Рената монастырю, ежедневно вознося молитвы Богу и даже не подозревая о том, что против нее готовится своеобразный заговор. Началось же все с того, что некая Сесилия Пасторини, с детства мучавшаяся одержимостью и галлюцинациями, захотела принять монашество, а Рената по вполне понятным причинам ее от этого отговаривала. Когда же Сесилия все-таки стала монахиней, некоторые подруги, подражая ей, на богослужениях стали впадать в «экстаз», корчась, крича и пуская пену изо рта во время службы. Вскоре все это стало походить на одержимость, и тогда устами девушек заговорили дьяволы: они обличали Ренату в том, что это она околдовала монахинь.

Так дело против неповинной 69-летней женщины было сфабриковано, сама она признана ведьмой, и дальнейшее расследование сводилось к выведыванию у нее подробностей описания шабаша (куда она, разумеется, ежедневно летала) и связей с различными демонами. Рената мужественно держалась на допросах, однако в конце концов подписала бумагу, обличающую ее во всех смертных грехах. В

1749 году она была сожжена на костре, однако уже через некоторое время опубликованные в печати протоколы ее допросов вызвали огромный общественный резонанс, до того нелепо выглядели эти документы. Есть все основания полагать, что именно дело сестры Ренаты и стало в свое время одним из тех аргументов, благодаря которым противники инквизиции сумели упрочить свои позиции и предотвратить дальнейшую эпидемию подобных страшных судилищ.

РИММА

Значение и происхождение имени: происходит от названия города Рим.

Энергетика и Карма имени: в энергетике имени Римма интересно сочетаются такие качества, как твердость, открытость и, как ни странно, легкая возбудимость. Увы, такой коктейль далеко не всегда является безобидным. Представьте, что вы разговариваете с волевым решительным человеком, который не отличается излишней терпимостью и с полоборота готов сорваться. Безусловно, еще не факт, что именно таким будет характер Риммы, тем не менее и родителям, и учителям, а с возрастом и самой Римме следует посерьезнее отнестись к такой не очень радужной перспективе. Чаще всего трудный характер Риммы начинает проявляться еще в раннем детстве. Иной раз родители просто не могут вынести ее невероятную капризность и требовательность, предпочитая успокаивать свою шумную дочку всяческими поблажками и подарками. Чрезмерное внимание, баловство — все это, конечно, не может пройти незамеченно и понемногу закрепляет в характере Риммы способность добиваться желаемого криком. Кроме того, поощряемые таким образом желания часто вырастают до значительных размеров, усиливая эгоистические наклонности, и не то, чтобы Римма выросла слишком черствой, просто за своими эмоциями и требованиями она может совершенно не слышать и не замечать чувства и желания других людей, а потому и считаться с ними не будет. Нужно ли говорить, что с возрастом при таком раскладе Римма начнет понемногу терять друзей и плодить вокруг себя великое множество врагов? Поэтому вместо того, чтобы баловать ребенка, родителям лучше научиться отвлекать его от своих требований, переключая внимание на что-либо другое. Между прочим, дети довольно легко забывают о своих капризах, если их внимание отвлечь на что-либо веселое. Заодно это поможет сгладить несколько серьезный характер Риммы, восполнив недостающее ей чувство юмора.

Обычно женщины с таким именем обладают большой самоуверенностью, что, кстати, изрядно помогает в карьере, если, конечно, Римма хоть немного научится держать себя в руках. Частенько они выбирают себе профессию, позволяющую им проявить свои «борцовские» качества и нередко стремятся попасть в политику. Хорошо это или нет, но ей надо научиться легче относиться к неудачам. Кроме того, такой характер вряд ли можно назвать особо благоприятным и для семейной жизни. Когда же Римма научится замечать чужие эмоции и желания, а заодно смягчит свой характер добрым юмором, тогда отзывчивей, сострадательней и душевнее, чем она, трудно будет найти человека. А значит, и Судьба изменит свое отношение к ней на более благоприятное.

Секреты общения. Если вы хотите, чтобы Римма вас услышала, то попробуйте воздействовать на ее легкую эмоциональную возбудимость — не надо ничего доказывать, просто дождитесь ее спокойствия и расскажите о своих проблеммах. Однако не слишком увлекайтесь красочными описаниями, бывает, что сострадание вызывает у нее такую боль, что она предпочитает ничего не слышать, а то и оскорбит вас, чтобы только вы замолчали.

Астрологическая характеристика:

Знак зодиака: Овен. Планета: Солнце. Цвета имени: стальной, желтовато-коричневый. Наиболее благоприятные цвета: оранжевый, зеленый. Камень-талисман: опал, хризопраз.

След имени в истории. Римма Баркер — известная средневековая ведьма, чьему искусству жители Англии приписывали всевозможные местные напасти: сглаз, порчу, болезни и смерти. Во всяком случае, именно ее авторству приписывают один из рецептов так называемой колдовской мази, благодаря которой ведьмы обретают способность вызвать эпидемию хоть для целого города.

Согласно рецепту колдуньи, мазь эта состоит из следующих компонентов: священного причастия и вина с размолотыми в пыль человеческими и козлиными когтями, черепами детей, волосами, семенем волшебника и мозгами крысы. И несмотря на то, что секрет данной смеси был вырван из Риммы Баркер на бесконечных допросах, на которых несчастная женщина готова была подтвердить все, что угодно, для судей он был безусловным подтверждением ее вины и поводом для вынесения приговора: в 1608 году ведьма была сожжена на костре, а ее рецепт, вошедший во многие колдовские книги, еще долгое время служил подспорьем для многих начинающих чародеев.

РОЗА, РОЗАЛИЯ

Значение и происхождение имени: имя Роза имеет латинские корни и означает то же, что и в русском языке,— роза.

Энергетика и Карма имени: если родители дают ребенку имя Роза, то нет ничего удивительного, если они начнут относиться к своей дочери так же, как садовник относится к одноименому цветку, требующему ухода, а применительно к самой Розе воспитания. Этому, кстати, благоприятствует спокойствие энергетики имени, в которой отмечаются достаточно четко выраженные твердость, открытость и постоянство. Единственное, чего, пожалуй, недостает в этом имени, так это некоторой живости и подвижности.

Трудно однозначно определить, каким будет воспитание Розы, тем не менее большинство шансов за то, что оно будет успешным, а может быть, даже и удачным. В первую очередь родители стараются приучить Розу к порядку и терпеливости. Среди женщин с этим именем очень мало избалованных особ, обычно они хоть и знают себе цену, но довольно терпимо относятся к окружающим. Впрочем, в случае чего Роза может и постоять за себя, проявив свои скрытые от посторонних глаз шипы и колючки.

Вообще, хорошее воспитание открывает Розе широкие возможности для успеха в цивилизованном обществе. Это же касается и ее семейной жизни. Вряд ли она будет слишком рано стремиться выскочить замуж, скорее, Роза подойдет к этому вопросу серьезно и основательно, остановив свой выбор на человеке, заслуживающем, по ее мнению и по мнению родителей, всяческого доверия как в материальном, так и в моральном плане. Жаль только, что очень часто за благообразной внешностью порядочного человека скрываются потаенные и далеко не всегда благородные страсти и пороки. К сожалению или к счастью, но в таких вопросах сердце зачастую разбирается лучше, чем разум.

Еще один подводный камень хорошего воспитания — это то, что и у самой Розы за маской спокойствия и сдержанности могут вызревать какие-либо страсти, что в сочетании с ее правильностью часто может основательно испортить ей жизнь. Иногда не мешает выпустить страсть наружу еще до тех пор, пока она не приобрела каких-то извращенных в силу долгого сдерживания форм. Это, кстати, могло бы существенно помочь Розе и в ее карьере. И последнее: иногда бывает, что родители в своем воспитании перегибают палку и вызывают у Розы чувство протеста. В этом случае ее твердость может резко обострить конфликт, и вместо ожидаемой правильности получится ее полная противоположность.

Секреты общения. Чтобы нормально общаться с большинством женщин с именем Роза, необходимо как минимум выучить правила хорошего тона. Хотя, если честно, нередко в глубине души ей хочется поступать совсем иначе, так что не исключено, что бедная Роза будет сгорать от страсти по какому-либо авантюристу и пройдохе.

Астрологическая характеристика:
Знак зодиака: Рыбы. Планета: Плутон. Цвет имени: черный, зеленый, красный. Наиболее благоприятный цвет: белый. Камень-талисман: агаты, алмаз, горный хрусталь.

След имени в истории. Древняя индийская легенда гласит, что как-то раз Брахма поспорил с Вишну о том, какой цветок красивее.

— Лотос красивее всех цветов мира, — утверждал Брахма.

В ответ же Вишну просто показал ему розу, и Брахма тотчас признал себя побежденным.

И действительно, этот прекрасный цветок не только дал название женскому имени, он — один из самых распространенных мифологических и поэтических образов, с которым у разных народов связаны свои ассоциации. К примеру, в Риме и Греции роза стала цветком, олицетворяющим смерть, в то время как у других народов она, напротив, обозначает радость и славу, а расчетливые евреи и вовсе считали, что роза символизирует число «5».

Однако в большинстве случаев роза считается все-таки цветком страсти, и именно об этом красноречиво свидетельствуют многие связанные с ней легенды. Так, «Романс о Розарии», принадлежащий перу поэта К. Брентано, рассказывает о трех сестрах с именами Алая Роза, Золотая Роза и Белая Роза, которым грозит кровосмесительная связь с их родными братьями,— и только вмешательство божественной благодати спасает девушек от ужасной участи.

Что же касается цвета этого прекрасного цветка, то, по одной версии, роза стала красной, когда на ее лепестки упала капля крови с ноги богини Афродиты — она босиком искала убитого ею Адониса. Согласно же другой легенде, роза просто-напросто зарделась от смущения, в то время как ее, гуляя по райскому саду, поцеловала сама праматерь человечества Ева. С происхождением розовых шипов связана другая история: как-то раз, вдыхая благоухание цветка, бог любви Купидон был ужален вылетевшей из него пчелой. В гневе, он выхватил свой лук и выстрелил в розовый куст, намереваясь, вероятно, поразить насекомое — но, вопреки его ожиданиям, пчела осталась цела, в то время как стрела превратилась в острую колючку.

Но есть и другой вариант. Говорят, что один раз известный своей распутностью бог Вакх (именно от него произошло слово «вакханалия») преследовал испуганную нимфу. Он уже почти было нагнал ее, как вдруг перед ним выросла преграда — ограда из терниев. Нимфа стала пробираться через заросли, и неповоротливый Вакх решил облегчить себе задачу по поимке, превратив тернии в ограду из роз. Однако уже через несколько мгновений он понял свою ошибку: пробираться через розы нимфе тоже не составляло никакого труда. Именно тогда охваченный страстью Вакх и сделал так, что у роз выросли шипы,— и лишь после этого беглянка оказалась целиком в его власти.

РОКСАНА

Значение и происхождение имени: предположительно это имя образовано от иранского корня «рахш», что означает «светлый». В иранском эпосе Рахш — символ божественной силы, персонифицированный как мудрый конь богатыря Рустама, помогающий ему в его подвигах(перс.).

Энергетика и Карма имени: главной особенностью этого редкого имени является пожалуй то, что всего лишь одна звучная буква, которую просто невозможно не заметить, отличает его от более привычного — Оксана. Так и получается — может, имя русское, может, нет, но главное, что оно привлекает к себе внимание, заставляет задуматься над ним, а стало быть, и выделяет Роксану из общего окружения. Да еще как выделяет — вряд ли кто-то, познакомившись с Роксаной, быстро забудет ее имя. Наоборот, пока это имя не успело еще получить распространение, оно колоссально воздействует на психику и может оказаться незаменимым для тех, кто желает быть на виду. В самом деле, услышав имя один раз, второй раз человек начинает воспринимать его как нечто знакомое, мол, где-то я его уже слышал об этой женщине, мол, не помню где, но раз слышал, то значит — человек она известный, а может быть, и выдающийся. Конечно, будь имя не такое звонкое, не будь в нем этого созвучия и в то же время резкого контраста с привычной всем Оксаной, все было бы иначе, а так оно предоставляет человеку огромные возможности для известности. Дальше, как говорится, уже от него самого все будет зависеть, но возможности есть, грех жаловаться.

На саму же Роксану имя может подействовать двояко — либо она действительно будет обладать громадным честолюбием и всегда стремиться в первые ряды, либо, наоборот, постарается уйти в тень, столкнувшись с явными неудобствами своей заметности. Здесь многое зависит от воспитания, однако следует заметить, что первый вариант более вероятен, поскольку мощная энергетика Роксаны предполагает стремление к первенству, может быть, даже к превосходству. Другое дело, что на этом пути недолго и шишек себе понабивать, а значит, есть шанс вместо самоуверенности стать обладателем ярчайшего комплекса неполноценности. Словом, возможности у имени велики, но и опасность немалая, как это, впрочем, всегда бывает в подобных случаях.

Что же касается характера Роксаны и его влияния на личную жизнь, то здесь надо отметить ее решительность, чувствительность и импульсивность. Она, как правило, очень обидчива и не склонна прощать эти обиды никому. Такой характер частенько провоцирует ссоры, ведь при ее самолюбии задеть ее за живое вовсе даже не сложно. Впрочем, для Роксаны в большинстве случаев характерно чувство юмора, что ее нередко выручает. А если она к тому же с помощью этого чувства сумеет сгладить свое самолюбие, то проблем в ее жизни может заметно поубавиться.

Секреты общения. Не надо экспериментировать с самолюбием Роксаны, лучше поверьте на слово — оно грандиозно по размерам и взрывоопасно по ответной реакции. Даже если она и смолчит в ответ на обиду, то вот забыть о ней вряд ли сможет. В общении с ней лучше всего придерживаться принципов взаимоуважения, совмещая его с чувством юмора и уравновешенной логикой.

Астрологическая характеристика:

Знак зодиака: Овен. Планета: Солнце, Марс. Цвета имени: темно стальной, серебристый, красный. Наиболее благоприятный цвет: золотистый. Камень-талисман: золото.

След имени в истории. Без сомнения, имя Роксана яркое и запоминающееся, выделяющее ее обладательницу из толпы. Именно потому так выгодно на сегодняшний момент быть его обладателем или хотя бы взять в качестве псевдонима — услышавший его хоть раз вряд ли забудет. Взять хотя бы жену Михаила Державина Роксану Бабаян — если и есть человек, никогда не слышавший ее песен, имя ее он знает наверняка. Да и журналисты любят брать у этой экстравагантной женщины интервью, живописуя ее быт, костюмы, пристрастия.

По словам самой Роксаны Бабаян, несмотря на то, что творчество оставляет не так много времени для занятий домашним хозяйством, она женщина очень домашняя.

— Я ведь родом из Ташкента, — объясняет певица, — и, как и каждая южная женщина, очень люблю готовить.

Что же касается светской жизни, то с образом жены Державина прочно связан строгий, но в то же время лирический стиль. Предпочитая костюмы от Ферре и Валентино, Роксана Бабаян одевается не вызывающе, но с изюминкой, производя впечатление шикарной женщины. Свою любовь к хорошей кухне, нарядам и украшениям певица делит с любовью к перемене мест. «Моя жизнь — это вечное движение, — говорит она в одном из интервью журналистам. — Я просто обожаю гастроли, в этот период я чувствую себя как будто в другом измерении, ведь там не надо никуда спешить...»

САРРА, САРА

Значение и происхождение имени: знатная, княгиня (евр.).

Энергетика и Карма имени: это имя, пожалуй, чересчур жесткое и холодное для женщины, в его энергетике чувствуется бескомпромиссность, резкость и огромное упорство. Однако совсем даже не факт, что таким же будет и характер Сары. Скорее, уж наоборот: раз в имени слишком уж явно ощущается недостаток тепла, то Сара поневоле будет стремиться это тепло восполнить. В первую очередь энергетика имени отразится на самолюбии Сары и здесь играет роль не только малоподходящая женщине жесткость, но и то, что имя несет на себе слишком явный отпечаток общееврейской Кармы. Примерно как имя Иван, которое стало символом простого русского мужика, только вот в случае с Сарой влияние общееврейской Кармы трудно назвать особо благоприятным — сказываются долгие века унижений и скитаний этого на самом деле ни в чем не повинного народа. Ну скажите на милость, как может быть виноват весь народ оптом? И в чем? Многие задаются этим вопросом, однако на отрицательной Карме это мало отражается.

Словом, самолюбие Сары страдает сразу же с двух сторон, а в добавок ко всему сказывается и недостаток пластичности в ее энергетики, что еще более обостряет реакцию на внешние раздражители. Таким образом, у Сары появляются два главных варианта Судьбы — либо она встанет на мучительный путь самоутверждения, либо попросту примет положение вещей таким, каково оно есть. Однако самое главное то, что собственные душевные страдания, причин для которых хоть отбавляй, могут сделать ее очень чувствительной не только к своей, но и к чужой беде, а это, согласитесь, уже кое-что.

Как правило, Сара действительно очень мягкий и отзывчивый человек, однако если она выбрала путь самоутверждения, то болезненное самолюбие может стать причиной ее конфликтности и вспыльчивости, что не столько поставит под сомнение ее доброту, сколько испортит ей взаимоотношения с окружающими. С этой точки зрения второй вариант судьбы, предполагающий смирение, гораздо лучше, жаль только, что это делает Сару незаметной, что мешает карьере и успеху в жизни. Наиболее же благоприятно, если ей удастся смягчить свое самолюбие с помощью доброй самоиронии, но смягчить не до конца, а чуть-чуть оставить для того, чтобы уметь в случае чего постоять за себя. Именно этот компромиссный вариант и позволит ей проявить свой волевой характер наилучшим образом и в семейной жизни, и в карьере, особенно той, которая требует творческого подхода.

Секреты общения. Какой бы ни был характер Сары, постарайтесь не задевать лишний раз ее самолюбие — в некоторых случаях это чревато взрывом, в других же — просто некрасиво. Лучше просто поговорить с ней по душам, и, скорее всего, она сможет вас понять.

Астрологическая характеристика:

Знак зодиака: Рак. Планета: Сатурн. Цвета имени: серебристый, красный, темно-стальной. Наиболее благоприятные цвета: оранжевый, золотистый. Камень-талисман: сердолик, золото.

Празднуем именины: Сарра Ливийская, Египетская, дева, отшельница — справляется в сырную субботу.

След имени в истории. Говорят, как-то раз знаменитая французская актриса Сара Бернар (1844—1923) написала побывавшему на ее спектакле Ротшильду, что она находится совсем без денег. Банкир ответил ей восторженным посланием, завершив его словами:

«При этом посылаю вам тысячу франков и миллион комплиментов!»

— Лучше бы наоборот, — проворчала актриса, прочитав письмо.

Ее называли «великолепной Сарой», «божественной Сарой» из-за ее красоты, серебристого чарующего голоса, профессиональной и разноплановой актерской игры. Одинаково успешно ей удавались и трагедийные, и романтические роли, однако наибольший успех ей принесло исполнение мужских ролей в качестве актрисы-травести: так, она играла сына Наполеона в пьесе Ростана, Ромео в трагедии Шекспира... Как-то раз композитор Джузеппе

Верди увидел Сару Бернар в роли Маргариты Готье и настолько был поражен ее игрой, что решил написать оперу по этой пьесе. Так появилась «Травиата».

Боевая и решительная, но вместе с тем по-женски хрупкая, Сара Бернар, казалось, воплощала в себе все те достоинства, о которых грезит любой мужчина. И именно она, как только представилась такая возможность, первой из великих актрис снялась в кино. Однако этот шаг стал для нее трагическим: в 1915 году, во время съемок, она так сильно повредила ногу, что через несколько лет мучительной боли пришлось согласиться на ампутацию. Но даже несмотря на потерю ноги, мужественная актриса... продолжала играть. Конечно, только в тех ролях, где можно было играть сидя. И лишь в 78 лет Сара Бернар окончательно покинула сцену, а спустя еще несколько месяцев мир узнал о смерти великой актрисы.

СВЕТЛАНА

Значение и происхождение имени: светлая (слав.).

Энергетика и Карма имени: вся энергетика имени Светлана буквально пропитана легкостью и подвижностью, начиная от его звучания и заканчивая конкретным значением — светлая. Обычно все эти качества находят свое отражение в эмоциональности Светы и ее склонности к веселью, так что не зря, наверное, это имя получило в России такое широкое распространение. Конечно, если родители в детстве будут держать ее в ежовых рукавицах и требовать сдержаности и полного послушания, то со временем Светины эмоции могут достичь уровня страстей, однако в большинстве случаев ее эмоциональность носит несколько поверхностный характер и легко находит себе выход в поведении Светы.

Обычно Светлана растет общительным жизнерадостным ребенком, любящим игры и довольно прохладно относящимся к школьным занятиям. Другое дело, что ее подвижный ум позволяет довольно быстро, хоть и не очень глубоко, усваивать информацию, а потому и особых проблем с ее успеваемостью, как правило, не возникает. Кроме того, в некоторых случаях Света может загораться интересом к каким-либо школьным предметам, и тогда ее знания становятся более глубокими. Жаль только, что этот интерес редко бывает устойчивым, и частенько Светлана вырастает в соответствии с пушкинской фразой — «мы все учились понемногу чему-нибудь и как-нибудь». Обычный для Светиного образования набор состоит из средней школы, музыкалки, иногда кружка рисования или танцев, далее желателен какой-либо институт не столько для знаний, сколько для социального статуса. Естественно, все это справедливо только в том случае, если воспитание или какие-то из ряда вон выходящие случаи не углубили ее интереса к одной из областей знаний или искусства. В этом случае подвижный ум и легкость Светланы могут помочь ей добиться в интересной для нее области значительных успехов.

В жизни Светлана отличается достаточной доброжелательностью и общительностью, она любит веселые компании, может вспылить, но вряд ли это надолго. У нее почти всегда огромное множество подружек и приятелей, да и с ухажерами редко бывают проблемы. Правда, она может испытывать много сомпений при выборе кандидата в супруги, что связано с легкой изменчивостью ее эмоций и чувств. Увы, глубокая любовь для нее малохарактерна. В семейной жизни она вряд ли будет претендовать на роль лидера, зато, следуя за своими непостоянными эмоциями, Светлана может часто, что называется, пилить своего мужа, не очень-то стараясь скрывать даже легкое недовольство. Впрочем, обычно все это сглаживается ее достаточной легкостью и веселостью, так что здесь особых проблем не возникает. С возрастом нередко ее чувства становятся более глубокими, и это отражается на повышенной заботе о детях. Если же Света желает добиться успеха в карьере, ей следует научиться концентрировать внимание и стать более усидчивой.

Секреты общения. Обычно спорить со Светой — это то же самое, что спорить с ветром, поскольку чаще всего эмоции у нее преобладают над логикой. Стало быть, и заинтересовать ее гораздо легче, обращаясь к сердцу. Будьте уверены, разум ее пойдет туда, куда захочет Светино сердце.

Астрологическая характеристика:
Знак зодиака: Водолей. Планета: Меркурий. Цвета имени: салатовый, иногда синий. Наиболее благоприятный цвет: коричневый, для успеха в делах — черный. Камень-талисман: яшма, благородный черный опал.

Празднуем именины: 26 (13) февраля — Светлана Палестинская, преподобная.

2 апреля (20 марта) — Светлана Римская, мученица.

След имени в истории. «Я — человек ведомый», — говорит про себя актриса Светлана Крючкова, имея в виду свое творчество и стиль работы с режиссерами. К жизни эти слова, конечно же, не относятся, поскольку абсолютно всего ей пришлось добиваться самой. Дочь работников МВД в Кишиневе, она имела не очень много шансов войти в столичную театральную элиту, и прекрасно это понимала. Поэтому упорно три года подряд пыталась поступить в один из театральных институтов, в анкете записывая: «Из семьи служащих». Так, в результате Светлана Крючкова до поступления в школу-студию МХАТ успела поработать и слесарем-сборщиком, и препаратором.

В отличие от удачной творческой карьеры (ее знают и любят за роли Нелли Ледневой в «Большой перемене», Екатерины II в «Царской охоте» и многие другие) личная жизнь актрисы сложилась не очень счастливо. Быть может, причиной тому ее эмоциональность, чувственность, страстность — ведь сильный напор чувств может выдержать далеко не каждый мужчина. Побывав неудачно 2 раза замужем и оставшись с двумя сыновьями на руках, Светлана Крючкова, казалось, навсегда разочаровалась в мужчинах, считая:

— Они только и могут, что в игры играть: политика, деньги, а жизнь настоящую не в состоянии выносить.

Однако ее третий брак с барменом, на 12 лет моложе актрисы, оказался более прочным и заставил ее пересмотреть взгляды на жизнь. И потому теперь, когда Светлану Крючкову спрашивают о том, счастлива ли она, она искренне отвечает:

— Существует всего три несчастья: смерть, болезни и угрызения совести. Счастье же — это все остальное.

СЕРАФИМА

Значение и происхождение имени: огненная, пламенная (евр.).

Энергетика и Карма имени: Серафима — имя очень интересное. Во-первых, оно в полном смысле этого слова ангельское, так сказать, на одной ступени с Херувимами. Во-вторых, в отличие от Херувимов, «ангелообразность» Серафимы не так уж заметна, а стало быть, не мозолит глаза и лишает имя излишней претенциозности. В-третьих же, у имени очень своеобразная энергетика, что, в общемто, и является наиболее интересным.

Нетрудно заметить, что по своему звучанию имя Серафима начинается на каком-то подъеме, а заканчивается гораздо более спокойным выдохом, как будто человек вздохнул с облегчением. Таким образом, в энергетике создается некий контраст — напряжение в начале делает Серафиму довольно чувствительным человеком, а облегчение в конце дает душевному напряжению спокойный и безопасный выход. Все это может оказать очень благотворное влияние на ее судьбу, и хотя положительная энергетика — это еще не характер, тем не менее у Серафимы много шансов на то, чтобы соответствовать своему неординарному имени.

Как правило, Симу еще с детства отличает подвижность и жизнерадостный оптимизм, да и с возрастом мрачное настроение для нее малохарактерно. Она добра и отзывчива, всегда готова прийти на помощь, вот только нередко повышенная чувствительность делает ее довольно обидчивой. Впрочем, обиды не задерживаются в душе Серафимы надолго и быстро проходят, уступая место привычному оптимизму и добродушию. Она очень общительна и обладает неплохим чувством юмора, что и вовсе облегчает общение с ней. Неудивительно, если рядом с ней будет множество друзей и приятелей. В семейной жизни у Серафимы тоже не предполагается особых сложностей, в большинстве случаев ее девичья влюбчивость в замужестве уступает место более глубоким и зрелым чувствам, а душевность, доброта и быстрая отходчивость Симы не дают обычным в семье недоразумениям превратиться в повод для развода.

Следует также отметить мечтательность Серафимы — бывает, что мечты о каком-то светлом будущем помогают ей быстро вернуть душевное равновесие. Жаль только, что для реализации своих мечтаний в реальной жизни Серафиме недостает некоторой настойчивости — как ни странно, мешает присущий ей оптимизм и легкость. Особенно это касается успеха в карьере и помыслов о своей финансовой независимости, здесь ей не обойтись без воспитания в себе упорства и целеустремленности.

Секреты общения. Серафиму не так уж сложно задеть за живое, и хотя обиды живут в ее душе недолго, это еще не означает, что она вернет свое благорасположение к обидчику — если обида будет глубока, она может попросту перестать общаться с этим человеком. Другое дело, что ей чужды мысли о какой бы то ни было мести. В людях же Серафима наиболее всего ценит искренность, честность и постоянство.

Астрологическая характеристика:

Знак зодиака: Водолей. Планета: Меркурий. Цвета имени: серебристый, фиолетовый. Наиболее благоприятный цвет: коричневый. Камень-талисман: яшма.

Празднуем именины: 11 августа (29 июля) — Серафима Римская, дева, мученица.

След имени в истории. «У каждого из них по шести крыл; двумя закрывал каждый лицо свое, и двумя закрывал ноги свои, и двумя летал» — так описывает ветхозаветный пророк Исайя серафимов — ангелов, особо приближенных к Богу.

Интересно, что еще в начале VI века Псевдо-Дионисий Ареопагит составил четкую таблицу всех ангельских чинов, видимо, исходя из того соображения, что если все «на земле, как на небе», то и у них должна быть своя иерархия. Итак, если верить этому ученому богослову, ближе всех к Богу находится так называемая первая триада: серафимы, херувимы и престолы, вторая триада состоит из господства, силы и власти, третья же, находящаяся в непосредственной близости к человеку,— это начала, архангелы и ангелы.

Возвращаясь же к серафимам, то они, согласно «Книге Еноха», находятся на шестом небе, в ведении самого архангела Гавриила. Интересно, что этот ангельский чин, давший начало таким звучным и кротким именам, как Серафим и Серафима, на самом деле всегда представлялся грозным и устрашающим. Действительно, один из самых распространенных сюжетов христианской иконописи — серафим, который, касаясь уст пророка горящим углем, взятым прямо с жертвенника, очищает их, тем самым приготовляя его к служению. Это и неудивительно, ведь прообразом серафима послужил не кто иной, как древневавилонский шестикрылый демон, в каждой руке держащий по змее. Вдохновленный этими легендами, Пушкин написал стихотворение «Пророк», хорошо отразившее христианские представления об опыте общения человека с грозными, испускающими свет серафимами, совсем непохожими на розовых пухлых ангелочков:

«И он к устам моим приник,// И вырвал грешный мой язык,// И празднословный, и лукавый,// И жало мудрыя змеи// В уста отверстые мои// Вложил десницею кровавой».

СОФИЯ

Значение и происхождение имени: мудрая (греч.).

Энергетика и Карма имени: Софья — имя импульсивное и глубокое, однако в нем самом заложено недоверие к своей чувственности и достаточная серьезность. Впрочем, не зря в древности это слово выбрали для обозначения мудрости, достичь которой невозможно без глубины чувств. Действительно, легко победить свои страсти, когда они слабы, тот же, кто сумеет привести в равновесие глубочайшие переживания, тот обретет и мудрость. Жаль, конечно, что подобное происходит в жизни очень редко.

Чаще всего Софья с детсва растет весьма старателным и усидчивым ребенком, и родителям не составляет большого труда приучить ее к такому понятию, как «надо». Вряд ли следует ожидать, что учеба будет ей легко даваться, тем не менее в большинстве случаев знания, полученные тяжелым трудом, оказываются более глубокими. С возрастом трудолюбие Софьи может найти себе прекрасное применение и в плане карьеры, и в семейной жизни. Она прекрасная хозяйка и надежный работник, вот только нередко в ее поведении начинает отражаться сила ее одерживаемых эмоций.

В первую очередь это может сделать Софью очень разговорчивой, особенно если она не нашла выход своей чувственности в какой-либо карьере, будь-то требующая большой и страстной любви наука или же еще более эмоциональное искусство. Если такого выхода у Софьи нет, то глубокие чувства могут доставлять ей немалые страдания и требовать какого-либо проявления, поэтому София частенько может часами говорить со знакомыми и близкими о своих, да и о чужих проблемах. При этом в большинстве случаев такие разговоры отнюдь не похожи на беззаботное перемывание косточек.

В семейной жизни София вряд ли будет стремиться играть активную роль лидера, хотя ее сильная воля способна подчинить себе мужчину, что она будет делать без лишних криков, но весьма настойчиво. Здесь ей следует вести себя осторожней, поскольку, как бы София ни старалась скрыть свои переживания, их тяжесть все равно может негативно отразиться на взаимоотношениях. Исправить ситуацию нетрудно, если попробовать восполнить недостающую в энергетике ее имени склонность к юмору. По крайней мере, более легкое отношение к жизни не повредит. Заодно однажды это может помочь ей легче пережить ситуацию, когда внезапно вырвавшая наружу страсть потребует от нее резко изменить свою жизнь и отдаться во власть безрассудного чувства неожиданной любви.

Секреты общения. София умеет не только делиться своими проблемами, но может и для ваших проблем сыграть роль громоотвода. При этом помогать чужой беде у нее нередко получается лучше, чем справляться со своей. В случае же каких-либо конфликтов наиболее разумным будет спокойно апеллировать к ее разуму.

Астрологическая характеристика:
Знак зодиака: Козерог. Планета: Венера, Плутон. Цвета имени: серебристый, фиолетовый. Наиболее благоприятный цвет: белый. Камень-талисман: мрамор, агаты.

Празднуем именины: 1 октября (18 сентября) — София Египетская, мученица.

1 апреля (19 марта) — София Слуцкая, княжна.

30 (17) сентября — София Римская, мученица.

След имени в истории. Киноактриса, покорившая сердца миллионов, София Лорен до сих пор остается одной из самых популярных женщин в мире и, несмотря на то, что ей уже далеко за шестьдесят, считается первой красавицей, тогда как прелести многих других киношных секс-символов быстро увядают. Быть может, секрет Софии Лорен в том, что, в отличии от других, она не молодится и не пытается скрыть свой возраст, а потому и выглядит естественно и привлекательно? Так или иначе, начала свою карьеру актриса именно со своей внешности — с 15 лет она участвовала в конкурсах красоты, где ее и заметил продюсер Карло Понти, впоследствии ставший ее мужем, и начал устраивать своей милой протеже роли в кино. Кстати, еще одно качество, выгодно отличающее Софию

Лорен от других представительниц ее профессии,— это постоянство: с Карло Понти актриса живет до сих пор, родила от него двоих детей и вполне счастлива в браке.

Если бы только внешние данные были залогом популярности актрисы, она так до сих пор и играла бы лишь очаровательных кокеток и роковых женщин. Однако поскольку ее актерский талант ничуть не уступает эффектной внешности, София Лорен сумела полностью реализоваться, сыграв за свою жизнь самые разные роли: психологические, драматические, комедийные.

В жизни, по утверждению знающих ее лично людей, актриса со всеми держится просто, и за этой естественной простотой невозможно разглядеть ни «звездной болезни», ни даже обычного человеческого высокомерия. Когда же ей задают вопросы, связанные с ее возрастом, София Лорен, не смущаясь, отвечает:

— Стареют все люди, и с этим ничего не поделаешь. Просто надо следить за собой, одеваться со вкусом, заниматься спортом и спать не меньше 8 часов в сутки. Вот я, например, встаю в пять утра и, пока все спят, занимаюсь своими делами. А ложусь рано — в восемь вечера.

СТАНИСЛАВА

Значение и происхождение имени: славная своим станом, крепостью (слав.).

Энергетика и Карма имени: сегодня это имя гораздо чаще встречается среди мужчин, однако в его женском варианте, на наш взгляд, энергетика более благоприятна, чем в мужском. В нем отмечается та же легкость, подвижность, а мужской оттенок или, если угодно, привкус, способен придать Стасе уверенность в себе и достаточную твердость характера. Хотя, конечно, в вопросе воспитания за маленькой Стасей нужен глаз да глаз. Она редко отличается усидчивостью и особым трудолюбием, скорее, наоборот, беспокойный характер часто делает ее инициатором всевозможных игр и проказ. Не исключено, что в детском возрасте Стася будет расти этакой сорви-головой.

Впрочем, ее подвижность хоть и не дает ей терпеливо учиться, зато живой подвижный ум помогает Стасе быстро усваивать любую информацию, причем относится это не только к полезной информации, но и ко всякого рода сомнительным знаниям и идеям, часто беспокоящим детские и юношеские умы. Это обязывает Стасиных родителей уделять воспитанию своей дочери достаточно много внимания, в противном случае любопытная Станислава может слишком рано и слишком неумело испробовать все запретные для ее возраста плоды.

В целом же, если «опасный возраст» закончится без особых потерь, Стасе может основательно помочь ее жизнелюбие и чувство юмора. Она обычно очень общительна и доброжелательна, а загоревшись какой-либо идеей, иной раз способна своротить горы. Все это собирает вокруг нее много друзей и поклонников, однако в вопросах любви Стасе не мешает проявить некоторую осторожность. Увы, эмоции и чувства непостоянны и часто проходят как раз в самый, казалось бы, ответственный момент.

Наиболее благоприятно, если еще в юном возрасте родителям или другим воспитателям удалось заразить Стасю интересом к какой-либо области человеческих знаний. В этом случае ее энергия и быстрый ум могут помочь ей сделать хорошую карьеру, а коммуникабельность и общительность будут этому благоприятствовать еще больше. Впрочем, даже если ничего подобного не произойдет, все вышеперечисленные качества способны благоприятно отразиться на ее семейной жизни. Хотя нелишне ей все же немного больше обращать внимание на непостоянство своих привязанностей в любви.

Секреты общения. Какие могут быть секреты в общении с коммуникабельными людьми? Разве что в случае конфликтов со Стасей следует опасаться ее острого языка.

Астрологическая характеристика:

Знак зодиака: Водолей. Планета: Меркурий. Цвета имени: серебристый, светло-зеленый. Наиболее благоприятные цвета: для успеха в делах подойдут черный и коричневый. Камень-талисман: яшма, лабрадор.

След имени в истории. Дочь польского короля Станислава Лещинского с очень длинным именем Станислава-Мария-Екатерина-Фелициата в историю вошла как французская королева, больше известная под именем Марии Лещинской.

Как это и было принято в те времена, брак между Станиславой и Людовиком XV, заключенный в 1725 году, представлял интересы обоих королевств, скреплявших договор о взаимопомощи узами родства. Тем не менее нельзя сказать, что в данном конкретном случае явный расчет с самого начала помешал развитию нормальных супружеских отношений. Напротив, как это нередко бывает, молодые сразу испытали друг к другу чувство безотчетной симпатии, которая, будучи скреплена взаимными интересами, вскоре переросла в нежную привязанность. И Станислава, и Людовик вначале были даже счастливы, и это даже несмотря на то, что молодая жена была старше мужа на целых 7 лет.

Однако прошло не так много времени, и муж охладел к супруге: родив одного за другим 10 детей, Станислава потеряла в глазах Людовика прежнюю привлекательность, да и разница в возрасте больше давала себя знать — все чаще король стал заглядываться на молоденьких и очаровательных придворных дам. Королева глубоко переживала сначала неверность мужа, потом — его постепенное к ней охлаждение, пока, наконец, не нашла утешение в занятиях благотворительностью. Не принадлежа к той породе женщин, которые заводят любовников, Станислава всю себя посвятила в первую очередь детям, а во вторую — нищим и страждущим, устраивая благотворительные распродажи и раздавая нуждающимся все свободные деньги. И хотя, несмотря на доброту и набожность, королеве пришлось схоронить шестерых своих детей, остальные четверо до самой смерти матери заботились о ней, восполняя то тепло и любовь, которые ей не довелось на склоне лет получить от равнодушного мужа.

СТЕЛЛА

Значение и происхождение имени: звезда (лат.).

Энергетика и Карма имени: энергетика имени Стелла как нельзя лучше соответствует сложившемуся в обществе представлению о том, каким должен быть характер современной эмансипированной женщины,— прямолинейность, самостоятельность, целеустремленность — одним словом, все, что направлено на достижение успеха и финансовой независимости. Другой вопрос — а так ли это хорошо для жизни? Для успеха — несомненно, но может быть природа-мать все же не зря связала понятие человеческого счастья не столько с успехом и самостоятельностью, сколько с теплом и искренностью человеческих взаимоотношений? По крайней мере, жаль, что холодноватая энергетика Стеллы не предполагает открытости и некоторой мягкости, хотя, конечно, многое зависит от нее самой.

Особый вопрос — самолюбие Стеллы. Интересно, что имя является редким не только в России, в большинстве стран мира оно тоже выглядит как не совсем обычное и может быть даже иностранное, а стало быть, на фоне более привычных имен Стелла звучит несколько вызывающе. Вдобавок ко всему имя очень красиво и похоже на какой-то холодный прозрачный камушек, претендующий на драгоценность. Это может тешить самолюбие Стеллы, однако при ее холодноватой манере держаться такое самолюбие частенько воспринимается окружающими, как высокомерие. Немалую роль играет и повышенная возбудимость Стеллы — она очень остро реагирует на конфликт, но в силу своей гордости предпочитает держать обиду, да и другие свои чувства в себе. От этого ее эмоции глубоко проникают в душу, и за сдержанной маской нередко начинает скрываться хоть и сильная, но страстная и очень ранимая женщина.

Наиболее благоприятно складывается судьба Стеллы, если в ее характере появится некоторая открытость, а еще лучше — беззлобное чувство юмора. Это позволит ей значительно уменьшить количество недоразумений в ее жизни, ведь даже если сдержанность Стеллы и способна обеспечить ей нормальные деловые отношения с окружающими, то в семье сдерживаемые чувства могут найти себе легкий выход в виде раздражительности. Только более легкое и веселое отношение к жизни и к себе самой позволят ей быть по-настоящему счастливой и при этом совершенно не помешают ее успехам в карьере.

Секреты общения. Если вы хотите нажить себе врага — то просто-напросто обманите прямолинейную Стеллу или как-нибудь подшутите над ней. Это верный способ заработать себе неприятности, хотя мстить исподтишка и не в ее правилах, но она умеет отомстить открыто! Если же подобное не стоит в ваших планах, тогда вам желательно быть поосторожнее с чувством юмора и с попытками оказать на Стеллу давление. Лучше попробуйте вызвать ее на откровенность, возможно, вы сможете увидеть эту женщину в совершенно другом свете.

Астрологическая характеристика:

Знак зодиака: Скорпион. Планета: Плутон. Цвета имени: серебристый, салатовый. Наиболее благоприятные цвета: теплые тона коричневого, оранжевый. Камень-талисман: яшма, сард, сердолик.

След имени в истории. Этим звездным именем Стелла ласково называл автор «Путешествий Гулливера» писатель Джонатан Свифт свою возлюбленную, которую на самом деле звали Эстер Джонсон. Их отношения, совершенно необычные, начались еще тогда, когда родители Стеллы, которой не исполнилось и 10 лет, пригласили в свой дом приходящего учителя — молодого Джонатана Свифта. Писатель, на 14 лет старше девочки, быстро сумел завоевать ее уважение и преданность, которые затем переросли с ее стороны в настоящую любовь.

До конца своих дней прожила в Ирландии рядом с любимым человеком эта красивая и умная женщина, однако отношение Свифта к ней было далеко не таким однозначным. Несомненно, он был привязан к Стелле, заботился о ней, и даже в какой-то степени был с нею откровенен, однако отношения этой необычной пары давали соседям немало поводов для пересудов. Так, например, Стелла, по желанию Свифта, была вынуждена жить отдельно от него, в другом доме, и их нечастые встречи в основном проходили в присутствии третьих лиц.

Будучи человеком замкнутым и довольно эгоистичным, Свифт принимал все жертвы любящей женщины как должное, принуждая ее жить той жизнью, которая нравилось ему. Стелла же, так и не узнав простого счастья быть женой и матерью, на протяжении долгих месяцев, а иногда и лет довольствовалась лишь перепиской о любимым — чувствуя себя счастливой от любого проявления внимания со стороны своего мучителя.

СТЕФАНИЯ

Значение и происхождение имени: венок, венец (греч.). В прошлые века в России имя нередко встречалось в другой своей транскрипции — Степанида.

Энергетика и Карма имени: в энергетике имени Стефания в первую очередь бросаются в глаза такие качества, как подвижность и экспансивная импульсивность. Экспансивная по той причине, что центральный слог имени — фания — предполагает не только острую чувствительность к внешнему воздействию, но и очень активную ответную реакцию, которая легко может превзойти вызвавшую эту реакцию причину. Не зря ведь в последнее время в обиход прочно вошел термин «фаны», определяющий явно неумеренных поклонников чего- или кого-либо, и готовых из любой мухи вырастить превосходного слоника, а то и самого настоящего слоняру! Конечно, показушная экспансия современных «фанов» никоим образом не связана с именем Стефы, это всего лишь созвучие, но в том-то и штука, что нет в мире просто созвучий. Каждое слово обладает своей энергетикой, попробуйте, скажем, придумать какое-либо абстрактное прозвище человеку — и вы сразу же сможете ощутить, что одни прозвища ну просто не вяжутся с его характером, другие же прилипают к человеку, словно банный лист не скажу к чему.

Итак, у Стефании есть все основания для того, чтобы вырасти довольно экспансивной, самолюбивой, а может быть, даже эксцентричной женщиной. Другое дело, что это пока всего лишь предрасположенность, а не свершившийся факт. Очень многое зависит от воспитания и тех условий, в которых Стефания будет расти. Наиболее благоприятно, если Стефа научится некоторой сдержанности и самоконтролю,— это избавит ее от многих необдуманных шагов в жизни. С другой стороны, нельзя допускать, чтобы сдержанность приводила к замкнутости, ведь тогда глубинные эмоции могут обернуться очень опасными страстями, а уверенность в себе сменится крайней неуверенностью и комплексом неполноценности! Одним словом, истина, как всегда, посередине — если легкая эксцентричность предполагает контроль над ситуацией, то все в порядке. Даже чувство юмора Стефании, если, конечно, оно не заглушено стараниями воспитателей, тоже не должно быть бесконтрольным.

В целом судьба женщины с таким именем, как говорится, в ее руках. Если жизнь и воспитание не заставили Стефу потерять уверенность в себе, то ее энергичность, зажигательность, умение привлекать к себе внимание и целеустремленность способны сделать Стефанию настоящим лидером и обеспечить успех в карьере. Вот только такое стремление к лидерству может стать источником недоразумений в отношениях с начальством или в семье. Здесь-то и пригодится некий самоконтроль.

Секреты общения. В общении со Стефанией будьте готовы к ее неординарности. Даже если в обществе она держится неуверенно, то с хорошо знакомыми людьми, где она раскована, от нее можно ожидать каких-либо эксцентричных поступков. Частенько она любит делать наоборот, так что если вы желаете уговорить ее, скажем, побыть сегодня дома, то начните уговаривать ее куда-нибудь уйти — скорее всего, ее желание уйти довольно быстро пропадет.

Астрологическая характеристика:

Знак зодиака: Стрелец. Планета: Юпитер, Меркурий. Цвета имени: серебристый, фиолетово-красный. Наиболее благоприятный цвет: черный. Камень-талисман: лабрадор.

Празднуем именины: 24 (11) ноября — Стефанида Дамасская, мученица.

След имени в истории. Французская писательница Стефания-Фелисита Жанлис (1746—1830) была натурой примечательной во всех отношениях. О таких женщинах обычно говорят с применением эпитетов «яркая», «незаурядная», «заводная». И действительно, ее бьющая через край энергия восхищала, а остроумие, живость и своеобразный тип мышления делали Стефанию великолепной собеседницей, душой любой компании.

Выйдя в 15 лет за графа де Жанлиса, Стефания, обладая весьма свободным нравом, рассуждала, что на одном ее муже свет клином не сошелся. Вскоре она поступила гувернером к герцогу Шартрскому, плененному ее красотой, и даже в перерывах между приятным времяпрепровождением действительно стала обучать его детей. В результате Стефания оказалась прекрасным педагогом: отбросив скучные методики учительства, она вовсю развлекалась с учениками, которые в игре усваивали гораздо больше знаний, чем на школьной скамье.

К тому же времени относятся и первые литературные опыты молодой и ветреной графини-гувернантки. Точно так же играя и как будто ни к чему не относясь серьезно, она начала с написания педагогических книг, затем последовали романы, повести, и все это пользовалось у читателей неизменным успехом, поскольку писала Стефания, как и говорила, живым и выразительным языком.

За свою долгую 84-летнюю жизнь Стефания Жанлис приняла участие в множестве авантюр; ее любовниками были многие блестящие люди ее времени. Всего же литературное наследие писательницы составляет около 100 томов (по большей части — романов о светской жизни), многие из которых переведены и на русский язык.

СУСАННА, СЮЗАННА

Значение и происхождение имени: Сусанна означает «лилия» (евр.). В европейской транскрипции имя встречается в другой форме — Сюзанна.

Энергетика и Карма имени: Сусанна — в этом имени легкость и колоссальная чувствительность, оно словно серебряная паутинка, кажется, тронь — и рассыплется. Или, применительно к живому человеку, выйдет из себя, да так, что не успокоишь! Действительно, в имени явно не хватает прочности, зато возбудимости — хоть отбавляй! Похоже, что те родители, которые дают дочери такое имя, мало задумываются о том, как Сусанна будет жить в нашем не очень-то мягком материальном мире, не исключено, что для них Сусанна — это не только любимая дочь, но еще и игрушка или домашнее украшение. Здесь следует подчеркнуть, что баловать Сусанну — вещь крайне опасная: заласканная родителями, она может стать очень требовательной и капризной в своем близком кругу и абсолютно неуверенной в себе в малознакомом обществе.

С этой точки зрения чуть более благоприятна европейская транскрипция — Сюзанна, которая добавляет в энергетику недостающую твердость. Однако, если в Европе это имя не отнесешь к числу редких, то в России оно звучит несколько вызывающе, что, конечно же, отражается на самолюбии обладательницы имени. В сочетании же с чрезвычайной возбудимостью, не говоря уже об избалованности, самолюбие Сюзанны способно стать источником ее повышенной конфликтности.

Наиболее благоприятно жизнь Сусанны (если, конечно, не рассматривать возможность проживания в тепличных условиях) складывается в том случае, когда в ее характере появляется необходимая твердость, а собственное самолюбие будет уравновешено с умением уважать людей такими, каковы они есть. Тогда и возбудимость Сусанны, вместо того, чтобы служить источником недоразумений, может найти свое отражение в каком-либо творчестве.

Секреты общения. Если вы любите играть на чужих нервах, то лучше всего для этой цели годится Сусанна — пара пустяков вывести ее из себя или ввергнуть в депрессию. Успокоить же Сусанну довольно трудно, хотя иногда могут помочь комплименты и похвалы в ее адрес. Если же Сусанна предпочитает представляться Сюзанной, то здесь уже игра на ее нервах приобретает гораздо большую остроту, а может быть, даже и опасность.

Астрологическая характеристика:

Знак зодиака: Дева. Планета: Сатурн, Луна. Цвета имени: серебристый, красный. Наиболее благоприятный цвет: коричневый. Камень-талисман: сард, яшма.

Празднуем именины: 24 (11) августа — Сусанна Римская, дева, мученица.

19 (6) июня — Сусанна Салернская, дева, мученица.

След имени в истории. С этим имение связана древняя легенда с почти детективным сюжетом. Согласно преданию, много сотен лет назад в Вавилоне жил богатый еврей Иоаким. Жена же его — красавица Сусанна — была женщиной добродетельной и всеми уважаемой. Однако нередко красота рождает вокруг себя распри и ссоры. Так произошло и на этот раз: двое городских судей, людей пожилых и почитаемых, воспылали к Сусанне всепоглощающей страстью. Сперва они прятали друг от друга свой грех, однако вскоре один уличил другого в слежке за красавицей, и с того дня оба греховодника начали действовать сообща. Они постоянно кружили возле дома Иоакима, поджидая удобный момент, пока, наконец, случай не предоставился.

Как-то раз Сусанна захотела искупаться в бассейне. Заперев сад, она отослала служанку за мылом и благовониями и, как только та ушла, перед ней предстали два старца.

— Выбирай! — сказали они девушке. — Либо ты сейчас проведешь время с нами, и никто не узнает об этом, либо же мы расскажем людям, что застали тебя в этом саду с юношей.

Испуганная Сусанна все же нашла в себе силы, чтобы отказаться, и уже на следующий день весь город заговорил о ее позоре. Судьи поверили уважаемым горожанам, вынеся невиновной женщине смертный приговор. В отчаянии несчастная обратилась к Богу с молитвой, и совершилось чудо: перед казнью на площадь прибежал юноша Даниил с криком: «Чист я от крови ее!» Это означало, что все остальные ее кровью запятнаны.

Тогда смущенные судьи решили допросить свидетелей преступления по отдельности и спросили у старцев: «Под каким деревом вы видели эту женщину с любовником?» — «Под зеленым дубом!» — ответил один, другой же сказал: «Под маслиною». Так обман был обличен, Сусанна спасена, да и народ не остался без зрелища: в тот день вместо казни одной невинной девушки казнили двух старых клеветников.

ТАИСИЯ

Значение и происхождение имени: предположительно имя означает «посвященная Изиде» (егип.).

Энергетика и Карма имени: энергетику имени Таисия трудно назвать простой, в ней отмечается достаточная подвижность, эмоциональность, но самое главное — есть в этом имени некая скрытая пружинка, какая-то чисто кошачья хитрость, позволяющая Тасе быть одновременно домашней и ласковой и вместе с тем всегда готовой выпустить когти. Как правило, женщина с этим именем обладает очень независимым, но довольно скрытным характером. Она, несомненно, самолюбива, однако врожденная осторожность склоняет ее не афишировать свои душевные качества, так что при всем своем самолюбии Таисия предпочитает держаться довольно скромно и уравновешенно. Пока однажды она не выпустит на свободу присущую ей импульсивность. Как кошка, которая может часами терпеть, дожидаясь удобного момента, и только движения хвоста выдают ее возбуждение, так и Таисия умеет держать себя в руках, вот только хвоста у нее нет, и потому догадаться о ее истинных мыслях бывает довольно сложно.

Впрочем, такая предрасположенность еще не говорит о коварстве Таисии, чаще всего это просто касается ее дипломатичности, причем сама Тася может воспринимать это свое качество как долготерпение. Иногда ей самой начинает казаться, что она многое прощает людям, больше того, даже приспосабливается к ним, однако когда чаша ее терпения переполнится, все скопившиеся эмоции и обиды в одночасье вырываются на свободу! Вот и выходит, что никакое это не долготерпение, а всего лишь обыкновенная скрытность, ведь вместо того, чтобы молча терпеть, можно было бы в спокойной обстановке попытаться разрешить недоразумение.

С другой стороны, такой характер значительно облегчает ей карьеру, а до определенного момента и семейные взаимоотношения. Она энергична, умеет быть настойчивой, не лишена воображения и чувства юмора. Ей бы еще не откладывать решение проблем на потом, не копить бы обиды, а сразу же приходить к каким-либо компромиссам, то и жизнь бы ее могла бы сложиться гораздо более счастливо!

Секреты общения. Таисию нельзя отнести к тем женщинам, у которых что на уме, то и на языке. По крайней мере, будьте осторожны с ее кажущейся терпеливостью и безмятежностью — Бог знает, что она на самом деле думает о вас. Самое же главное — поаккуратнее с ее самолюбием и со своим остроумием в ее адрес.

Астрологическая характеристика:
Знак зодиака: Близнецы. Планета: Венера. Цвета имени: коричневато-красный, светло-стальной. Наиболее благоприятные цвета: белый, желтый. Камень-талисман: агат, золото.

Празднуем именины: 23 (10) мая — Таисия Египетская.
21 (8) октября — Таисия Египетская, Фмиваидская, преподобная.

След имени в истории.«Таис Афинская» — так называется знаменитый роман Ивана Ефремова, в котором реальные исторические события причудливо переплетаются с легендами и авторским вымыслом. Тем не менее сама Таис действительно существовала — она была одной из самых знаменитых гетер своего времени.

В книге Ефремова есть эпизод, где дочка гетеры признается матери в том, что и сама хотела бы когда-нибудь пойти по ее стопам; она гордится тем поклонением, которым мужчины окружают ее мать, восхищенными взглядами, которыми ее провожают на улице. Выслушав дочь, Таис ответила ей:

— Я хочу, чтобы ты поняла: быть гетерой — это значит постоянно быть первой. Гетера должна обладать не только совершенной красотой, ей мало также изучить искусство любви и соблазнения. Она должна быть наделена от природы умом и умением вести разговор наравне с мужчиной. Кроме того, ей надо преуспевать в нескольких видах спорта, а в каком-нибудь одном — даже превосходить мужчин.

Сама Таис сполна обладала всеми этими качествами: она великолепно плавала, танцевала, была хорошей наездницей и могла постоять за себя. Что же касается мужчин, то гетеры высшего класса, какой была Таис, выбирали себе лишь тех любовников, к которым чувствовали сердечное влечение, ни за какие деньги не соглашаясь провести время с человеком недостойным.

ТАМАРА

Значение и происхождение имени: происходит от слова «фамарь», что означает пальма (финикийск.).

Энергетика и Карма имени: по своей энергетике имя Тамара отличается редкой прямотой и достаточной твердостью. В то же время в нем заметна чувственность и способность к глубоким переживаниям. Кроме этого, немалую роль играет сказочный образ царицы Тамары, что тоже, несомненно, накладывает на характер Томы определенный отпечаток.

В детстве Тома обычно растет любознательным ребенком, чей интерес к чему-либо трудно назвать поверхностным. Нет, она уже в этом юном возрасте стремится дойти до самой сути вопроса. Единственное, что ей мешает полностью сосредоточиться, так это то, что таких интересов у нее может быть довольно много. Стоит также отметить ее хорошо развитое воображение и некоторую мечтательность. Среди людей с этим именем много творческих натур, но даже если Тамара и не найдет себя в творчестве, то все равно эта ее наклонность отразится на любви к литературе или иному виду искусства.

Чаще всего Тамара неплохо поддается воспитанию, в чем родителям хорошо помогает ее серьезность и прямота. Наверное, только каким-то невероятным чудом Тому можно научить хитрить и лукавить. Несомненно, подобная прямота способна вызвать уважение, жаль только, что частенько она же серьезно осложняет Тамаре жизнь. Дело в том, что присущая ей строгость как к самой себе, так и к окружающим, заставляет ее сдерживать свои чувства и эмоции, но, увы, сдержать — это еще не означает избавиться от них. Больше того, именно в силу такого сдерживания Томины чувства нередко достигают значительной глубины и силы. Прекрасно, когда это относится к эмоциям положительным, а вот недовольство, сколько его ни прячь, от этого только набирает силу. Так недолго и до нервного срыва дойти, а потому уместно будет Тамаре поискать иной выход, и лучше всего ей поможет доброе чувство юмора и чуть более легкое отношение к жизни. Тогда возможно избежать многих конфликтов и неприятностей не только в карьере, но и в семейной жизни.

Твердость и значительная воля Тамары обычно призывают ее полагаться прежде всего только на себя и свои силы, так что вряд ли она решит ограничить свою роль домашним хозяйством, оставив мужу проблемы материального обеспечения семьи. Скорее, наоборот, Тома будет стремиться успеть везде и всюду, а заодно и в доме будет стараться занять место лидера. Хорошо еще, если в мужья ей попадется мягкий и уступчивый человек, если же нет, то, увы, финал, скорее всего, будет печальным. Одним словом, чуть больше открытости, доверия Судьбе и мягкости, тогда и жизнь ее переменится к лучшему.

Секреты общения. При всей Томиной прямоте ее трудно назвать конфликтным человеком. Она довольно отходчива и, кроме того, внутренние переживания нередко наделяют ее способностью сострадать чужой беде. Если же вас смущает ее некоторая строгость или резкость, то попробуйте поговорить с ней по душам, скорее всего, вы найдете в ее душе совершенно противоположные строгости качества.

Астрологическая характеристика:
Знак зодиака: Козерог. Планета: Марс. Цвета имени: желтовато-коричневый, красный. Наиболее благоприятные цвета: белый, оранжевый. Камень-талисман: агаты, сердолик, опал.

Празднуем именины: 14 (1) мая — Тамара Грузинская, царица.

След имени в истории. Без преувеличения можно сказать, что природа, наделив Тамару Синявскую (род. 1943) удивительным голосом, дала ей шанс, который выпадает одному из миллионов, и она (что тоже бывает нечасто) этим шансом сумела воспользоваться. Достаточно даже коротко ознакомиться с фактами ее биографии, чтобы возник вопрос: как это возможно — столько работать, везде успевать?

К 20 годам, параллельно с учебой, Тамара Синявская уже приобрела большой опыт работы в хоре Малого театра. В 20 — она была с ходу принята в стажерскую группу

Большого театра, причем уже на прослушивании комиссия отметила ее великолепные вокальные данные. А еще через 6 лет создалась совершенно невероятная ситуация, когда молодая певица стала признанным мастером лучшего театра в стране и ведущей исполнительницей всех ролей для меццо-сопрано. Всего же за несколько лет упорной работы Синявская спела более двух десятков различных партий...

Вообще, творческая биография певицы отличается разнообразием, если не сказать — экзотичностью. К примеру, два года она провела на стажировке в одном из самых знаменитых в мире театре «Ла Скала», где научилась свободно и непринужденно держаться на сцене, а вернувшись из Милана и получив роль Ольги в опере «Евгений Онегин», стала уже постоянной солисткой оперы Большого.

По натуре Тамара Синявская принадлежит к той породе творческих людей, для которых работа — это все, а потому и счастье свое она нашла в привычном для нее кругу, выйдя замуж за певца Муслима Магомаева.

ТОМИЛА, ТАМИЛА

Значение и происхождение имени: «томная», «страстная мучительница» (слав.).

Энергетика и Карма имени: имя Тамила привлекает к себе внимание своей некоторой необычностью — большинство людей привыкло к тому, что Тома — это сокращенное от Тамары, и поэтому русское имя Тамила звучит не совсем по-русски. С точки же зрения воздействия энергетики имени на психику такая необычность воспринимается как несколько неожиданный поворот, заставляющий проявить интерес к самой Тамиле. В первую очередь, конечно же, это воздействует на саму хозяйку имени, а проще говоря, на ее самолюбие. Неизвестно, будет ли Томе нравится, что имя выделяет ее из общего окружения — будь оно поярче, потаинственней или «поиностраннее», оно бы могло тешить самолюбие, будь имя каким-нибудь неказистым, то, наоборот, самолюбие бы страдало, однако в случае с Тамилой не наблюдается ни того ни другого. Ясно лишь одно — Тамила будет неравнодушна к самой себе и к своим достоинствам, она будет думать о них и пытаться оценить саму себя со стороны, а при ее врожденной чувствительности эмоции от такой самооценки будут достаточно глубоки. В этом нет ничего необычного, просто это говорит о том, что самолюбие является одним из важнейших факторов ее судьбы.

Многое в ее жизни зависит от воспитания, поскольку склонная к самоконтролю впечатлительная Тамила довольно легко поддается влиянию и старается строить свое поведение, исходя из сложившегося представления о том, «что такое хорошо, а что нет». Это, кстати, не очень-то согласуется с ее эмоциональной возбудимостью, зато учит держать себя в руках и управлять своими эмоциями. С другой стороны, чувства ее от этого еще более углубляются и во время полового созревания могут достигать опасного уровня, а с учетом того, что влияние на нее имеют не только родители, но и такие же неопытные, но более самоуверенные подружки, то неплохо бы ей все же не забывать о дополнительной осторожности.

С возрастом характер Тамилы может проявиться самым благоприятным образом. Она одновременно и рассудительна, и чувственна, настойчива в делах, честолюбива, но не тщеславна, обладает неплохим воображением, а также, что, пожалуй, наиболее важно,— умеет ладить с людьми. Согласитесь, такой характер довольно не плох и для успеха в карьере, и для семейной жизни. А еще лучше, если к нему добавить чуть больше легкого чувства юмора.

Секреты общения. В общении с Тамилой постарайтесь больше доверять логике и не спешите пускать на волю свои эмоции, особенно отрицательные — при чувствительности Тамилы она может отреагировать на ваше проявление чувств хоть и не сразу, но зато, когда сорвется в ответ, то довольно бурно. А вообще, заслужить ее уважение не так уж сложно: будьте порядочным человеком — остальное приложится.

Астрологическая характеристика:

Знак зодиака: Весы. Планета: Венера. Цвета имени: коричневый, серебристый, зеленоватый. Наиболее благоприятный цвет: оранжевый. Камень талисман: янтарь, сердолик.

След имени в истории. Всего 8 лет прожила Тамилла вместе со своим царственным супругом Иваном IV, получившим в народе прозвище Грозный. Всего же у Ивана Грозного, первого русского царя из династии Рюриковичей, было ни много ни мало 7 жен, каждая из которых мало влияла на политику властного государя. Человек всегда и во всем предпочитал поступать только по своему разумению, самодур, он в то же время являлся организатором таких полезных для страны акций, как поход в Сибирь, освоение новых земель, попытка выхода к Балтийскому морю (которая и явилась причиной злополучной Ливонской войны). Неудивительно, что, обладая всеми задатками диктатора, царь подыскивал себе наиболее удобных жен — тихих и безропотных.

Известно про Тамиллу немного: дочь кабардинского владельца Темрюка Андоровича, она отличалась неброской красотой, правильностью черт лица, которая образовывала на редкость гармоничное и приятное сочетание. В 1561 году Иван Грозный обвенчался с Тамиллой, получившей при крещении имя Марии Темрюковой, и с самого начала сумел внушить молодой жене страх перед своим необузданным гневом. Склонный к подозрительности, лицедейству и даже садизму, Иван Грозный в часы досуга любил пугать беззащитную женщину, устраивая ей неожиданные проверки и допросы. Он посылал людей следить за каждым шагом царицы и докладывать о ее времяпрепровождении и разговорах. В этой обстановке холодности, жестокости, постоянно ожидая очередного припадка своенравного мужа, Тамилла чахла на глазах: сначала она строила планы вырваться из золотой клетки, затем же, поняв всю безвыходность своего положения, начала сторониться людей, пугаться любого пустяка и, наконец, через 8 лет супружеской жизни умерла, приветствуя смерть как свою освободительницу.

ТАТЬЯНА

Значение и происхождение имени: Татиана — поставленная, назначенная (греч.).

Энергетика и Карма имени: Татьяна — имя эмоциональное и твердое. Что ни говори, а есть в нем некая решительность и самоуверенность, и вряд ли такие качества на сегодняшний день можно назвать бесполезными. В детстве Таня часто бывает лидером среди сверстниц, а в ее характере можно найти немало мальчишеских черт. Случается, что родителям трудно уследить за своей подвижной

и особенно непослушной назвать ее трудно. ... издержки живого характера, и, уделив некото- ... воспитанию Тани, можно направить ее энергию ... либо безопасное, а то и полезное русло.

... воей энергетике это имя вполне земное, оно не зо- ... нию в заоблачные дали, не будит воображение, зато ... няет решительно добиваться желаемого уже сегодня. ... амом деле, среди Татьян очень много практичных лю- ..., не привыкших ждать у моря погоды и живущих по ... ринципу: «Счастье человека — в его руках». Иногда, правда, эта активность перерастает у Тани в излишнюю импульсивность и порывистость, что может не однажды осложнить ей жизнь. Впрочем, самоуверенность обычно придает ей оптимизма. Наиболее же благоприятно, когда Танина подвижность сочетается с чувством юмора, чему, кстати, немало способствует общая энергетика имени. По крайней мере, это позволяет ей избежать доброй полови- ны возможных в ее жизни конфликтов и недоразумений.

Чаще всего Таня довольно общительна и коммуника- бельна, хотя, быть может, она все же чересчур эгоцентрич- на и в процессе ковки своего счастья может не очень-то считаться с окружающими и даже близкими людьми. Во- обще, у нее, как правило, несколько гипертрофировано чувство собственности, которое порою воспринимается ею как любовь. Это проявляется в том, что Татьяна попросту начинает пытаться подчинить домашних своей воле. Тем не менее вряд ли ее обрадует, если муж превратится в по- слушное и безропотное существо, поскольку это резко снизит его цену в Таниных глазах. По этой причине в ... семейной жизни либо происходит вечная война характ... ров, либо же недовольство Тани неуклонно растет. И т... другое может закончиться весьма печально. Впрочем, ... редко логичная и расчетливая Татьяна находит како... компромисс.

Таня обычно является хорошей хозяйкой, хотя ... удовлетворяется одной этой ролью. Ее деятельная на... большое самолюбие желает какого-либо успеха или ... ственного признания. Несомненно, решительный ... тер способен помочь ей сделать карьеру, однако ... успех может сделать Таню по-настоящему сч... Быть может, ей все же не мешает больше жить ... ми своих близких, ведь тогда и любовь ее будет ...

пима, а значит, и простое человеческ...
лее доступным.

Секреты общения. Нередко Та...
ный разговор, ей хочется открыт...
проблемами. Она и сама не г...
однако если вы хотите попросить...
ствии или помощи, то логичнее буде...
ее чувствам, а к логике и расчету. Не за...
едва ли ради сострадания к вам решит пост...
ми интересами.

Астрологическая характеристика:

Знак зодиака: Телец. Планета: Марс. Цвет имени:...
ричневый, красный. Наиболее благоприятный цвет: теплые оттенки желтого. Камень-талисман: гелиодор, тигровый глаз.

Празднуем именины: 25 января (12 января) — Татиана
Римская, дева, диаконисса, мученица.

След имени в истории. Почему Татьяна Миткова, популярная телеведущая, голос которой просто невозможно не
узнать, не стала музыкантом? Трудно ответить на этот вопрос, не возможно, именно имя склонило ее к другой карьере. Действительно, отец и мать хотели для дочери одного, сама же она, со своим твердым энергичным характером, вряд ли могла бы полностью проявить себя в музыке, а потому, закончив по желанию родителей музыкальную школу, поступила не куда-нибудь, а на факультет
журналистики МГУ.

Ее карьера была быстрой и головокружительной, однако все, чего достигла Татьяна Миткова, она добилась сама, благодаря своей исключительной работоспособности,
напористости и, как следствие этих качеств,— профессионализму. Первое серьезное испытание на прочность жур-
налистке пришлось выдержать в 1991 году, когда она, будучи ведущей программы новостей, отказалась зачитывать
навязанный ей комментарий о событиях в Вильнюсе 13—
14 января. За это строптивая Миткова была уволена из
«Останкино», однако уже осенью того же года американская ассоциация защиты журналистов наградила ее преми-
ей «За высокопрофессиональное выполнение журналист-
ского долга», а в 1994 году указом президента Литовской
республики награждена медалью «В память 13-го января».

Каждый, кто хоть раз видел выступление Митковой, ее

подачу новостей и комментарии к ним, не мог не удивиться, насколько легко в ее поведении сочетаются такие разные вещи, как твердость и женственность, серьезность и обаяние. Имидж преуспевающей телеведущей? Впрочем, как говорит о себе сама Татьяна Миткова: «Я совсем не артистка и играть не умею. Улыбчивость и энергичность соответствуют моему характеру». Добавим: не только характеру, но и Карме имени.

УЛЬЯНА

Значение и происхождение имени: Ульяна — ставшая самостоятельной разговорная форма имени Юлиана. Подробнее см. раздел «Юлий».

Энергетика и Карма имени: в имени Ульяна заложен огромный заряд жизнелюбия и оптимизма. Имя склоняет ее к открытости, общительности и довольно мягкому чувству юмору и дай Бог, чтобы эти качества не были заглушены чересчур жестким воспитанием. Увы, последнее хоть и редко, но все же случается. Лучше уж вообще не воспитывать Улю, чем воспитывать жестко: ведь единственно, чего можно этим добиться, так это того, что все вышеперечисленные и, безусловно, благоприятные качества поменяют свой знак на прямо противоположный, превратив Ульяну в закомплексованного и замкнутого человека. Я не напрасно уделил этому столько внимания, поскольку энергетика имени предполагает у Ули большую чувственность, подавление которой чревато неприятностями.

Обычно с самого детства в Ульяне начинают проявляться черты увлекающейся натуры. Скорее всего, она будет испытывать любовь к самым разным областям искусства, и очень вероятно, что и ей самой будет присуща некая творческая жилка. Впрочем, совсем не обязательно, что Уля начнет писать стихи или рисовать, ее чувственность может проявиться и в простой тяге к украшательству своей комнаты, но делать это она будет с большой душой. Хуже обстоит дело с точными науками, по которым в школе у нее могут возникнуть проблемы с успеваемостью. Если родители желают исправить такое положение дел, им надо постараться помочь своей дочери найти в этих науках скрытую красоту, если, конечно, они сами способны заметить таковую. В некоторой степени могут помочь и обычные убеждения в необходимости образования, но желательно без рукоприкладства.

Интересно, что творческая натура Ульяны придает ее поведению некоторую загадочность и шарм, а добродушное чувство юмора еще более привлекает к ней людей. Часто ее дом становится любимым местом сбора всевозможных компаний, и помешать этому могут, пожалуй, только жилищные условия. Жаль только, что достаточная мягкость Ульяны может пробудить в ее муже чувство некоторой свободы от обязательств, а веселые компании предоставят возможность это чувство реализовать. В этом случае он сильно рискует, поскольку чувственная натура Ули вряд ли захочет искать ему оправдание. Быть может, она спрячет свою боль за улыбкой, но все равно разрыв практически не избежен.

В целом же большинство шансов за то, что ее жизнь сложится довольно удачно, хотя если в ее планах стоит вопрос достижения каких-либо профессиональных высот, то ей следует обратить побольше внимания на свои пробивные способности, которые нередко у нее отсутствуют напрочь.

Секреты общения. Ульяна умеет ценить в людях чувство юмора, когда оно не окрашено в агрессивные тона. Это практически универсальный ключ для общения с ней. Ну а кроме этого, не стоит забывать, что за ее уравновешенностью обычно скрываются глубокие чувства, а нередко и страстность.

Астрологическая характеристика:
Знак зодиака: Лев. Планета: Венера. Цвета имени: оранжевый, густо-красный. Наиболее благоприятный цвет: для большей концентрации — черный. Камень-талисман: лабрадор.

Празднуем именины: 19 июля, 11 октября (6 июля, 28 сентября) — Иулиания Ольшанская, Печерская, княжна, дева, затворница.

15 июня, 3 января (2 июня, 21 декабря) — Иулиания Новоторжская, княгиня, мученица.

17 марта, 30 августа (4 марта, 17 августа) — Иулиания Птолемаидская, мученица, сестра мученика Павла Птолемаидского.

След имени в истории. История христианства хранит немало красочных рассказов о том, как святые всеми возможными способами укрощали бесов. В число таких агрессивных подвижников входила и святая Иулиания, к которой, когда она находилась в темнице, как-то раз явился дьявол в образе ангела.

— Иулиания! — сказал он. — Сам Господь послал меня к тебе со словами, чтобы ты поклонилась идолам и не умерла такой постыдной смертью.

В ответ девушка лишь связала нечистого, бросила его на пол и отхлестала той же самой цепью, в которую была закована, а когда пришло время казни, Иулиания, выйдя из темницы, тащила за собой сопротивляющегося дьявола, причитающего:

— Не выставляй меня на посмешище, какой же я после такого срама буду искуситель?!

Тем не менее Иулиания торжественно протащила дьявола мимо изумленных зрителей, после чего бросила в отхожее место. Когда же наступило время колесования, ангел сломал колесо, и толпы очевидцев такого чуда тут же обратились к вере Христовой. Ни погружение в котел с расплавленным свинцом, ни другие казни не действовали на святую, и лишь когда пришло время, небо дозволило Иулиании принять мученический венец.

ФАИНА

Значение и происхождение имени: сияющая (греч.).

Энергетика и Карма имени: надо сказать, что Фаина обладает удивительно подвижной энергетикой, предполагающей не менее удивительную чувствительность. Как правило, женщина с таким именем очень остро реагирует на какие-либо события жизни, она очень душевна и отзывчива, а живость ее эмоций не позволяет ей сидеть на одном месте или равнодушно взирать на чужие страдания. Кроме того, ее энергетика лишена жесткой опоры, что способно сделать Фаину очень импульсивной женщиной, можно даже сказать, подчеркнуто импульсивной, когда, зажигаясь от малой искры, она сама распаляет себя, превращаясь порою в одно сплошное, всепоглощающее чувство. Впрочем, это всего лишь предрасположенность, и невооруженным глазом видно, насколько опасна может быть такая повышенная импульсивная эмоциональность, а потому маловероятно, что дело зайдет слишком далеко. Скорее всего, либо в силу воспитания, либо при столкновении с реальной жизнью в душе Фаины появятся какие-либо сдерживающие факторы или же ее колоссальная энергия найдет себе более-менее безопасный выход.

Прежде всего следует учесть, что попытки держать себя в руках и подчинить эмоции, особенно негативные, жесткому контролю у Фаины имеют мало шансов на успех — при такой комбинации душевных качеств, как это наблюдается в ее характере, чем больше она будет сдерживаться, тем более сильными, а может быть, даже и неистовыми станут ее чувства. Рано или поздно не минуем срыв, а выпустив эти эмоции на волю, их будет уже ой как трудно обуздать!

Гораздо уместнее сразу же учиться управлять своими душевными порывами. То есть сдерживать их, конечно же, надо, но не просто пытаться загнать вглубь, а направить в нужное русло, дать им какой-либо нормальный отток, примерно как дренажная канавка позволяет избежать затопления. Ну а роль такой дренажной канавки наилучшим образом может исполнить обыкновенное чувство юмора. При этом остроумие Фаины ни в коем случае не уменьшит ее душевность и отзывчивость, наоборот, освободив свою душу от негативных эмоций, она только лишь еще более подобреет, а заодно и избежит многих недоразумений в общении с окружающими.

Хуже, когда Фаине чуждо чувство юмора: в этом случае она начинает смотреть на жизнь чересчур уж серьезно и Бог знает каких только глупостей может натворить! Но если даже и не натворит, то все равно скапливающиеся негативные эмоции едва ли позволят ей ощущать себя счастливой.

Секреты общения. Какова бы ни была основная линия поведения Фаины, знайте одно — она искренний и отзывчивый, но очень независимый и самолюбивый человек. По крайней мере, она не будет долго таить на вас зло и носить «фигу в кармане», а это уже хорошо. Если же Фаине присуще доброе остроумие, то смело можете открывать ей душу, она с удовольствием поможет и подскажет.

Астрологическая характеристика:

Знак зодиака: Рыбы. Планета: Венера, Луна. Цвета имени: красновато-синий, красный, коричневый. Наиболее благоприятный цвет: оранжевый. Камень-талисман: янтарь.

614

31(18) мая — Фаина Коринфская, дева, мученица.

— Талант — это бородавка: у кого-то она есть, а у кого-то нет, — любила повторять Фаина Раневская (1896—1984), великая русская актриса. И ее зрители могли убедиться в справедливости этих слов: такого яркого, самобытного, бьющего через край актерского таланта действительно не было ни у одного человека в мире, кроме самой Фаины Георгиевны.

Уже с детства она начала грезить о сцене, однако, как это часто бывает, по приезде в Москву не смогла поступить ни в одну из театральных студий по причине «полного отсутствия таланта». И лишь после долгих странствий в составе провинциальных трупп в 1930 году ее приняли в Камерный театр, где Раневская наконец смогла показать все, на что она способна. Кстати, и свой псевдоним актриса взяла не случайно: как-то раз ветер вырвал из рук актрисы деньги и унес их — именно тогда она с грустью сравнила себя с Раневской у Чехова.

Фаина Георгиевна немало снималась в кино, но в основном в небольших или эпизодических ролях — в те годы на главные роли принципиально не хотели утверждать актрису-еврейку. Впрочем, по этому поводу она особенно и не расстраивалась: «Сняться в плохом фильме — все равно, что плюнуть в вечность», — говорила она, а разве фильм, в котором решающее слово имеет не режиссер, а «некто из министерства» мог получиться удачным?

Ее язык был настолько ярким и выразительным, что многие слова Раневской с ходу становились афоризмами. Так получилось, например, с придуманной ею и ставшей всенародной фразой из фильма «Подкидыш»: «Муля, не нервируй меня!» К концу жизни актриса с грустью говорила: «Я стала такая старая, что начала забывать свои воспоминания», а подводя итог своим творческим достижениям, написала: «В 5 лет я была тщеславна и мечтала получить медаль за спасение утопающих. Теперь медали и ордена держу в коробке, на которой нацарапала: «Похоронные принадлежности».

ФЛОРА

Значение и происхождение имени: Флора — «цветочная», Флорентина — «цветущая» (лат.).

Энергетика и Карма имени: интересно, сколько раз за свою жизнь Флоре придется выслушать примитивную, в общем-то, шутку, основанную на известной со школьной скамьи ассоциации «Флора-Фауна»? Люди частенько повторяют словосочетания, ставшие привычными, мимоходом, мало вдаваясь в их смысл, но нередко не прочь и пошутить по этому поводу. Так, один мой знакомый, имеющий самую обыкновенную фамилию — Елкин, для друзей превратился в Палкина, а вот Окунев стал просто Карасем. Весело? По-разному бывает.

Мы специально остановились на этом так подробно, поскольку от того, как Флора в детстве будет относиться к подобным шуточкам, зависит, как ни странно, довольно многое. Можно смотреть на них с юмором, и тогда Флора с малых лет научится легко держаться в компаниях, и, несомненно, с возрастом это поможет ей быть более раскованной и уверенней входить в новый для себя коллектив. Может быть, она и не станет чересчур компанейской, но и вряд ли будет осложнять себе жизнь излишней стеснительностью. Другое дело, если эти шутки начнут вызывать у нее недовольство или, не дай Бог, раздражение. Во-первых, острая реакция обычно только еще более провоцирует шутников, во-вторых, самолюбие Флоры может стать слишком чувствительным, а это прекрасная почва для развития всевозможных комплексов.

Как бы то ни было, но все равно, самолюбие для Флоры продолжает играть большую роль, просто юмор и раскованность позволяют ей легче добиваться своего. Флора довольно честолюбива и весьма последовательна в своих действиях, причем в жизни предпочитает руководствоваться логикой, а не эмоциями. Здесь, правда, следует оговориться, что если с детства ее самолюбие все-таки стало болезненным, то обиды частенько не позволят ей оставаться логичной, а стало быть, и помешают осуществлению своих планов. Впрочем, изменить свой характер в лучшую сторону не поздно никогда — чуть больше юмора к самой себе, и она сумеет проложить себе дорогу к счастью.

Секреты общения. В общении Флора, как правило, отличается некоторым артистизмом и уравновешенностью, особенно если не задевать ее самолюбия. Следует также учесть, что ее спокойная логичность, которой она обычно пользуется в привычном для себя кругу, частенько позволяет ей одерживать верх над излишне эмоциональными людьми, так что, если хотите одолеть ее в споре или просто склонить на свою сторону, то — поменьше эмоций и побольше юмора.

Астрологическая характеристика:

Знак зодиака: Стрелец. Планета: Меркурий. Цвета имени: сиреневый, белый, стальной. Наиболее благоприятный цвет: золотистый. Камень-талисман: золото.

Согласно римской мифологии, Флора — богиня всего самого прекрасного, что есть в природе: цветения цветов, садов, колосьев. Сама она изображалась художниками и скульпторами в виде грациозной красавицы, естественной, как все, что она собой олицетворяет: венок из цветов и колосьев путается в ее длинных волнистых волосах; великолепная фигура лишь немного скрыта под полупрозрачной одеждой; на ярком лице — задорная призывная улыбка.

С самых древних времен на праздники, устраиваемые в честь Флоры, люди приносили цветущие колосья и клали их на алтарь богини. По каким-то причинам на долгое время этот обычай был забыт, и лишь в 173 году до нашей эры сильнейшие неурожаи вынудили голодающих искать совета в старых книгах — так праздник Флоры был восстановлен.

Интересно, что, олицетворяя естественность, богиня покровительствовала также и всему, связанному с плодородием. А потому языческие игры в честь Флоры нынешние историки строго называют оргиями. Хотя на самом деле это был, скорее, праздник любви — где-то разнузданный, с песнями, плясками, гулящими женщинами, но зато откровенный, где все напоказ, и никто ничего не стыдится. Такие праздники происходили раз в год, что, по поверью, должно было обеспечить милость Флоры на следующие 12 месяцев.

ФРИДА

Значение и происхождение имени: предположительно имя означает «мир» или «любимая» (герм.-сканд.).

Энергетика и Карма имени: энергетика имени Фрида предполагает твердость, решительность, уравновешенную целеустремленность и вместе с тем — повышенную чувствительность. Как правило, женщина с таким именем обладает очень острым самолюбием, однако предпочитает не афишировать это свое качество. В обществе Фрида старается держаться уравновешенно и выдержанно. Она настойчива, рассудительна, по крайней мере, стремится быть таковой, словом, раскованной и непосредственной ее не назовешь. Тем не менее Фрида очень, а может быть даже очень-очень эмоциональна, и не стоит излишне доверять ее равновесию — присмотритесь: за спокойствием и выдержкой Фриды не так уж трудно разглядеть скапливающееся нервное напряжение.

Увы, это участь большинства людей, обладающих хорошими волевыми качествами и пытающихся собственной волей загнать эмоции в глубину души, ведь чувства свои невозможно заглушить полностью — либо они рано или поздно вырвутся на волю, как пар вырывается из котла, иной раз превращая котел в груду развалин, либо же постепенно будут отравлять человеку жизнь, отражаясь в страшных снах или просто в мрачном расположении духа.

Именно второй вариант для Фриды наиболее характерен. Нередко она начинает смотреть на мир довольно мрачно, и во всем ее облике начинает сквозить недовольство. Скорее всего, ей хватит выдержки сдерживать свои негативные эмоции на людях, однако в ее близком кругу нервное напряжение может сделать Фриду очень раздражительной и нетерпимой женщиной. Не всегда ей помогает даже чувство юмора, поскольку в сочетании с ее мрачноватым взглядом на жизнь юмор приобретает характер сарказма или сатиры. Тем не менее у нее много шансов добиться успеха в какой-либо карьере, где хорошо скажутся и ее воля, и стремление быть рассудительной, и упорство в достижении цели.

А вот если Фрида желает быть по настоящему счастливым человеком, то никакой успех ей в этом не поможет. Здесь ей нужно другое — обратить внимание на свой характер. Не надо смотреть на мир и на саму себя так серьезно! Лучше сгладить свое острое самолюбие доброй самоиронией и научиться видеть в окружающих всего-навсего обыкновенных людей, более склонных делать глупости или ошибаться, чем по-настоящему желать зла кому-либо. А потому и обиды не стоит принимать всерьез — нельзя же обижаться на кирпич, упавший на голову или на ветер, дующий в лицо! Мир не так уж плох и достоин как минимум доброй улыбки. Тогда и не придется загонять негативные эмоции в глубь души, где они никогда не исчезают, а только лишь понемногу отравляют жизнь.

Секреты общения. Чтобы избежать недоразумений в общении с Фридой постарайтесь быть уравновешенным, логичным человеком и никогда не задевать ее самолюбия. Учтите, обиды Фрида может помнить очень долго!

Астрологическая характеристика:

Знак зодиака: Скорпион. Планета: Плутон. Цвета имени: фиолетовый, стальной, красно-коричневый. Наиболее благоприятные цвета: золотистый, зеленый. Камень-талисман: золото, изумруд, нефрит, хризолит.

След имени в истории. Нередко бывает так, что какое-либо не особо модное имя снова обретает известность, благодаря тому, что человек с этим именем (или выбравший его себе в качестве псевдонима), поднимается на волну успеха. Так произошло и с именем Фрида — оно вдруг заиграло новыми красками, благодаря самоуверенной и яркой девушке из группы «Полиция нравов».

По гениальному замыслу Фриды, приехавшей из глубокой провинции вместе с двумя подругами на заре перестройки покорять Москву, основной упор в своей группе девчонки делали на нестандартный имидж. Расчет был прост: главное, чтобы их запомнили. И этот расчет оправдался: трудно было не обратить внимание на трех совершенно лысых длинноногих девиц, одетых в милицейскую форму, ведущих себя на сцене то ли как лесбиянки, то ли как садомазохистки и при всем при этом совсем неплохо поющих.

— Это — всего лишь наш имидж, — заметила Фрида в интервью журналистам. — И это совсем не значит, что мы и в жизни такие. Мы артистки и делаем хорошее зрелищное шоу.

И действительно, девушки как чувствовали, что еще совсем немного, и в моду войдет так называемый «унисекс», когда определить пол стильного молодого человека можно будет только с очень большим трудом. Во всяком случае, «Полиция нравов» с самого начала пропагандировала нечто подобное, что же касается Фриды, то, как она сама не раз признавалась журналистам, и от себя, и от своих партнеров по шоу-бизнесу она в первую очередь требует жесткости, целеустремленности и готовности пожертвовать всем, что мешает карьере.

Не так давно «Полиция нравов» распалась: две девушки, не выдержав напряженного ритма, захотели вернуться к обычной спокойной жизни. И только Фрида все чаще мелькает на экранах телевизоров: то она поет, то дает более чем откровенные интервью журналистам, то снимается в рекламе, медленно, но упорно продвигаясь к поставленной цели — успеху.

ЭЛЛИНА, ЭВЕЛИНА, ЭЛИНА

Значение и происхождение имени: по сути, Элина, Эллина и Эвелина — это три разных, но сходных по энергетике, имени. Так, Эллина означает «гречанка», а Элина и Эвелина предположительно произошли от греческого «эол» — название бога ветров или же от французского корня, означающего «лесной орех». Каноническим является только имя Эллина, остальные могли произойти в силу искусственного приукрашивания, ведь для многих женщин имя — это не просто название, оно может служить еще и дополнительным бесплатным украшением.

Энергетика и Карма имени: этих женщин выделяет из общего окружения прежде всего их крайняя эмоциональная подвижность, целеустремленность и острое самолюбие. Энергетика Элины не предполагает особой твердости характера и волевых качеств, однако женщине для успеха они и не так важны — у них другое оружие: чувствительность и слабость. Особенно остро это проявляется в детском возрасте. В самом деле, у какого родителя поднимется рука на хрупкое и беззащитное существо, даже если это существо решительно не знает меры в своих запросах? Здесь-то и выручает ничем не сдерживаемая эмоциональность Элины — радость или слезы у нее настолько искренни, что отказать ей бывает крайне трудно. Одним словом, у нее все шансы вырасти очень избалованной женщиной, что вряд ли благотворно скажется на ее судьбе.

Не исключено, что с возрастом Элина научится пользоваться своей эмоциональностью с известной выгодой для себя — где надо, слезу пустит, или выскажет радость, когда этого требуют обстоятельства. Словом, она очень артистична, причем заподозрить ее в неискренности нельзя —

она действительно чрезвычайно эмоциональна, вот только эмоции эти, как ветер или солнечный зайчик: промелькнули и следа не оставили.

Сложнее, когда самолюбие Элины чем-либо ущемлено, допустим, физическими недостатками или частыми унижениями, и она страдает от сознания собственной неполноценности. В этом случае ее эмоциональность и острая чувствительность оборачиваются совсем другой стороной: ведь при недостатке твердости ей вряд ли будет возможно смириться с мыслями о собственной ущербности, а путь работы над собой требует известной выдержки, к чему энергетика имени мало располагает. Скорее уж, Элина найдет выход своим эмоциям в какой-либо мстительности.

Впрочем, судьба ее может сложиться гораздо более спокойно, если с воспитанием в ее характере появится способность замечать и уважать не только свои интересы, но и интересы окружающих, а также некоторая недостающая ей терпеливость. Это сделает ее чувства более глубокими и постоянными, а также поможет избежать многих недоразумений во взаимоотношениях как в семье, так и в обществе.

Секреты общения. Элина — человек непредсказуемый, и не стоит излишне полагаться на ее эмоции: кто знает, какие чувства начнут обуревать ее уже завтра? Единственное, что можно сказать наверняка, так это то, что завтра она также будет падка на комплименты, знаки внимания и подарки.

Астрологическая характеристика:

Знак зодиака: Дева. Планета: Луна. Цвет имени: серебристый, бледно-зеленый, иногда голубой. Наиболее благоприятный цвет: черный, коричневый. Камень-талисман: черный благородный опал, лабрадор, яшма.

Одна из самых интересных актрис советской эпохи, чье мастерство не уступало великолепным внешним данным, Элина Быстрицкая (род. 1928) сыграла немало выразительных ролей как в кино, так и на сцене. Свою карьеру она начала с Киевского института театрального искусства, после окончания которого поступила в труппу Вильнюсского русского театра, затем последовала работа в Малом театре в Москве и, наконец, съемки в кино.

Живая и обаятельная, Элина Быстрицкая даже в совсем маленькой эпизодической роли запоминалась зрителю —

настолько типичным казался созданный ее усилиями образ, настолько тщательно отрабатывала она рисунок роли. Тем не менее первые роли Быстрицкой не принесли ей признания: ни после участия в фильме «Мирные дни», ни после съемок «Неоконченной повести» актриса не проснулась знаменитой. Однако уже следующая ее роль в кино произвела настоящий фурор, настолько ярким, правдивым и даже несколько демоническим оказался созданный актрисой образ красавицы Аксиньи в фильме Герасимова «Тихий Дон». Любому, посмотревшему эту трилогию, казалось, что Элина Быстрицкая буквально создана для этой роли или же наоборот — роль Аксиньи написана специально для нее. Одухотворенность, цельность, страстность этой женщины, скрывающей бушующие в ней противоречивые чувства, актрисе удалось воссоздать на экране в полной мере, и это стало ее первым триумфом.

Впоследствии Быстрицкая еще немало снималась в таких фильмах, как «Шинель», «Проверка на дорогах», «Андрей Рублев», а также в фильмах для детей: «Внимание, черепаха!», «Чучело», и других, и тем не менее «Тихий Дон» был и остается вершиной ее творческой карьеры.

ЭДИТА

Значение и происхождение имени: европейская форма имени Юдифь — «иудейка». Еще одна транскрипция имени — Джудит.

Энергетика и Карма имени: хоть имя Эдита и произошло от библейской Юдифи, энергетика этих имен отличается так же, как небо от земли. Юдифь — натура опаленная сдерживаемой страстью, Джудит — заводная, Эдита же среди них самая уравновешенная и последовательная.

В целом энергетика Эдиты весьма благоприятна, в ней ощущается необходимая твердость, целеустремленность, а склонность к логичности неплохо сочетается с некоторой импульсивностью. Как правило, Эдита обладает довольно сдержанным самолюбием, она независима и самостоятельна, но в нужный момент умеет управлять своими эмоциями, и при этом она весьма артистична. Неплохие способности к аналитическому мышлению обычно предполагают некоторую осторожность и осмотрительность в ее поведении. По крайней мере, трудно представить, что самолюбие толкнет ее на какую-либо конфронтацию с окружающими, скорее уж, Эдита будет очень дипломатичной и сумеет прийти к такому компромиссу, который никоим образом не ущемляет ее интересы. Или же смягчит ситуацию с помощью чувства юмора. Вообще, логика, уравновешенность и юмор — вот ее важнейшие правила на пути к своей цели.

Другой вопрос — каковы будут ее жизненные устремления? Здесь уже все зависит от воспитания, от тех интересов, которые обозначатся у нее еще в раннем возрасте. Тем не менее честолюбие, артистизм и стремление к самостоятельности, скорее всего, заставят Эдиту избрать такую профессию, которая бы позволила ей быть в центре внимания, и, надо сказать, у нее есть все шансы для успеха на этом пути.

А вот в семейной жизни у нее может не все сложиться так гладко, как хотелось бы. Нет, Эдита не конфликтна, хотя иногда, устав играть какую-либо роль в обществе, дома она дает отдых своим эмоциям, превращаясь в холодную усталую женщину. Да и к домашнему хозяйству душа ее лежит не особо, так что у мужа, скорее всего, будет много поводов для недовольства. Здесь, наверное, ей не мешает стать немножечко более домашней и в погоне за общественным признанием не забывать, что настоящее счастье можно найти только в общении с близкими людьми. Может быть, лучше отбросить свой артистизм и, оставаясь самой собой, просто подарить душевное тепло своим близким?

Секреты общения. Криком или эмоциями от Эдиты немногого можно добиться. Будьте рассудительны и спокойны, тогда и шансы на взаимопонимание резко возрастут. Не помешает и чувство юмора. Вот только не надо ждать от нее невозможного: при всем своем душевном равновесии она вряд ли поступится своими интересами ради ваших просьб.

Астрологическая характеристика:
Знак зодиака: Козерог. Планета: Сатурн. Цвет имени: серебристый, коричневый. Наиболее благоприятный цвет: белый, золотистый. Камень-талисман: агат, золото.

Празднуем именины: Эдисса, жена персидского царя Артаксеркса — в Неделю св. праотец.

Юдифь — именины отмечаются в Неделю св. праотец.

След имени в истории. Певицу Эдиту Пьеху (род.1937) называют женщиной без возраста, хотя вернее назвать ее вечно молодой. Как ей удалось «законсервироваться» где-то на рубеже тридцати и сорока годов, сохранив цвет лица, фигуру, стройные ноги? Неизвестно, но, возможно, здесь сыграло роль ее французское происхождение, ведь говорят же, что именно француженки — самые красивые женщины в мире.

Вообще, происхождение этой женщины удивительно: ее мать, полька, и отец, польский шахтер, встретились и поженились во Франции, куда приехали в поисках работы. Эдита была еще совсем маленькой, когда умер отец, и семью стал содержать ее 14-летний брат, устроившись на шахту, однако вскоре умер и он. Так печально началась жизнь певицы. Приехав в Москву, Пьеха, даже не думая о сцене, поступила в Ленинградский университет на философский факультет. Однако не петь она не могла, а потому постоянно принимала участие в студенческих концертах, исполняя песни на многих языках, и это и стало началом ее творческой карьеры.

Жизнерадостная, обаятельная и неизменно элегантная, Эдита Пьеха сумела покорить публику, буквально влюбившуюся в ее «иностранную» манеру держать себя и легкий, придающий особый шарм акцент. В настоящее время певица является обладателем множества наград, в числе которых и французский орден «За укрепление дружбы искусством», и полученный на Кубе титул «Госпожа песня», а русская церковь даже назвала певицу «почетным гражданином». Сама же Эдита Пьеха считает себя «Послом без верительных грамот», а самыми незабываемыми концертами в своей жизни считает те, которые давала в Афганистане и в Армении — сразу после землетрясения.

ЭЛЕОНОРА

Значение и происхождение имени: возможно, имя происходит от от слова «эллин». По иным версиям имя образовано от греческого корня, означащего «сострадание».

Энергетика и Карма имени: в этом красивом иностранном имени заложено довольно мощное стремление к достижению высокого положения в обществе, но, увы, его энергетика предполагает также склонность к некоторому высокомерию и снобизму. Впрочем, обычно, называя своего ребенка этим редким именем, родители тем самым уже выражают некую претензию на особенность Эли и ее предполагаемый аристократизм. Или же они начисто лишены музыкального чутья и интуиции, так что не замечают аристократичного звучания имени. В самом деле, представьте себе Элеонору-колхозницу или вахтершу на заводской проходной. Конечно, ничего зазорного в этих профессиях нет, так же как нет ничего смешного в седле и в корове, когда их рассматривать по отдельности.

Одним словом, хочешь не хочешь, но Эля, скорее всего, будет испытывать эту злосчастную тягу к снобизму, что в разных слоях общества воспринимается совершенно по-разному. Так, скажем, с точки зрения обыкновенной улицы претенциозное имя может вызвать отторжение и неприязнь, в то время как в избранном обществе ничего подобного обычно не наблюдается. Тем не менее Эле все равно придется показать свое соответствие энергетике имени и играть роль этакой холодной красавицы. Скорее всего, вся ее жизнь будет строиться, исходя из соображения о престиже, что отразится и на ее окружении, и на выбранной карьере. Не исключено, что Эля постарается выйти замуж за уже зрелого и хорошо обеспеченного человека. Впрочем, недостатка ухажеров у нее обычно не бывает. Наоборот, часто именно видимая холодность женщины, если, конечно, она не чересчур, способна особенно разжечь мужские желания и довести их до уровня страсти.

Много шансов, что такие черты характера Элеоноры, проявленные в нужное время и в нужном месте, позволят ей действительно добиться больших успехов. Тем не менее нередко эта холодноватость начинает негативно влиять на нее саму, когда, по мере удовлетворения, желания начинают понемногу гаснуть, а показная любовь к прекрасному, увы, не может согреть душу. Избежать же этого можно только одним способом — самой проявлять больше тепла к людям, и если Эля действительно будет обладать такой способностью, то ее жизнь может стать по настоящему счастливой.

Секреты общения. Разговаривать с Элеонорой на языке эмоций обычно означает лишь то, что она получит преимущество перед вами. Часто чем больше горячится в общении с ней человек, тем более спокойной она становится. Гораздо уместнее для Элеоноры будет язык логики, даже если вы говорите об искусстве или любви.

Астрологическая характеристика:

Знак зодиака: Стрелец. Планета: Меркурий. Цвета имени: белый, стальной. Наиболее благоприятный цвет: оранжевый. Камень-талисман: янтарь.

След имени в истории. С именем Элеоноры связана одна очень забавная средневековая легенда, повествующая о всех сложностях рыцарских взаимоотношений и о тогдашнем запутанном кодексе чести. Так, согласно этой легенде, в XV веке в одну красавицу влюбился бургундский рыцарь и с пылом просил у нее взаимности.

— Но я уже люблю другого, — отвечала ему дама, — однако даю вам слово, что если потеряю любимого, мое сердце будет принадлежать только вам.

Прошло некоторое время, и кокетливая красотка вышла замуж за своего давнего воздыхателя. Каково же было ее удивление, когда бургундский рыцарь снова явился к ней просить ее благосклонности.

— Я же не только не потеряла своего прежнего рыцаря, но даже сделалась его женой! — возразила она, однако бургундец был непреклонен, и в конце концов дело дошло до суда.

Интересно, что председательница этого суда, Элеонора Пуатье, внимательно выслушав обе стороны, обязала даму исполнить свое обещание, данное рыцарю.

— Дело в том, — рассудительно пояснила она, — что, выйдя замуж за своего возлюбленного, вы потеряли его как рыцаря, ведь между мужем и женой рыцарских отношений быть не может...

ЭЛЬВИРА

Значение и происхождение имени: имя, возможно, происходит от названия германо-скандинавских духов альвов (альвы, эльфы, эльвары), которые одно время почитались как символ плодородия, а потом вошли в народный фольклор и послужили прообразом андерсеновской Дюймовочки.

Энергетика и Карма имени: имя Эльвира отличается напористостью, решительностью, а в русском звучании вдобавок ко всему приобретает еще и налет аристократизма. Таким образом, есть все основания полагать, что в характере Эльвиры будет преобладать властность, уверенность в себе и честолюбие. Это тем более вероятно, что родители, дающие ребенку такое редкое и выразительное имя, скорее всего, будут воспитывать дочь именно с этих позиций, но даже если это и не так, все равно заводная энергетика имени может придать Эльвире мощный импульс к лидерству.

Обычно с самого детства у Эльвиры наблюдается умение не только постоять за себя, но и достаточная требовательность к окружающим. Иными словами, она может расти довольно конфликтной девочкой, причем очень вероятно, что ее недовольство будет нередко граничить с яростью. Конечно, жить с таким характером нелегко, однако у женщин конфликты редко принимают рукопашный характер, а значит, и бурный темперамент Эльвиры не представляет для нее слишком уж серьезной опасности. Возможно, что у нее будет мало подруг, но от этого еще более начинает укрепляться недовольство обществом и как следствие — ощущение своего превосходства. Это очень существенный момент, и во избежание множества жизненных трудностей было бы очень желательно, если это качество Эльвиры будет сглажено с помощью воспитания у нее чувства юмора и уважительного отношения к людям. Иначе вся ее жизнь может пройти под девизом: «И вечный бой, покой нам (а заодно и ее близким) только снится...»

Скорее всего, честолюбие Эльвиры найдет свое отражение в выборе ее карьеры. Роль домашней хозяйки — не для нее, она видит себя на какой-либо значительной руководящей должности, жаль только, что для нормального руководства людьми нужен не столько крутой и решительный характер, сколько дипломатия и умение улаживать конфликты. К этому же энергетика имени, увы, не склоняет к головокружительной карьере, и если Эльвира действительно хочет добиться успеха в делах, ей все же нужно самой поработать над своим характером.

Секреты общения. Столкнувшись с бурным недовольством Эльвиры, лучше всего дать ей излить свой гнев до конца. Как правило, это происходит довольно быстро, и, когда заряд ее эмоций иссякнет, можно попробовать спокойно и последовательно изложить свою позицию. Ей же следует быть осторожней, поскольку самолюбие часто делает Эльвиру падкой на лесть, чем нередко и пользуются не очень чистоплотные люди.

Астрологическая характеристика:

Знак зодиака: Дева. Планета: Солнце. Цвета имени: белый, синий, стальной. Наиболее благоприятные цвета: оранжевый, коричневый. Камень-талисман: яшма, агаты, янтарь.

След имени в истории. История любви Мари-Анны-Эльвиры Фицгерберт необычна уже хотя бы потому, что связана она с именем царской особы — принцем Валлийским (будущим королем Георгом IV). Плененный красотой, сообразительностью и веселым нравом девушки, принц в порыве страсти сделал ей предложение. Она ответила согласием, и в 1875 году влюбленные тайно обвенчались.

Нетрудно догадаться, что брак этот сильно противоречил интересам государства: мало того, что он был неравным и, таким образом, подрывал авторитет королевской фамилии, но, помимо этого, пропали все надежды короля женить сына на девушке богатой, с хорошим приданым. Кроме того, Эльвира была католичкой — а это вообще делало брак совершенно недопустимым.

Немало времени и сил пришлось положить министру Фоксу, чтобы доказать влюбленному принцу незаконность его женитьбы, но в конце концов ему это удалось, а потому, когда в парламенте поставили вопрос об этом браке, Георг IV лицемерно отрицал его существование, уверяя, что не женат. В 1895 году он повторно женился на Каролине Брауншвейгской, оказавшись, таким образом, двоеженцем. Правда, с женой он практически не жил, предпочитая поселить во дворце все ту же Эльвиру. И лишь через 10 лет совместной жизни супруги поссорились окончательно, и Эльвира стала жить отдельно, до конца своих дней получая пенсию,— то ли за то, что она была когда-то супругой короля, то ли за то, что в его интересах согласилась это скрывать.

ЭЛЬЗА

Значение и происхождение имени: Эльза или Элиза — это ставшая самостоятельной европейская форма имени Елизавета, что означает «почитающая Бога».

Энергетика и Карма имени: в энергетике Эльзы преобладают независимость, импульсивность и сдерживаемая страстность. Как правило, женщины с этим именем отличаются очень чувствительным самолюбием, и в этом нет ничего удивительного. Действительно, имя Эльза звучит в России с подчеркнутым «иностранным» акцентом, оно уже как некий вызов обществу — «Не Лиза, а именно Эльза, и мне неинтересно, кто и что думает по этому поводу!». Быть может, дело и не заходило бы так далеко, не будь в энергетике Эльзы такой колоссальной чувствительности к внешнему воздействию и резкости. Ей бы немножечко больше спокойствия и пластичности, и красивое неординарное имя могло бы придать ей уверенности в себе, утешить самолюбие, однако для Эльзы этого оказывается мало.

Следует сразу же оговориться, чувствительность Эльзы нельзя путать с обычной эмоциональностью. Здесь совсем другое. Прислушайтесь к имени: оно похоже на какую-то сжатую пружину, и чаще всего Эльза очень соответствует этой простой модели. Она пытается сдерживать свои чувства, начинает оценивать себя со стороны и выбирает какую-либо линию поведения. Как правило, за этим стоит желание самоутвердиться, доказать всем, а прежде всего себе самой свою самоценность, однако независимо от того, получится это у нее или нет, сдерживаемые ею эмоции отнюдь не торопятся уйти из ее души, а даже, наоборот, превращаются в страсть. Вот и выходит, что повышенная чувствительность вместе со сдержанностью только лишь обостряют чувства, создают внутреннее напряжение, а это, в свою очередь, еще более усиливает чувствительность. Замкнутый круг, чреватый неожиданными срывами.

Наиболее благоприятно, если самолюбие Эльзы будет чем-либо сглажено, а в характере появится некоторая открытость, ведь это избавит ее от главного источника своего душевного стресса, а значит, и дискомфорта. Каждый человек и без того самоценен, так что не надо кем-то казаться и пытаться оценить саму себя, лучше оценивать вещи более конкретные, как, скажем, результаты своих дел. Да и к жизни лучше всего относится с легким юмором, она того стоит.

Секреты общения. В общении с Эльзой не доверяйте тому, что видите, иногда она кажется циничной или недоброжелательной, но за этим скрывается очень ранимая душа. Ее непросто вызвать на откровенность, однако бывает и так, что неожиданно разоткровенничавшись сама, Эльза чувствует такое облегчение, что прикипает душой к человеку, которому случайно открылась.

Астрологическая характеристика:

Знак зодиака: Близнецы. Планета: Плутон. Цвета имени: серебристый, салатовый. Наиболее благоприятные цвета: зеленый, белый. Камень-талисман: нефрит, агат.

След имени в истории. Элиза Рашель Феликс (1821—1858) — великолепная французская актриса, одна из самых известных и изысканных актрис своего времени. Обладавшая завидным упорством (если не сказать — упрямством) в достижении своей цели, Элиза с детства поставила перед собой труднейшую задачу: быть звездой, блистая на театральных подмостках. Она хотела славы, цветов, восторженного поклонения, не забывая, однако, о том, что за всем этим стоит тяжелый ежедневный труд, изматывающая работа, выдержать бешеный темп которой способен далеко не каждый. Но предстоящие трудности не пугали девушку, и уже в 17 лет Элиза Рашель была принята в состав труппы известнейшего «Комеди Франсез». Так получилось, что впоследствии именно ей суждено было возродить на сцене классицистскую трагедию. Сам стиль игры великой актрисы не мог оставить равнодушным даже неискушенного зрителя: отточенные движения, пластическая завершенность форм, эмоциональность, близкая к искусству школы романтизма, выделяли Элизу Рашель среди других талантливых актрис ее поколения.

Начиная с 1840-х годов она много гастролирует по всему миру, выступая в лучших театрах Европы и Америки. Так же, как и у себя на родине, она подкупила зарубежную публику своим ярким талантом и высоким профессионализмом, особенно же восторженно критика отмечала ее мастерство в исполнении роли Камиллы в «Горации» П. Корнеля и Федры в «Федре» Ж. Расина.

ЭММА, ЭМИЛИЯ

Значение и происхождение имени: ласковая, льстивая (греч.).

Энергетика и Карма имени: Эмма — имя прямое и напряженное. В нем ощущается некоторая замкнутость и строгость, но это обычно всего лишь маска. Просто энергетика имени делает Эмму очень чувствительной к внешним воздействиям, но одновременно и склоняет ее сдерживать свои чувства — как негативные, так и положительные. Это придает характеру Эммы некоторую внешнюю холодность, которая тем не менее со временем может перерасти и во внутреннюю.

Обычно Эмма отличается значительной силой воли и самостоятельностью, что начинает проступать в ее характере еще в детстве. Она достаточно трудолюбива и упорна в своем труде, хотя предпочитает все делать не торопясь и продуманно, а сдержанность часто склоняет ее больше доверять своему разуму, чем эмоциям. Не исключено, что она будет очень недовольна собой и будет по мере сил стараться выработать в своем характере необходимые по ее мнению черты. Впрочем, сдерживаемые чувства чаще всего не приводят к перерастанию эмоций в страсть, поскольку при достаточной замкнутости энергетики имени оно все же обладает свойством рассеивать внутреннее напряжение. Это немного похоже на надутый кожаный мяч, который не лопается по той причине, что воздух понемногу просачивается сквозь кожу. А еще это напоминает некий аккумулятор, полезные качества которого, кстати, Эмма может с успехом использовать в жизни.

Все зависит от того, какой выход для внутреннего напряжения она найдет. Чаще всего энергия имени вызывает у Эммы довольно активную, хоть и неторопливую работу мозга по поиску возможного решения проблемы и самосовершенствования. Иногда та же сила начинает склонять ее к поиску справедливости и размышлениям о смысле человеческих взаимоотношений. Однако самый благоприятный выход для внутреннего стресса является юмор. Именно этот путь позволит Эмме наиболее естественно вписаться практически в любой коллектив, придаст несколько недостающее тепло ее семейным отношениям, а благорасположение людей в сочетании с ее волевым характером могут позволить ей сделать прекрасную карьеру, в том числе и на руководящих должностях.

Секреты общения. Иногда внешнюю холодность Эммы некоторые ошибочно воспринимают как надменность. Обычно это не так, и при более близком знакомстве с ней это впечатление, скорее всего, рассеется. Вот только не стоит, наверное, пытаться говорить с ней на языке эмоций, едва ли она откликнется на слишком оживленный тон.

Астрологическая характеристика:

Знак зодиака: Скорпион. Планета: Меркурий. Цвета имени: желтый, серебристый. Наиболее благоприятный цвет: оранжевый. Камень-талисман: сердолик.

След имени в истории. «Жемчужина Нормандии» — именно так называли прекраснейшую королеву Англии Эмму, дочь нормандского герцога Ричарда Бесстрашного. Еще будучи подростком, Эмма обращала на себя внимание своей красотой, неяркой, но совершенной, и отец не без оснований прочил дочери богатого и знатного жениха. Реальность же превзошла все ожидания герцога, и когда в 1002 году к Эмме посватался не кто иной, как сам Этельред, король англосаксов, он с гордостью отдал дочь в королевскую семью.

Надо сказать, что Этельред женился по любви — прекрасная Эмма обладала таким количеством достоинств, не заметить которые мог разве что только слепой. Впоследствии жена родила королю двоих сыновей — Эдуарда (Исповедника) и Альфреда, когда же ее муж скончался, Эмма ответила согласием на предложение руки и сердца датскому завоевателю Англии Кануту. Интересно, что после смерти Эммы в 1052 году именно ее брак был взят на вооружение нормандскими герцогами, доказывавшими таким образом свое право на владение Англией.

ЮЛИЯ

Значение и происхождение имени: женская форма имени Юлий (подробнее см. раздел «Юлий, Юлиан»).

Энергетика и Карма имени: этому имени присуща поразительная нервная возбудимость, стремительность эмоций, и похоже, что Юле нравится быть заводной. По крайней мере, состояние покоя часто вызывает у нее аппатию или как минимум скуку и лень. Зато, когда она на взводе, ей нередко нет удержу. Не зря же имя так похоже на слово юла.

Часто с детства для Юли очень характерны капризность и упрямство, что затрудняет ее воспитание и порою заставляет родителей баловать свою дочь, идя ей на всяческие уступки. Едва ли это разумно, поскольку тогда неугомонный и своевольный характер Юлии получит поощрение, и Бог знает, на какие авантюры и непродуманные шаги это подвигнет ее с возрастом. Тем не менее, нельзя сказать, что Юля растет совершенно неуправляемой, наоборот, именно заведенному волчку или, если угодно, юле, очень легко придать нужный импульс. Самое главное — проделать это грамотно и не пытаясь заставить Юлю сидеть смирно, что, кроме аппатии, вряд ли что вызовет. Зато очень легко можно направить Юлин интерес в нужную сторону, остальное сделает ее внутренняя энергия. Одним словом, раз уж родителям пришло в голову раскрутить юлу, то нелишне и уделить ей достаточно внимания, прививая ребенку любовь к полезным и действительно интересным занятиям. В противном случае неприятности могут последовать еще в детстве, не говоря уже об опасном переходном возрасте. Слишком велика у нее тяга к радостям жизни!

Интересно, что эмоциональность Юлии может найти свое отражение даже в любви к точным наукам. Вообще, ее внутреннюю силу можно назвать универсальной, настолько широк спектр ее возможного применения. Вот только надеяться, что она способна удовлетвориться ролью домохозяйки, я бы не советовал: если Юлиному супругу и удастся подобное, то неуемные эмоции его жены, запертые в четырех стенах, могут представлять собой довольно взрывоопасную силу. Или же вызовут у Юлии депрессию и отвращение ко всему. В том числе и к мужу.

Зато жизнелюбивый и подвижный характер может хорошо помочь Юлии в карьере. Она умеет добиваться своего, быть требовательной и стойкой, быть может, у нее будет немало недоброжелателей и врагов, но и друзей тоже не будет ощущаться нехватки. Наоборот, Юлия часто умеет зажигать окружающих своим энтузиазмом, а ее излишняя напористость в большинстве случаев сглаживается веселостью и склонностью к юмору. Хотя иной раз и ей не мешает быть поспокойнее.

Секреты общения. Вот уж где действительно в случае каких-либо конфликтов бессмысленно взывать к логике и разуму! Все равно, что убеждать водопад на секундочку остановиться или вообще течь в другую сторону. Впрочем, не менее бесполезно и поддаваться своим эмоциям, лучше просто дать Юле возможность выговориться и остыть или же направить ее энергию в иное русло, в чем может изрядно помочь чувство юмора.

Астрологическая характеристика:

Знак зодиака: Овен. Планета: Юпитер. Цвета имени: оранжевый, салатовый. Наиболее благоприятные цвета: зеленый, синий. Камень-талисман: лазурит, сапфир, нефрит.

Празднуем именины: 31 (18) мая — Иулия Коринфская, дева, мученица.

29 (16) июля — Иулия Корсиканская, дева, мученица.

След имени в истории. Красавица баронесса Юлия Крюднер (1764—1824) с детского возраста унаследовала от родителей непомерное честолюбие и увлекающуюся натуру. Образованная, разносторонне развитая, в 18 лет Юлия выскочила замуж за 40-летнего дипломата барона Крюндера исключительно из меркантильных соображений, однако через некоторое время брак по расчету стал для девушки источником настоящих страданий — случилась так, что она влюбилась в своего мужа, тот же, по ее мнению, недостаточно горячо отвечал на ее любовный пыл.

Ища забвения в бурных романах, Юлия с головой окунулась в светскую жизнь, меняя любовников чаще, чем перчатки,— вокруг нее всегда увивалась толпа кавалеров. Это и немудрено, ведь, по словам современника, хоть она и не была красавицей, «у нее было привлекательное и выразительное лицо, прекрасные руки, чудесные светло-русые волосы при голубых глазах и прекрасная грация». Овдовев в 38-летнем возрасте, Юлия Крюднер с головой окунулась в литературу, написав несколько очерков и автобиографичный роман «Валерия» о своих похождениях, имевший скандальный успех. Позднее баронесса дала развитие другой стороне своей яркой натуры, связавшись с различными прорицательницами, и даже сама начала предсказывать будущее. Окруженная толпами нищих и бродяг, она проповедовала в Германии и Швейцарии наступление царства бедных и умерла в возрасте 64 лет, обласканная самим императором Александром I.

ЯНА

Значение и происхождение имени: западно-славянская форма имени Иоанна, означает: «Милость Божья» (евр.).

Энергетика и Карма имени: энергетика этого имени различна для разных регионов. Так, в западных областях СНГ и Прибалтике, где имена Ян, Янис, Яна, Янина являются очень распространенными, это имя звучит совершенно иначе, чем, скажем, в Сибири или даже в Москве, где оно довольно заметно в силу его редкости. В первом случае в энергетике сказывается мужской оттенок имени, в то время как для большей части России имя Яна считается чисто женским. Впрочем, и в том и в другом варианте основную роль начинает играть сильная звуковая энергетика, и с большой вероятностью можно полагать, что в целом качественная характеристика имени будет справедливой практически на всей славяноязычной территории бывшего СССР, а вот его сила воздействия на психику будет нарастать с запада на восток по мере уменьшения распространенности имени.

Чаще всего Яна отличается значительной тягой к самостоятельности, энергия имени придает ей самоуверенности и наделяет сильной эмоциональностью. Она не видит особых причин, чтобы сдерживать свои желания, и это тоже связано с энергетикой имени, которая позволяет открыто выражать свои чувства. Если что и научит Яну сдержанности, так это только негативная реакция окружающих. Да и то гораздо чаще это лишь обостряет конфликт, еще более углубляя своеволие Яны, придавая ее поведению горячность и импульсивность. Она обычно растет очень обидчивой и капризной, так что задеть ее самолюбие не составляет никакого труда. С возрастом эта черта в большинстве случаев перерастает в честолюбие или даже приводит к развитию гордыни и высокомерия по отношению ко всем и вся.

В западных областях, впрочем, дело редко заходит слишком далеко, просто Яна предпочитает жить своим умом и стремится стать полной хозяйкой в своем доме. В тех же регионах, где имя встречается редко, ситуация может быть гораздо более острой. Не исключено, что в молодости она будет увлечена какими-либо скандальными молодежными течениями, где может даже претендовать на роль лидера.

В то же время сила ее характера может найти себе гораздо более полезное применение. Если в процессе воспитания или своими собственными усилиями Яна научится

635

уравновешивать собственные желания с чувствами других людей, а также разряжать конфликтную атмосферу с помощью доброго юмора, жизнь ее будет куда спокойнее и счастливей. Да и в карьере в этом случае мог бы прийти настоящий успех.

Секреты общения. Нередко конфликт с Яной удается предотвратить, направив ее негативную энергию в иное русло. К примеру, осудить в разговоре то, что и у нее вызывает осуждение. Здесь сработает принцип «Враг моего врага — мой друг». Впрочем, такой выход можно назвать не иначе, как аварийным, и слишком часто пользоваться им довольно опасно для собственных нервов.

Астрологическая характеристика:

Знак зодиака: Стрелец. Планета: Марс. Цвета имени: вишнево-красный, светло-коричневый. Наиболее благоприятный цвет: зеленый. Камень-талисман: нефрит, изумруд.

След имени в истории. Еще совсем недавно, всего несколько лет назад, имя певицы Янки Дягилевой было хорошо известно, да и сейчас, уже после ее смерти, осталось немало осиротевших фанатов, собирающихся в клубы по интересам. Талантливая, страстная, яркая, Янка буквально гипнотизировала своими песнями аудиторию. Тем более невероятно было сознавать, что молодая исполнительница сама пишет музыку и стихи для своих песен — настолько зрелыми и законченными они казались.

В ее короткой жизни было все: от личной неустроенности, скитаний и путешествий автостопом до головокружительного успеха. Неудивительно, что легенды о ней начали складываться еще при ее жизни, окружая певицу ореолом загадочности: будто бы она может разговаривать с духами умерших, была свидетельницей многих необычных явлений, верит в многократные перевоплощения... Ее смерть оказалась не менее таинственной — будучи еще совсем молодой, находясь на вершине славы, она трагически погибла при непонятных обстоятельствах, оставив после себя вдумчивые песни, то лиричные, то дерзкие, которые хочется слушать снова и снова.

СОДЕРЖАНИЕ:

Серия «Ваша тайна»

Дмитрий и Надежда Зима

ТАЙНА ИМЕНИ
ДИАГНОСТИКА КАРМЫ ИМЕНИ

Генеральный директор *С. М. Макаренков*
Художественное оформление: *П. Навдаев*
Компьютерная графика: *К. Корнеев, И. Бояринов, О. Бычкова*
Технический редактор *Е. Крылова*
Корректор *Н. Сидорина*

Подписано в печать с готовых диапозитивов 25.04.2002 г.
Формат 84х108/32. Гарнитура «Ньютон»
Печ. л. 20,0. Усл. печ. л. 33,6. Тираж 15 000 экз.
Заказ № 1078

Адрес электронной почты: ripol@info.ru
Страничка во «всемирной паутине»: www.ripol.ru

«РИПОЛ КЛАССИК»
125315, Москва, Амбулаторный 2 пр., д. 8, стр. 1, комн. 12
ЛР № 064925 от 16.01.97 г.

ИД «РИПОЛ КЛАССИК»
107140, Москва, Краснопрудная ул., д. 22а, стр. 1
Изд. лиц. № 04620 от 24.04.2001 г.

Отпечатано с готовых диапозитивов
во ФГУП ИПК «Ульяновский Дом печати»
432980, г. Ульяновск, ул. Гончарова, 14